GUNPOWER

PATRYK JANDA

HALF-TRACK vol. 2

AJ-PRESS

SPIS TREŚCI

TABLE OF CONTENTS

Szanowny Czytelniku,

W niniejszej monografii skupię się na ogólnym opisie udziału Half-Tracka w walkach toczonych podczas II wojny światowej oraz konfliktów po niej występujących. Aby szczegółowo opisać udział Half-Tracka w II wojnie światowej, należałoby przedstawić historię wszystkich operacji prowadzonych przez wojska alianckie, ponieważ Half-Track brał udział w każdej operacji prowadzonej na europejskim teatrze działań, jak również na Pacyfiku. Używany był zarówno przez wojska amerykańskie, brytyjskie, polskie, kanadyjskie, australijskie, brazylijskie i francuskie, jak również przez wojska sowieckie. Zdobycznymi Half-Trackami nie gardzili również Niemcy oraz Japończycy. Ponadto pokrótce przedstawię wersje rozwojowe Half-Tracka, które nie zostały opisane w pierwszej części monografii. Są to wersje eksperymentalne, które doczekały się jedynie prototypów, lub jak to miało miejsce w przypadku amfibii Half-Tracka, pozostały na deskach kreślarskich konstruktorów. Książkę zamyka rozdział modelarski, w którym omówione jest malowanie i oznakowanie stosowane na Half-Trackach. Ponadto przedstawione zostały modele Half-Tracków oraz zestawy akcesoriów przeznaczone do przedmiotowego pojazdu.

Autor

Dear Reader,

The following monograph will focus on the use of the Half-Track in combat during the Second World War and in conflicts which followed it. To describe the use of the Half-Track in the Second World War we should present the history of all Allied operations as the vehicle took part in every operation, both in the European and in the Pacific Theatres of Operations. The Half-Track was used by the American, British, Polish, Canadian, Australian, Brazilian and French as well as Soviet troops. Captured Half-Tracks were also used by the Germans and the Japanese. Additionally, the development variants of the Half-Track which were not mentioned in the first part of the monograph will be described. These include experimental variants built only as prototypes, as was the case with the Half-Track amphibious vehicles, and others, which never left the designers' drawing boards. Finally, the book is concluded with a modeller's corner describing the camouflage and markings used on Half-Tracks. In addition Half-Track model kits and accessory sets will be presented.

Author

Redaktor naczelny serii / Editor in chief ..... A. Jarski
Projekt okładki / Cover layout ..... A. Jarski, S. Zajączkowski
Plansze barwne / colour plates ..... S. Zajączkowski
Projekt graficzny serii / Series design & layout ..... K.B. Kwiatkowska
Redakcja / Editor ..... A. Jarski
Tłumaczenie / Translation ..... J. Głodek
Korekta / Proofreading ..... A. Jarski
Skład / DTP ..... AJ-PRESS
Druk / Printed by ..... BELTRANI
www.drukarniabeltrani.pl
30-717 Kraków
ul. Koszykarska 20B

Beltrani drukarnia offsetowa

PRINTED IN POLAND

Dystrybucja / Distributed by

AJ-PRESS
ul. Kościuszki 93/1
80-421 Gdańsk
(+48-58) 344-99-73
POLAND

PELTA s.c.
ul. Świętokrzyska 16
00-050 Warszawa
(+48-22) 828-57-78
(+48-22) 826-91-86
POLAND

IBG
ul. Benedykta Hertza 2
04-603 Warszawa
(48-22) 610-86-95
(48-22) 610-86-95
POLAND

INTERMODEL
267 24 Hostomice,
Nádražní 57
(+420)
311-584-825
CZECH REPUBLIC

JANTERPOL BOOKS
PO Box 5128
Studfield LPO,
VIC 3152
AUSTRALIA
http://janterpol.com/
Website/
janterpol@hotmail.com
Uwaga: wyłączność w Australii oraz Nowej Zelandii
Exclusive distribution in Australia and New Zealand

AIRCONNECTION
2624 Royal Windsor Dr.
Unit 4
Mississauga, ON
L5J 1K7 CANADA
(+1) 905 855-0016
(+1) 905 855-8224
www.airconnection.on.ca
sale@airconnection.on.ca
Uwaga: wyłączność w USA oraz Kanadzie
Exclusive distribution in USA and Canada

ISBN 978-83-7237-211-5

AJ•PRESS
ul. Kościuszki 93/1, 80-421 Gdańsk, Poland
(+48-58) 344-99-73
aj-press@home.pl http://aj-press.com

Half-Track, uniwersalny nosiciel uzbrojenia (cz. 2)

Half-Track — the universal weapon carrier (pt. 2)

Niniejszy rozdział stanowi kontynuację rozdziału o tym samym tytule z pierwszej części monografii. W rozdziale przedstawione są rysunki oraz zdjęcia poszczególnych, seryjnie produkowanych, uzbrojonych wersji Half-Tracka. Rozdział zamyka sylwetka specjalnej wersji Half-Tracka, która była używana przez generała Pattona. Rysunki przedmiotowego Half-Tracka w skali 1:35, publikowane są po raz pierwszy, co stanowi wyjątkową atrakcję dla modelarzy.

Nie wyczerpuje to wszystkich wariantów tego pojazdu, gdyż częstokroć były one dziełem inwencji żołnierzy i istniały przeważnie tylko w jednym egzemplarzu. Można to prześledzić analizując zamieszczone w publikacji zdjęcia.

The following chapter is a continuation of the chapter bearing the same title in the first part of the monograph. In this chapter drawings and photographs of mass produced armed variants o the Half-Track are presented. The chapter is concluded with drawings of the vehicle used by General Patton. These 1:35 scale drawings of the Half-Track are published for the first time and are a real treat for scale modellers.

These of course, were not all of the vehicle variants; many other were the one of a kind result of the soldiers' creativity. We can trace their history by analysing the photographs presented in this monograph.

▼ Half-Track 81 mm Mortar Carrier M4A1. Doskonale widoczne szczegóły i elementy konstrukcyjne przedziału bojowego. Uwagę zwraca bardzo mała ilość miejsca dla załogi pojazdu. / US Army

▼ *Half-Track 81 mm Mortar Carrier M4A1. The details and the structure of the crew compartment are visible. Note the cramped crew space inside the vehicle. / US Army*

▼ Tylna część Half-Tracka M21. Doskonale widoczne rozkładane półki na dodatkowy sprzęt oraz płyta oporowa do moździerza kalibru 81 mm, tak aby można go było rozstawić po za pojazdem. / US Army

▼ *Rear part of Half-Track M21. Folding racks for additional equipment and the 81 mm mortar base plate used to set up the weapon outside the vehicle are visible. / US Army*

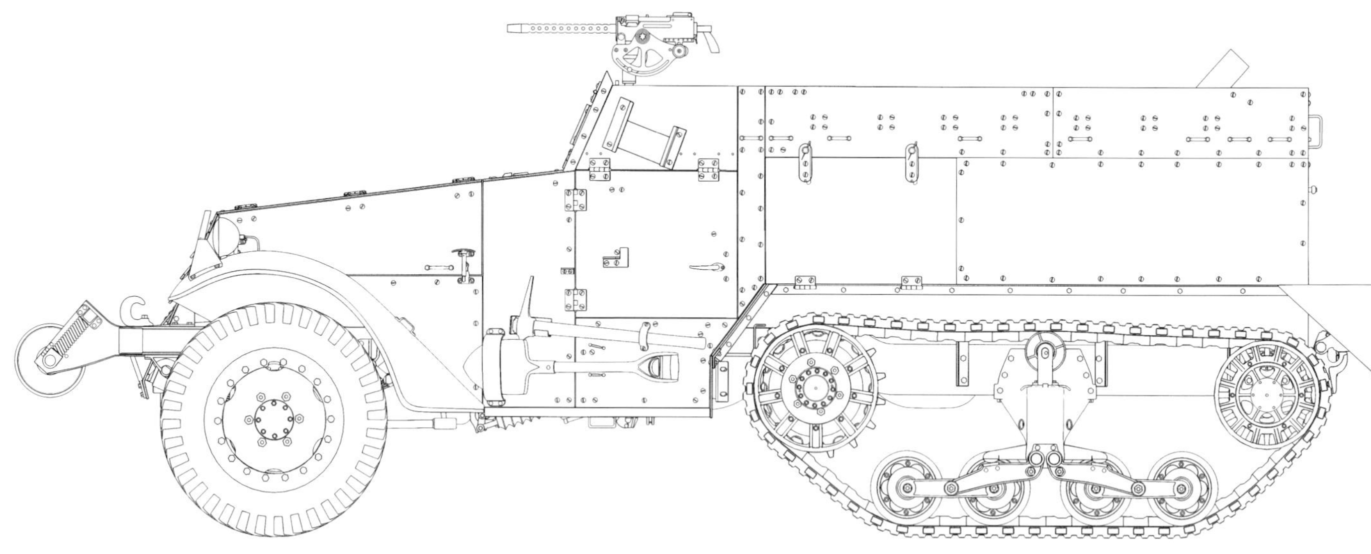

Opracował i rysował
Drawn and traced by
Sławomir Zajączkowski

skala 1:35 *scale*

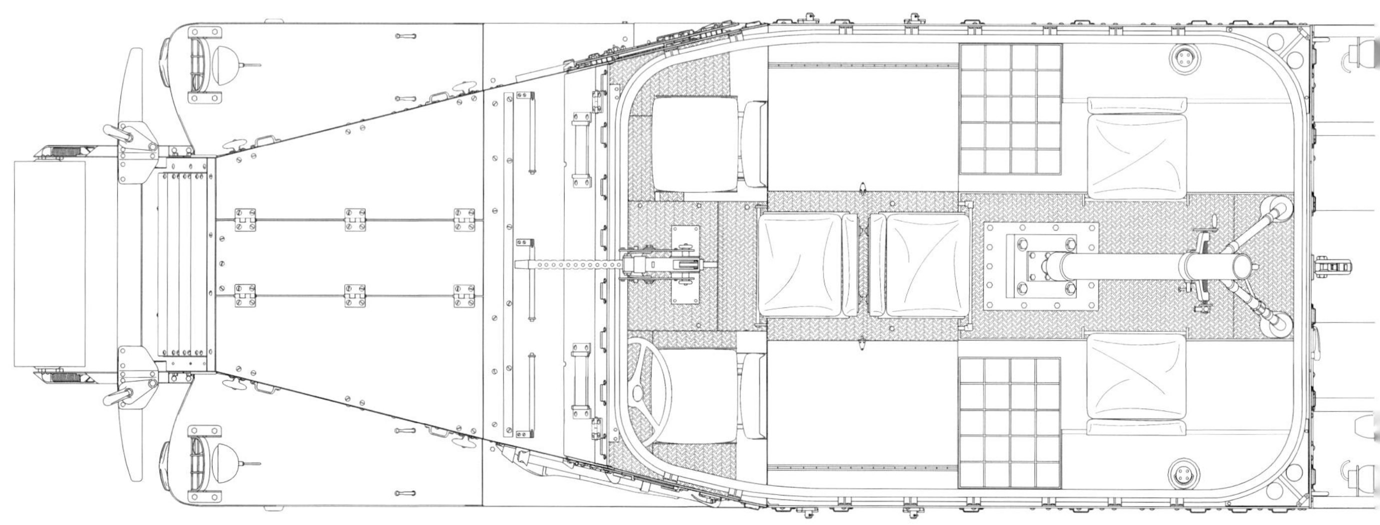

Half-Track M4 81 mm Mortar Carrier pochodzący ze środkowego okresu produkcyjnego. Pojazd, w stosunku do wersji z wczesnego okresu produkcyjnego, posiada inaczej zagospodarowane wnętrze przedziału bojowego. Usunięte zostały schowki na amunicję do moździerza z tylnej części przedziału transportowego. Zapas pocisków kalibru 81 mm przewożonych przez Half-Tracka M4 wynosił 96 sztuk. Dodatkowo pojazd uzbrojony jest w karabin maszynowy Browning M1919A4 kalibru 7,62 mm. Karabin za pomocą łoża M35 przymocowany jest do specjalnej szyny ślizgowej (skate-rail) biegnącej wzdłuż wewnętrznych krawędzi ścian pojazdu.

0 1 2 3 m

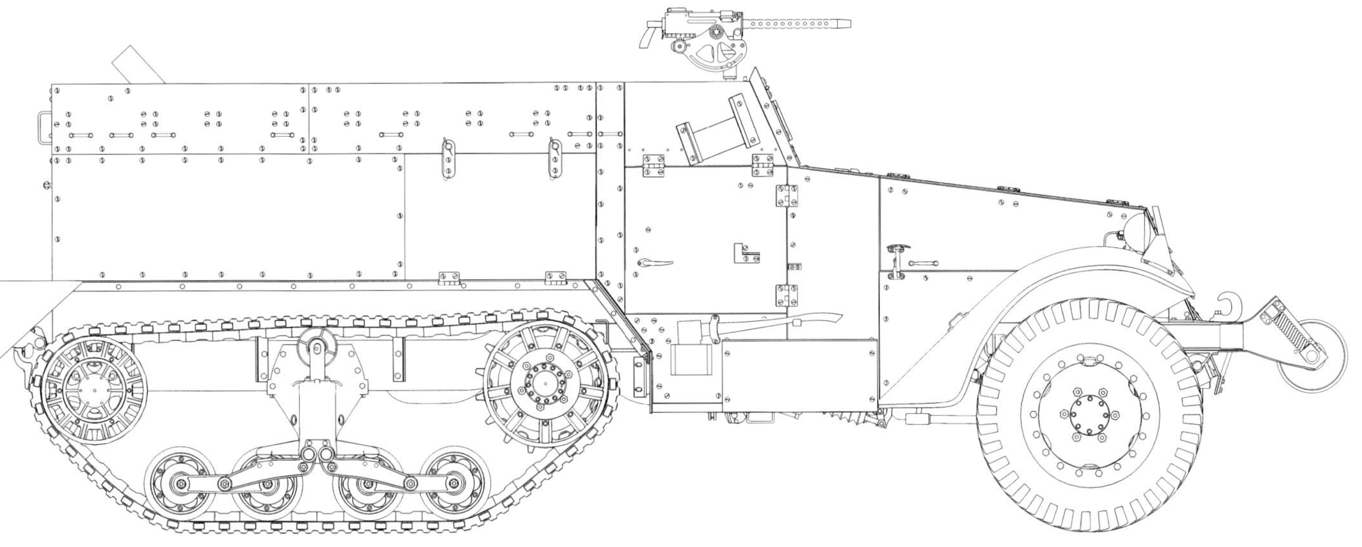

Opracował i rysował
Drawn and traced by
Sławomir Zajączkowski

skala 1:35 *scale*

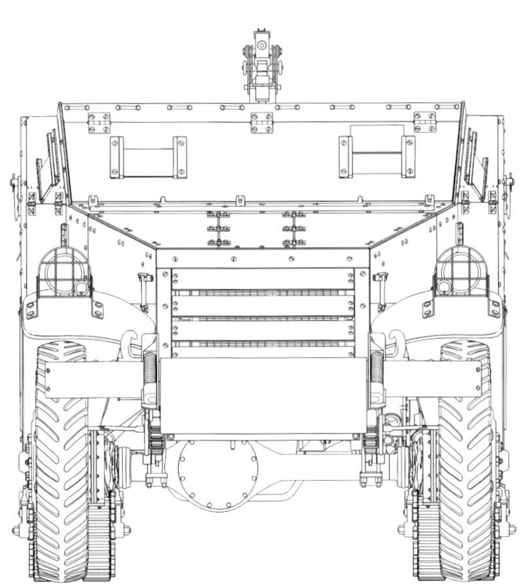

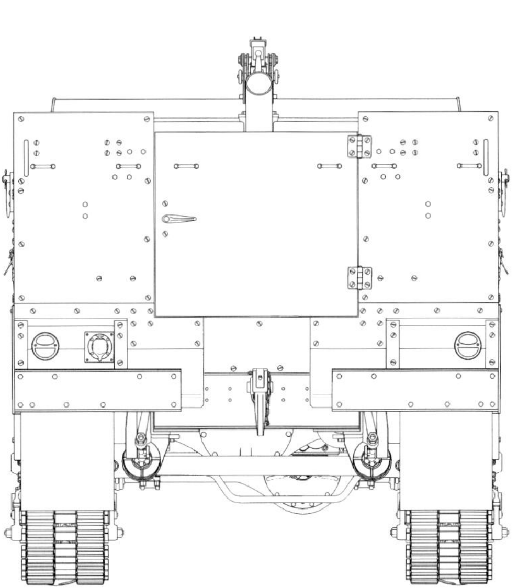

Middle production Half-Track M4 81 mm Mortar Carrier. Compared to the early production versions this vehicle has a rearranged interior of the crew compartment. Ammunition lockers were removed from the rear part of the compartment. The Half-Track M4 carried 96 rounds for the 81 mm mortar. Additionally the vehicle is armed with a Browning M1919A4 7.62 mm (0.30) machine gun. The machine gun is attached to the skate-rail, installed around the inside of the armour plate edges, using a M35 mount.

0 1 2 3 m

Opracował i rysował
Drawn and traced by
Sławomir Zajączkowski

skala 1:35 *scale*

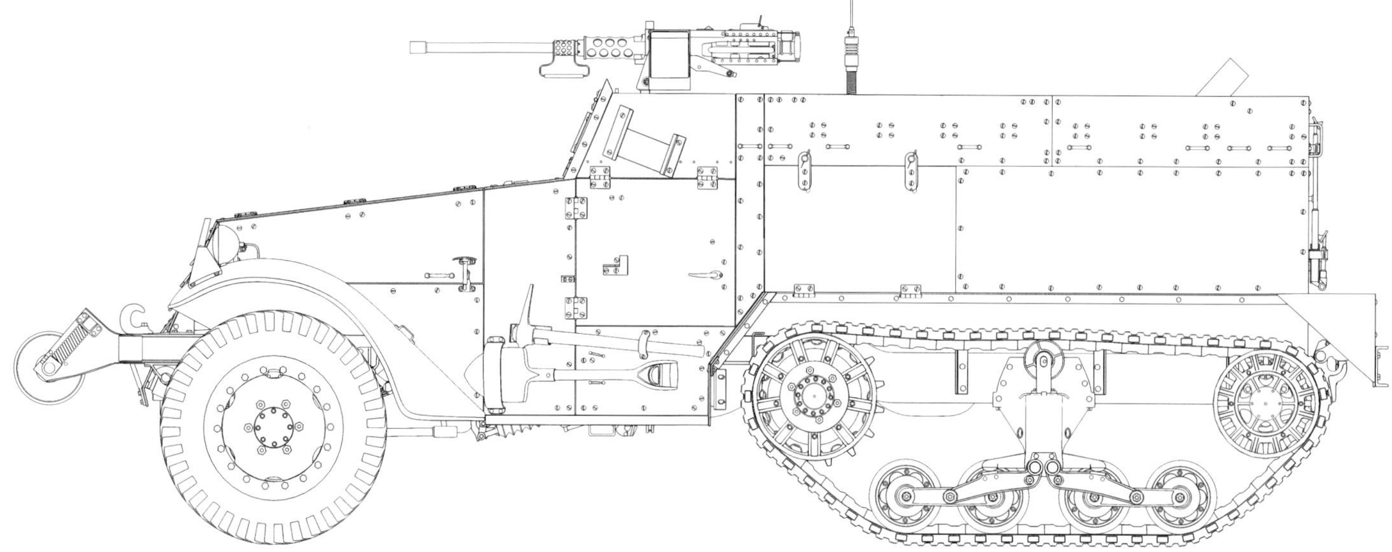

Half-Track M4 81 mm Mortar Carrier pochodzący z wczesnego okresu produkcyjnego. Pojazd wyposażony w schowki, umożliwiające przewożenie 112 pocisków kalibru 81 mm zasilających zainstalowany w pojeździe moździerz. Kąt podniesienia lufy moździerza, gdy znajdował się w pojeździe, wynosił od +40° do +80°. Natomiast zakres ruchu lufy w poziomie to 14° w prawo i lewo. Jednakże prowadzenie ognia z wnętrza pojazdu mogło nastąpić tylko w nagłej, awaryjnej sytuacji. Pierwsze Half-Tracki przewożące moździerze nie były konstrukcyjnie przystosowane do prowadzenia ognia z moździerza, gdy ten znajdował się w pojeździe. Załoga po osiągnięciu wyznaczonego stanowiska ogniowego, powinna rozstawić moździerz po za pojazdem z wykorzystaniem standardowej podstawy. Half-Track wyposażony w zestaw radiostacji SCR-510, znajdujący się na prawym, przednim schowku na amunicję kalibru 81 mm. Ponadto pojazd uzbrojony w wielkokalibrowy karabin maszynowy Browning M2HB kalibru 12,7 mm.

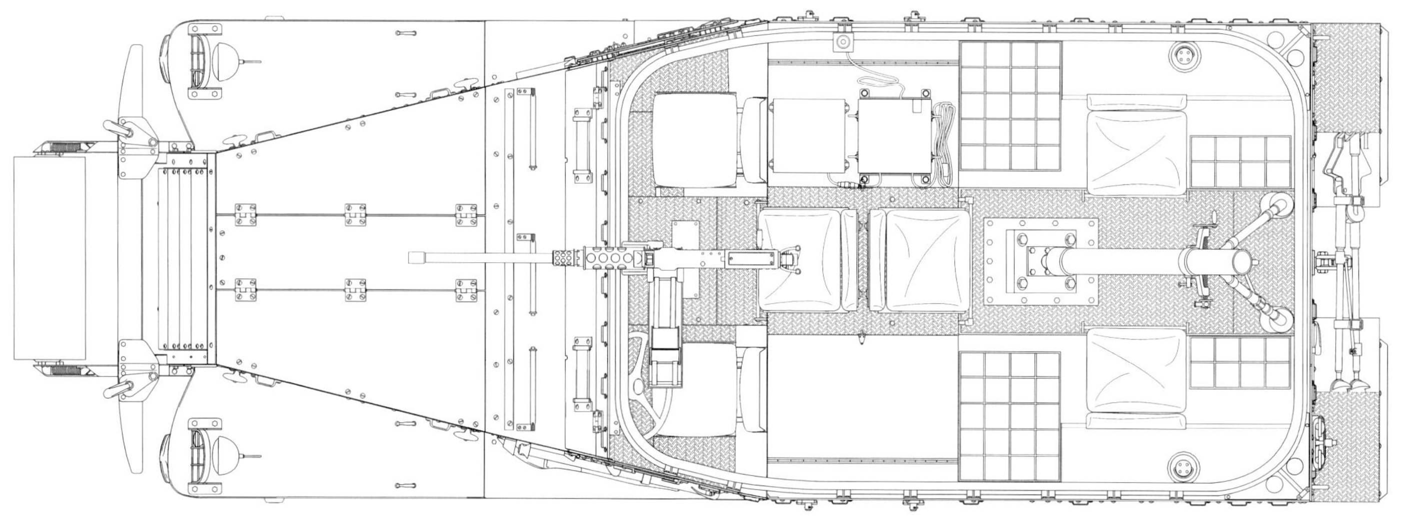

0 1 2 3 m

Opracował i rysował
Drawn and traced by
Sławomir Zajączkowski

skala 1:35 *scale*

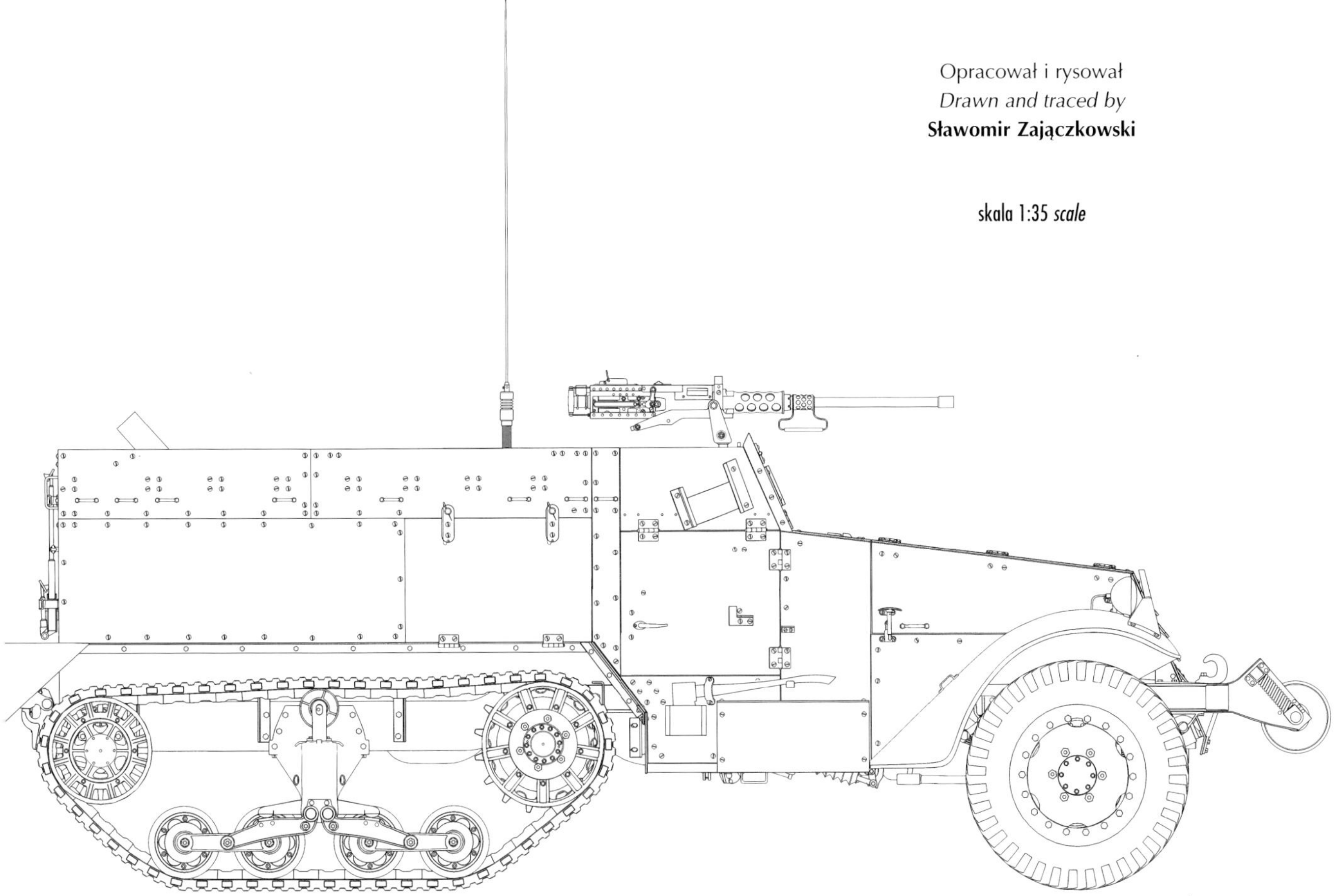

Early production Half-Track M4 81 mm Mortar Carrier. The vehicle is equipped with additional ammunition lockers which allow it to carry 112 rounds for the 81 mm mortar installed inside. The angle of elevation of the mortar was +40° to +80°. The mortar could traverse 14° to the left and to the right. However firing from inside the vehicle was practiced only in extreme situations. The first mortar carrying Half-Tracks were not prepared to fire them from inside the vehicle. After reaching the designated firing position the crew had to set up the mortar outside the vehicle using a standard mortar base. This Half-Track is equipped with a SCR-510 radio transceiver located on the front-right 81 mm ammunition locker. The vehicle is armed with a Browning M2HB 12.7 mm heavy machine gun.

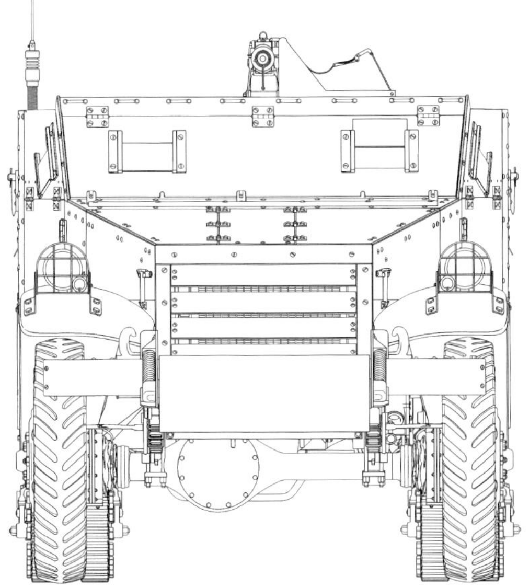

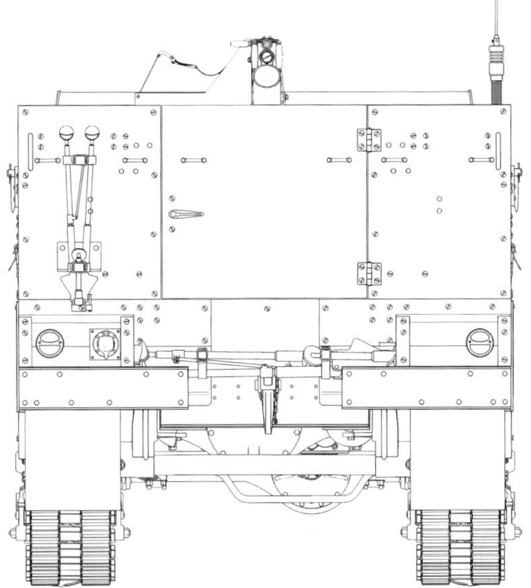

Half-Track M4 81 mm Mortar Carrier pochodzący z późnego okresu produkcyjnego. Doskonale widoczny stelaż pod dach oraz rozłożony brezentowy dach. Half-Track M4 81 mm Mortar Carrier jest oparty na pojeździe Half-Track Car M2. Jedyną cechą różniącą oba pojazdy to są drzwi prowadzące do przedziału bojowego Half-Tracka M4, znajdujące się na tylnej płycie pancernej pojazdu. Drzwi miały na celu ułatwić załadunek amunicji do moździerza oraz ułatwić demontaż i montaż moździerza w Half-Tracku.

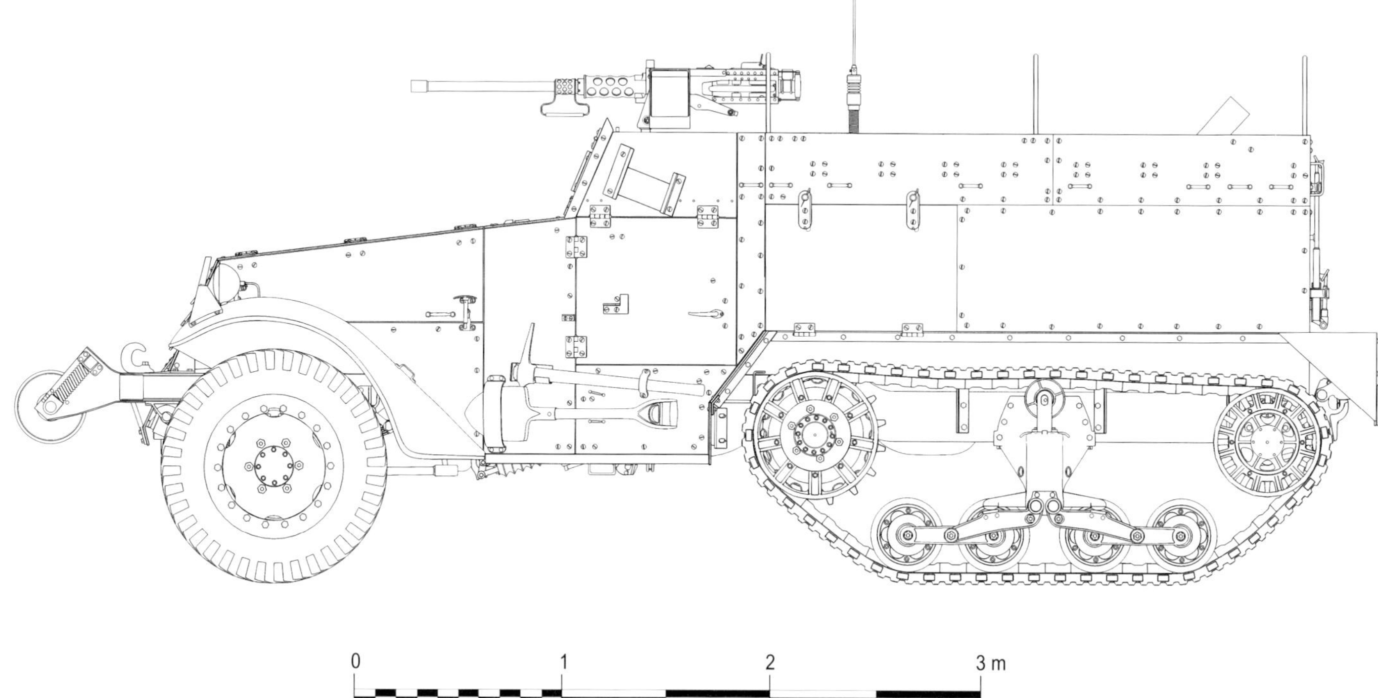

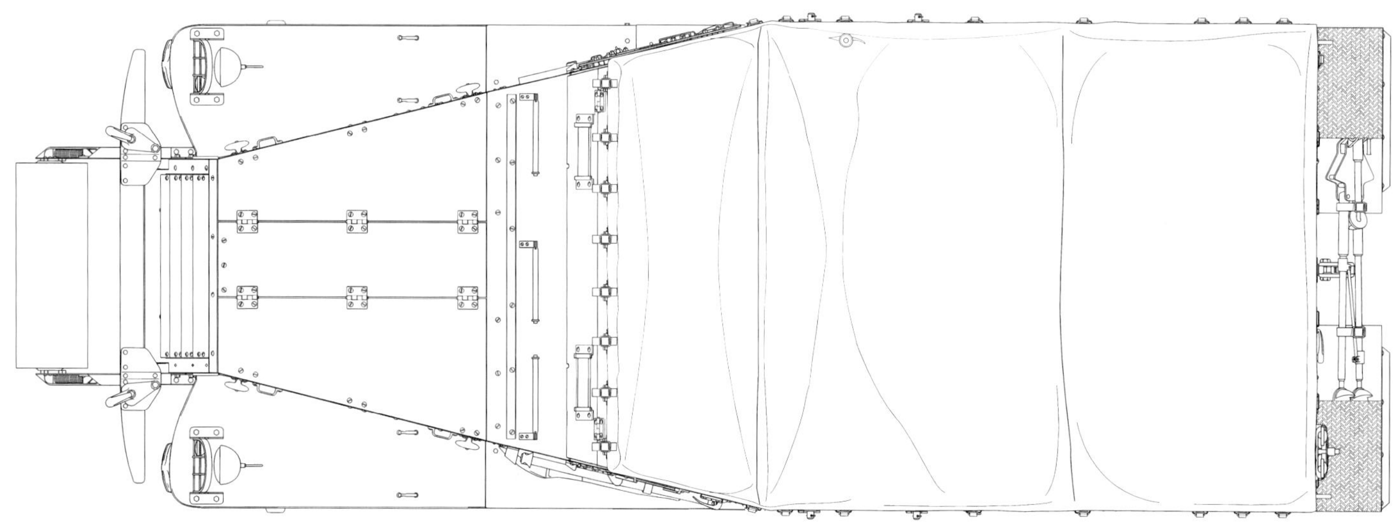

Opracował i rysował
Drawn and traced by
Sławomir Zajączkowski

skala 1:35 *scale*

Late production Half-Track M4 81 mm Mortar Carrier. The frame construction of the canvas roof is visible. The Half-Track M4 81 mm Mortar Carrier was built based on the Half-Track Car M2 chassis. The only difference between the two variants was the door in the rear armour plate of the Half-Track M4. The door allowed for easier loading of ammunition and to facilitate the installation of the mortar inside the Half-Track.

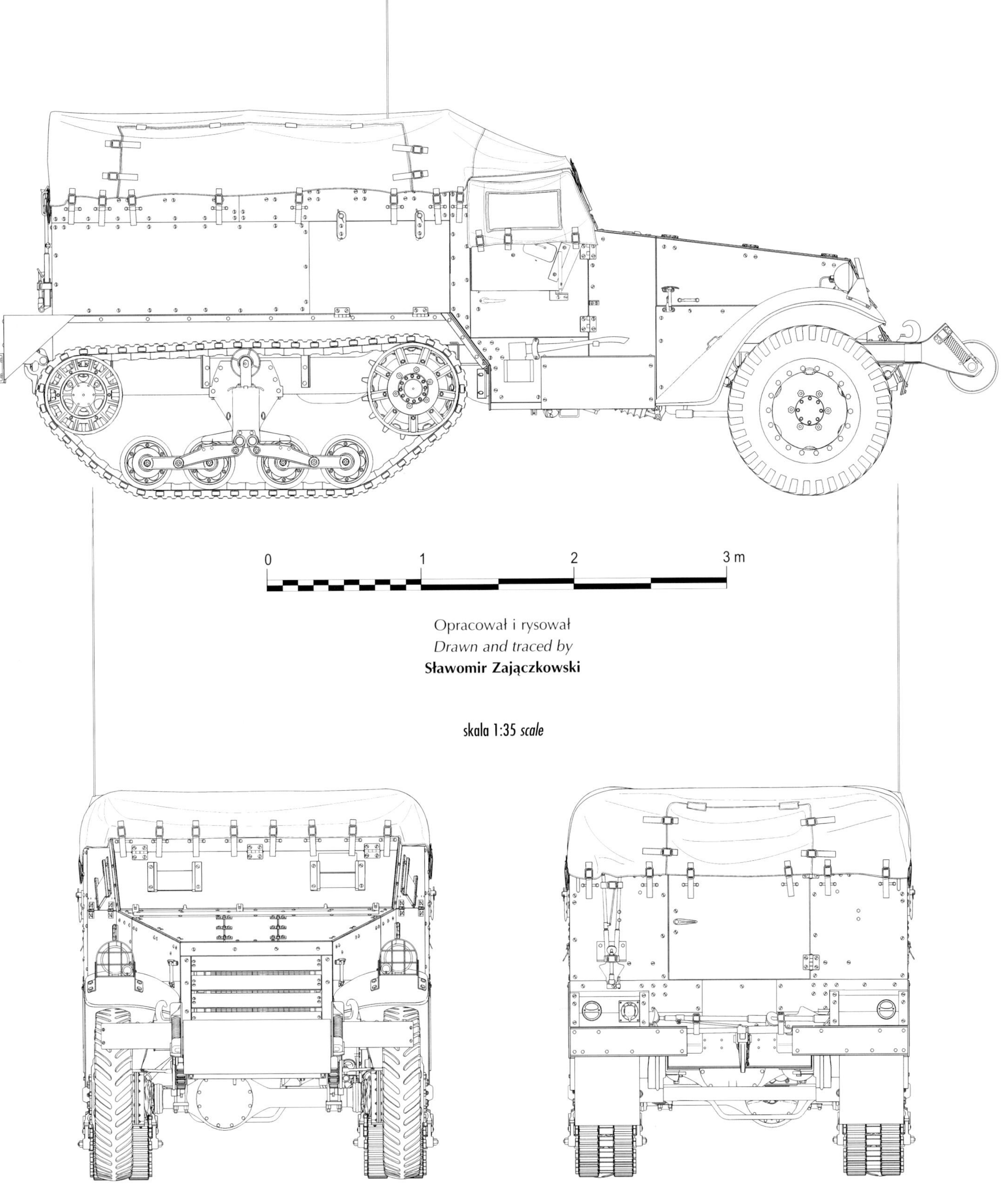

Opracował i rysował
Drawn and traced by
Sławomir Zajączkowski

skala 1:35 *scale*

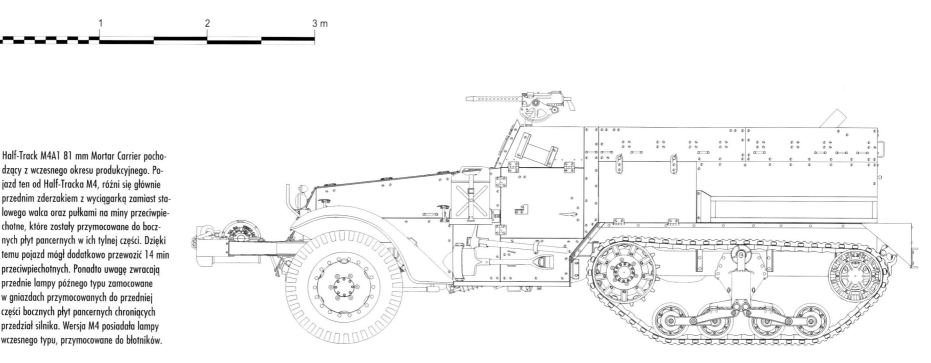

0 1 2 3 m

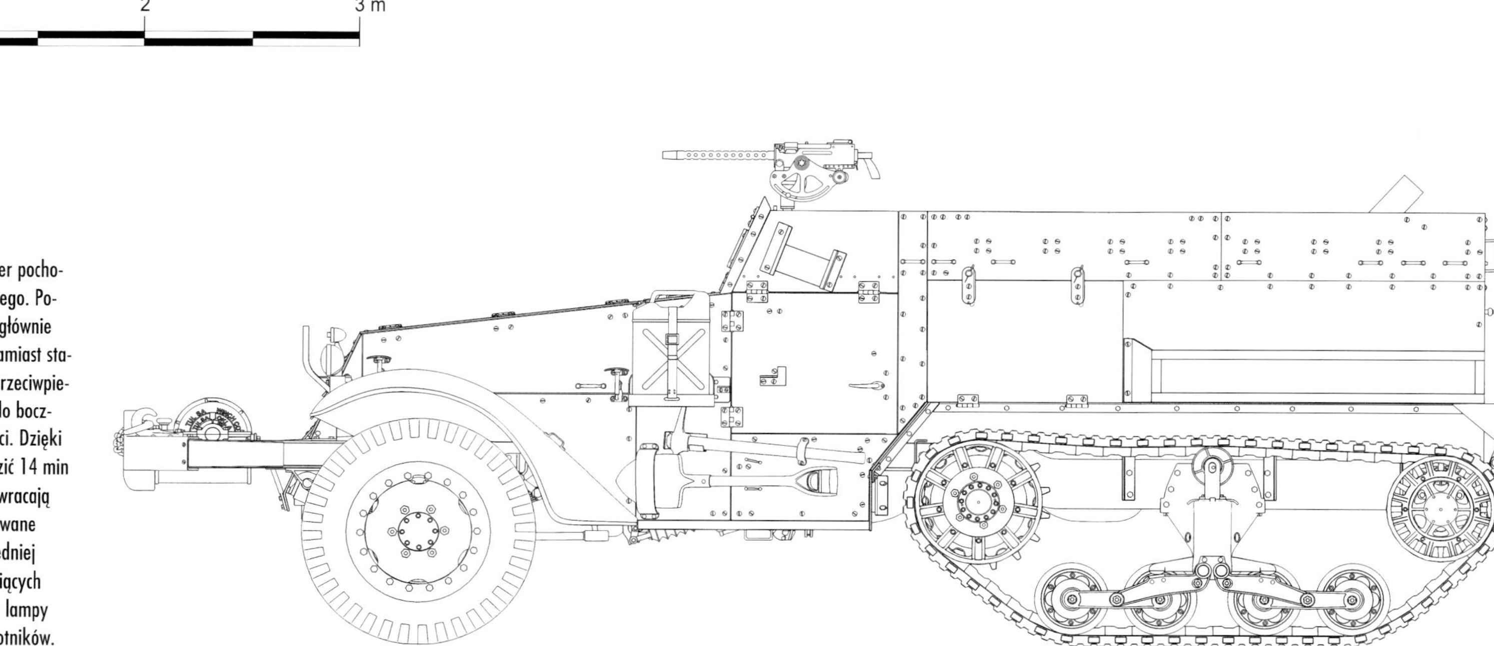

Half-Track M4A1 81 mm Mortar Carrier pochodzący z wczesnego okresu produkcyjnego. Pojazd ten od Half-Tracka M4, różni się głównie przednim zderzakiem z wyciągarką zamiast stalowego walca oraz pułkami na miny przeciwpiechotne, które zostały przymocowane do bocznych płyt pancernych w ich tylnej części. Dzięki temu pojazd mógł dodatkowo przewozić 14 min przeciwpiechotnych. Ponadto uwagę zwracają przednie lampy późnego typu zamocowane w gniazdach przymocowanych do przedniej części bocznych płyt pancernych chroniących przedział silnika. Wersja M4 posiadała lampy wczesnego typu, przymocowane do błotników.

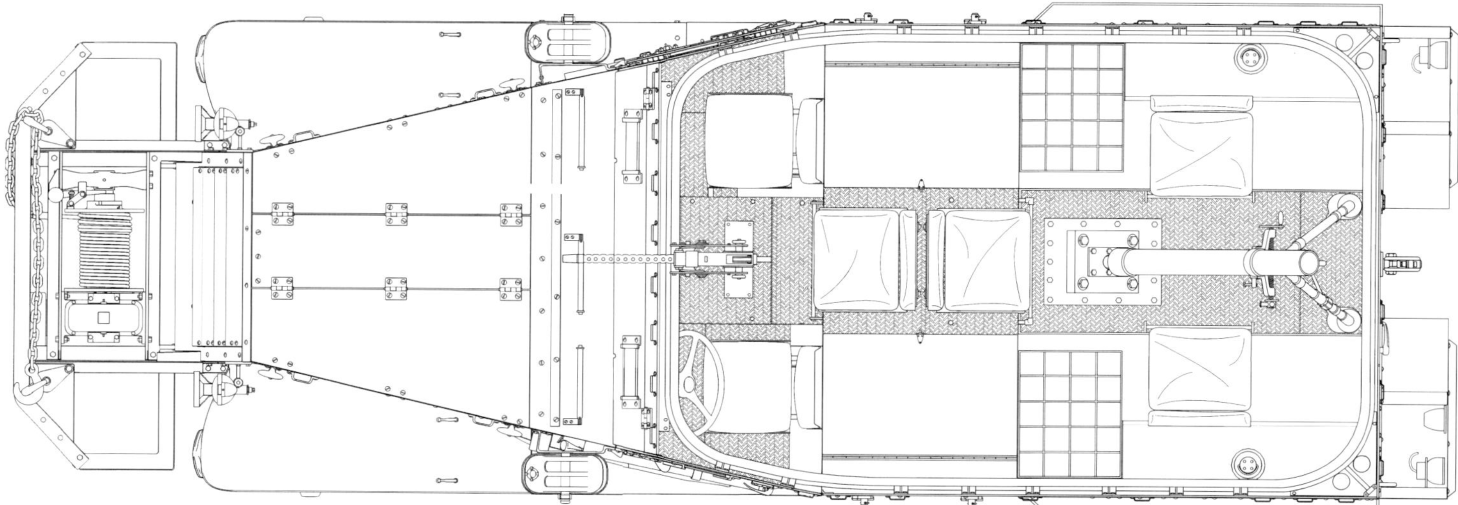

Opracował i rysował
Drawn and traced by
Sławomir Zajączkowski

skala 1:35 *scale*

Early production Half-Track M4A1 81 mm Mortar Carrier. The biggest difference between the M4 and the M4A1 variants was that the former was equipped with a steel roller, while the latter had a winch installed instead and had additional mine racks welded to the rear parts of the side armour plates. Therefore the vehicle could carry 14 anti--personnel mines. The late type headlights are attached to the front part of the engine compartment's side armour plates. The M4 variant used early type headlights attached to the fenders.

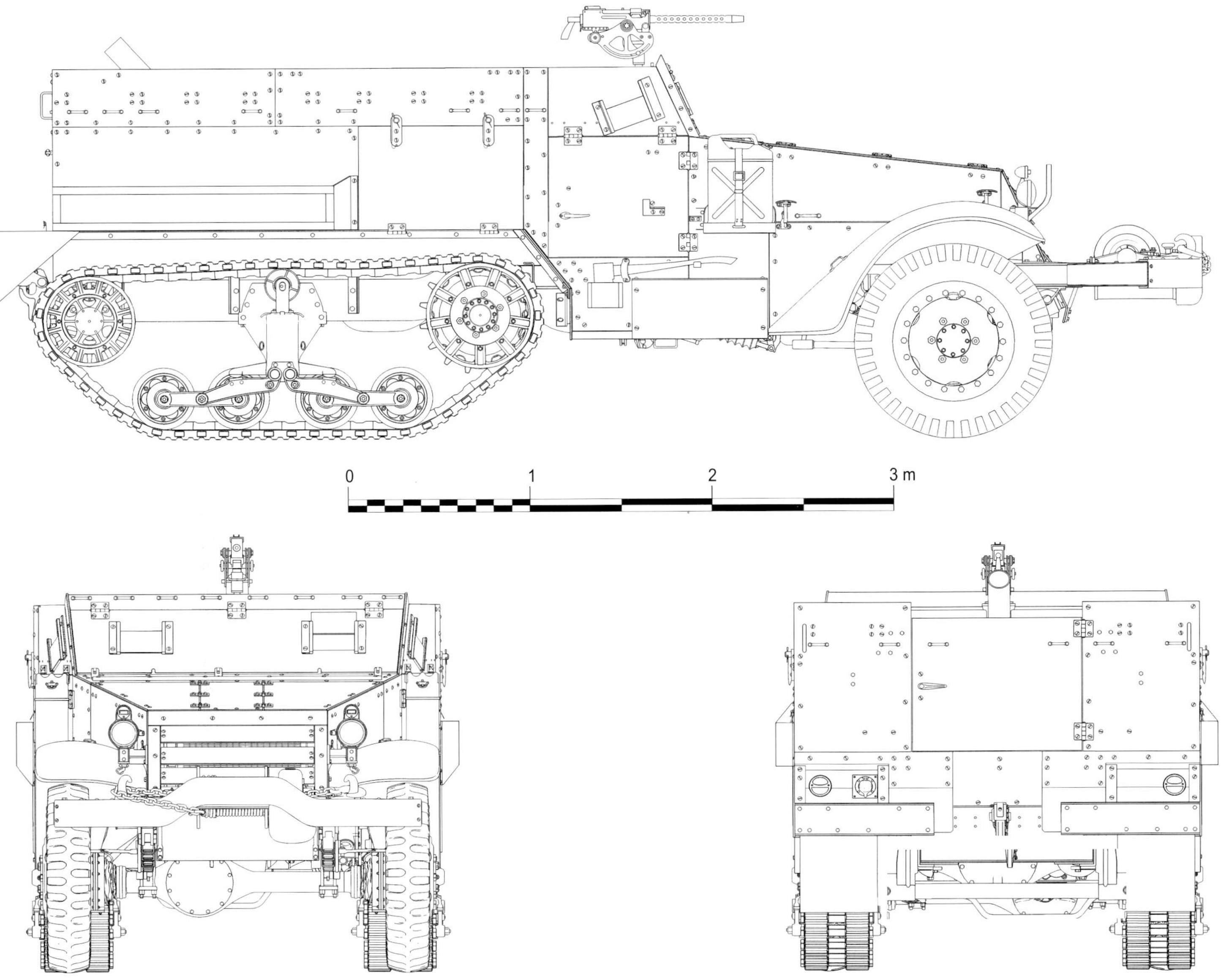

Opracował i rysował
Drawn and traced by
Sławomir Zajączkowski

skala 1:35 *scale*

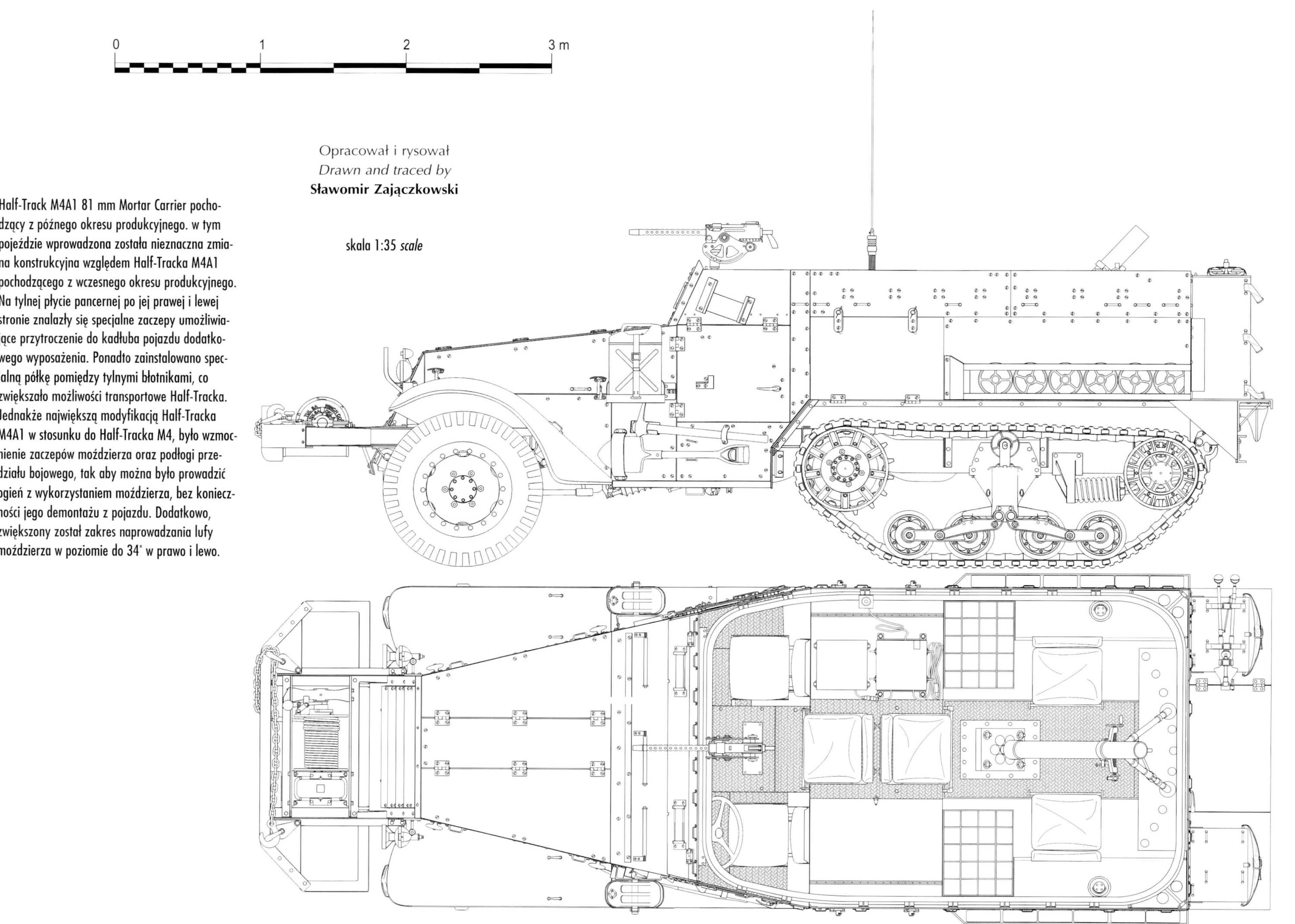

Opracował i rysował
Drawn and traced by
Sławomir Zajączkowski

skala 1:35 *scale*

Half-Track M4A1 81 mm Mortar Carrier pochodzący z późnego okresu produkcyjnego. w tym pojeździe wprowadzona została nieznaczna zmiana konstrukcyjna względem Half-Tracka M4A1 pochodzącego z wczesnego okresu produkcyjnego. Na tylnej płycie pancernej po jej prawej i lewej stronie znalazły się specjalne zaczepy umożliwiające przytroczenie do kadłuba pojazdu dodatkowego wyposażenia. Ponadto zainstalowano specjalną półkę pomiędzy tylnymi błotnikami, co zwiększało możliwości transportowe Half-Tracka. Jednakże największą modyfikacją Half-Tracka M4A1 w stosunku do Half-Tracka M4, było wzmocnienie zaczepów moździerza oraz podłogi przedziału bojowego, tak aby można było prowadzić ogień z wykorzystaniem moździerza, bez konieczności jego demontażu z pojazdu. Dodatkowo, zwiększony został zakres naprowadzania lufy moździerza w poziomie do 34° w prawo i lewo.

0 1 2 3 m

Late production Half-Track M4A1 81 mm Mortar Carrier. This vehicle had minor modifications as compared to an early Half-Track M4A1. The rear armour plate had additional hooks on its left and right sides, which allowed for transporting additional equipment attached to the vehicle hull. Also a rack was installed between the rear fenders which allowed the Half-Track to carry even more equipment. The biggest difference between the M4 and the M4A1 variants however, were the improved attachment points for the mortar inside the crew compartment which allowed for firing the weapon from inside the vehicle. Additionally the mortar's traverse was increased to 34° to the right and left.

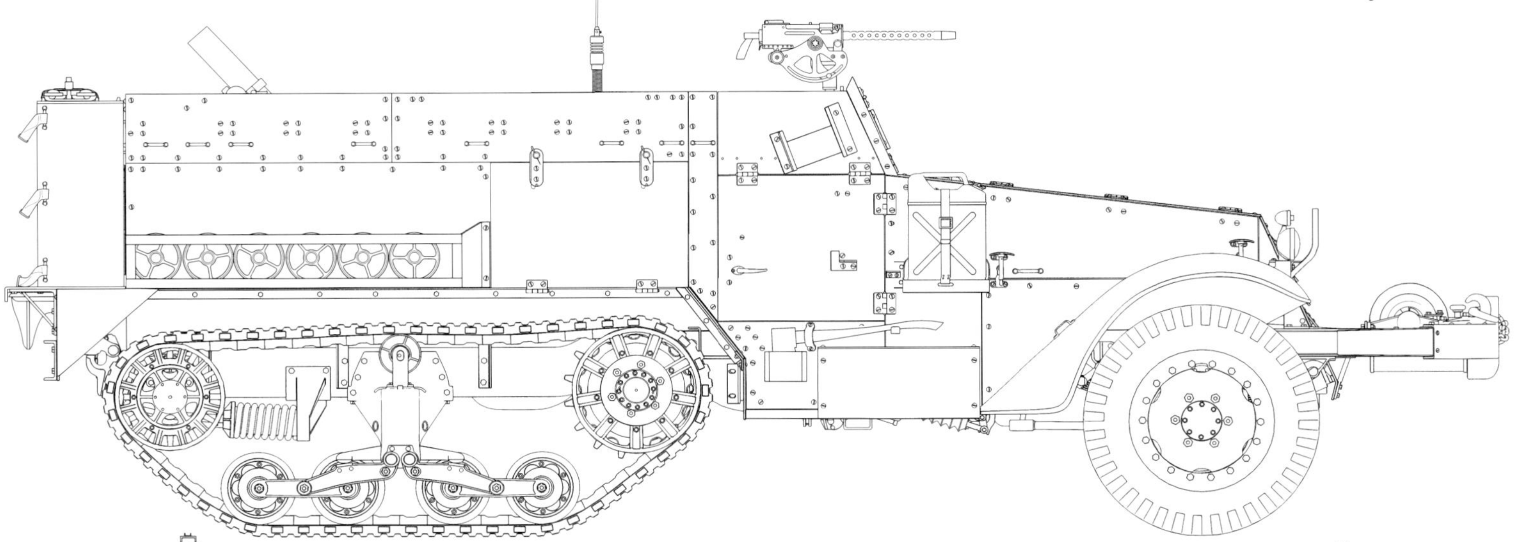

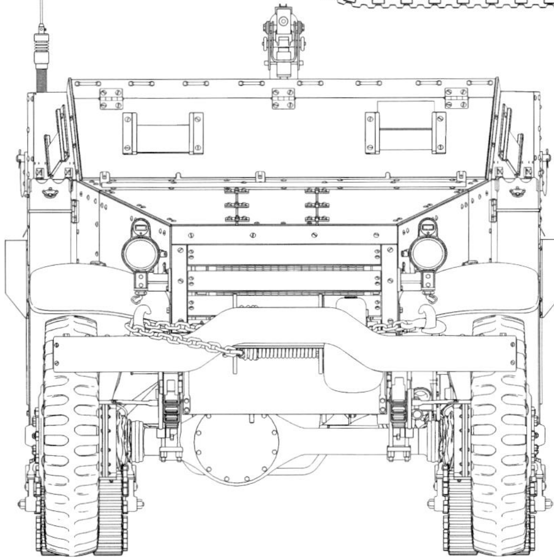

Opracował i rysował
Drawn and traced by
Sławomir Zajączkowski

skala 1:35 *scale*

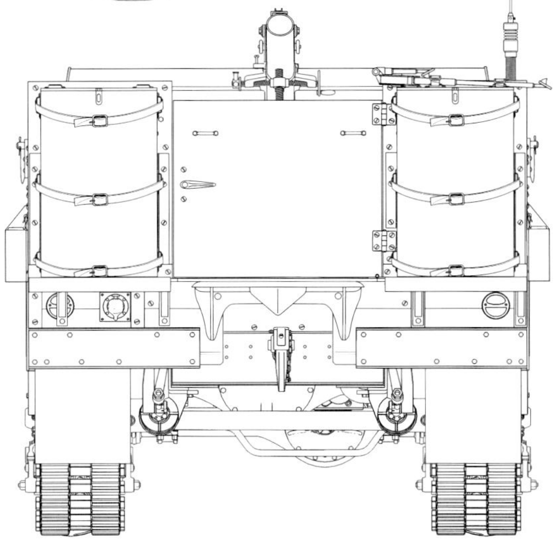

◀ M4 Half-Track Mortar Motor Carrier wchodzący w skład 41st Armored Infantry, 2nd Armored Division. Cechą charakterystyczną wszystkich Half-Tracków M4 znajdujących się na wyposażeniu 2nd Armored Division, był fakt, że wnętrza przedziału bojowego było tak zmienione, aby wylot lufy moździerza skierowany był w kierunku przodu pojazdu a nie do tyłu jak miało to miejsce w przypadku fabrycznych pojazdów. / NARA

◀ *M4 Half-Track Mortar Motor Carrier of the 41st Armored Infantry, 2nd Armored Division. The Half-Tracks M4 used by the 2nd Armored Division had their interiors altered in such way that the mortar barrel was facing the front of the vehicle and not the back as was the case with standard vehicles. / NARA*

▼ Half-Track 81 mm Mortar Carrier M4A1 o numerze seryjnym 1945, widok z lewej strony. Pojazd z późnego okresu produkcyjnego. Schowki na miny przeciwpancerne M1A1 umożliwiały przewóz 14 min. / NARA

▼ *Half-Track 81 mm Mortar Carrier M4A1 serial no. 1945, left side view. Late production vehicle. The M1A1 anti-tank mine rack allowed to carry 14 mines. / NARA*

▼ Half-Track 81 mm Mortar Carrier M4A1 widok z prawej strony. Doskonale widoczny karabin maszynowy Browning M1919A4 kalibru 7,62 mm. / NARA

▼ *Half-Track 81 mm Mortar Carrier M4A1 right side view. The Browning M1919A4 7.62 mm machine gun is visible. / NARA*

◀ Half-Track Mortar Carrier M4, podczas szkolenia poligonowego. Uwagę zwracają granaty do moździerza zapakowane w kartonowe tuby. Ponadto zdjęcie doskonale przedstawia ciasnotę panującą w przedziale bojowym pojazdu. / NARA

◀ *Half-Track Mortar Carrier M4 during field exercises. Note the mortar rounds packed in cardboard tubes. The photographs show how cramped the crew compartment was. / NARA*

▲ M4 Half-Track Mortar Motor Carriage, widok od przodu. Doskonale widoczny moździerz kalibru 81 mm. Pojazd wchodzący w skład 2nd Armored Division z okresu kampanii w Normandii w 1944 roku. / NARA

▲ *M4 Half-Track Mortar Motor Carriage, top view. The 81 mm mortar is clearly visible. This vehicle belonged to the 2nd Armored Division and was used during the Normandy campaign in 1944. / NARA*

▼ Half-Track 81 mm Mortar Carrier M21, widok z prawej strony z późnego okresu produkcyjnego. Pojazd wyposażony w wyciągarkę znajdującą się w przednim zderzaku. Uwagę zwraca wielkokalibrowy karabin maszynowy Browning M2HB kalibru 12,7 mm. / NARA

▼ *Late production Half-Track 81 mm Mortar Carrier M21, right side view. The vehicle is equipped with a winch installed in the front bumper. Note the Browning M2HB 12.7 mm heavy machine gun. / NARA*

▲ Half-Track 81 mm Mortar Carrier M21, widok z lewej strony z późnego okresu produkcyjnego. Doskonale widoczne dodatkowe zaczepy pod dodatkowy ekwipunek, znajdujące się nad schowkiem na miny oraz na tylnej płycie pancernej pojazdu. Na błotniku widoczna podstawa trójnożna pod karabin maszynowy M2HB. / NARA

▲ *Half-Track 81 mm Mortar Carrier M21, late production vehicle, left side view. The additional stowage attachment points are located above the mine racks and on the rear armour plate. On the front fender a tripod for the M2HB heavy machine gun is attached. / NARA*

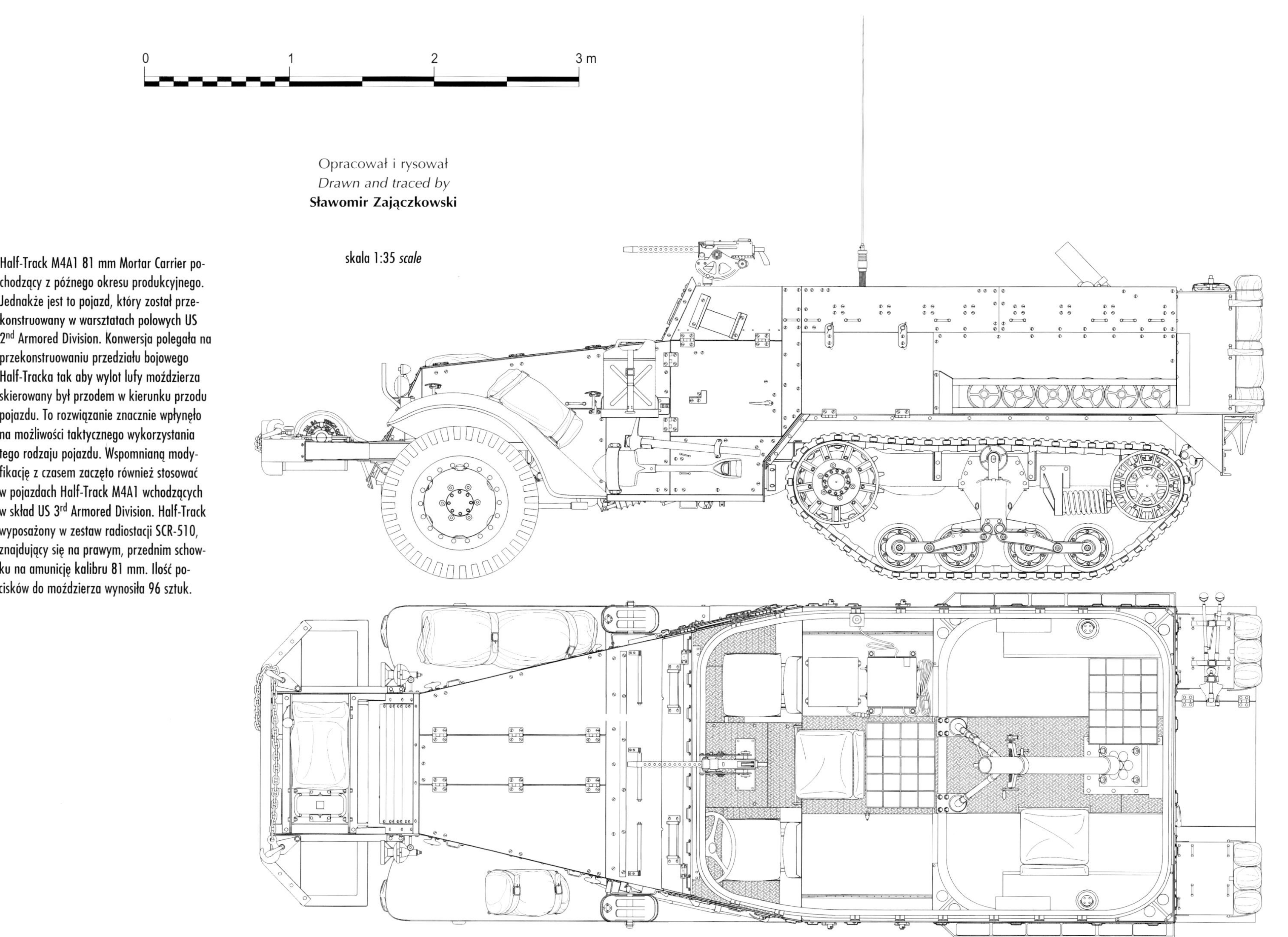

Opracował i rysował
Drawn and traced by
Sławomir Zajączkowski

skala 1:35 *scale*

Half-Track M4A1 81 mm Mortar Carrier pochodzący z późnego okresu produkcyjnego. Jednakże jest to pojazd, który został przekonstruowany w warsztatach polowych US 2nd Armored Division. Konwersja polegała na przekonstruowaniu przedziału bojowego Half-Tracka tak aby wylot lufy moździerza skierowany był przodem w kierunku przodu pojazdu. To rozwiązanie znacznie wpłynęło na możliwości taktycznego wykorzystania tego rodzaju pojazdu. Wspomnianą modyfikację z czasem zaczęto również stosować w pojazdach Half-Track M4A1 wchodzących w skład US 3rd Armored Division. Half-Track wyposażony w zestaw radiostacji SCR-510, znajdujący się na prawym, przednim schowku na amunicję kalibru 81 mm. Ilość pocisków do moździerza wynosiła 96 sztuk.

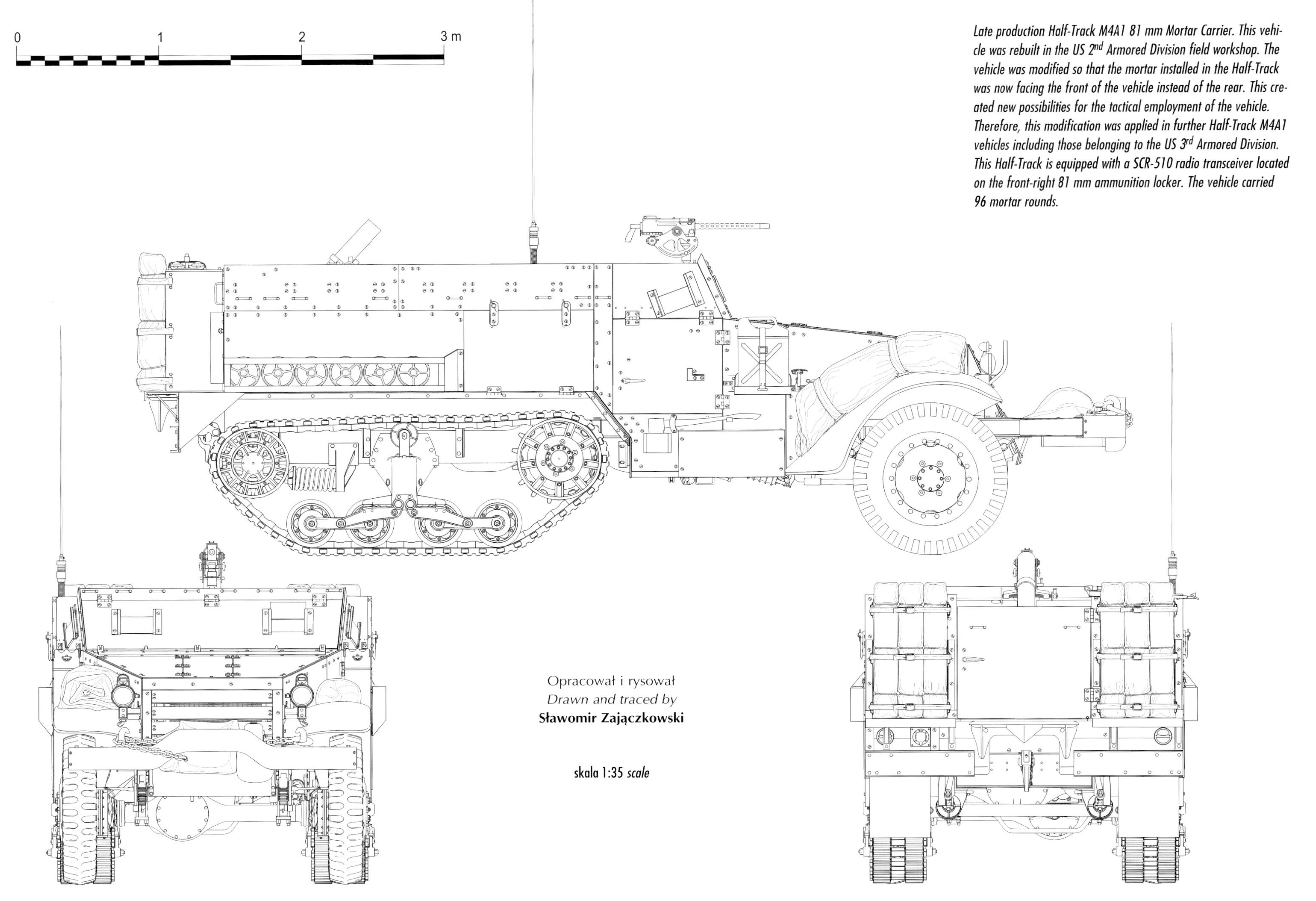

Late production Half-Track M4A1 81 mm Mortar Carrier. This vehicle was rebuilt in the US 2nd Armored Division field workshop. The vehicle was modified so that the mortar installed in the Half-Track was now facing the front of the vehicle instead of the rear. This created new possibilities for the tactical employment of the vehicle. Therefore, this modification was applied in further Half-Track M4A1 vehicles including those belonging to the US 3rd Armored Division. This Half-Track is equipped with a SCR-510 radio transceiver located on the front-right 81 mm ammunition locker. The vehicle carried 96 mortar rounds.

Half-Track M21 81 mm Mortar Carrier pochodzący z wczesnego okresu produkcyjnego. Pojazd ten został zbudowany w oparciu o pojazd Half-Track Personnel Carrier M3. Charakterystyczną cechą wszystkich Half-Tracków M21 był fakt zamontowania moździerza w przedziale bojowym, wylotem lufy w stronę przodu pojazdu oraz wzmocnienie jego zaczepów i podłogi pojazdu tak, aby możliwe było prowadzenie ognia z wykorzystaniem moździerza z wnętrza pojazdu. Uwagę zwracają również pułki na miny przeciwpiechotne, które są przymocowane do bocznych płyt pancernych pojazdu oraz cokół na którym osadzony jest wielkokalibrowy karabin maszynowy M2HB kalibru 12,7 mm.

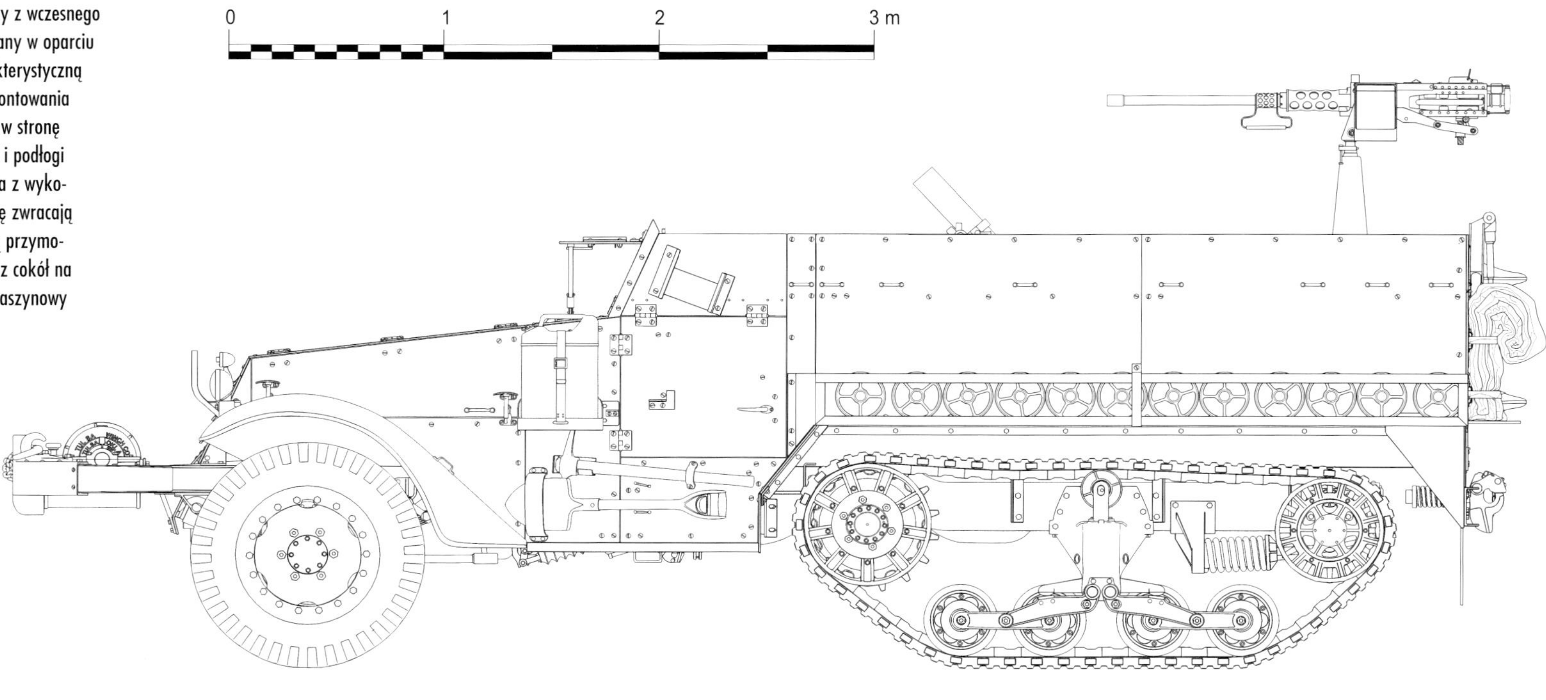

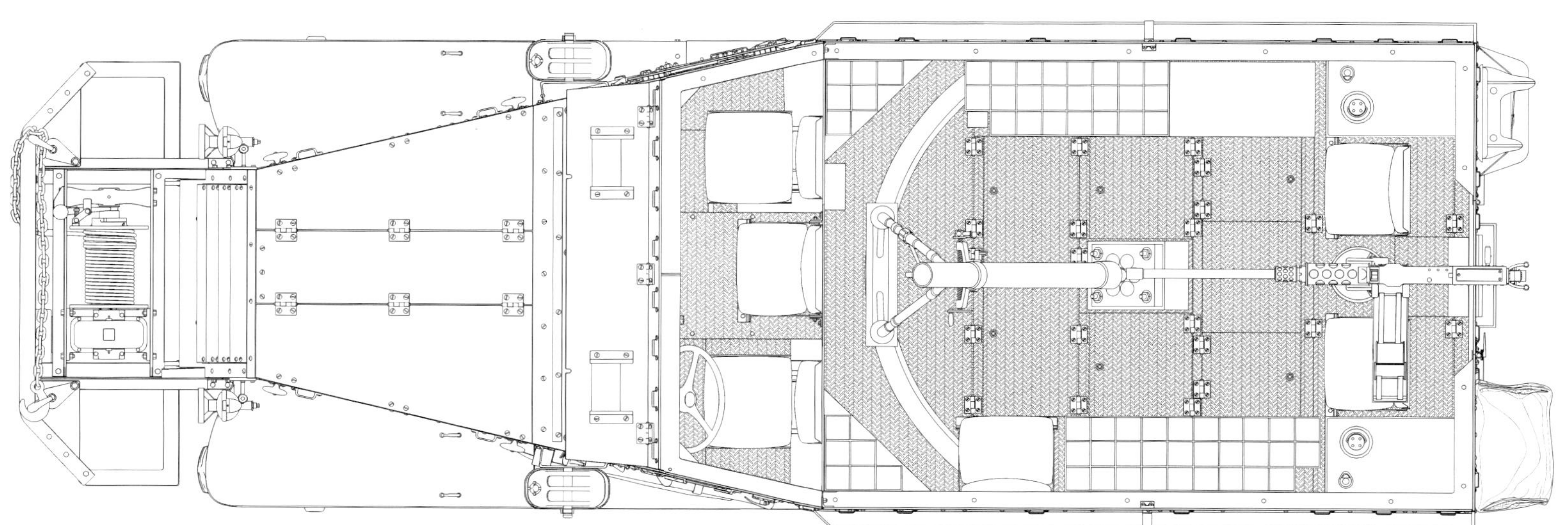

Opracował i rysował
Drawn and traced by
Sławomir Zajączkowski

skala 1:35 *scale*

0 1 2 3 m

Early production Half-Track M21 81 mm Mortar Carrier. This vehicle was built based on the Half--Track Personnel Carrier M3. All Half-Tracks M21 were equipped with the mortar facing the front of the vehicle and the attachment points and the floor were reinforced so that the mortar could have been fired from inside of the vehicle. Anti-personnel mine racks attached to the side armour plates and the mount for the M2HB 12.7 mm heavy machine gun are visible.

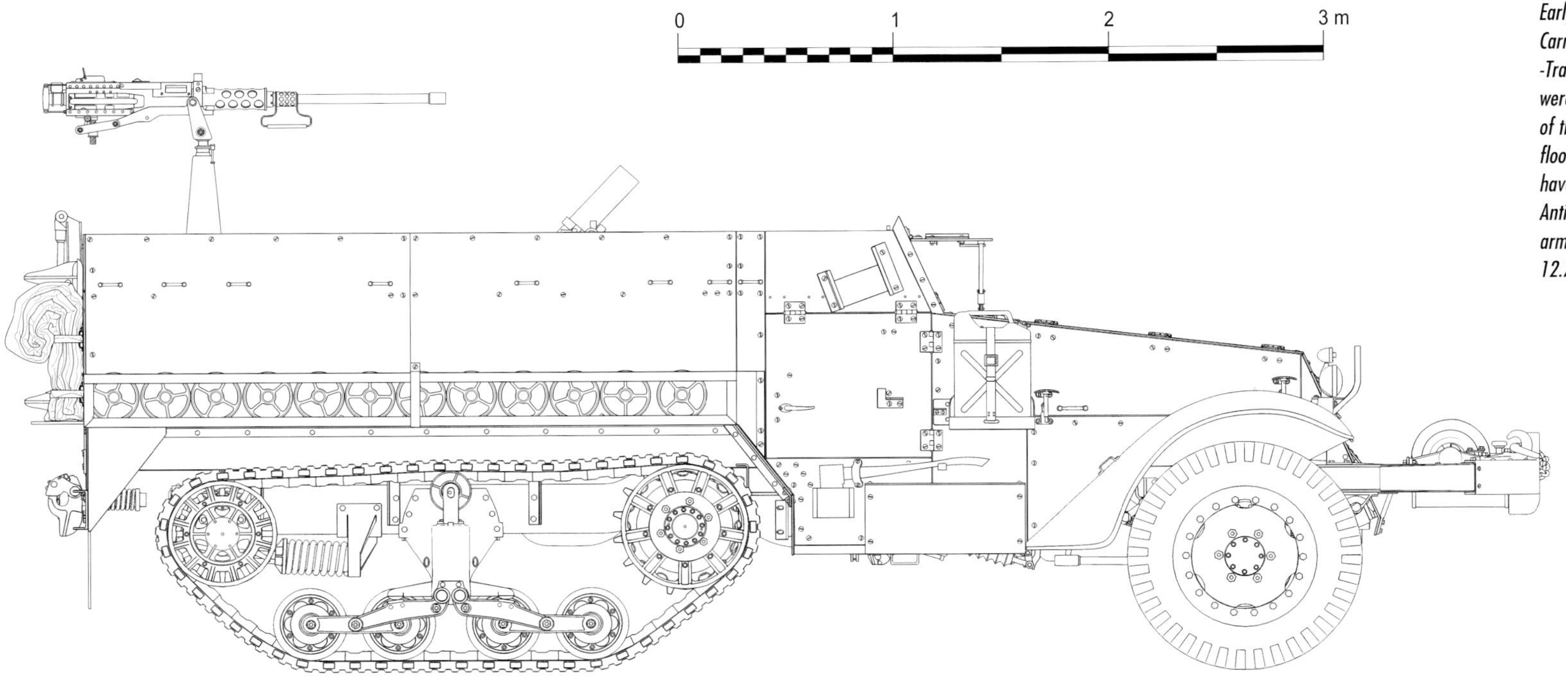

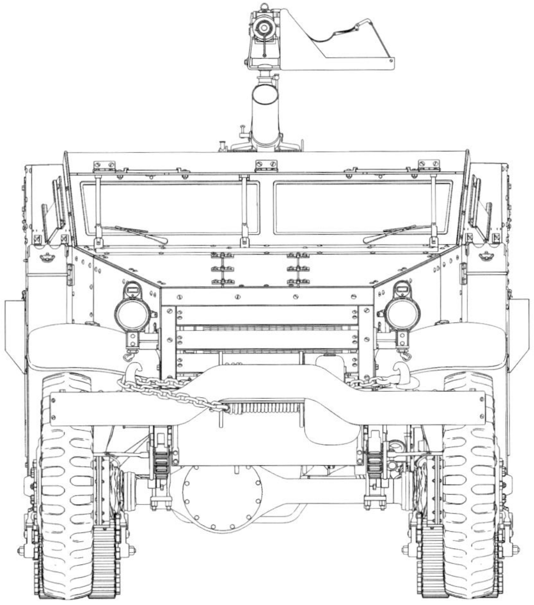

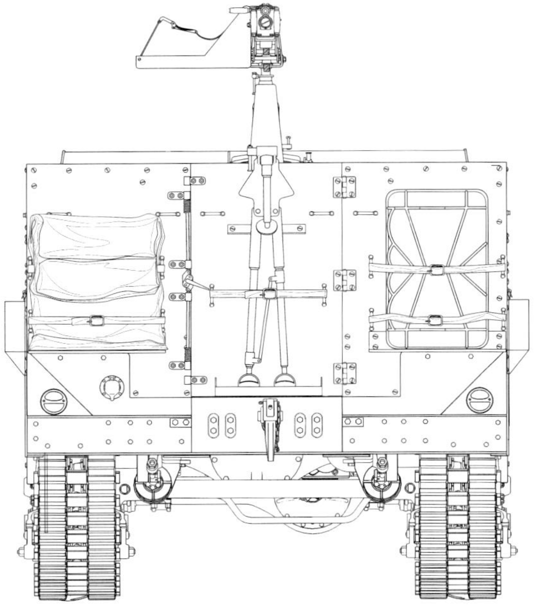

Opracował i rysował
Drawn and traced by
Sławomir Zajączkowski

skala 1:35 *scale*

0 1 2 3 m

Half-Track M21 81 mm Mortar Carrier pochodzący z końcowego okresu produkcyjnego. Uwagę zwracają specjalne zaczepy na bocznych płytach pancernych oraz kosze transportowe, służące do przewożenia dodatkowego wyposażenia, znajdujące się na lewej i prawej części tylnej płyty pancernej przedziału transportowego. Uwagę zwraca płyta oporowa moździerza przytroczona do drzwi przedziału transportowego. Pojazd zabierał na pokład 97 pocisków kalibru 81 mm.

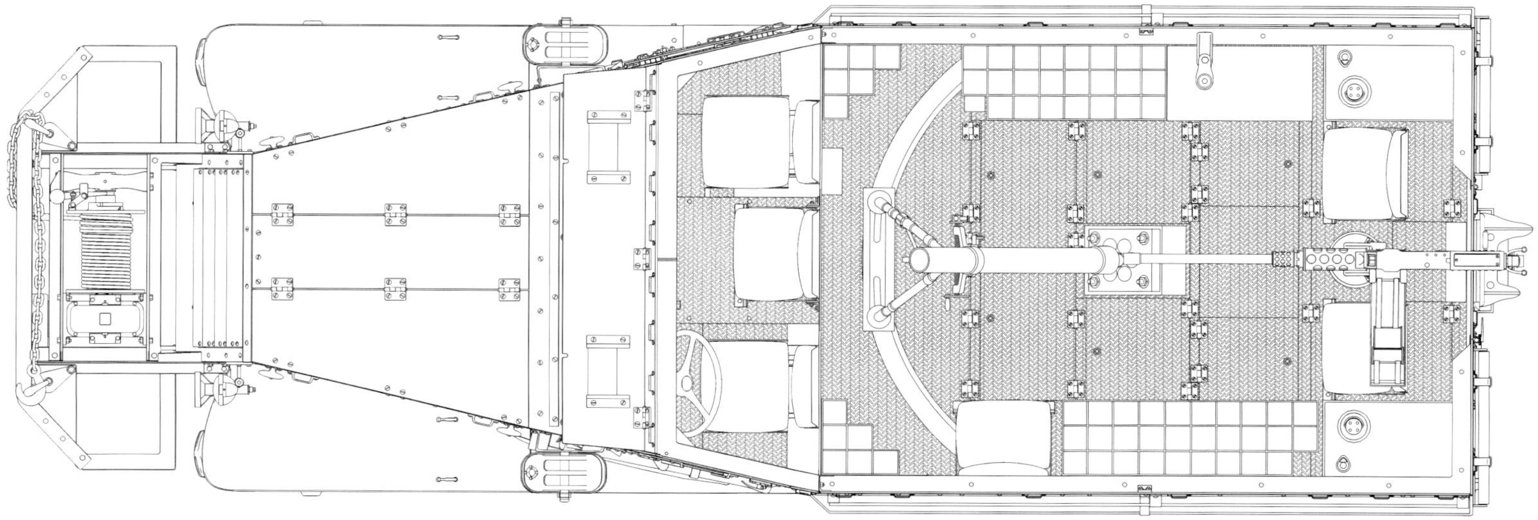

Opracował i rysował
Drawn and traced by
Sławomir Zajączkowski

skala 1:35 *scale*

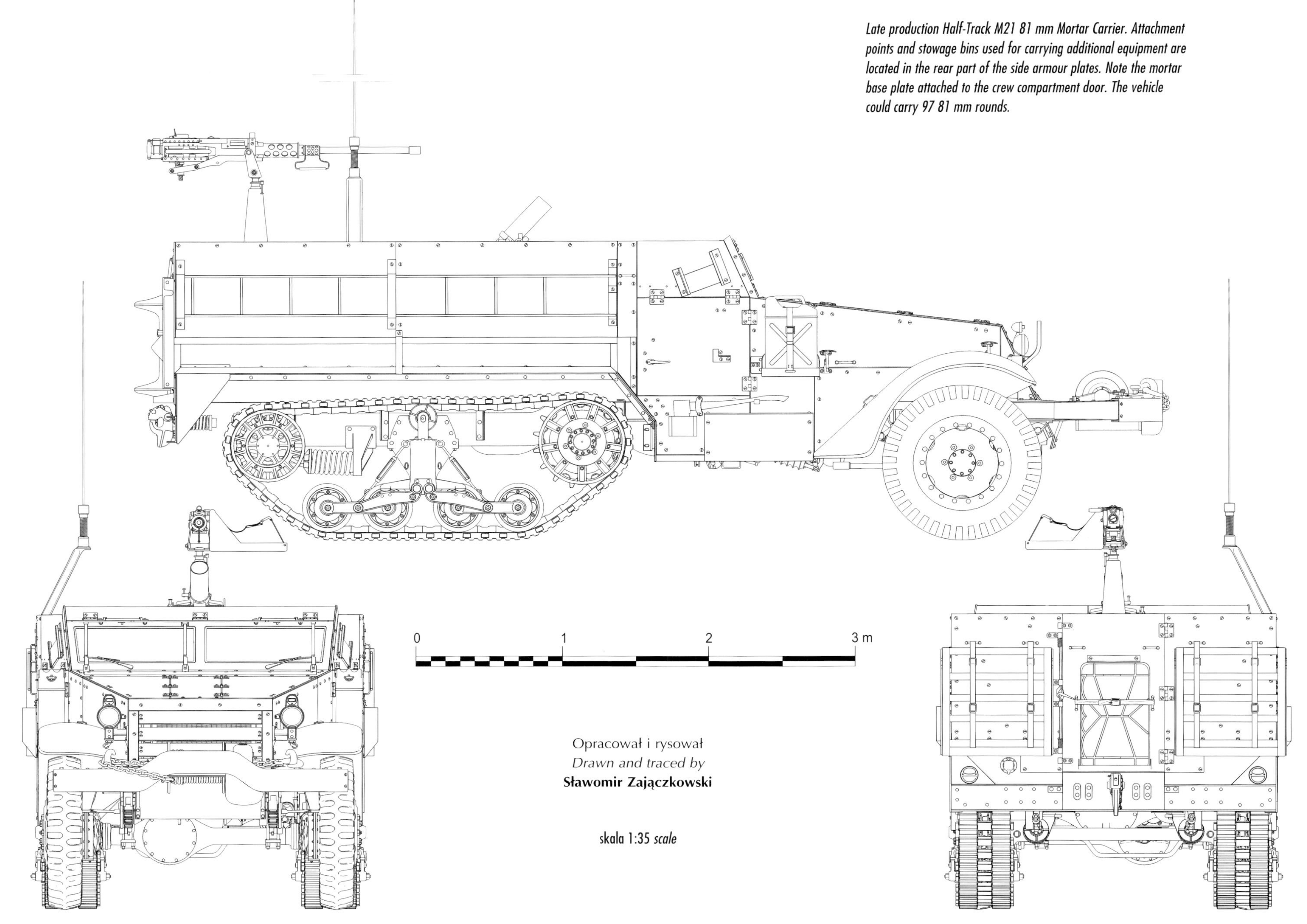

Late production Half-Track M21 81 mm Mortar Carrier. Attachment points and stowage bins used for carrying additional equipment are located in the rear part of the side armour plates. Note the mortar base plate attached to the crew compartment door. The vehicle could carry 97 81 mm rounds.

Half-Track T21E 81 Mortar Carrier. Half-Track, który nigdy nie wszedł do seryjnej produkcji. Powstał jeden eksperymentalny egzemplarz, stąd też w oznaczeniu pojazdu znajduje się literka E — experimental. Pojazd zbudowany w oparciu o Half-Tracka Personnel Carrier M3. Uzbrojenie główne pojazdu to moździerz kalibru 4,2 cala (106,7 mm w przeliczeniu), skierowany wylotem lufy w kierunku przodu pojazdu. Dodatkowo pojazd uzbrojony w wielkokalibrowy karabin maszynowy M2HB kalibru 12,7 mm zamocowany nad miejscem drugiego kierowcy z wykorzystaniem pulpitu M49 Rimg Mount. Dodatkowo pojazd posiada zaczepy na bocznych i tylnej płycie pancernej celem zamontowania karabinu maszynowego Browning M1919A4 kalibru 7,62 mm.

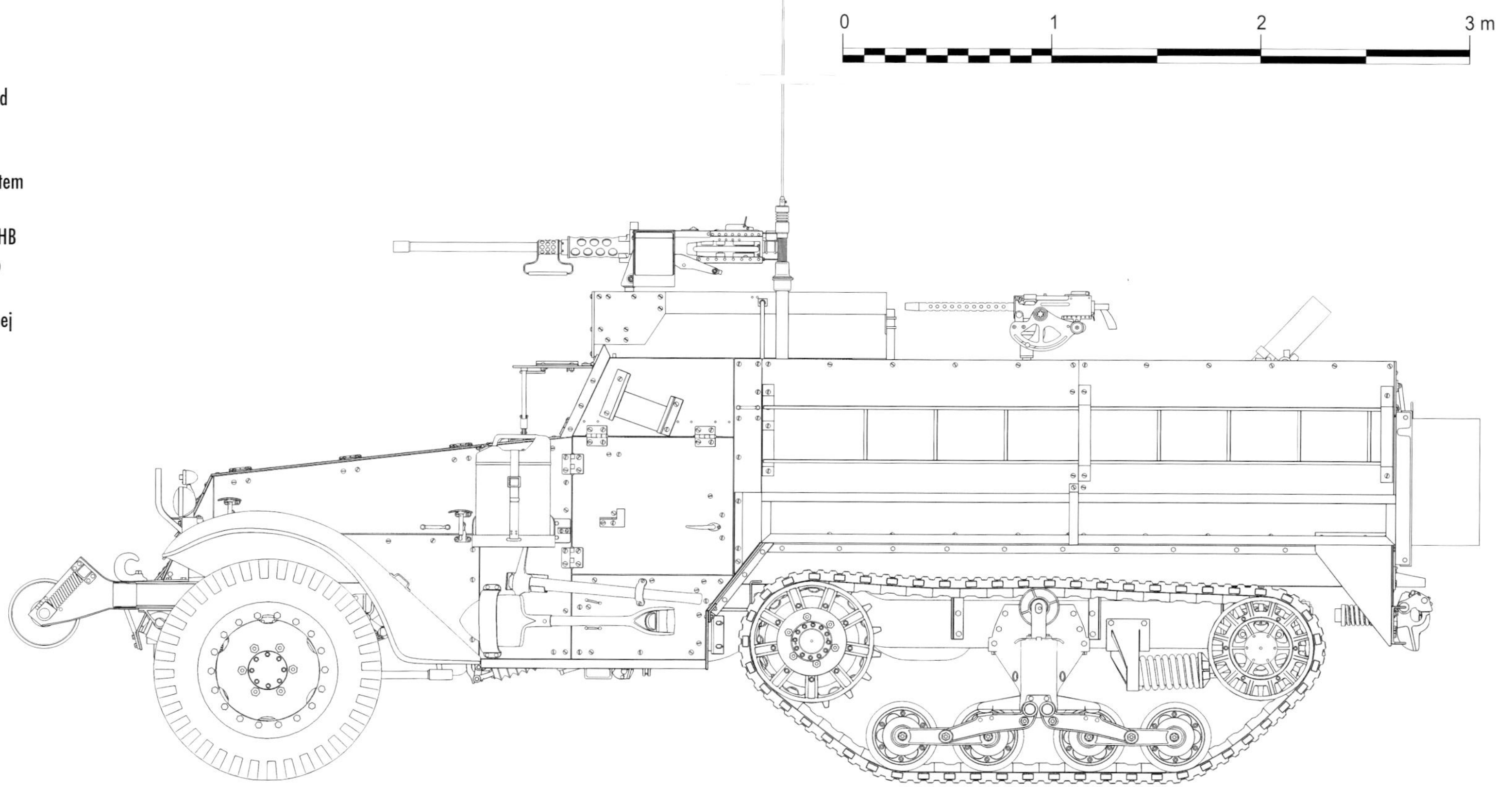

0 1 2 3 m

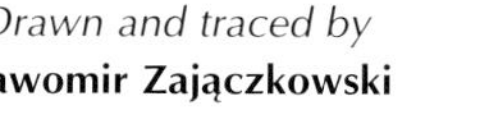
Opracował i rysował
Drawn and traced by
Sławomir Zajączkowski

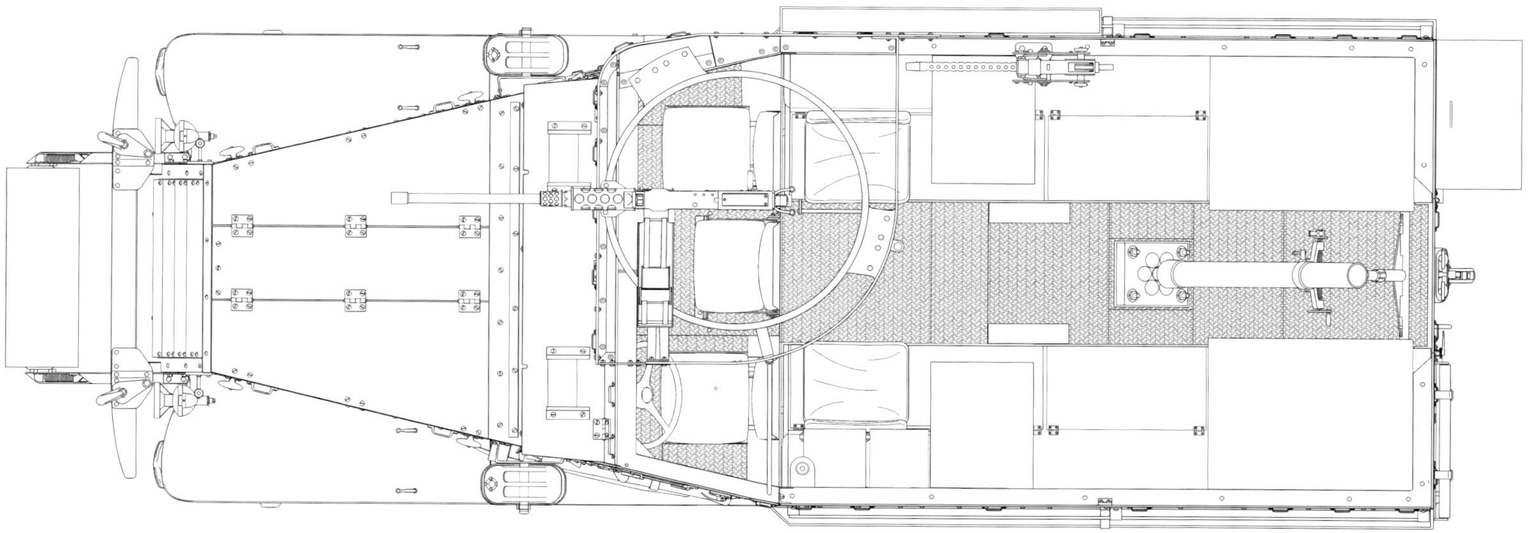

skala 1:35 *scale*

Half-Track T21E 81 Mortar Carrier. This version never entered mass production. Only one prototype vehicle was built, hence the E designation standing for experimental. This vehicle was built based on the Half-Track Personnel Carrier M3. The vehicle was equipped with a 4.2 inch (106.7 mm) mortar facing the front of the vehicle. The vehicle was also armed with a M2HB 12.7 mm heavy machinegun installed above the second driver's position using a M49 Ring Mount. The vehicle also has attachment points for the Browning M1919A4 7.62 mm machine gun on the side and rear armour plates.

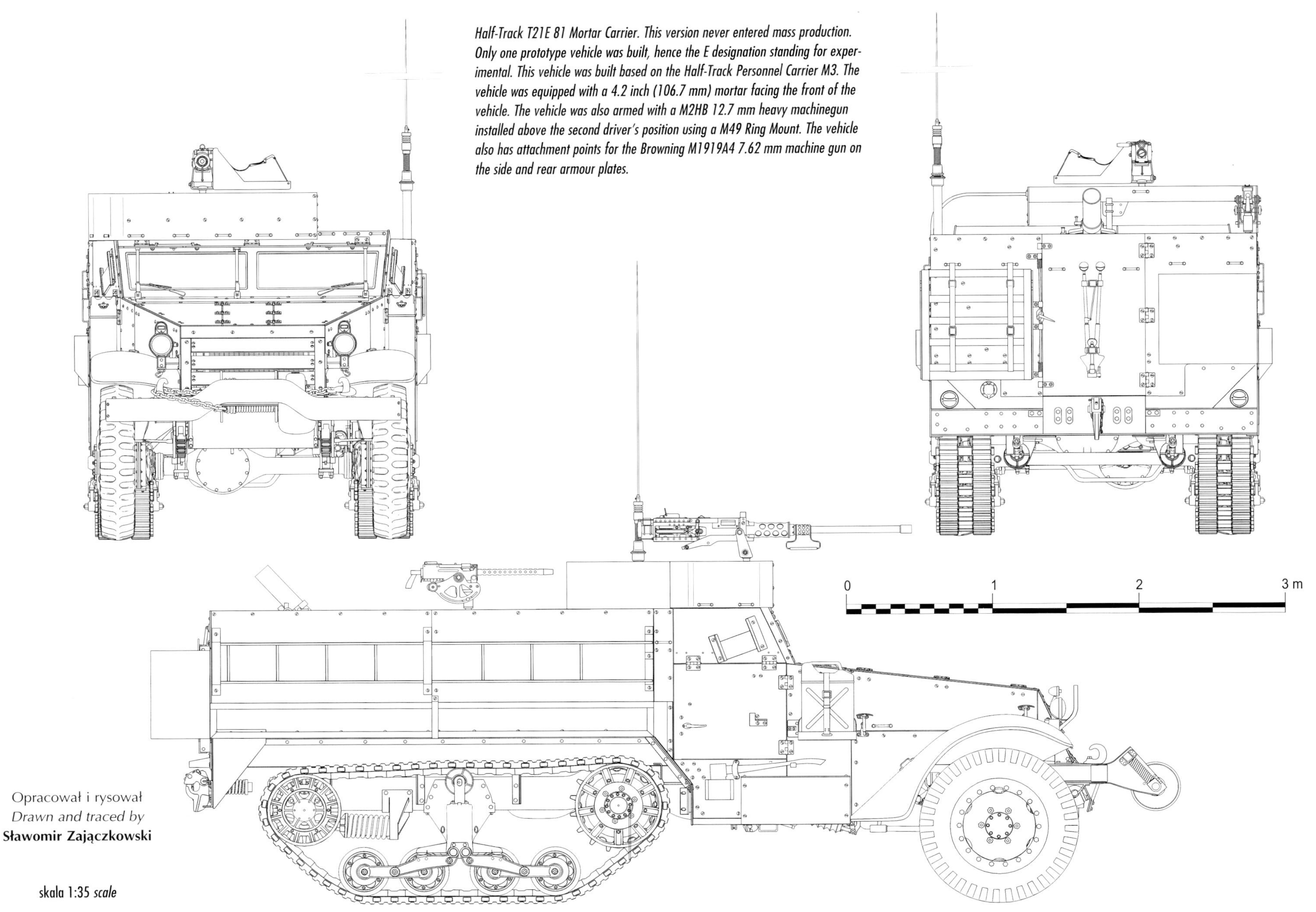

Opracował i rysował
Drawn and traced by
Sławomir Zajączkowski

skala 1:35 *scale*

Half-Track M21 81 mm Mortar Carrier pochodzący z końcowego okresu produkcyjnego. Doskonale widoczny brezentowy dach, zaprojektowany specjalnie do tego pojazdu i znacznie różniący się od dachów używanych na innych Half-Trackach. Dach miał możliwość rozpięcia środkowej jego części, tak aby możliwe było prowadzenie ognia z moździerza podczas złych warunków atmosferycznych, dając jednocześnie osłonę załodze i wyposażeniu znajdującemu się w pojeździe. Uwagę zwraca również brezentowy pokrowiec na wielkokalibrowy karabin maszynowy Browning M2HB.

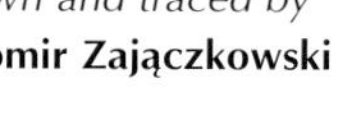

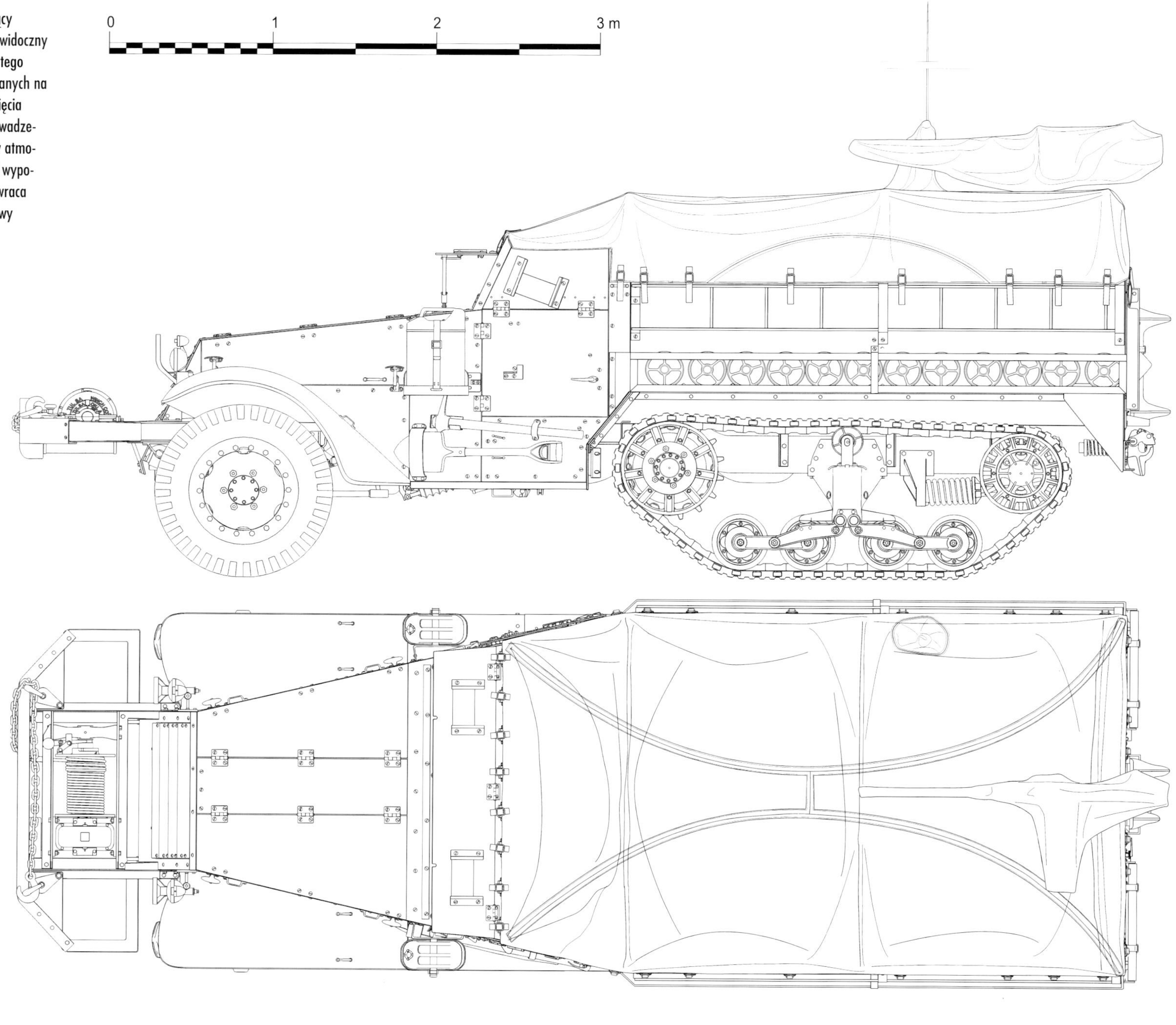

Opracował i rysował
Drawn and traced by
Sławomir Zajączkowski

skala 1:35 *scale*

Late production Half-Track M21 81 mm Mortar Carrier. The folding canvas roof designed especially for this vehicle and different to the roofs used on other Half-Tracks is visible. It was possible to open the central part of the roof while firing the mortar while at the same time it offered protection against adverse weather conditions to the crew and to the equipment inside vehicle. Note the additional canvas cover for the Browning M2HB heavy machine gun.

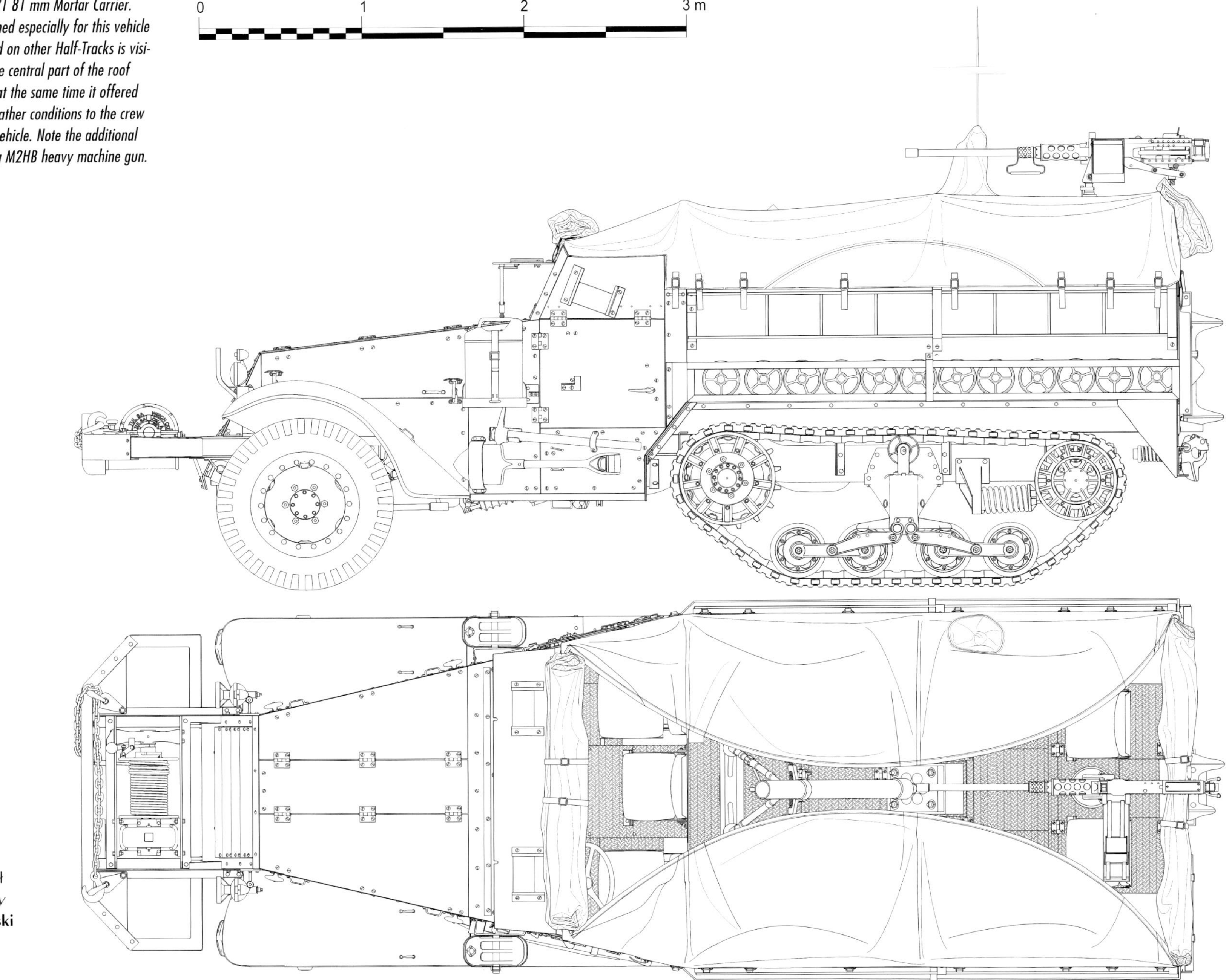

Opracował i rysował
Drawn and traced by
Sławomir Zajączkowski

skala 1:35 *scale*

Half-Track 75mm Gun Motor Carriage T12. Jest to pierwszy, testowy model poprzedzający serię pojazdów oznaczonych — 75mm Gun Motor Carriage M3. Pojazd zbudowany w oparciu o Half-Tracka M3. Model T12 pozbawiony był sprężyn napinających gąsienice oraz przedniej płyty pancernej osłaniającej kabinę kierowcy. Armata M1897A4 kalibru 75mm została osadzona na podstawie Gun Mount M3 (będącej z kolei przekonstruowaną lawetą M2A3 armaty ciągnionej). Armata pozbawiona jest płyty pancernej zapewniającej osłonę żołnierzom ją obsługującym. Pracami nad budową tego pojazdu kierował major Robert J. Icks. Po skonstruowaniu i dokonaniu pierwszych testów pojazd został przekazany firmie Autocar Company, która otrzymała od US Army kontrakt na budowę 36 pojazdów, który wkrótce po podpisaniu został zwiększony do 86 sztuk. Pierwsze 36 pojazdów, zostało przydzielonych do 93rd Antitank Battalion, jednej z pierwszych jednostek niszczycieli czołgów w armii USA oraz na poligon Aberdeen Proving Ground, celem dalszych badań nad pojazdem. Natomiast 50 pojazdów prosto z fabryki wysłanych zostało na Filipiny.

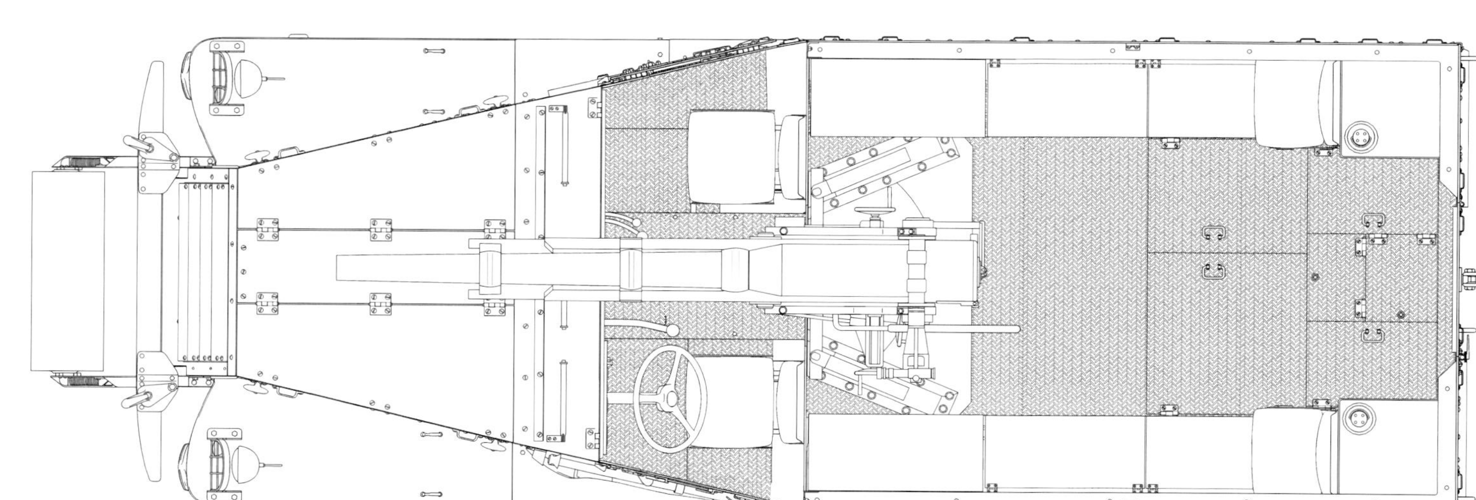

Opracował i rysował
Drawn and traced by
Sławomir Zajączkowski

skala 1:35 *scale*

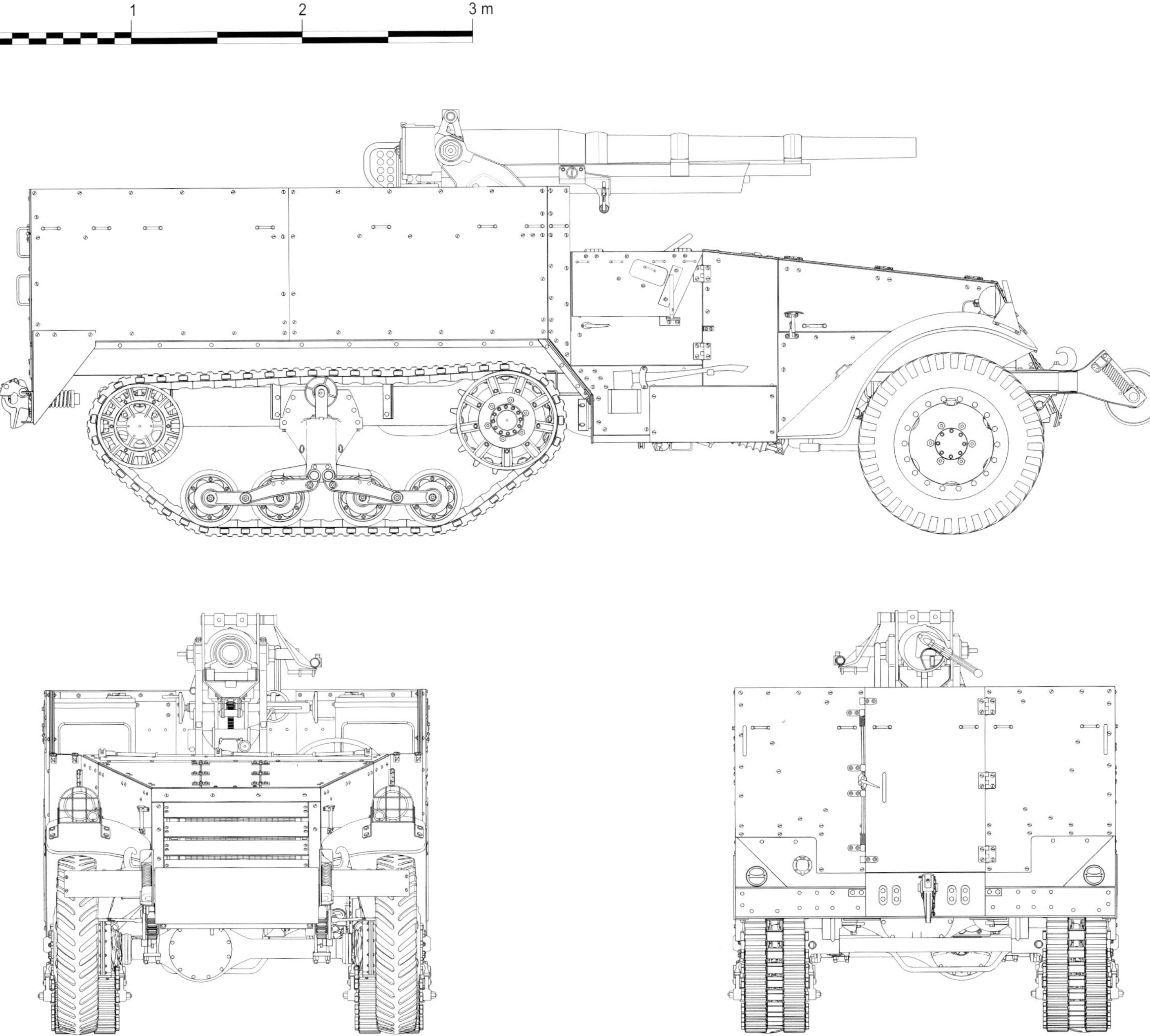

Half-Track 75mm Gun Motor Carriage T12. This was the first test vehicle of a new series of vehicles designated 75 mm Gun Motor Carriage M3. The vehicle was built based on the Half-Track M3. The T12 variant had no track tensioning springs and no folding armoured cover for the driver's compartment. The M1897A4 75 mm gun was installed in the Gun Mount M3 (which was a modified variant of the M2A3 towed gun's carriage). The gun hood protecting the crew was not installed. Major Robert J. Icks was the head of the design and construction program. After the first vehicles were built and tested, the Autocar Company received a contract to build 36 vehicles for the US Army which was soon expanded to 86 vehicles. The first 36 vehicles were assigned to the 93rd Anti-Tank Battalion one of the first tank destroyer units in the US Army and sent to the Aberdeen Proving Ground for further evaluation of the vehicle. The remaining 50 vehicles were sent directly to the Philippines.

Opracował i rysował
Drawn and traced by
Sławomir Zajączkowski

skala 1:35 *scale*

Half-Track 75mm Gun Motor Carriage T12, wersja produkcyjna. Jest to jeden z kilku egzemplarzy, który prosto z fabryki trafił na poligon Aberdeen Proving Ground, celem jego dalszej ewaluacji. Armata została wyposażona w pancerną płytę zapewniającą ochronę żołnierzom ją obsługującym. Grubość płyty pancernej wynosiła 12,7 mm. Kabina kierowcy posiadała zmodyfikowaną przednią płytę pancerną z wycięciem, umożliwiającym ustawienie lufy armaty w pozycji marszowej. Pojazd nie posiadał przednich szyb. w tylnej części przedziału transportowego umieszczony został cokół, na którym zamontowano wielkokalibrowy karabin maszynowy Browning M2HB kalibru 12,7 mm, który stanowić miał broń przeciwlotniczą. Uwagę zwraca brak sprężyn napinających gąsienice pojazdu, co stanowiło główny temat raportów przesyłanych z walk obronnych na Filipinach. Ciekawostką jest, że ten nowo skonstruowany środek bojowy, został wysłany na front w niecałe sześć miesięcy od rozpoczęcia prac konstrukcyjnych.

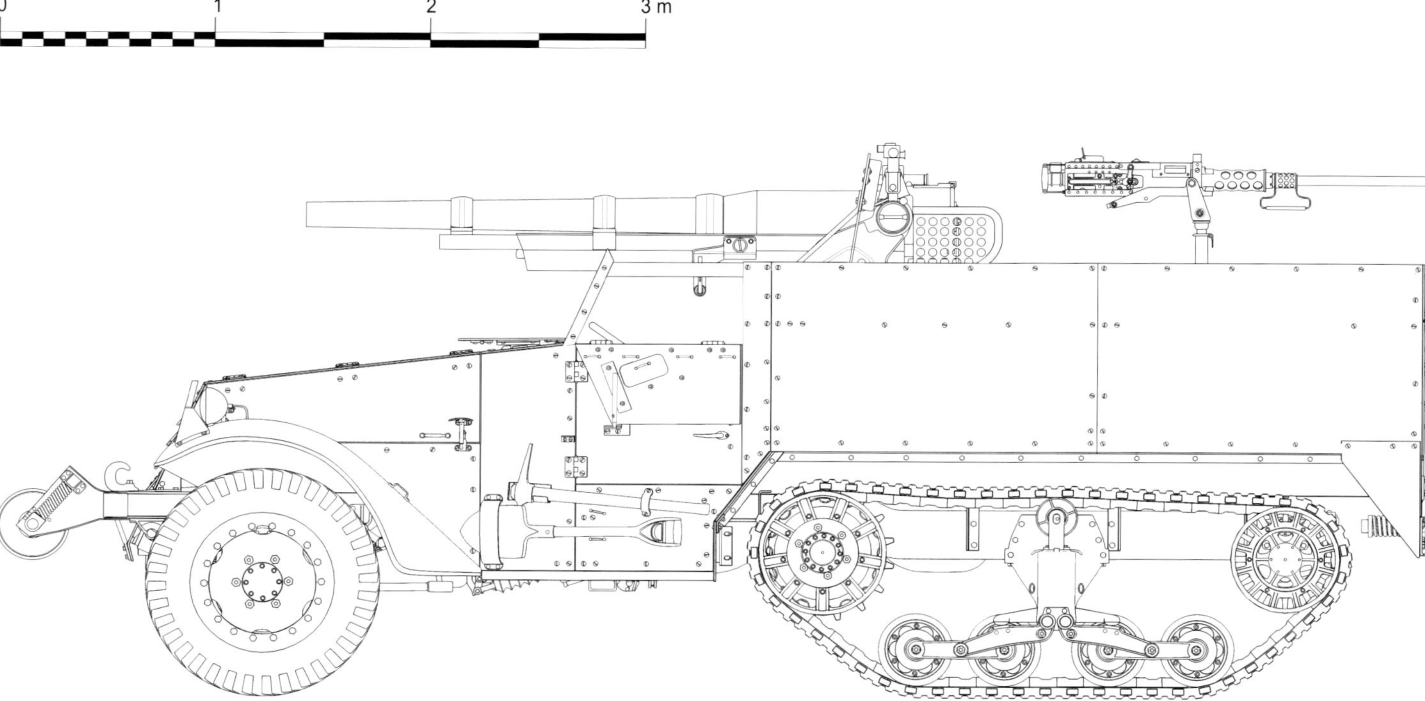

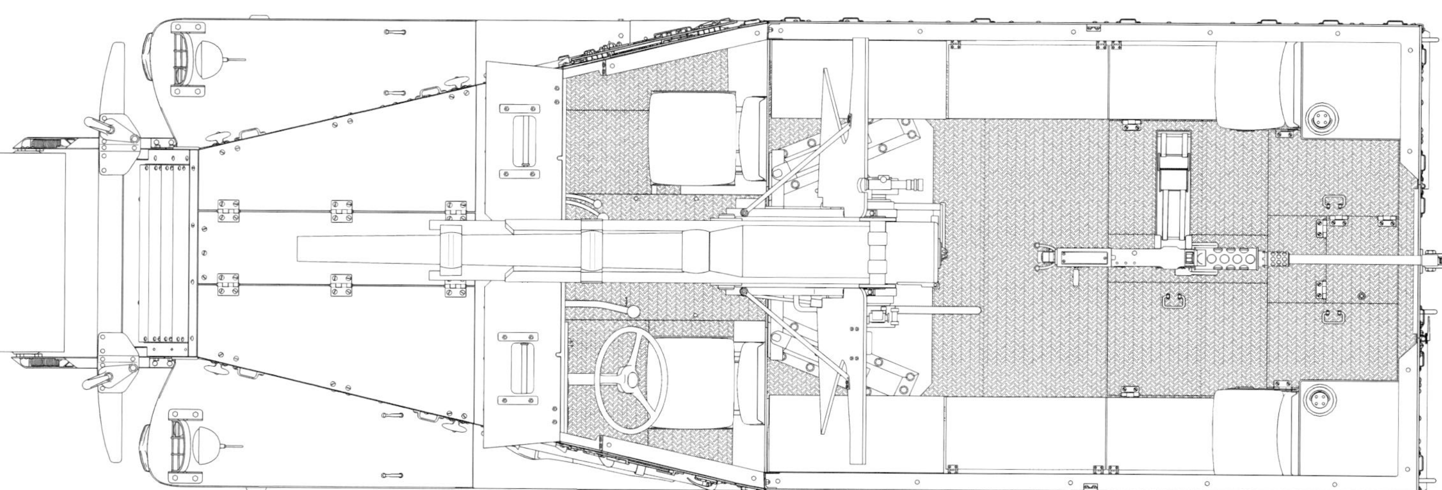

Opracował i rysował
Drawn and traced by
Sławomir Zajączkowski

skala 1:35 *scale*

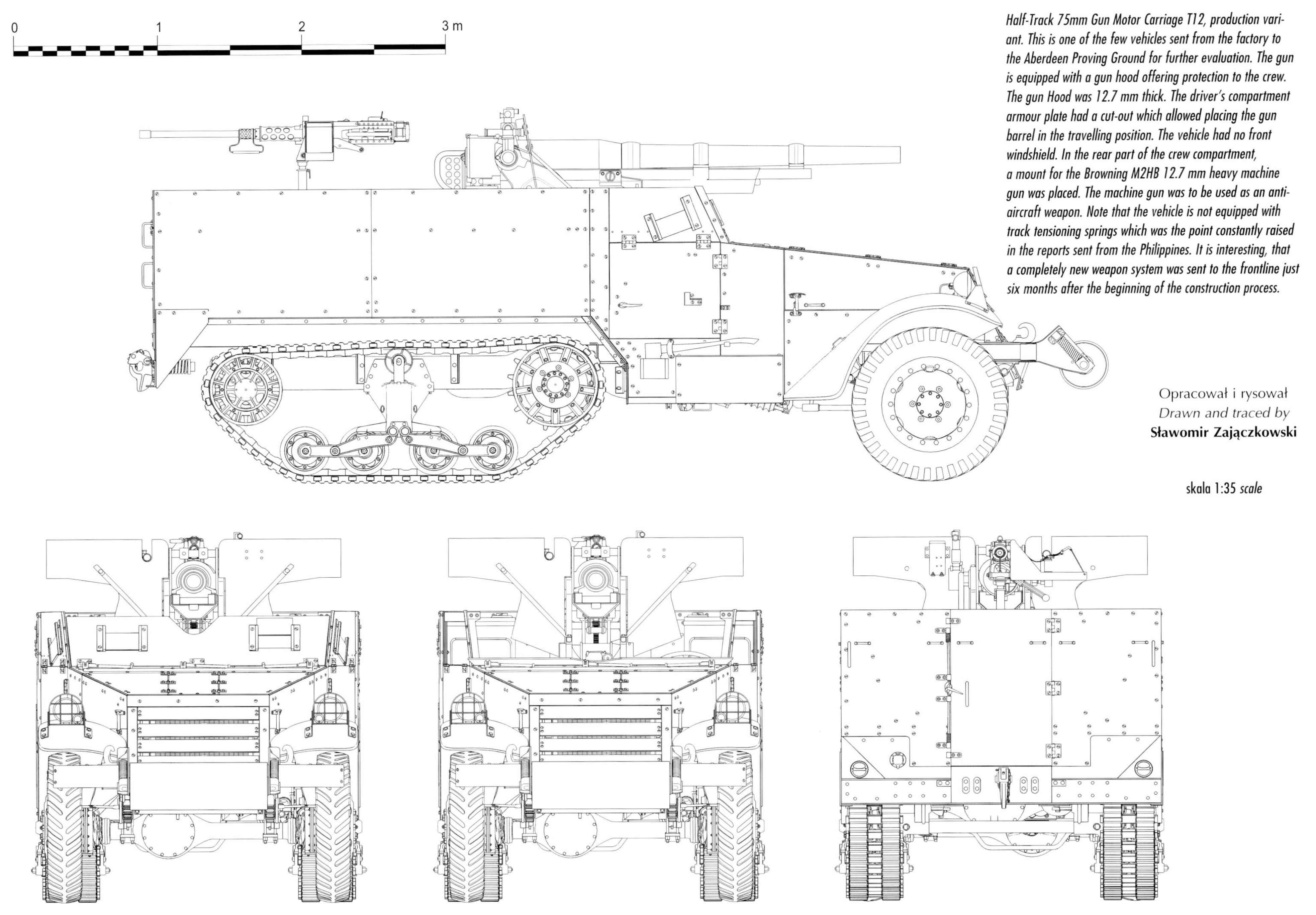

Half-Track 75mm Gun Motor Carriage T12, production variant. This is one of the few vehicles sent from the factory to the Aberdeen Proving Ground for further evaluation. The gun is equipped with a gun hood offering protection to the crew. The gun Hood was 12.7 mm thick. The driver's compartment armour plate had a cut-out which allowed placing the gun barrel in the travelling position. The vehicle had no front windshield. In the rear part of the crew compartment, a mount for the Browning M2HB 12.7 mm heavy machine gun was placed. The machine gun was to be used as an anti-aircraft weapon. Note that the vehicle is not equipped with track tensioning springs which was the point constantly raised in the reports sent from the Philippines. It is interesting, that a completely new weapon system was sent to the frontline just six months after the beginning of the construction process.

Opracował i rysował
Drawn and traced by
Sławomir Zajączkowski

skala 1:35 *scale*

Half-Track 75mm Gun Motor Carriage T12. Rysunek przedstawia pojazd z okresu testów nowego typu płyty pancernej chroniącej obsługę armaty. Osłona ta ostatecznie nie została zaakceptowana. Powodem był zupełny brak osłony od góry. Widoczny cokół pod wielkokalibrowy karabin maszynowy Browning M2HB, w toku testów poligonowych oraz zgodnie z opiniami Armored Force Board, został uznany za zbędny. Usunięto go wraz ze schowkami na amunicję kalibru 12,7 mm. Załoga pojazdu początkowo składała się z czterech żołnierzy: kierowcy, drugiego kierowcy – radiooperatora, celowniczego oraz ładowniczego. Po usunięciu cokołu liczebność załogi została zwiększona do 5 żołnierzy. Do pojazdu dołączył dowódca.

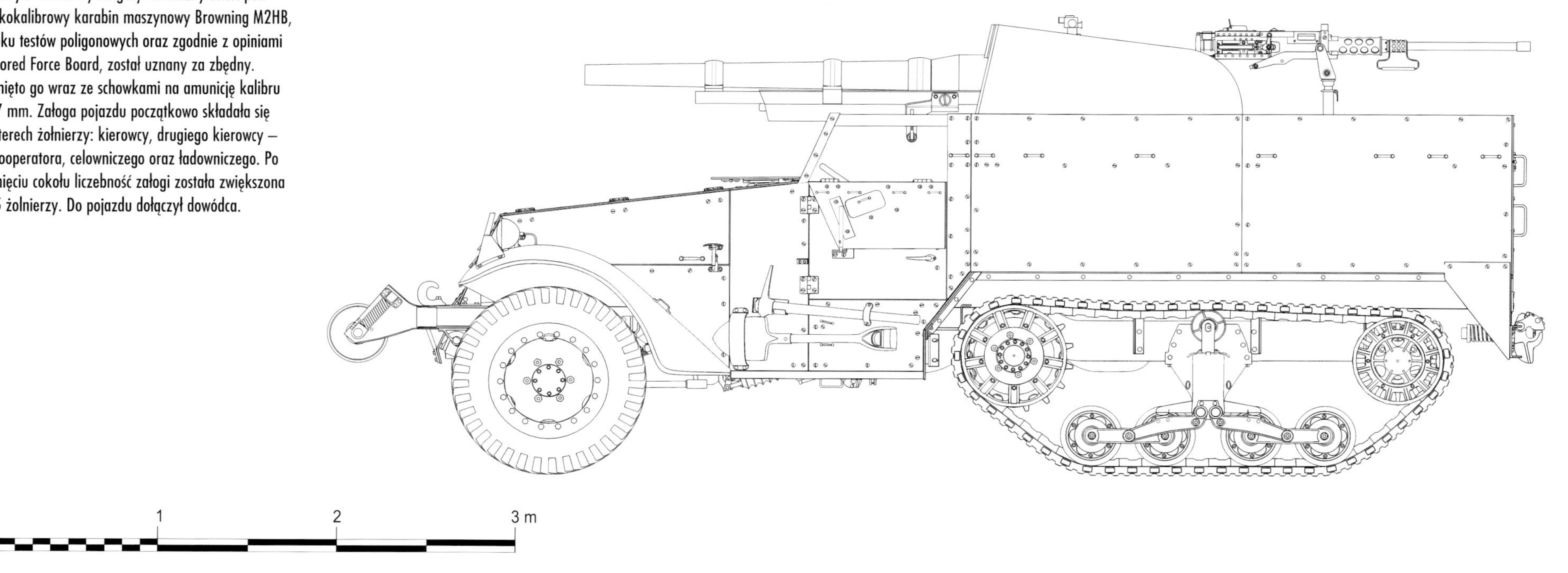

Opracował i rysował
Drawn and traced by
Sławomir Zajączkowski

skala 1:35 *scale*

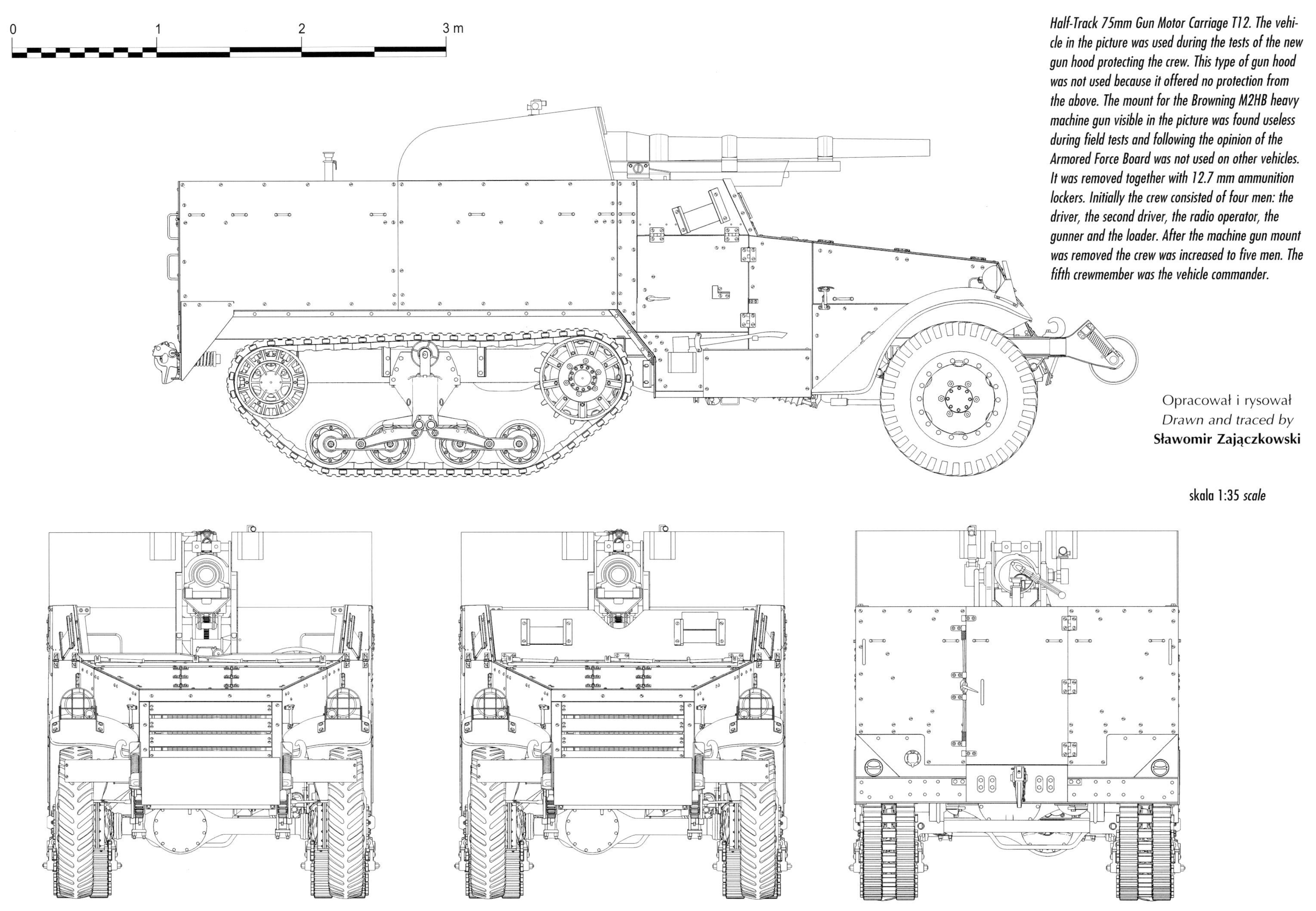

Half-Track 75mm Gun Motor Carriage T12. The vehicle in the picture was used during the tests of the new gun hood protecting the crew. This type of gun hood was not used because it offered no protection from the above. The mount for the Browning M2HB heavy machine gun visible in the picture was found useless during field tests and following the opinion of the Armored Force Board was not used on other vehicles. It was removed together with 12.7 mm ammunition lockers. Initially the crew consisted of four men: the driver, the second driver, the radio operator, the gunner and the loader. After the machine gun mount was removed the crew was increased to five men. The fifth crewmember was the vehicle commander.

▲ Half-Track 75 mm Gun Motor Carriage T12 podczas gry taktycznej na poligonie Aberdeen Proving Ground w sierpniu 1941 roku. Przednia płyta pancerna chroniąca kabinę kierowcy jest rozłożona. Warto zwrócić uwagę na osłonę armaty, która oryginalnie stosowana była w ciągnionej wersji armaty kalibru 75 mm. Ponadto pojazd nie posiada sprężyn napinających gąsienice. / NARA

▲ *Half-Track 75 mm Gun Motor Carriage T12 during wargames in the Aberdeen Proving Ground in August 1941. The front armoured plate protecting the driver compartment in deployed. The gun hood is identical to that of the towed version of the 75 mm gun. The vehicle has no track tensioning springs. / NARA*

► Half-Tracki 75 mm Gun Motor Carriage M3 wchodzące w skład kompanii niszczycieli czołgów, wraz z załogami po zakończonych ćwiczeniach poligonowych w Camp Hood w stanie Texas, lato 1942 roku. Uwagę zwracają dodatkowe kanistry z paliwem, przytroczone w dość nietypowy sposób do prawego błotnika Half-Tracka znajdującego się na pierwszym planie. Dobrze widoczne opony przednich kół z bieżnikiem wczesnego typu. / NARA

► *Half-Track 75 mm Gun Motor Carriage M3 vehicles of a tank destroyer company with their crews during exercises in Camp Hood, Texas, summer 1942. Additional jerrycans are attached in a rather unusual way to the front right fender of the first Half--Track. Front wheel tyres with an early tread pattern are visible. / NARA*

◄ 75 mm Self Propelled Mount opuszczający barkę desantową w rejonie Cape Torokina na wyspie Bougainville, 1 listopada 1943 roku / NARA

◄ *Self Propelled Mount driving off a landing craft near Cape Torokina in Bougainville, 1st November 1943. / NARA*

▲ 75 mm Gun Motor Carriage M3 wersja wczesno produkcyjna. Przednie lampy oraz przednie koła wczesnego typu. / archiwum autora

▲ *Early production 75 mm Gun Motor Carriage M3. Note the early type headlights and wheels. / author's collection*

Half-Track 75mm Gun Motor Carriage M3, jest to oficjalna nazwa pojazdu Half-Track 75mm Gun Motor Carriage T12, który został standaryzowany w październiku 1941 roku. Jest to wersja ze środkowego okresu produkcyjnego. Stalowa osłona zapewniająca ochronę obsłudze armaty posiadała grubość 15,9 mm od czoła, natomiast od góry oraz prawej i lewej strony grubość wynosiła 6,4 mm. Zakres naprowadzania lufy wynosił 19° w lewo i 21° w prawo. Natomiast kąt podniesienia lufy wynosił od -10° do 29°. Pojazd zabierał ze sobą, stosunkowo mały zapas amunicji kalibru 75 mm bo tylko 19 sztuk. Ten stan rzeczy nieznacznie ograniczał jego taktyczne wykorzystanie.

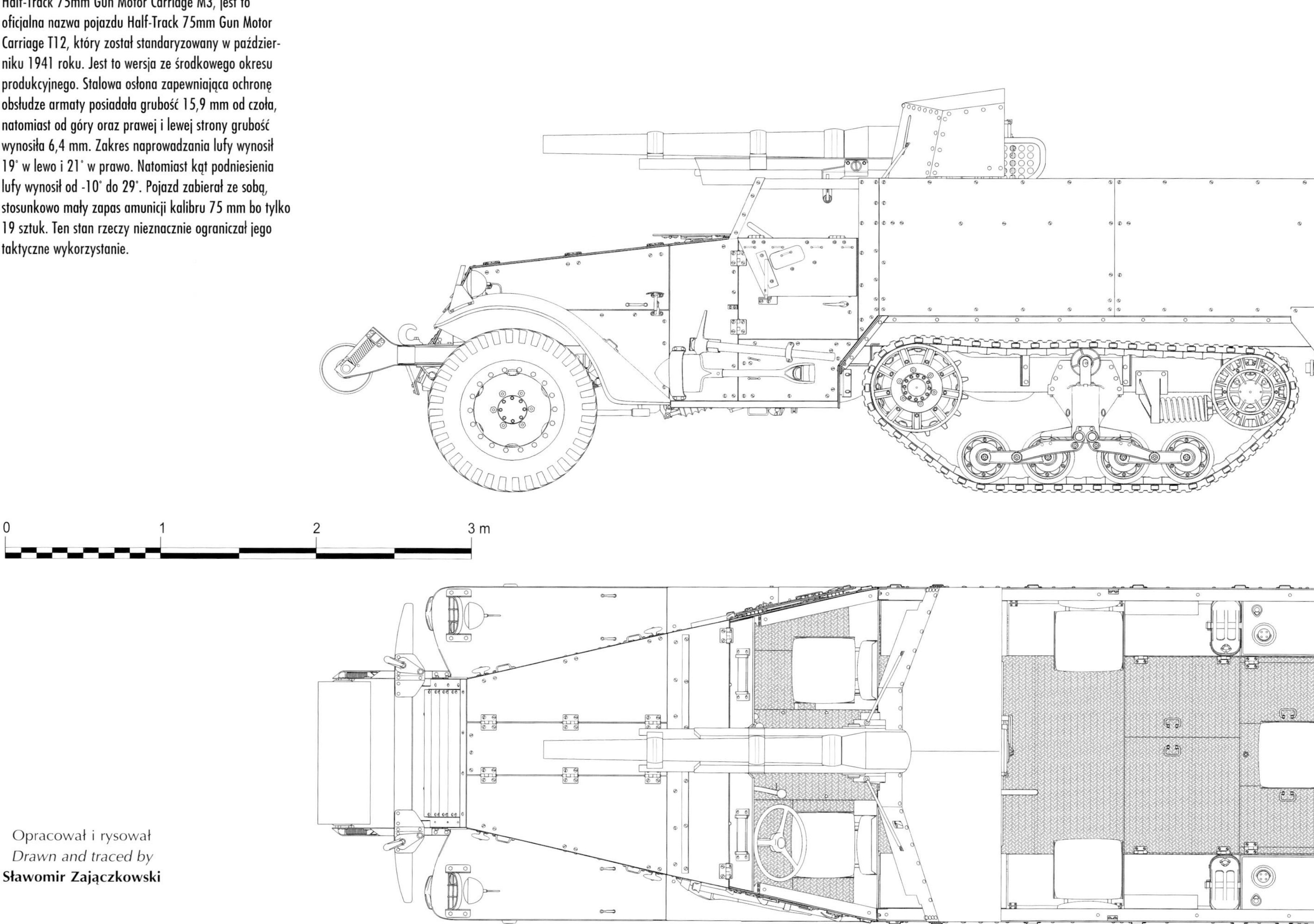

Opracował i rysował
Drawn and traced by
Sławomir Zajączkowski

skala 1:35 *scale*

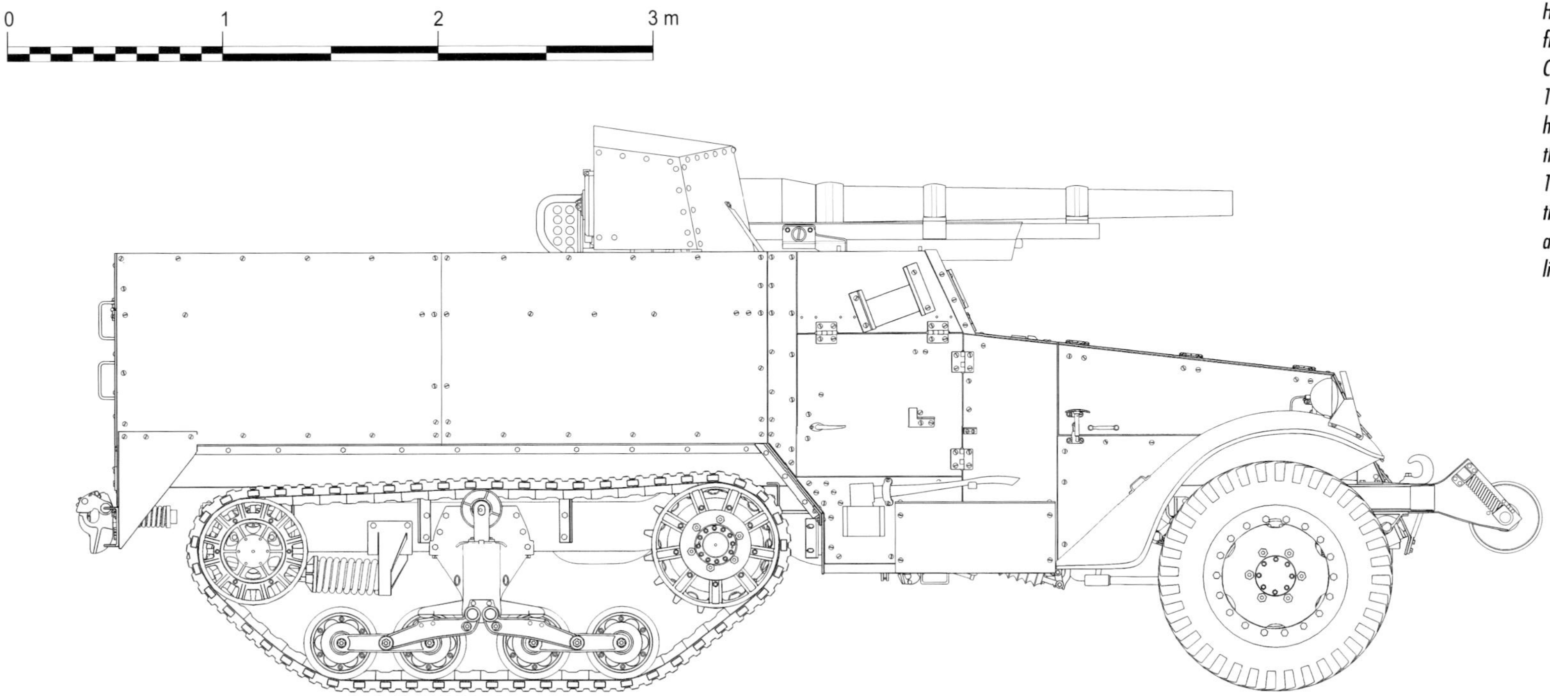

0 1 2 3 m

Half-Track 75 mm Gun Motor Carriage M3 was the official designation of the Half-Track 75 mm Gun Motor Carriage T12 after it was standardised in October 1941. This is a middle production vehicle. The gun hood was 15.9 mm thick in the front and 6.4 mm thick on the sides and at the top. The gun traverse was 19° to the left and 21° to the right. The angle of elevation was -10° to 29°. The vehicle could carry a limited amount of 75 mm ammunition – only 19 rounds. This limited the possibilities of its tactical employment.

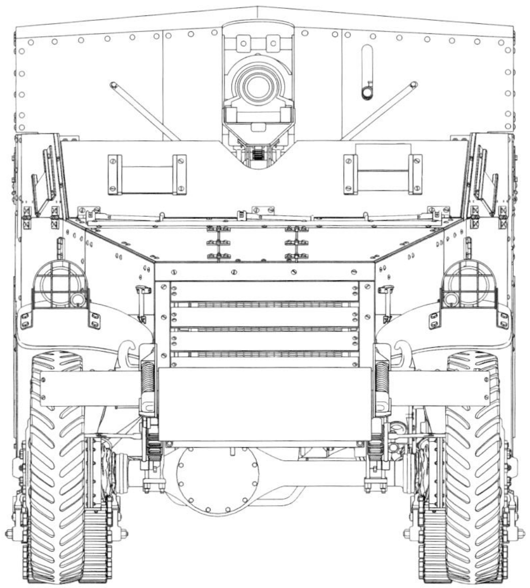

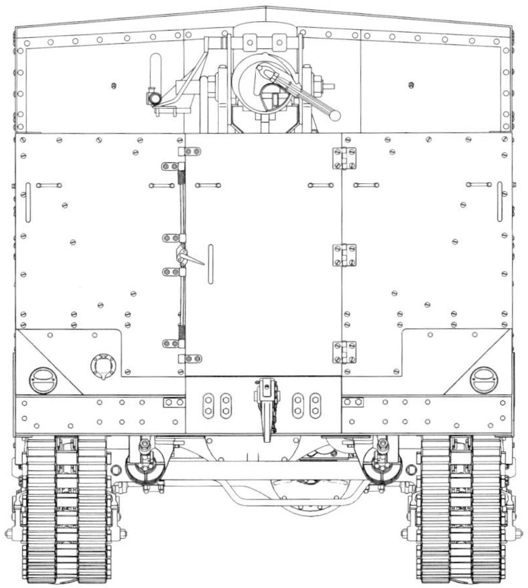

Opracował i rysował
Drawn and traced by
Sławomir Zajączkowski

skala 1:35 *scale*

Half-Track 75mm Gun Motor Carriage M3A1.
W związku z wyczerpaniem się zapasów podstawy Gun Mount M3, w Half-Trackach rozpoczęto montowanie przekonstruowanej lawety M2A2 oznaczonej jako Gun Mount M5. Half-Tracki z nową podstawą zostały oznaczone jako Half-Track 75mm Gun Motor Carriage M3A1. Główna różnica, polegała na innym rozmieszczeniu pokręteł poniesienia i naprowadzania armaty. Zmianie uległ też kąt podniesienia lufy, który wynosił od -6,5° do 29° oraz zakres naprowadzania lufy w poziomie, który wynosił 21° w lewo i prawo. Ponadto na tych pojazdach rozpoczęto też montowanie specjalnych metalowych zasobników na dodatkowe wyposażenie. Umieszczone one zostały na tylnej płycie pancernej pojazdu. Następnie w warsztatach polowych rozpoczęto montaż podobnych zasobników do Half-Tracków Gun Mount Carriage M3.

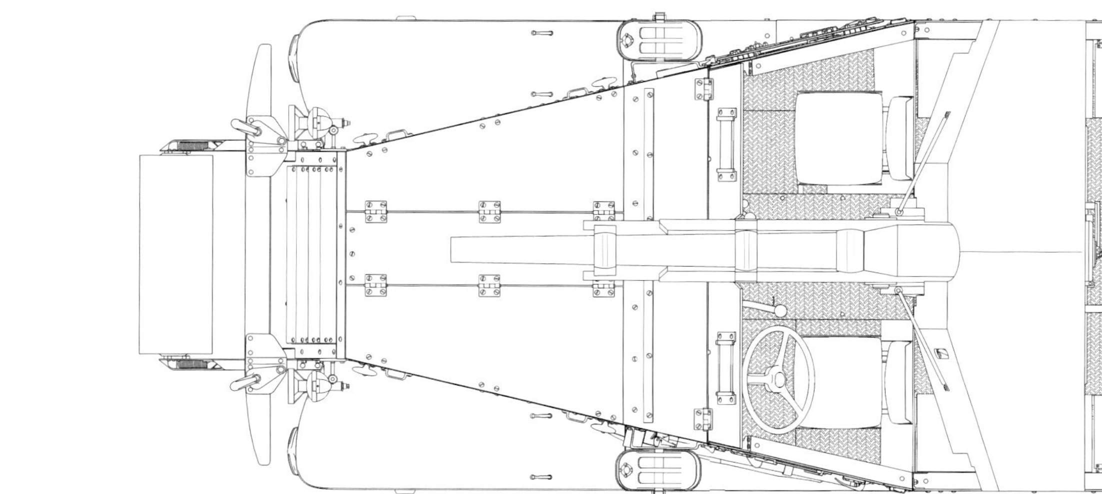

Opracował i rysował
Drawn and traced by
Sławomir Zajączkowski

skala 1:35 *scale*

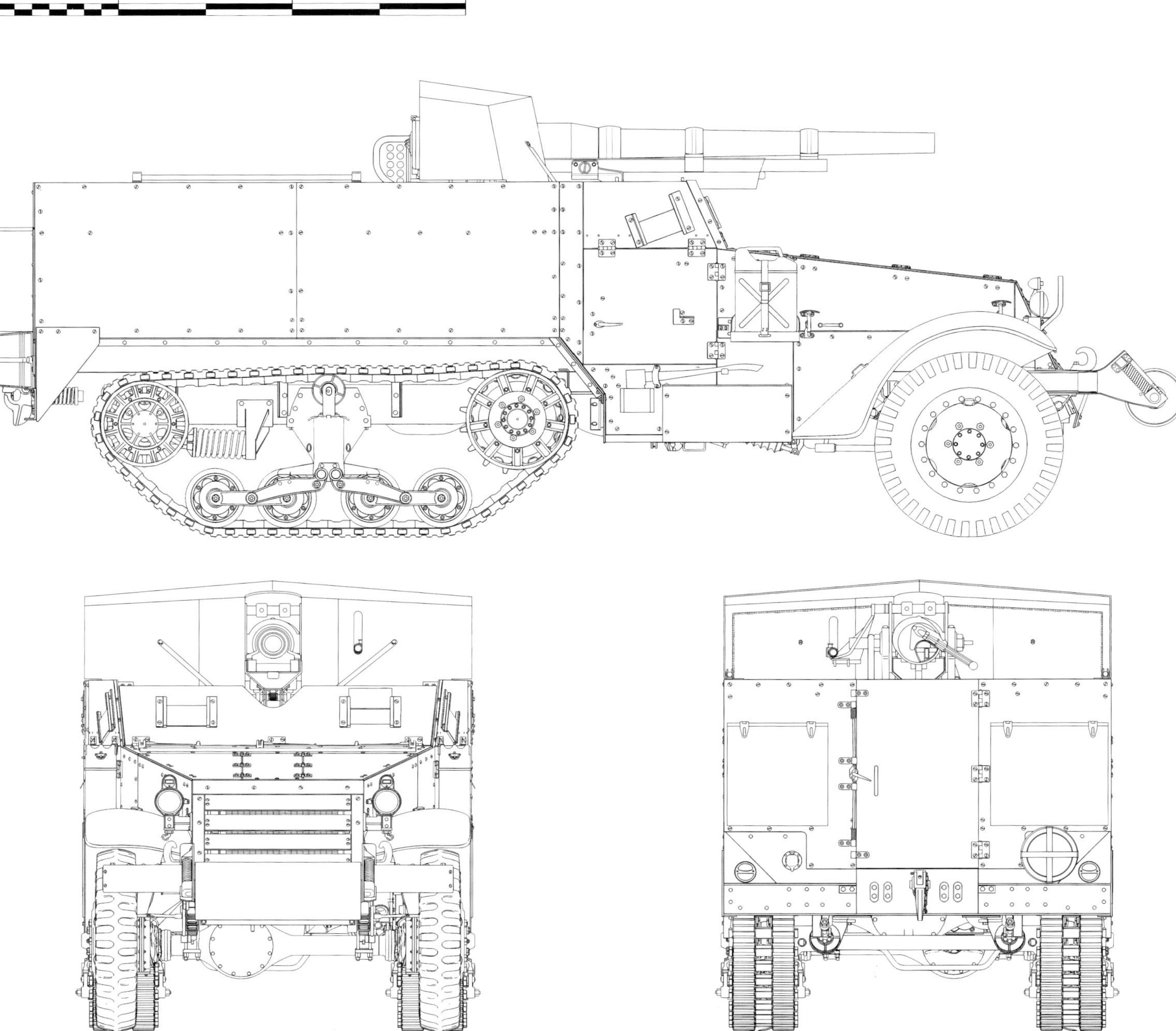

Half-Track 75mm Gun Motor Carriage M3A1. Because the stocks of Gun Mounts M3 run short the Half-Tracks were equipped with a modified M2A2 carriage designated as Gun Mount M5. The Half-Tracks with a new gun mount were designated Half-Track 75 mm Gun Motor Carriage M3A1. The main difference was the different location of the traverse and elevation handwheels. The angle of elevation was different and ranged between -6.5° and 29° as was the gun traverse which was now 21° to the left and to the right. These vehicles were also equipped with special bins for additional equipment. They were installed on the rear armour plate. Then similar bins were installed on the Half-Track Gun Mount Carriage M3 vehicles in field workshops.

Opracował i rysował
Drawn and traced by
Sławomir Zajączkowski

skala 1:35 *scale*

Half-Track 75mm Gun Motor Carriage M3. Pojazdy tego typu wchodzące w skład sił US Marines oficjalnie nosiły oznaczenie Self Propelled Mount. Half-Track z walcem na przednim zderzaku przedstawia egzemplarz z okresu walk na wyspie Bougainville na archipelagu wysp Salomona w listopadzie 1943 roku. Natomiast Half-Track z wyciągarką na przednim zderzaku przedstawia pojazd z okresu walk w rejonie Cape Gloucester w październiku 1943 roku. Oba pojazdy dozbrojone przez załogę w wielkokalibrowy karabin maszynowy Browning M2HB kalibru 12,7 mm zamontowany na cokole oraz dwa karabiny maszynowe Browning M1919A4 kalibru 7,62 mm zamocowane na prawej i lewej burcie Half-Tracka. Standardowo pojazdy te nie posiadały żadnego uzbrojenia, nie licząc armaty kalibru 75 mm oraz uzbrojenia będącego na wyposażeniu załogi. Dozbrajanie pojazdów oraz montowanie zderzaków z wyciągarką w miejsce zderzaka z walcem, nie należało do rzadkości w oddziałach US Marines walczących w rejonie Pacyfiku.

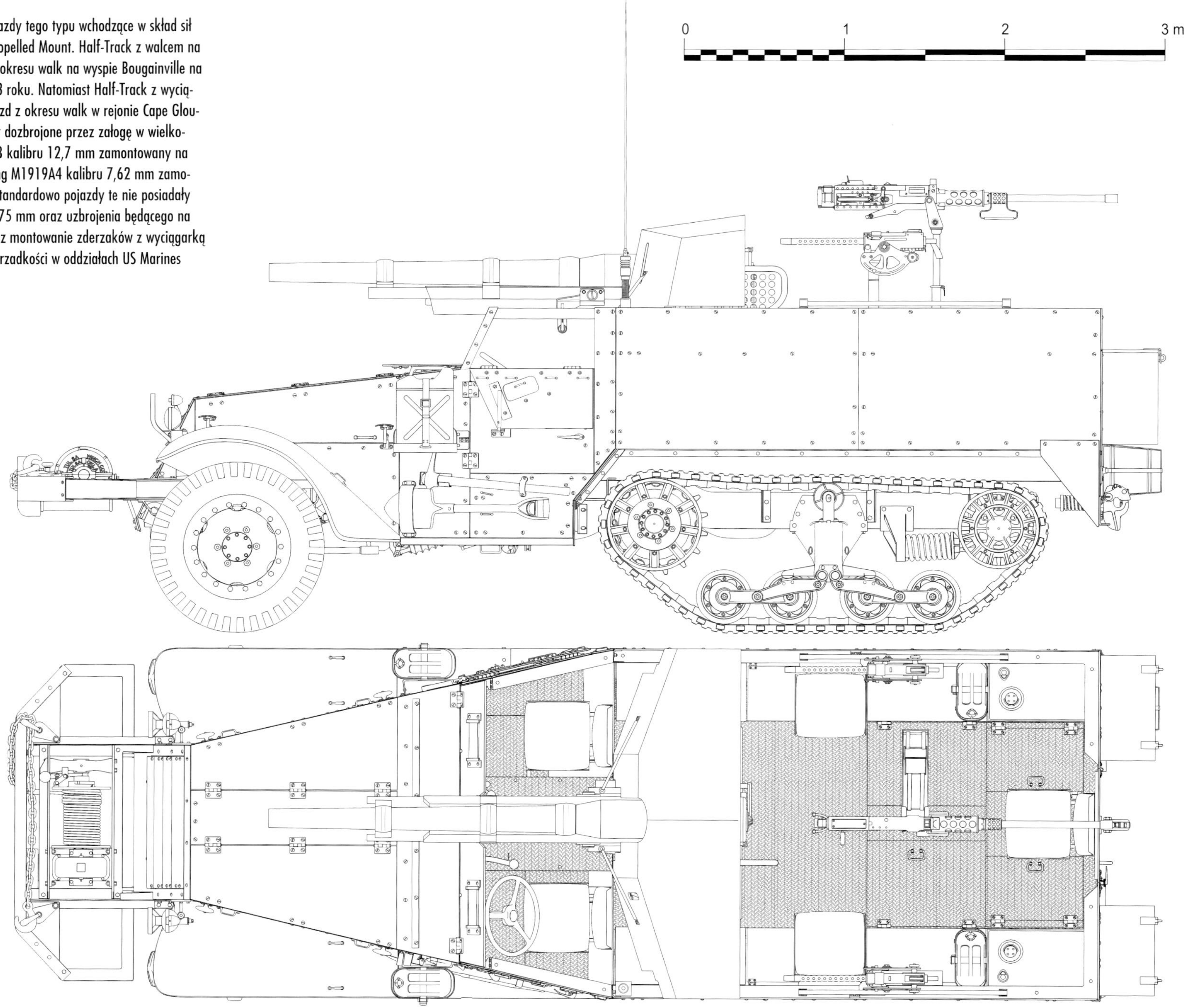

0 1 2 3 m

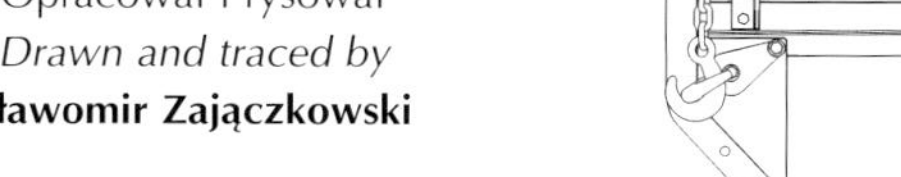

Opracował i rysował
Drawn and traced by
Sławomir Zajączkowski

skala 1:35 *scale*

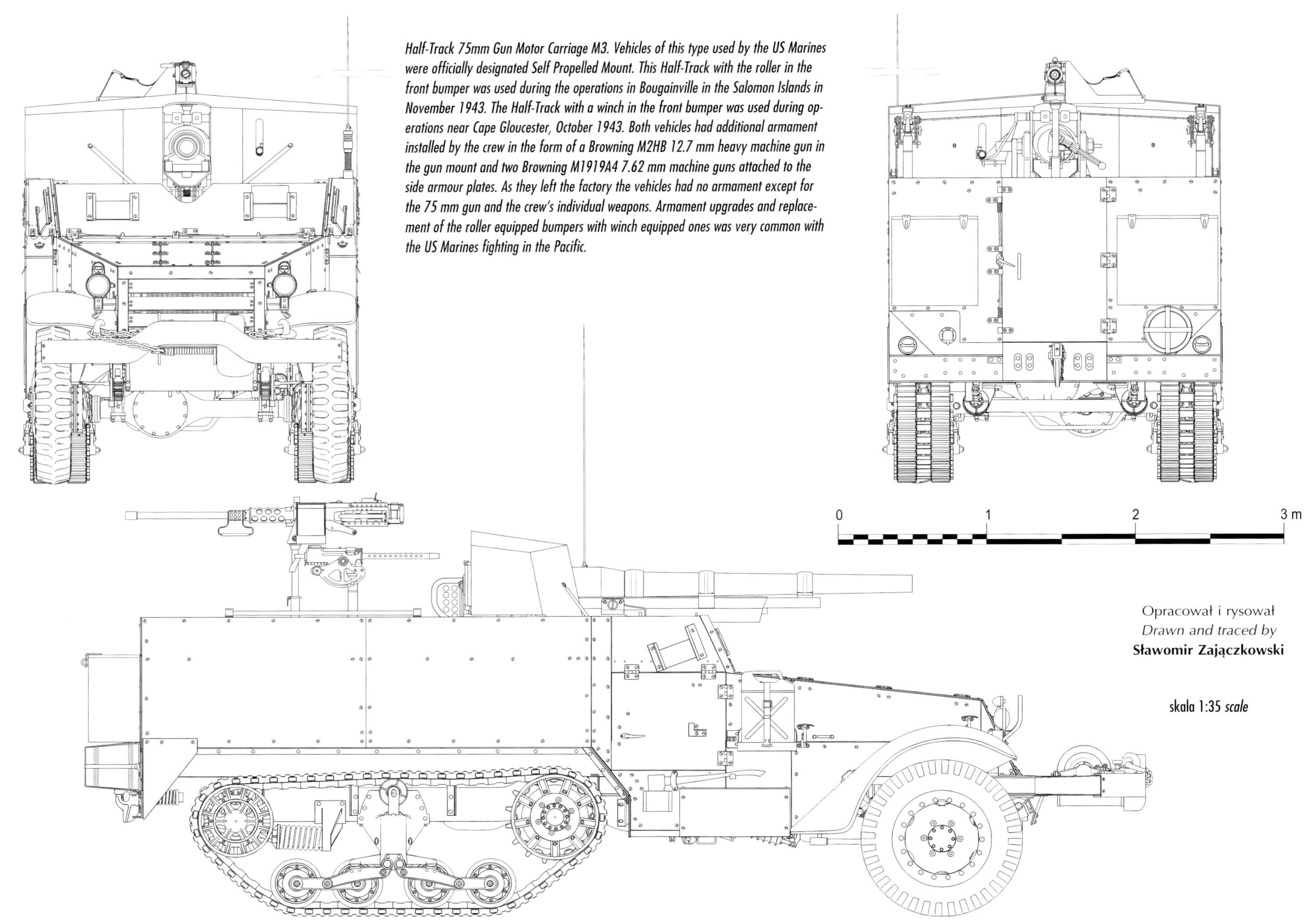

Half-Track 75mm Gun Motor Carriage M3. Vehicles of this type used by the US Marines were officially designated Self Propelled Mount. This Half-Track with the roller in the front bumper was used during the operations in Bougainville in the Salomon Islands in November 1943. The Half-Track with a winch in the front bumper was used during operations near Cape Gloucester, October 1943. Both vehicles had additional armament installed by the crew in the form of a Browning M2HB 12.7 mm heavy machine gun in the gun mount and two Browning M1919A4 7.62 mm machine guns attached to the side armour plates. As they left the factory the vehicles had no armament except for the 75 mm gun and the crew's individual weapons. Armament upgrades and replacement of the roller equipped bumpers with winch equipped ones was very common with the US Marines fighting in the Pacific.

Pojazd Self Propelled Mount, z okresu walk na wyspach Marshalla w lutym 1944 roku. Bardzo dobrze widoczne modyfikacje poczynione przez załogę, na rzecz dozbrojenia pojazdów w broń defensywną, jaką są karabiny maszynowe kalibru 12,7 mm oraz 7, 62 mm. Ilość tego rodzaju broni zainstalowana na pojeździe służącym do zwalczania celów pancernych z dużych odległości oddaje realia w jakich przyszło ich załogom walczyć podczas działań wojennych na Pacyfiku, to jest walki na krótkich dystansach. Ponadto jest to dowód na to, że pojazdy te nieraz pełniły rolę zdawało by się zarezerwowaną dla czołgów, czyli zapewnienia bezpośredniego i bliskiego wsparcia nacierającej piechocie. Uwagę zwracają, "złamane" anteny zestawu radioodbiornika. Zabieg ten miał chronić maszt anteny przed jego ewentualnym uszkodzeniem podczas przejazdu Half-Tracka przez dżunglę.

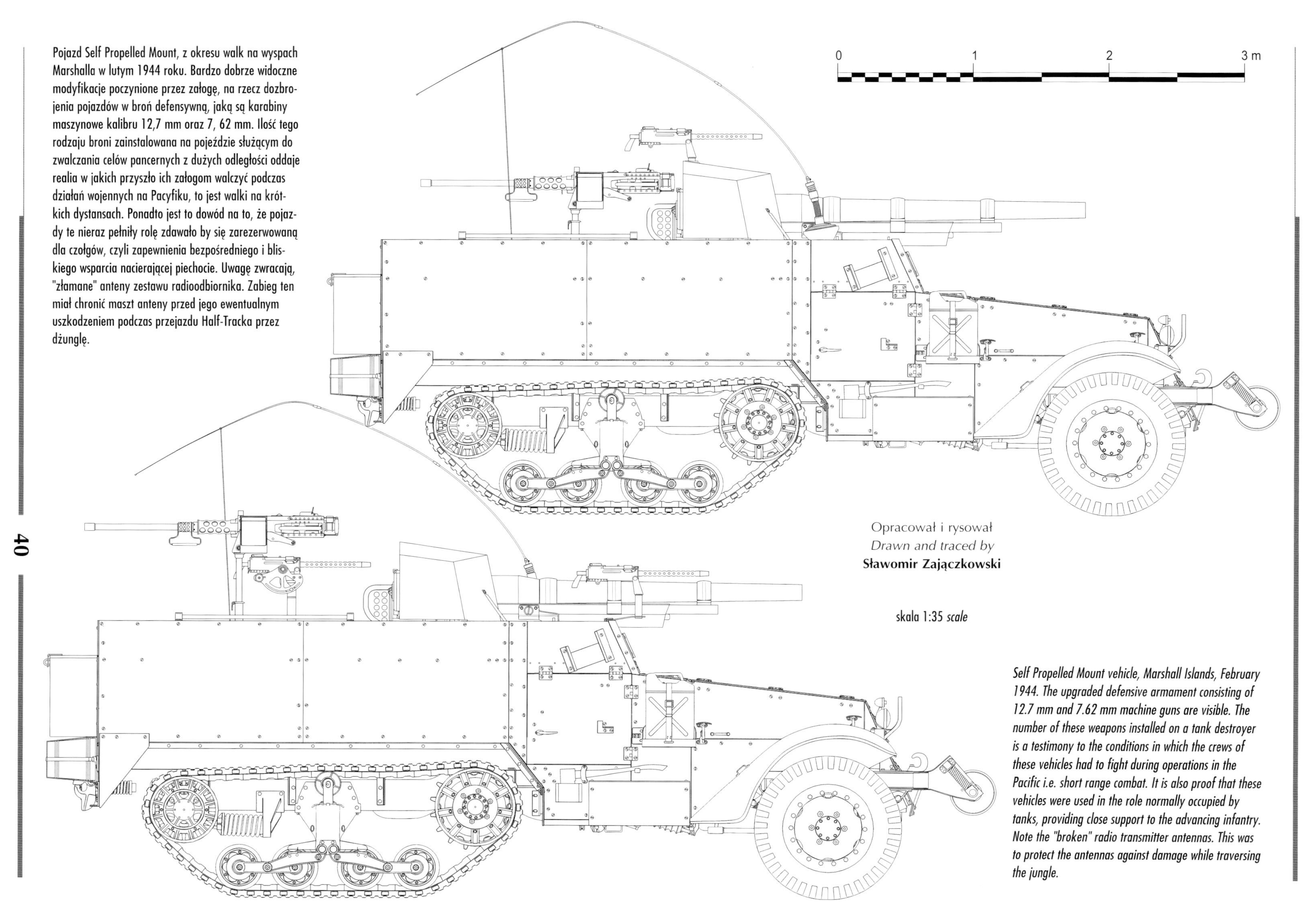

Opracował i rysował
Drawn and traced by
Sławomir Zajączkowski

skala 1:35 *scale*

Self Propelled Mount vehicle, Marshall Islands, February 1944. The upgraded defensive armament consisting of 12.7 mm and 7.62 mm machine guns are visible. The number of these weapons installed on a tank destroyer is a testimony to the conditions in which the crews of these vehicles had to fight during operations in the Pacific i.e. short range combat. It is also proof that these vehicles were used in the role normally occupied by tanks, providing close support to the advancing infantry. Note the "broken" radio transmitter antennas. This was to protect the antennas against damage while traversing the jungle.

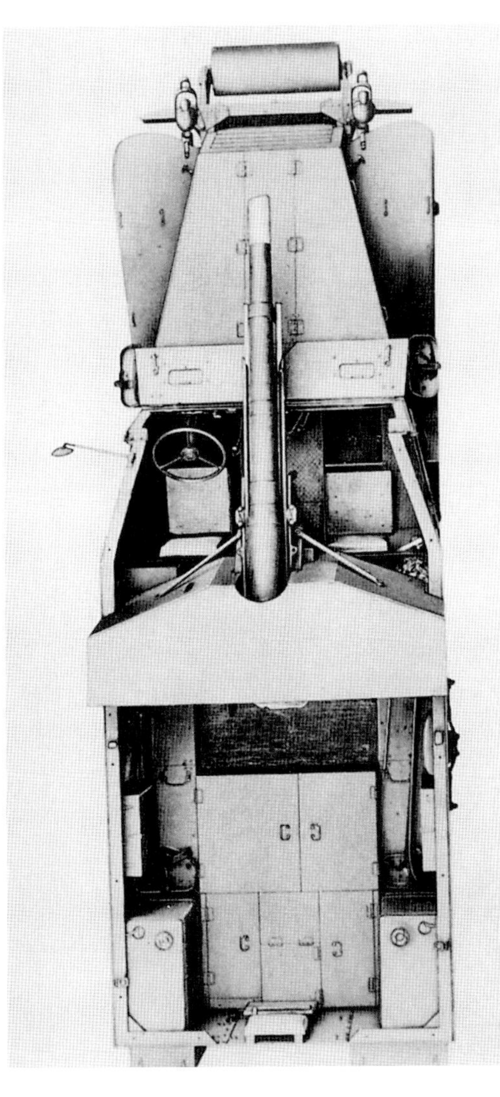

▶ Half-Track 75 mm Gun Motor Carriage M3, widok z góry, przedstawiający otwarte schowki znajdujące się w przedziale bojowym Half-Tracka. Half-Track wyposażony w przednie lampy wczesnego typu. / archiwum autora

▶ *Half-Track 75 mm Gun Motor Carriage M3, top view presenting the open storage bins inside the Half-Track's crew compartment. This Half-Track is equipped with early type headlights. / author's collection*

◀ Half-Track 75 mm Gun Motor Carriage M3, widok z góry, przedstawiający rozmieszczenie poszczególnych schowków w pojeździe. Half-Track posiada przednie lampy późnego typu. / archiwum autora

◀ *Half-Track 75 mm Gun Motor Carriage M3, top view, presenting the placement of storage bins inside the vehicle. This Half-Track has late type headlights. / author's collection*

▼ Pilotażowy egzemplarz Half-Tracka T12 75 mm Gun Motor Carriage, podczas pierwszych testów poligonowych, przeprowadzonych na poligonie Aberdeen Proving Ground 21 lipca 1941 roku. Uwagę zwraca ugięcie zawieszenia w wózku gąsienicowym, spowodowane ogólnym ciężarem pojazdu po zamontowaniu armaty kalibru 75 mm. / NARA

▼ *Pilot lot Half-Track T12 75 mm Gun Motor Carriage during the first field tests in the Aberdeen Proving Ground, 21 July 1941. Note the compression of the tracked suspension caused by the increase in vehicle weight after the installation of a 75 mm gun. / NARA*

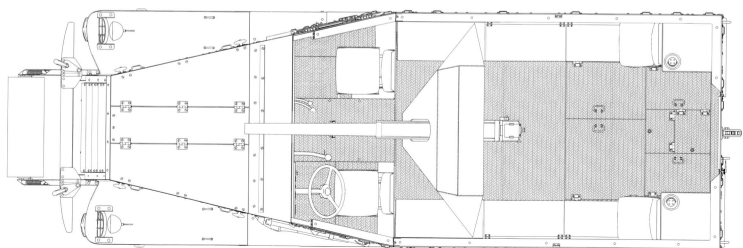

Pilotażowy egzemplarz Half-Tracka 57 mm Gun Motor Carriage T48, z okresu testów na poligonie Aberdeen Proving Ground. Uwagę zwraca wczesny typ pancernej osłony zapewniającej ochronę załodze obsługującej armatę oraz armata kalibru 57 mm Mark III o długości lufy wynoszącej 42,9 kalibrów. Armata posiada mechanizm oporo powrotny, który nosił oznaczenie M12. Podstawa armaty to Gun Mount T5. Ponadto pojazd pozbawiony został przedniej płyty pancernej osłaniającej kabinę kierowcy, która podczas testów poligonowych była zbędna. Uwagę zwracają przednie lampy, wczesnego typu, które w pojeździe produkcyjnym zostały zastąpione demontowanymi lampami montowanymi na bocznych osłonach pancernych przedziału silnika.

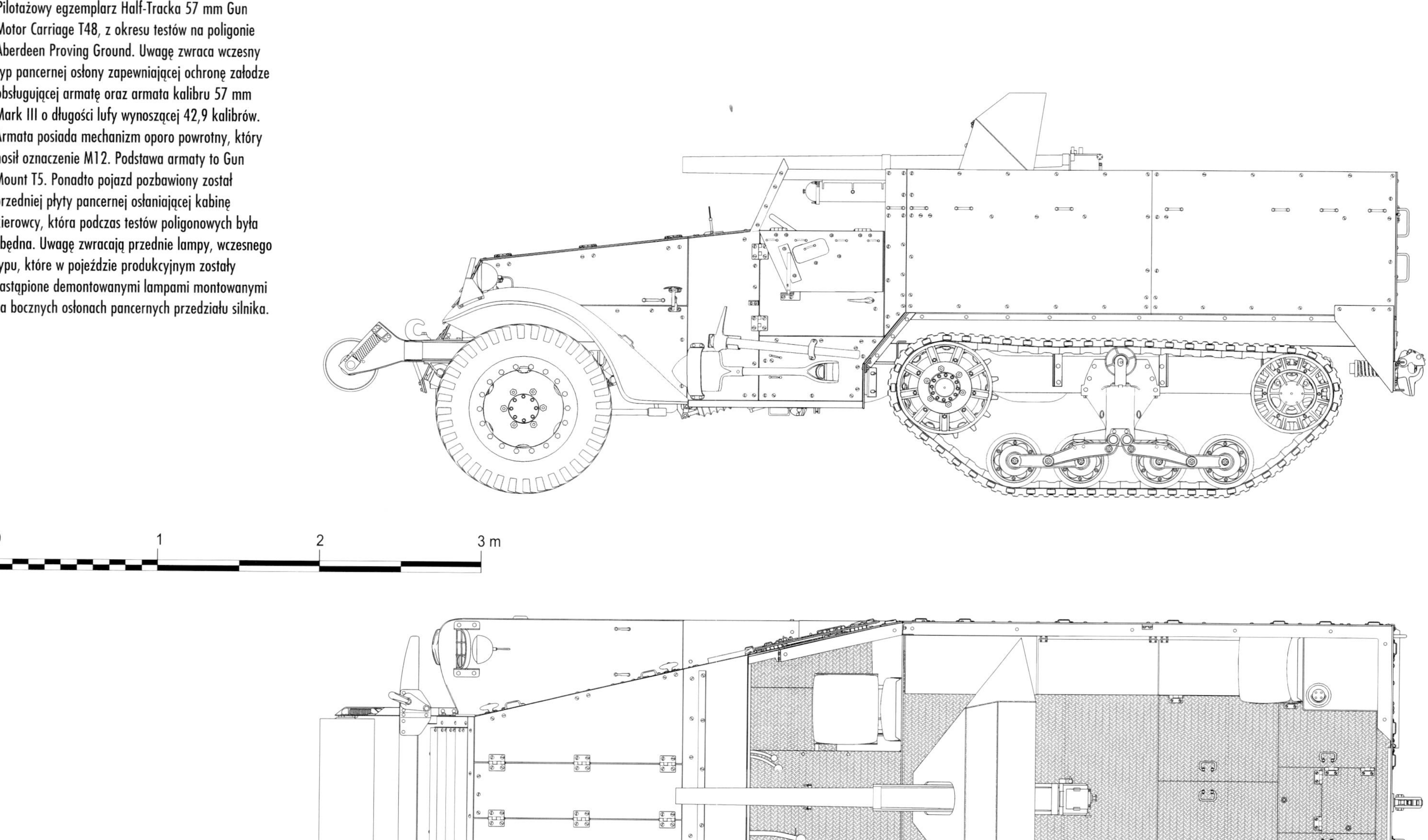

Opracował i rysował
Drawn and traced by
Sławomir Zajączkowski

skala 1:35 *scale*

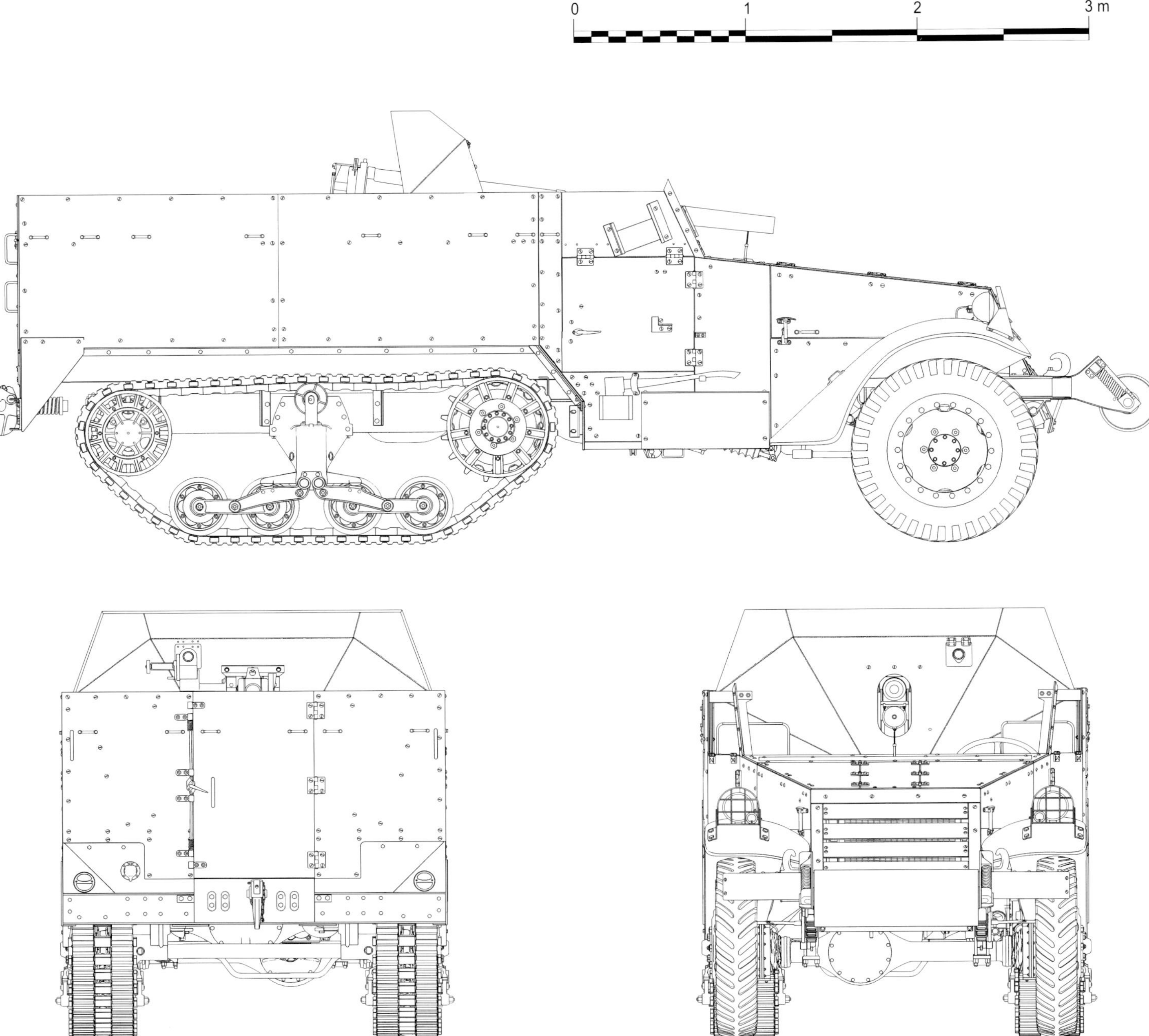

Half-Track 57mm Gun Motor Carriage T48 from the pilot lot during field tests in the Aberdeen Proving Ground. Note the early gun hood protecting the crew of the 57 mm Mark III gun with L/43 barrel length. The gun was equipped with a M12 recoil mechanism. The gun is installed on a Gun Mount T5. The armour plate protecting the driver compartment from the front was removed during field tests. The early type headlights were replaced in the production vehicles with detachable late type headlights installed on the side armour plates protecting the engine compartment.

Opracował i rysował
Drawn and traced by
Sławomir Zajączkowski

skala 1:35 *scale*

Half-Track 57 mm Gun Motor Carriage T48, z końcowego okresu ewaluacyjnego na poligonie Aberdeen Proving Ground. w porównaniu do pierwszej odsłony tego Half-Tracka, pojazd ten posiada już pancerną osłonę armaty, która stosowana była w egzemplarzach produkcyjnych. Ponadto przednie lampy z błotników zostały usunięte, ponieważ nazbyt często ulegały zniszczeniu podczas prowadzenia ognia z armaty Mark III. Dodatkowo na tylnej pycie pancernej przedziału bojowego, na jej zewnętrznej stronie umieszczone zostały specjalne, metalowe zasobniki na dodatkowe wyposażenie. Pojazd z zainstalowaną przednią płytą pancerną, chroniącą kabinę kierowcy.

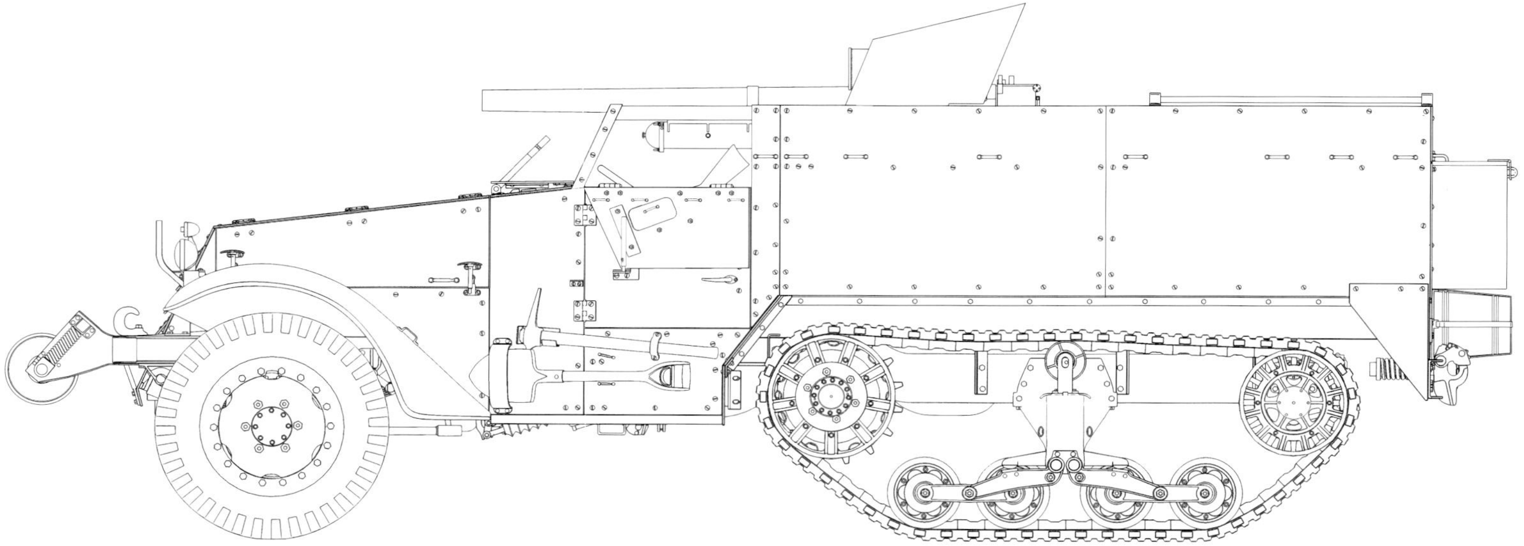

0 1 2 3 m

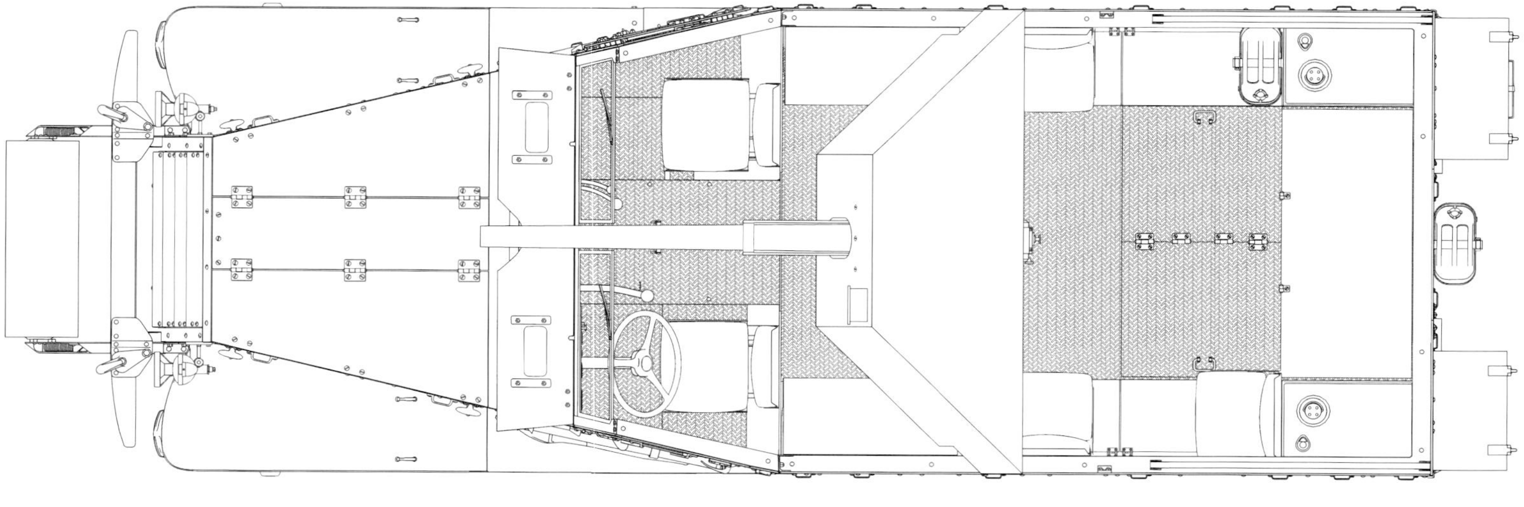

Opracował i rysował
Drawn and traced by
Sławomir Zajączkowski

skala 1:35 *scale*

Half-Track 57mm Gun Motor Carriage T48 from the pilot lot near the end of the field tests in the Aberdeen Proving Ground. Compared to the earlier vehicle this Half-Track has the same gun hood as the one used on production vehicles. The headlights were removed from the front fenders because they were often damaged while firing the Mark III gun. Additional metal stowage bins were placed on the outside of the rear armour plate. This vehicle has the driver compartment armour plate in place.

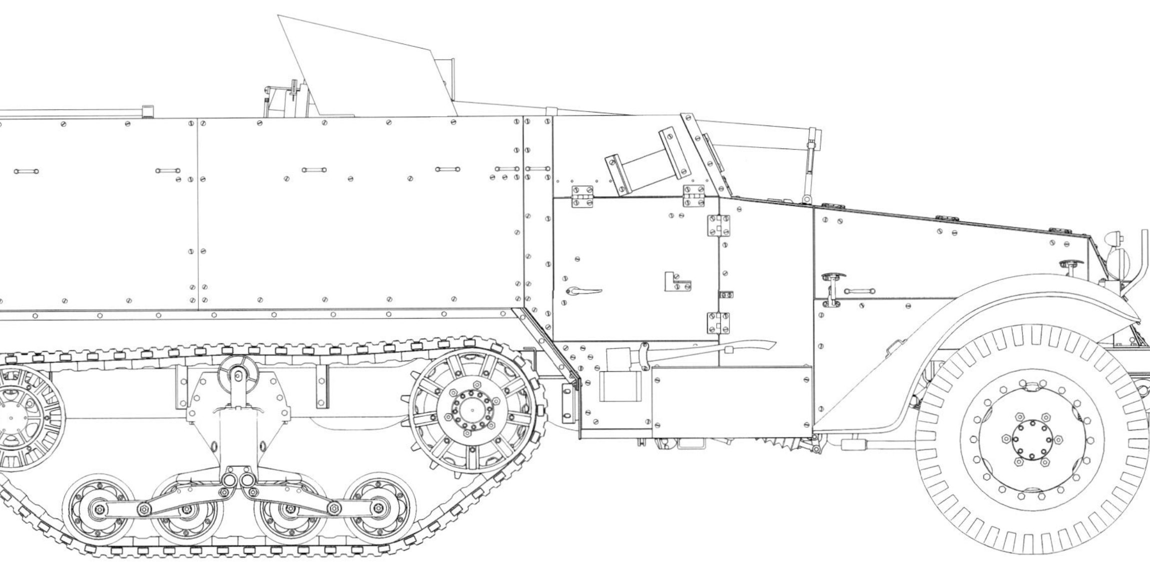

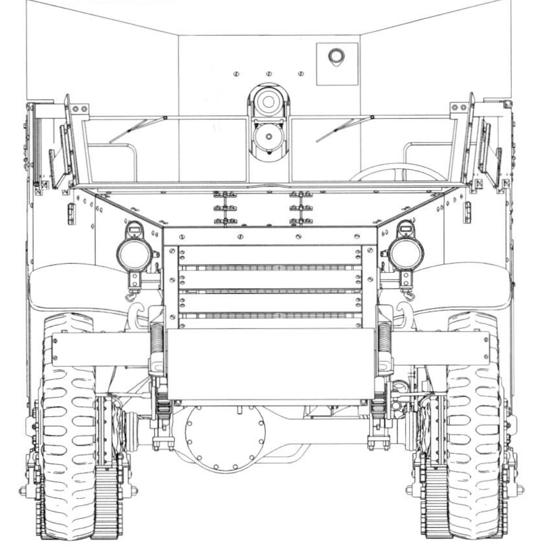

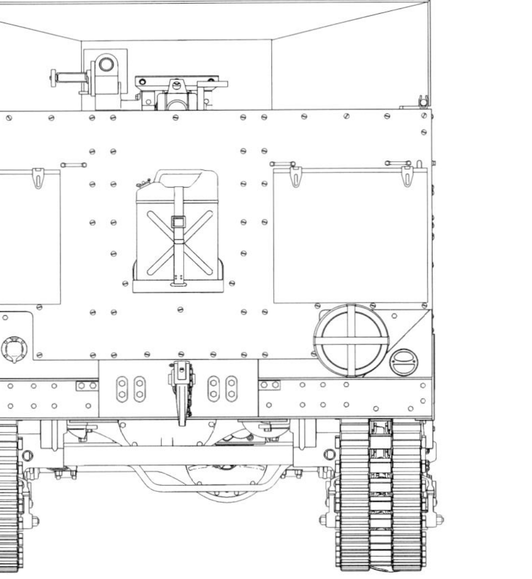

Opracował i rysował
Drawn and traced by
Sławomir Zajączkowski

skala 1:35 *scale*

Half-Track 57 mm Gun Motor Carriage T48, wersja produkcyjna. Uwagę zwraca armata o dłuższej lufie niż w przypadku Half-Tracków z serii pilotażowej. Jest to Armata Mark V kalibru 57 mm, która odróżniała się do armaty Mark III lufą o cieńszych ściankach jej przewodu, natomiast cała lufa była dłuższa i wynosiła 50 kalibrów. Angielska lufa Mark V produkowana w USA otrzymała oznaczenie M1 57 mm. Podstawa armaty oraz mechanizm oporo-powrotny nie uległy zmianie. Pancerna osłona armaty wykonana była z walcowanej stali o grubości 15,88 m od czoła i 6,35 mm po bokach i od góry. Zamiast stalowego walca na przednim zderzaku, wersja produkcyjna posiadała wyciągarkę.

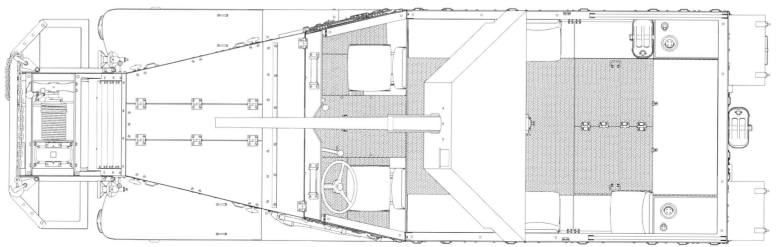

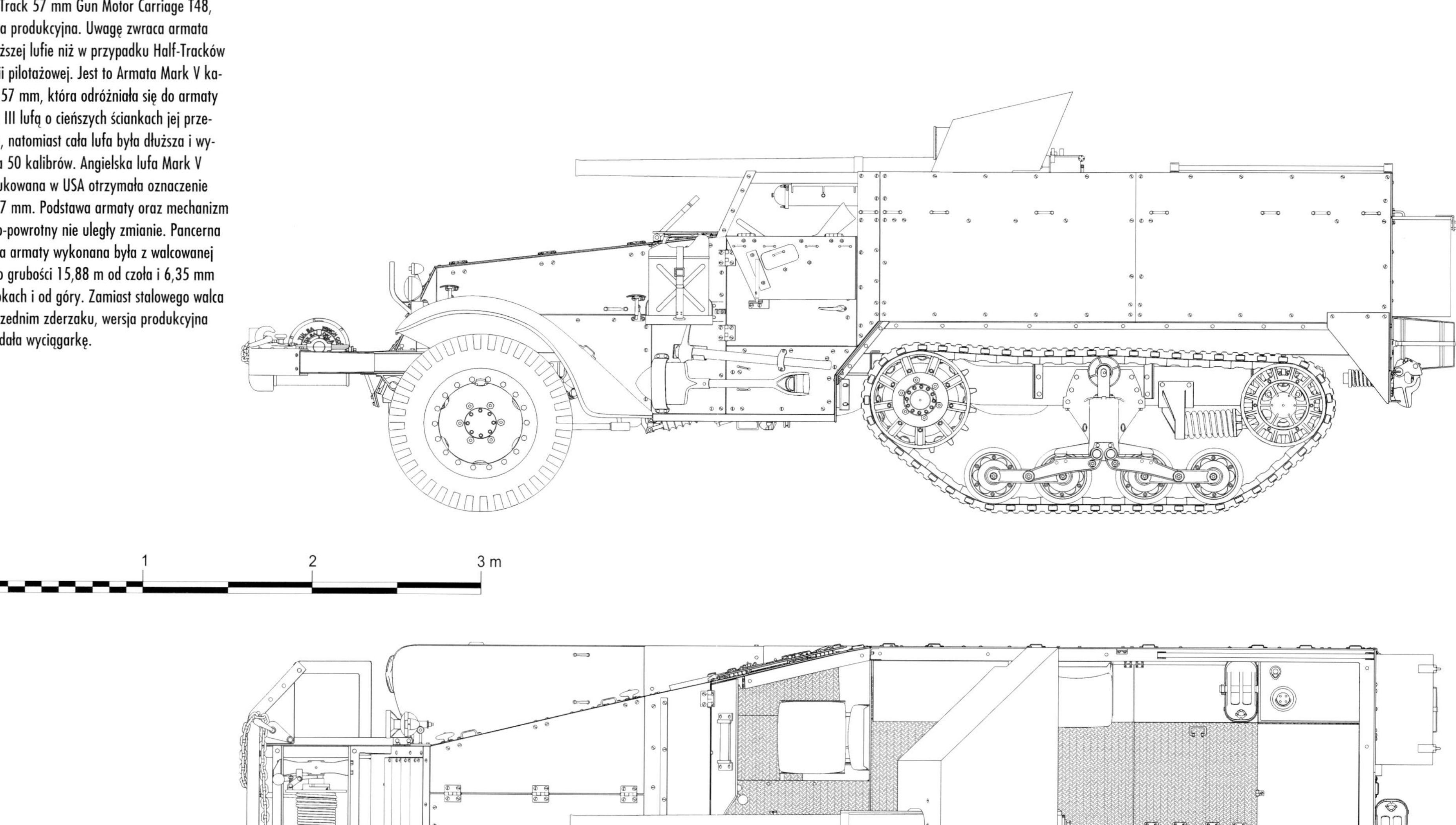

Opracował i rysował
Drawn and traced by
Sławomir Zajączkowski

skala 1:35 scale

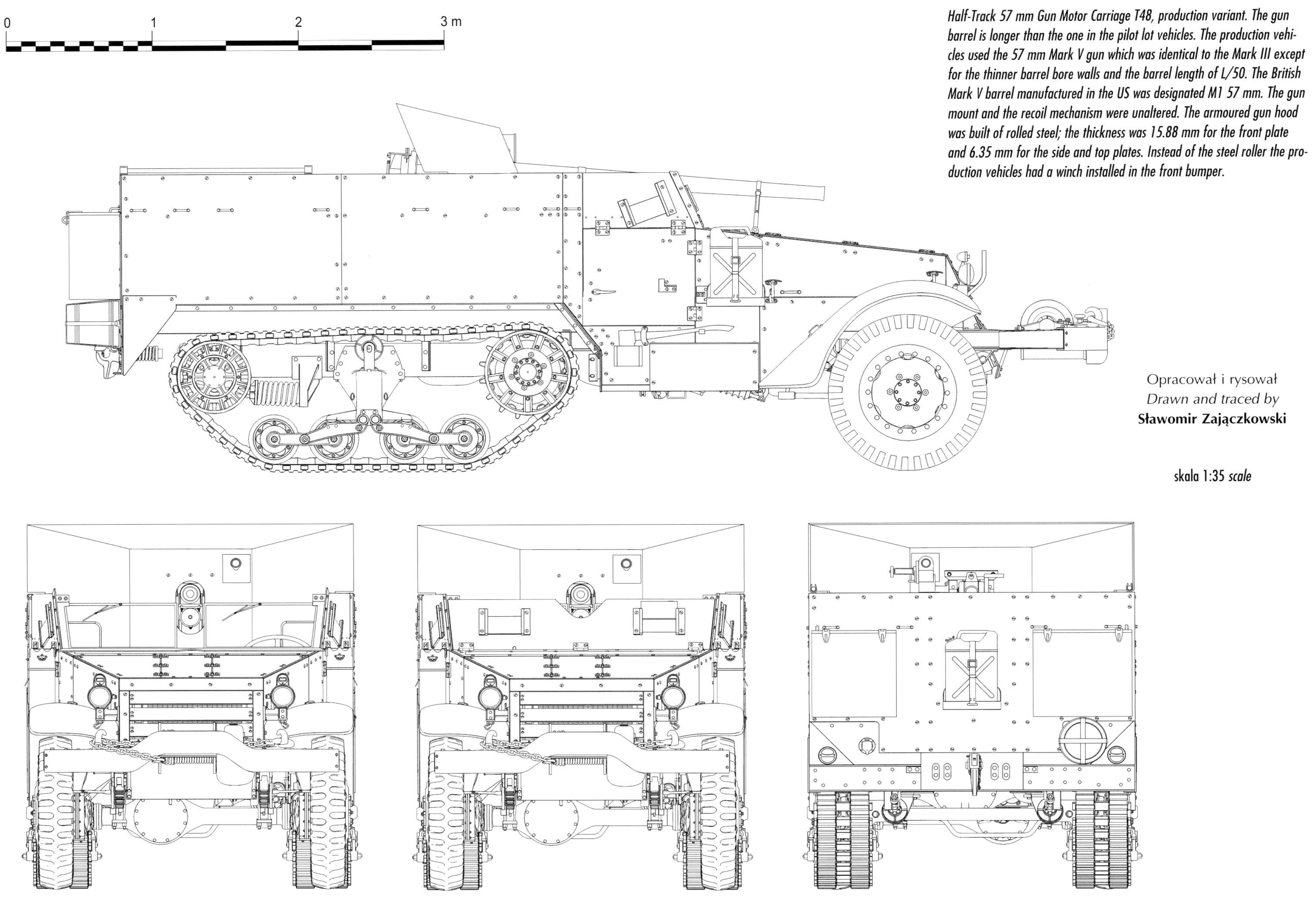

Half-Track 57 mm Gun Motor Carriage T48, production variant. The gun barrel is longer than the one in the pilot lot vehicles. The production vehicles used the 57 mm Mark V gun which was identical to the Mark III except for the thinner barrel bore walls and the barrel length of L/50. The British Mark V barrel manufactured in the US was designated M1 57 mm. The gun mount and the recoil mechanism were unaltered. The armoured gun hood was built of rolled steel; the thickness was 15.88 mm for the front plate and 6.35 mm for the side and top plates. Instead of the steel roller the production vehicles had a winch installed in the front bumper.

Opracował i rysował
Drawn and traced by
Sławomir Zajączkowski

skala 1:35 *scale*

▲▼ Pilotażowy egzemplarz Half-Tracka T48. Uwagę zwraca brak mechanizmu napinającego gąsienice, przednie demontowalne lampy. Ponadto warto się przyjrzeć armacie z krótką, grubościenną lufą długości 42,9 kalibrów. Była to brytyjska, szybkostrzelna armata sześciu funtowa Mark III. / NARA

▲▼ *Half-Track T48 of the pilot lot. Note that the vehicle is equipped with detachable headlights but has no track tensioning mechanism. Also note the short-barrelled British 6 Pounder Mark III L/43 gun. / NARA*

▼◢ Zdjęcia przedstawiające zasobnik na amunicję kalibru 57 mm, górny oraz dolny, Half--Tracka T48. w narożach przedziału bojowego dobrze widoczne zbiorniki paliwa. / NARA

◣▼ *Half-Track T48, top and bottom ammunition bins for the 57 mm rounds. Fuel tanks were placed in the corners of the crew compartment. / NARA*

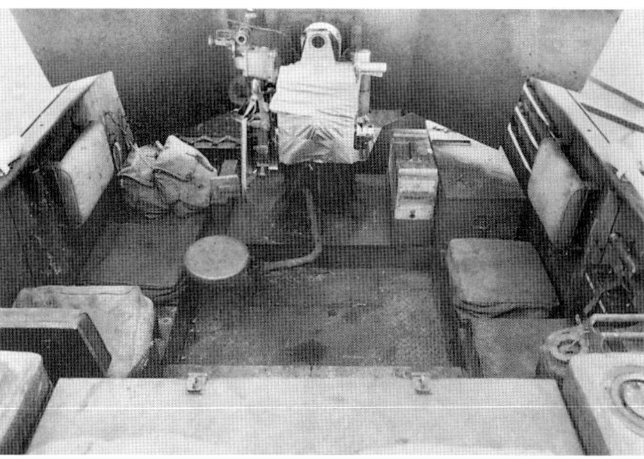

▲◥ Zdjęcia przedstawiające detale konstrukcyjne armaty M1 kalibru 57 mm. Zdjęcia wykonano podczas testu na poligonie Aberdeen Proving Ground 3 sierpnia 1942 roku. / NARA

◤▲ *Details of the 57 mm M1 gun. The photographs were taken during tests in the Aberdeen Proving Ground on the 3rd August 1942. / NARA*

▲ T19 Half-Track 105 mm Howitzer Motor Carriage podczas pierwszych, poligonowych jazd próbnych. Uwagę zwraca brak przedniej szyby. / NARA

▲ *T19 Half-Track 105 mm Howitzer Motor Carriage during first field tests. Note that the vehicle has no windshield installed. / NARA*

▼ Wczesna wersja produkcyjna Half-Tracka T19. Haubica bez przedniej osłony. / NARA

▼ *Early production Half-Track T19. Note the howitzer has no gun hood. / NARA*

Half-Track T19 105 mm Howitzer Motor Carrier, egzemplarz pilotażowy, z okresu pierwszych testów poligonowych. Projekt budowy tego pojazdu, w oparciu o Half-Tracka Personnel Carrier M3, został zatwierdzony w Ordnance Comitee Minutes 17391 z 31 grudnia 1941 roku. Haubica M2A1 kalibru 105 mm, została osadzona w pojeździe z wykorzystaniem zmodyfikowanej podstawy M3 oznaczonej T2 Mount. Uwagę zwraca brak przedniej płyty pancernej osłaniającej kabinę kierowcy oraz ramki szyb. Ponadto na tylnej płycie pancernej umieszczone zostały drzwi prowadzące do przedziału bojowego pojazdu.

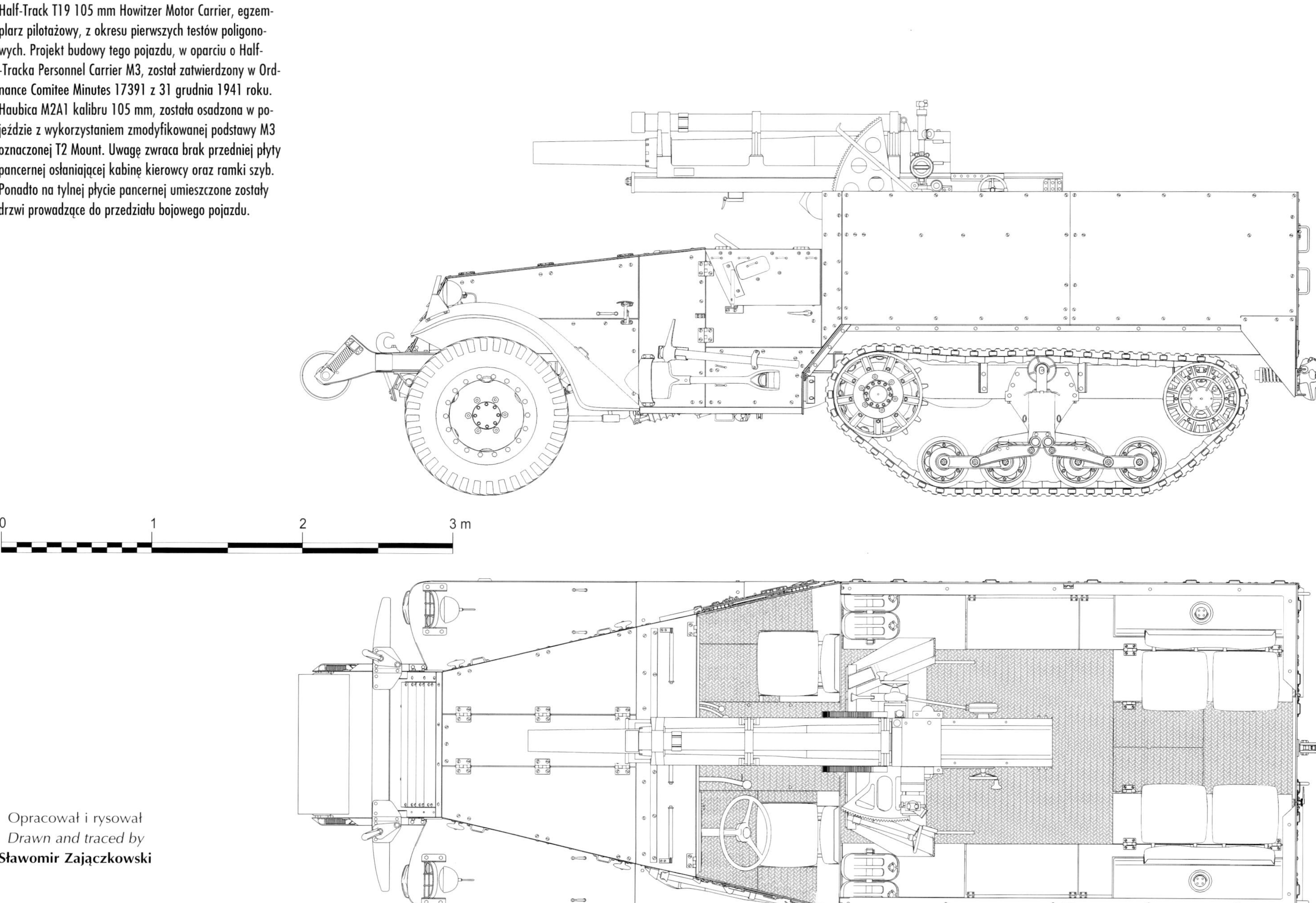

Opracował i rysował
Drawn and traced by
Sławomir Zajączkowski

skala 1:35 *scale*

Half-Track T19 105 mm Howitzer Motor Carrier from the pilot lot during early field tests. The design of this vehicle was based on the Half-Track Personnel Carrier M3 and was approved in the Ordnance Committee Minutes 17391 dated 31st December 1941. The 105 mm M2A1 Howitzer was installed in the vehicle using a modified M3 mount designated T2 Mount. There is no armour plate protecting the driver compartment from the front and the windshield is missing. In the rear armour plate a door leading into the crew compartment was installed.

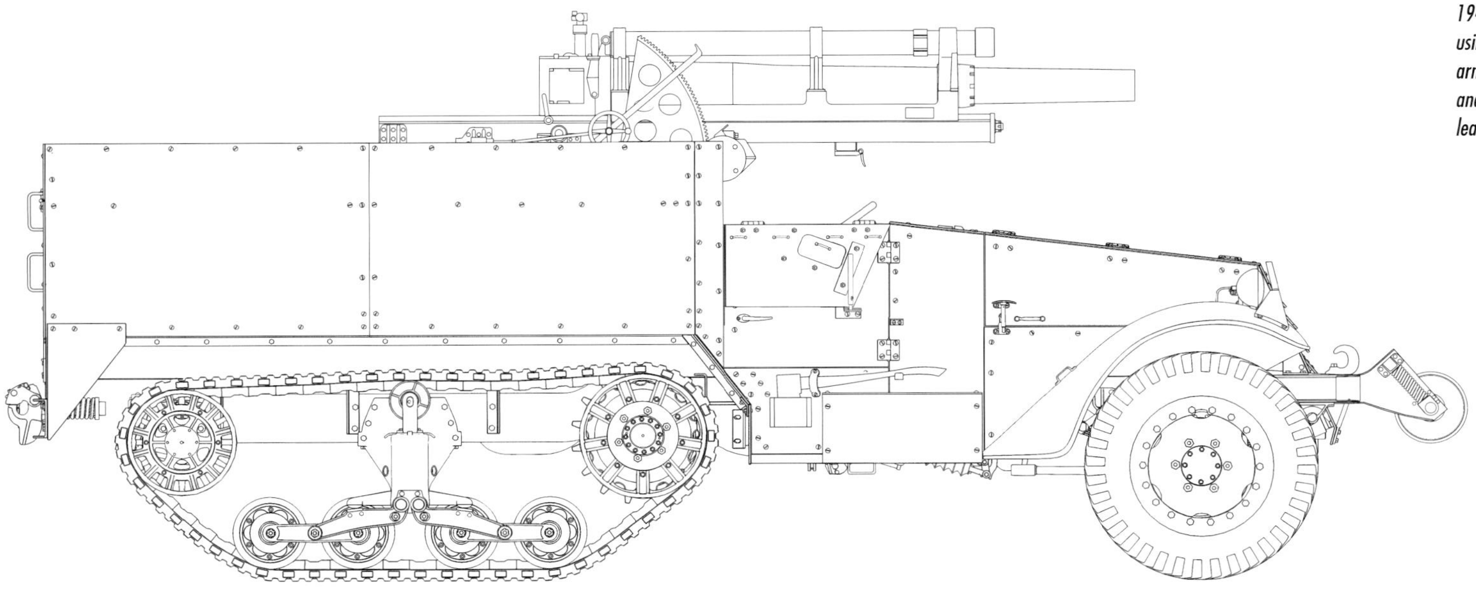

0 1 2 3 m

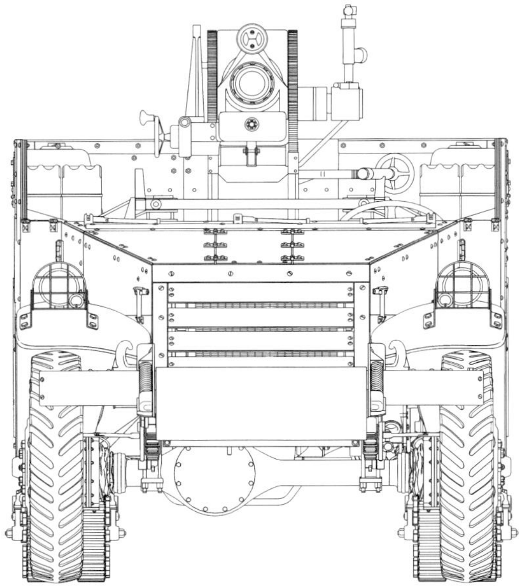

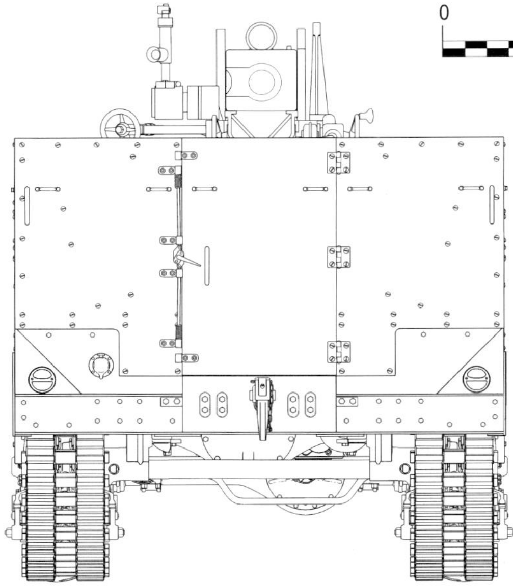

Opracował i rysował
Drawn and traced by
Sławomir Zajączkowski

skala 1:35 *scale*

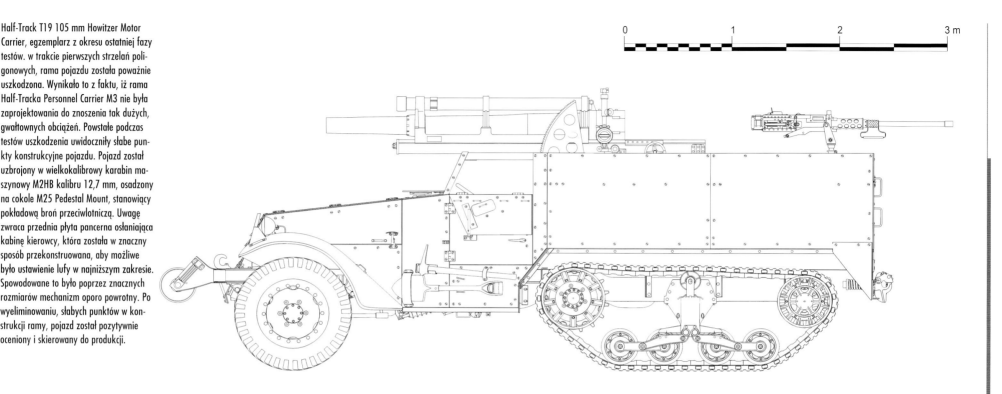

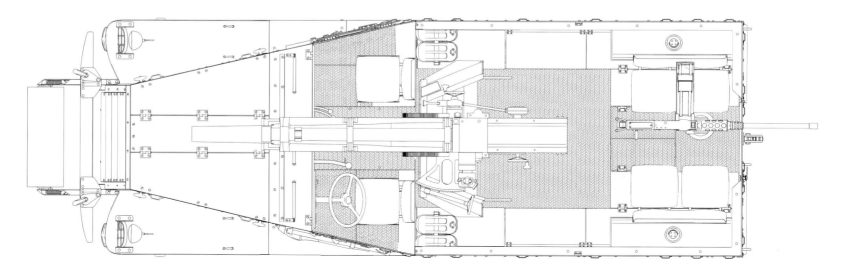

Half-Track T19 105 mm Howitzer Motor Carrier, egzemplarz z okresu ostatniej fazy testów. w trakcie pierwszych strzelań poligonowych, rama pojazdu została poważnie uszkodzona. Wynikało to z faktu, iż rama Half-Tracka Personnel Carrier M3 nie była zaprojektowania do znoszenia tak dużych, gwałtownych obciążeń. Powstałe podczas testów uszkodzenia uwidoczniły słabe punkty konstrukcyjne pojazdu. Pojazd został uzbrojony w wielkokalibrowy karabin maszynowy M2HB kalibru 12,7 mm, osadzony na cokole M25 Pedestal Mount, stanowiący pokładową broń przeciwlotniczą. Uwagę zwraca przednia płyta pancerna osłaniająca kabinę kierowcy, która została w znaczny sposób przekonstruowana, aby możliwe było ustawienie lufy w najniższym zakresie. Spowodowane to było poprzez znacznych rozmiarów mechanizm oporo powrotny. Po wyeliminowaniu, słabych punktów w konstrukcji ramy, pojazd został pozytywnie oceniony i skierowany do produkcji.

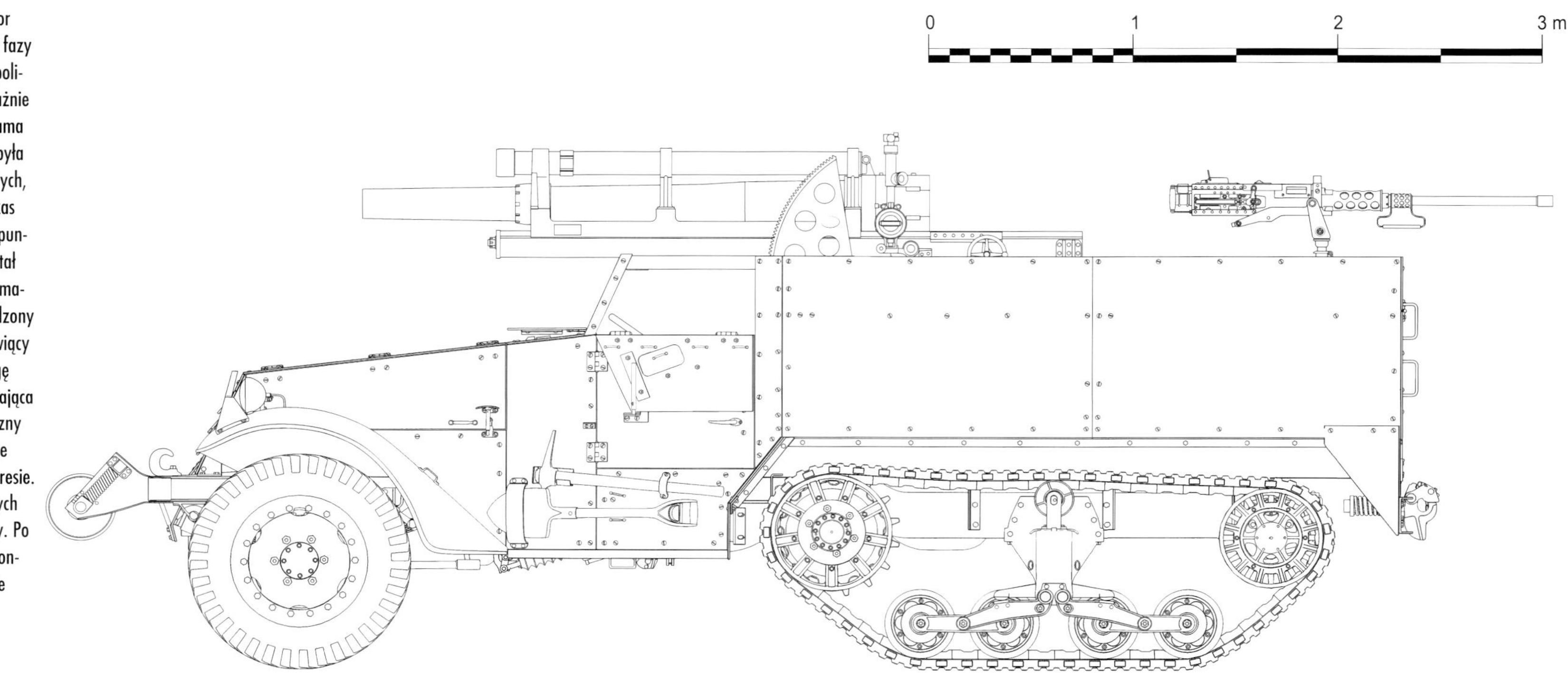

Opracował i rysował
Drawn and traced by
Sławomir Zajączkowski

skala 1:35 *scale*

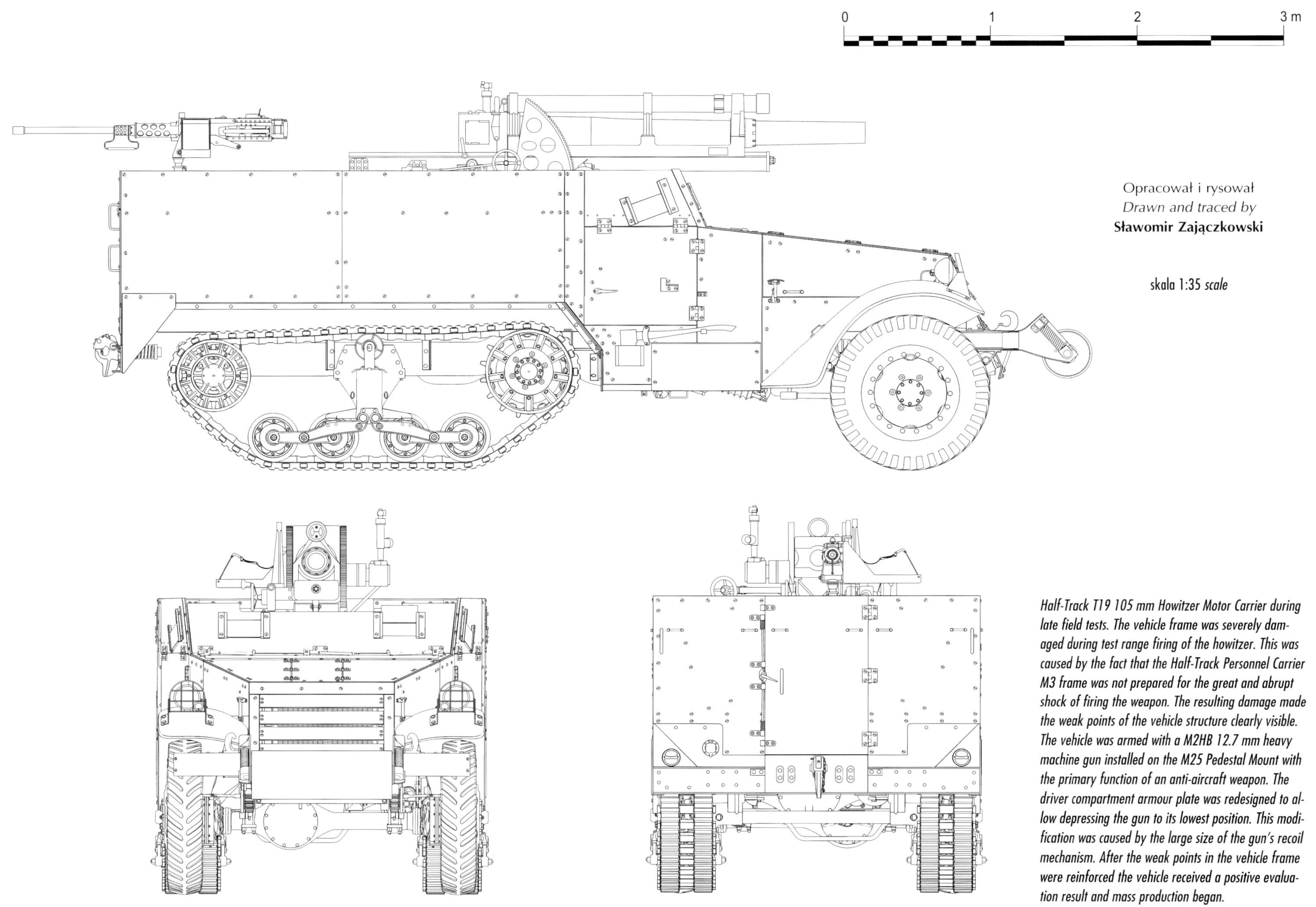

Half-Track T19 105 mm Howitzer Motor Carrier during late field tests. The vehicle frame was severely damaged during test range firing of the howitzer. This was caused by the fact that the Half-Track Personnel Carrier M3 frame was not prepared for the great and abrupt shock of firing the weapon. The resulting damage made the weak points of the vehicle structure clearly visible. The vehicle was armed with a M2HB 12.7 mm heavy machine gun installed on the M25 Pedestal Mount with the primary function of an anti-aircraft weapon. The driver compartment armour plate was redesigned to allow depressing the gun to its lowest position. This modification was caused by the large size of the gun's recoil mechanism. After the weak points in the vehicle frame were reinforced the vehicle received a positive evaluation result and mass production began.

Half-Track T19 105 mm Howitzer Motor Carrier, wersja produkcyjna. Uwagę zwraca przednia osłona pancerna haubicy, podobna do osłony występującej w wersji ciągnionej tej haubicy. Zakres naprowadzania lufy wynosił 20° w lewo i w prawo. Natomiast kąt podniesienia lufy wynosił od -5° do 35°. Słabą stroną pojazdu był fakt zabierania na pokład tylko 8 pocisków kalibru 105 mm oraz załoga licząca 6 żołnierzy, co jak na Half-Tracka z zainstalowanym tak dużym środkiem ogniowym, czyniło wnętrze przedziału bojowego dość ciasnym. Ponadto pojazd nie zapewnia dostatecznej ochrony załodze. Od stycznia do kwietnia 1942 roku firma Diamond T Motor Car Company wyprodukowała 324 pojazdy tego typu. Pojazdy te służyły głównie podczas walk w Północnej Afryce, Sycylii, Włoszech, a kilkanaście sztuk również w Południowej Francji. Ordnance Comitee Minutes 28557 z 26 lipca 1945 roku zakwalifikowały pojazd jako przestarzały i nakazywały jego wycofanie ze służby. w tym samym miesiącu firma Bowen & Mc Laughin otrzymała kontrakt na konwersję 90 Half-Tracków T19 do standardu Half-Track Personnel Carrier M3A1.

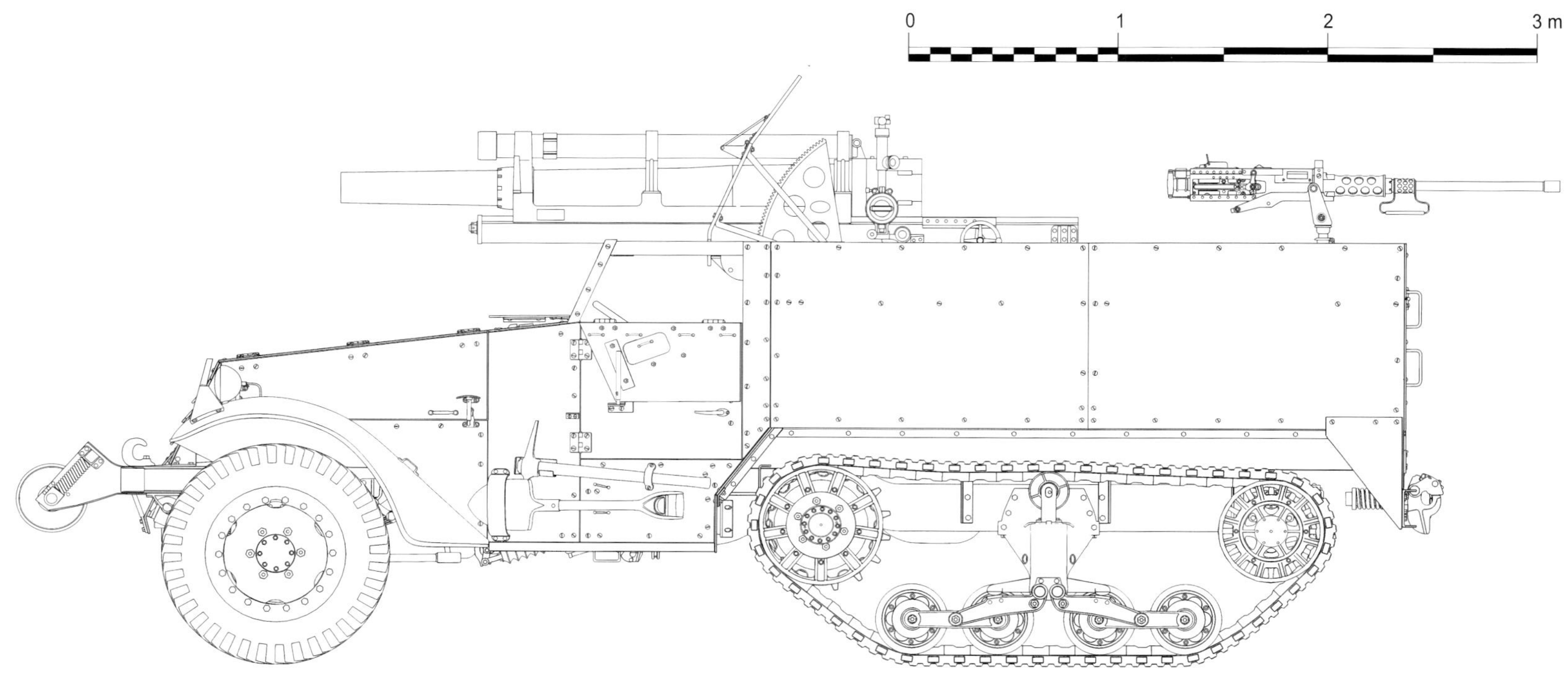

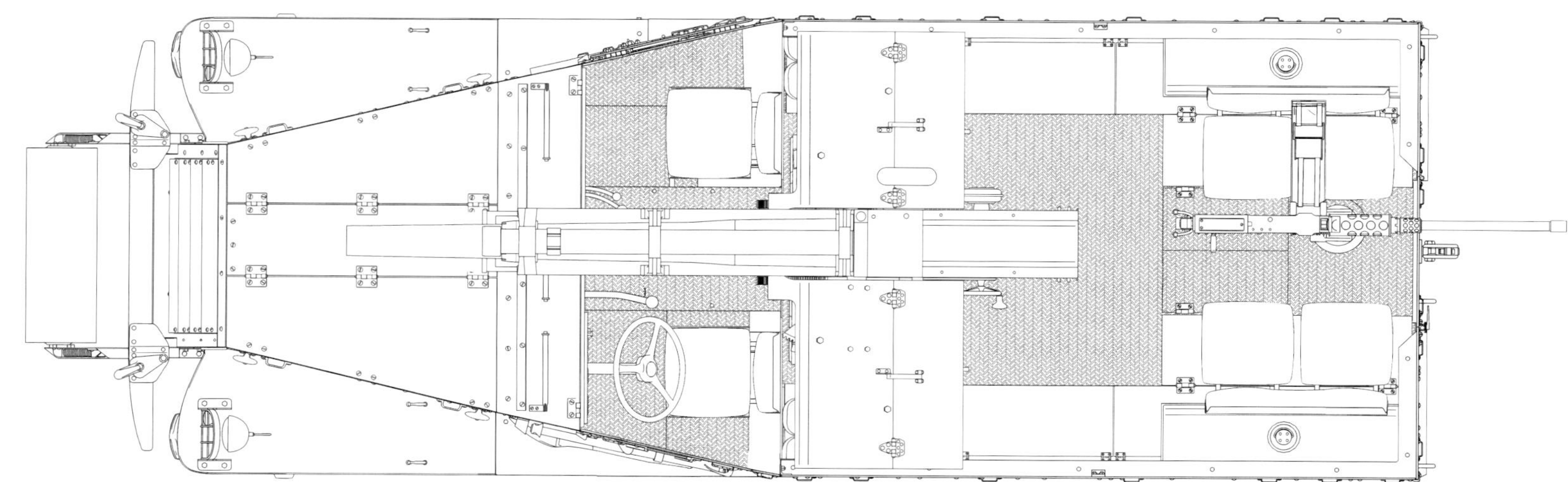

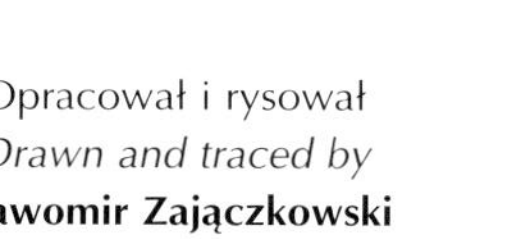

Opracował i rysował
Drawn and traced by
Sławomir Zajączkowski

skala 1:35 *scale*

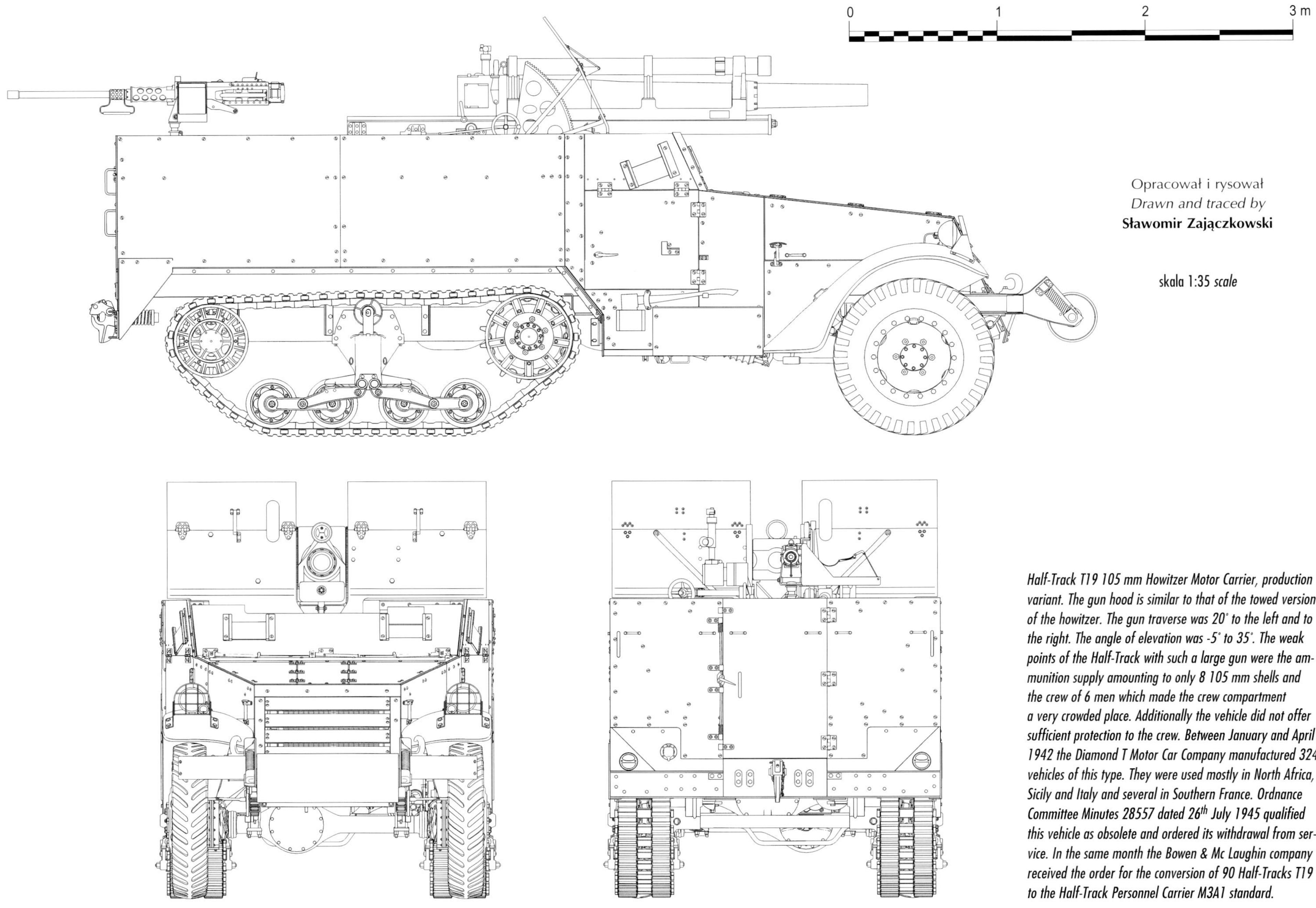

Opracował i rysował
Drawn and traced by
Sławomir Zajączkowski

skala 1:35 *scale*

Half-Track T19 105 mm Howitzer Motor Carrier, production variant. The gun hood is similar to that of the towed version of the howitzer. The gun traverse was 20° to the left and to the right. The angle of elevation was -5° to 35°. The weak points of the Half-Track with such a large gun were the ammunition supply amounting to only 8 105 mm shells and the crew of 6 men which made the crew compartment a very crowded place. Additionally the vehicle did not offer sufficient protection to the crew. Between January and April 1942 the Diamond T Motor Car Company manufactured 324 vehicles of this type. They were used mostly in North Africa, Sicily and Italy and several in Southern France. Ordnance Committee Minutes 28557 dated 26th July 1945 qualified this vehicle as obsolete and ordered its withdrawal from service. In the same month the Bowen & Mc Laughin company received the order for the conversion of 90 Half-Tracks T19 to the Half-Track Personnel Carrier M3A1 standard.

◀ Half-Track Howitzer Motor Carrier T19 105 mm, widok od góry. Doskonale widoczny przedział bojowy z siedzeniami dla obsługi haubicy. Uwagę zwraca zaczep pod karabin maszynowy znajdujący się w tylnej części przedziału bojowego pojazdu. / NARA

◀ *Half-Track Howitzer Motor Carrier T19 105 mm, top view. The crew compartment with seats for the howitzer crew is visible. Note the machine gun mount in the rear part of the crew compartment. / NARA*

▼ Hubica 105 mm zamontowana na Half-Tracku wchodzącym w skład a Battery, 93rd Armored Field Artillery Battalion, 6th Armored Division z okresu ćwiczeń poligonowych w Camp Chaffee w stanie Arkansas pod koniec 1942 roku. Zdjęcie doskonale przedstawia detale haubicy, w tym pokrętła służące do naprowadzania lufy na cel. / NARA

▼ *The 105 mm howitzer is installed on a Half-Track belonging to the a Battery, 93rd Armored Field Artillery Battalion, 6th Armored Division during field exercise in Camp Chaffee, Arkansas, end of 1942. Details of the howitzer including the gun targeting hand wheels are visible. / NARA*

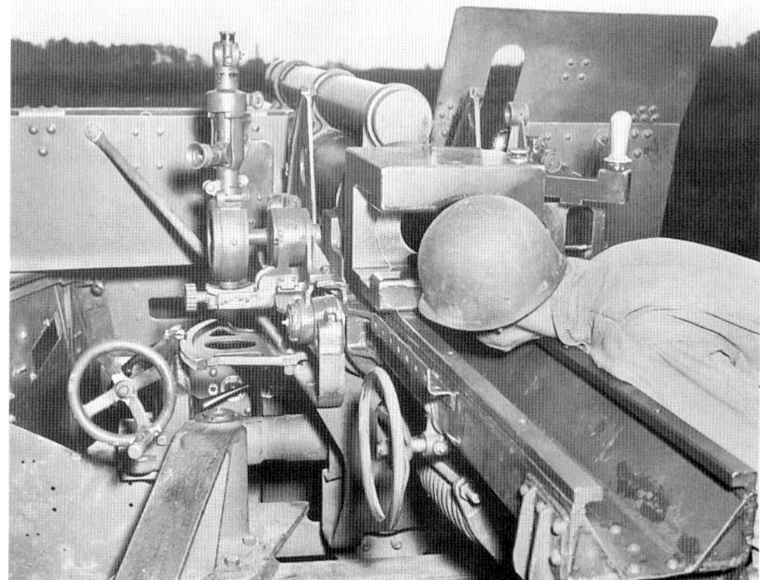

◀ Haubica M1A1 kalibru 75 mm, zainstalowana w przedziale bojowym Half-Tracka. Brak stalowej osłony haubicy. / NARA

◀ *M1A1 75 mm howitzer in the Half-Track's crew compartment. The gun hood is not installed. / NARA*

▲ Haubica M1A1 oraz łoże — widok od tyłu. / NARA

▲ *M1A1 howitzer and the gun mount — rear view. / NARA*

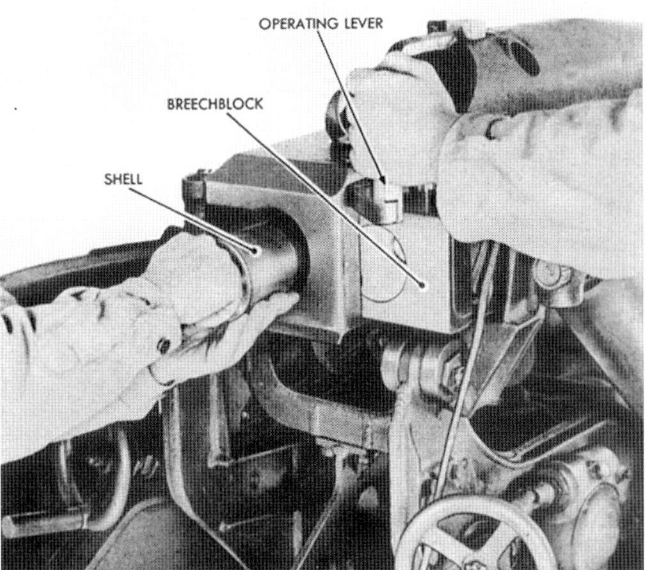

▲ Sposób ładowania Haubicy pociskiem kalibru 75 mm. / NARA

▲ *Loading the howitzer with a 75 mm round. / NARA*

◣ 75 mm Howitzer Motor Carriage T30, wersja wczesno produkcyjna. Przednie lampy oraz przednie koła wczesnego typu. Uwagę zwraca zaczep pod karabin maszynowy znajdujący się w tylnej części przedziału bojowego pojazdu. / archiwum autora

◀ *Early production 75 mm Howitzer Motor Carriage T30. Note the early type headlights and wheels. Also note the machine gun mount in the rear part of the crew compartment. / author's collection*

◣▼ Poszczególne elementy konstrukcyjne łoża T10, na którym osadzona była haubica M1A1. / NARA

◣▼ *Elements of the T10 mount on which the M1A1 howitzer was placed. / NARA*

Half-Track T30 75mm Howitzr Motor Carriage. Egzemplarz pilotażowy zbudowany przez firmę Autocar Company. Zbudowano dwa egzemplarze tego typu pojazdu. Pierwszy trafił na poligon Aberdeen Proving Ground celem jego dalszej ewaluacji, drugi natomiast do fabryki White Motor Company, gdzie miał posłużyć jako wzorzec do produkcji seryjnej tego typu pojazdów. Half-Track powstał na zamówienie Armored Force Board po sukcesie jaki odniósł pojazd Half-Track 75 mm Gun Motor Carriage M3. Half-Track T30 powstał poprzez zamontowanie w Half-Tracku M3 z przekonstruowanym przedziałem transportowym, haubicy jucznej M1A1 kalibru 75 mm na łożu T10 Mount.

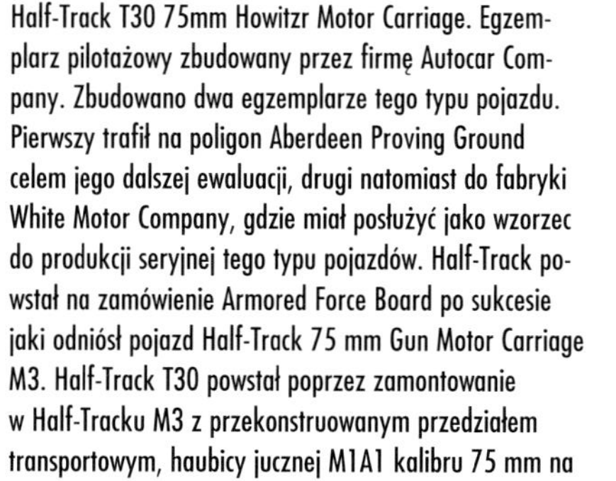

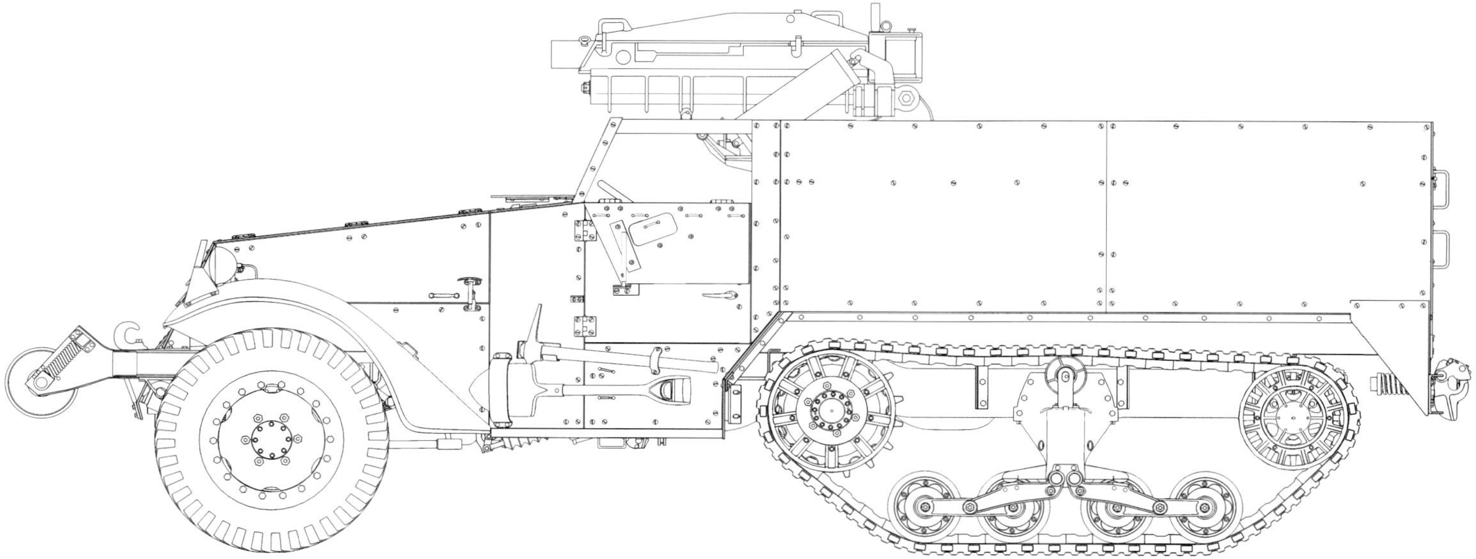

0 1 2 3 m

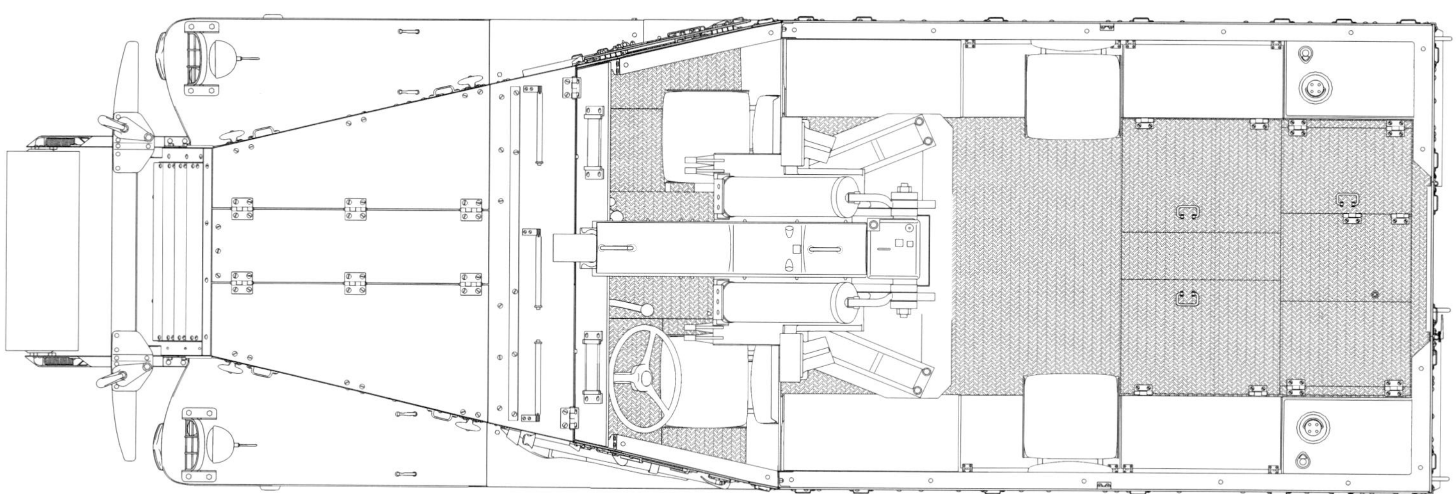

Opracował i rysował
Drawn and traced by
Sławomir Zajączkowski

skala 1:35 *scale*

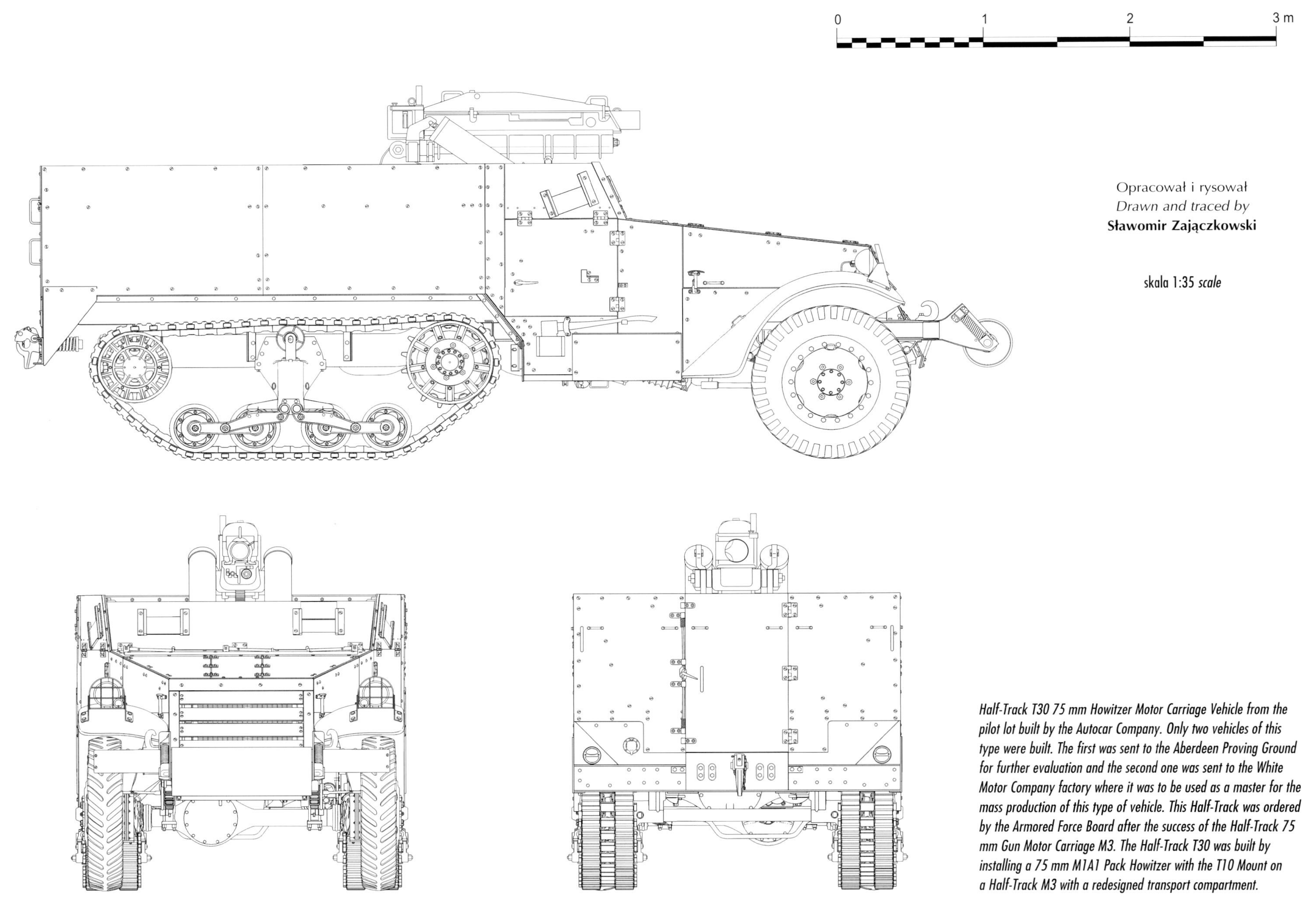

Opracował i rysował
Drawn and traced by
Sławomir Zajączkowski

skala 1:35 *scale*

Half-Track T30 75 mm Howitzer Motor Carriage Vehicle from the pilot lot built by the Autocar Company. Only two vehicles of this type were built. The first was sent to the Aberdeen Proving Ground for further evaluation and the second one was sent to the White Motor Company factory where it was to be used as a master for the mass production of this type of vehicle. This Half-Track was ordered by the Armored Force Board after the success of the Half-Track 75 mm Gun Motor Carriage M3. The Half-Track T30 was built by installing a 75 mm M1A1 Pack Howitzer with the T10 Mount on a Half-Track M3 with a redesigned transport compartment.

Half-Track T30 75mm Howitzr Motor Carriage, wersja produkcyjna. Uwagę zwraca obszernych rozmiarów pancerna osłona załogi obsługującej haubicę o grubości 9,5 mm całej jej powierzchni oraz wielkokalibrowy karabin maszynowy Browning M2HB kalibru 12,7 mm znajdujący się w tylnej części przedziału transportowego, osadzony na cokole M25 Pedestal Mount. Załogę pojazdu stanowiło pięciu żołnierzy. Dość imponująca była liczba pocisków kalibru 75 mm zabieranych na pokład pojazdu. Half-Track posiadał schowki na 60 sztuk pocisków.

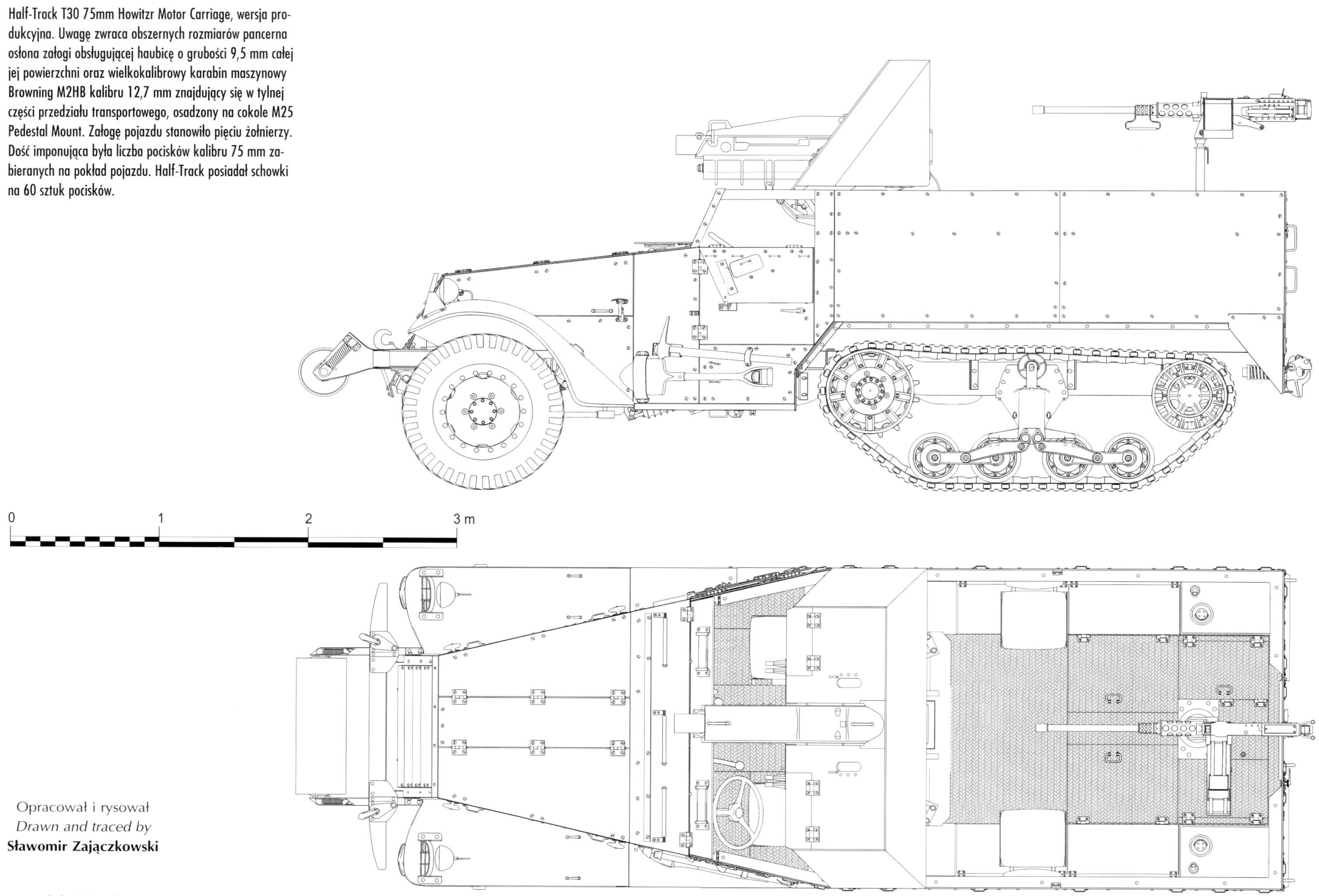

Opracował i rysował
Drawn and traced by
Sławomir Zajączkowski

skala 1:35 *scale*

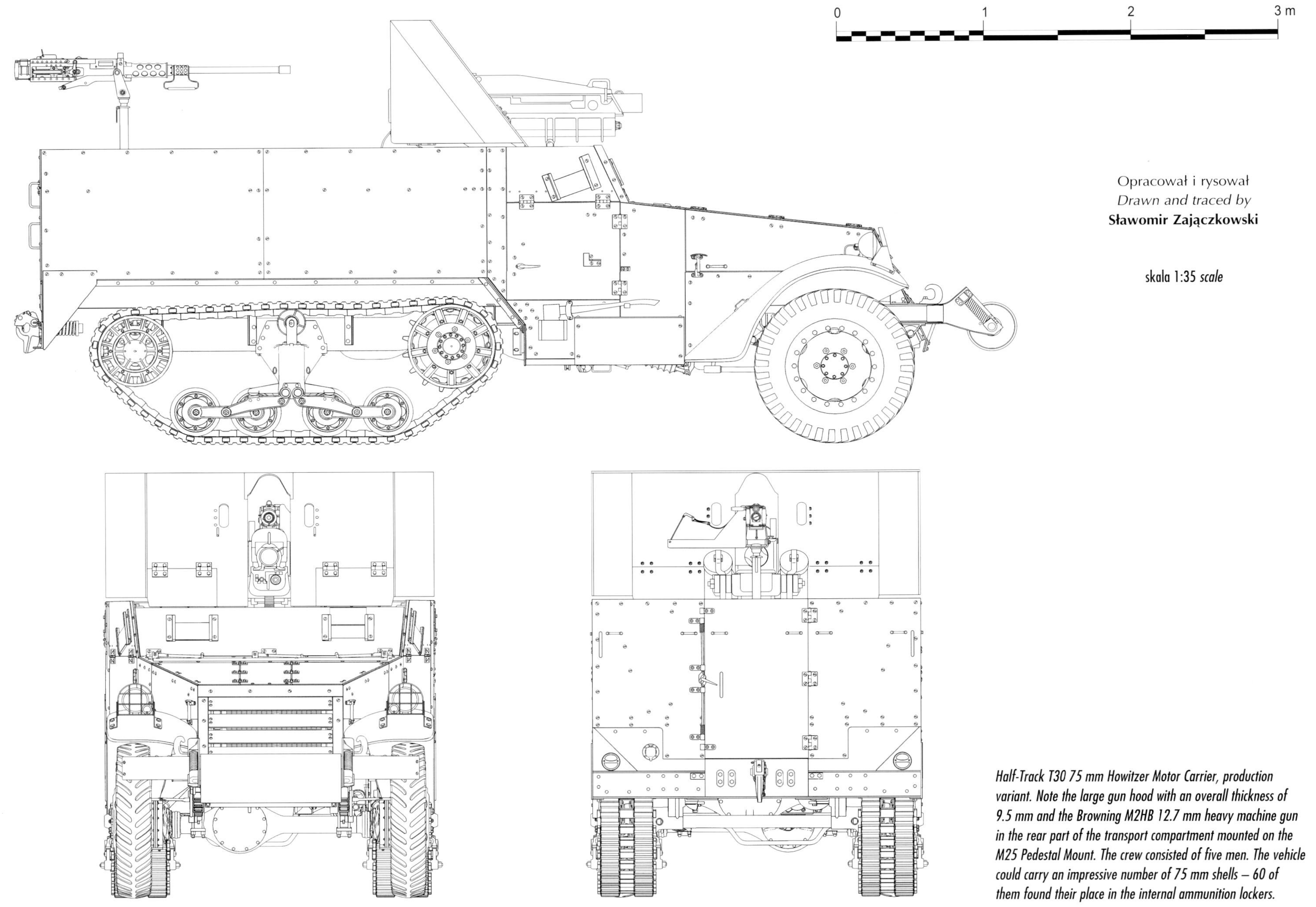

Opracował i rysował
Drawn and traced by
Sławomir Zajączkowski

skala 1:35 *scale*

Half-Track T30 75 mm Howitzer Motor Carrier, production variant. Note the large gun hood with an overall thickness of 9.5 mm and the Browning M2HB 12.7 mm heavy machine gun in the rear part of the transport compartment mounted on the M25 Pedestal Mount. The crew consisted of five men. The vehicle could carry an impressive number of 75 mm shells – 60 of them found their place in the internal ammunition lockers.

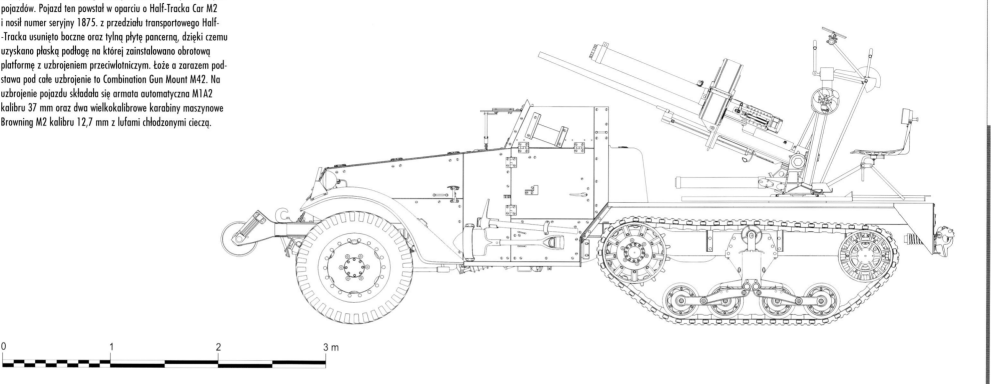

Multiple Gun Motor Carriage T28, jeden z czterech pilotażowych pojazdów. Pojazd ten powstał w oparciu o Half-Tracka Car M2 i nosił numer seryjny 1875. z przedziału transportowego Half--Tracka usunięto boczne oraz tylną płytę pancerną, dzięki czemu uzyskano płaską podłogę na której zainstalowano obrotową platformę z uzbrojeniem przeciwlotniczym. Łoże a zarazem podstawa pod całe uzbrojenie to Combination Gun Mount M42. Na uzbrojenie pojazdu składała się armata automatyczna M1A2 kalibru 37 mm oraz dwa wielkokalibrowe karabiny maszynowe Browning M2 kalibru 12,7 mm z lufami chłodzonymi cieczą.

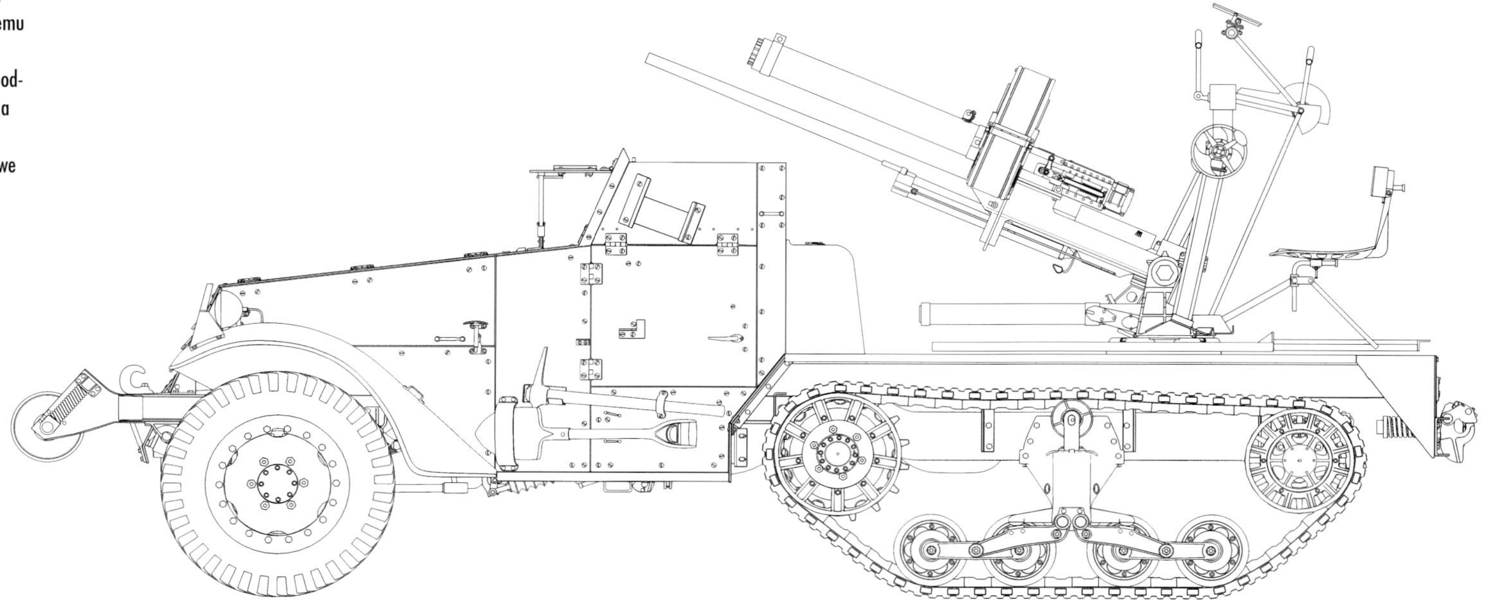

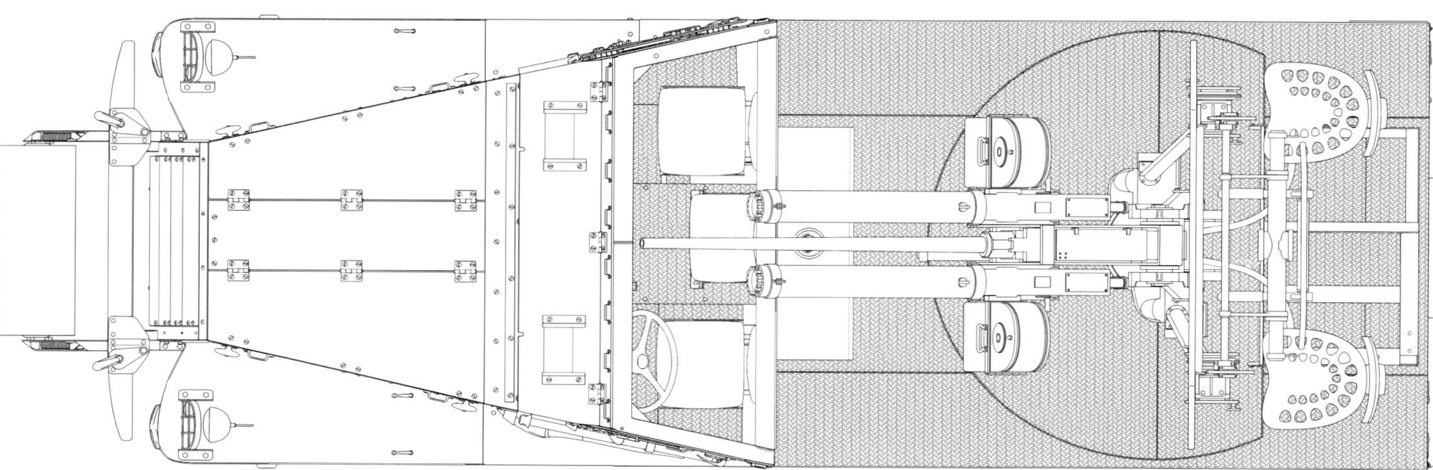

Opracował i rysował
Drawn and traced by
Sławomir Zajączkowski

skala 1:35 *scale*

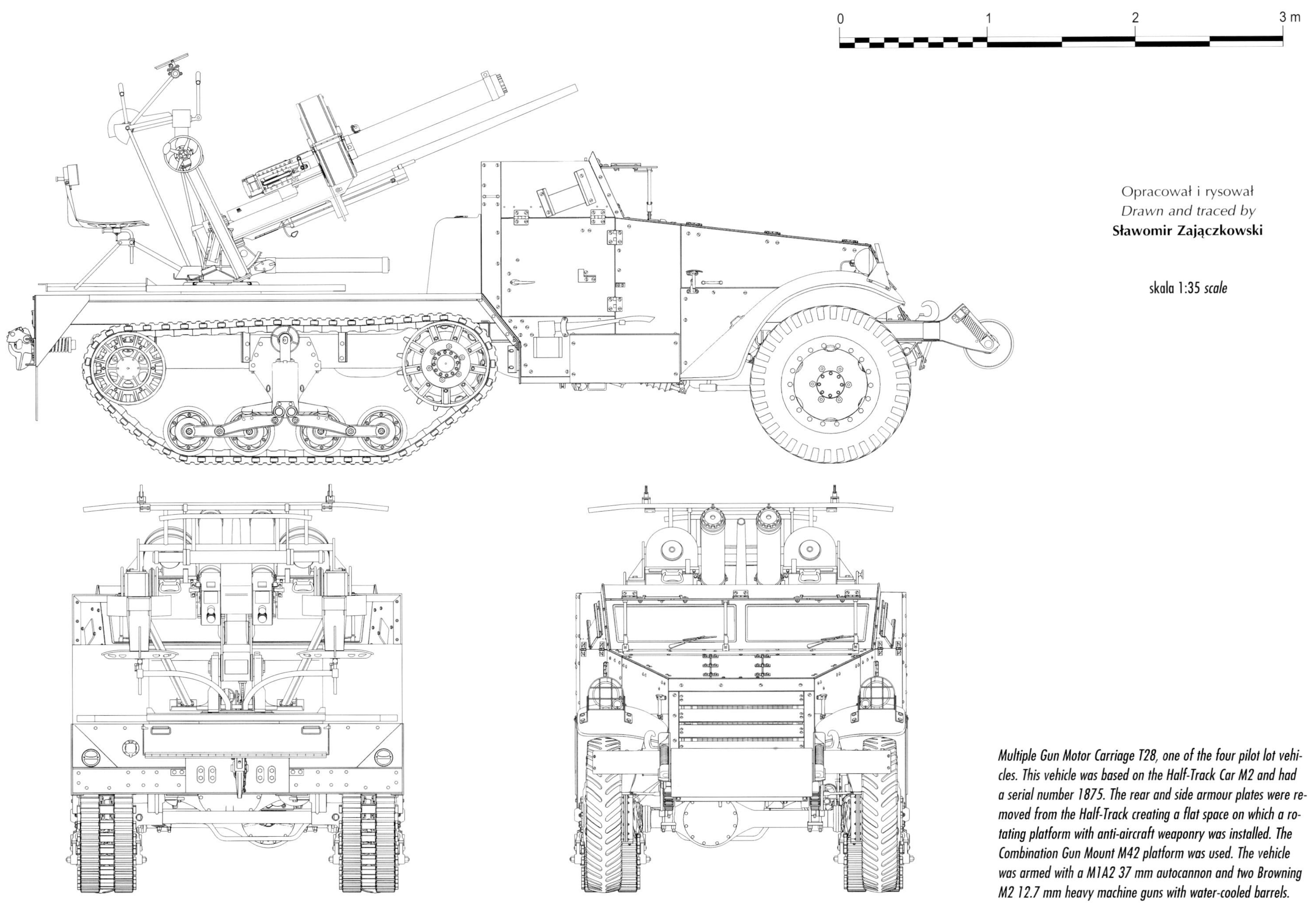

Opracował i rysował
Drawn and traced by
Sławomir Zajączkowski

skala 1:35 *scale*

Multiple Gun Motor Carriage T28, one of the four pilot lot vehicles. This vehicle was based on the Half-Track Car M2 and had a serial number 1875. The rear and side armour plates were removed from the Half-Track creating a flat space on which a rotating platform with anti-aircraft weaponry was installed. The Combination Gun Mount M42 platform was used. The vehicle was armed with a M1A2 37 mm autocannon and two Browning M2 12.7 mm heavy machine guns with water-cooled barrels.

Multiple Gun Motor Carriage T28 o numerze seryjnym 1862. Był to Half-Track identyczny z pojazdem Multiple Gun Motor Carriage T28 o numerze seryjnym 1875. Jedyna różnica wynikała z zainstalowanej pancernej osłony chroniącej żołnierzy obsługujących zestaw przeciwlotniczy. Pomimo zadowalających wyników testów przeprowadzonych na poligonie, dalsze prace nad pojazdem zostały wstrzymane w kwietniu 1942 roku na wniosek Coast Artillery Board. Głównymi argumentami był fakt zbyt małej przestrzeni przedziału bojowego pojazdu oraz niewystarczająca stabilność całego zestawu podczas prowadzenia ognia. Dalsze prace nad pojazdem zostały wznowione w połowie 1942 roku, niedługo przed desantem wojsk alianckich w Afryce Północnej.

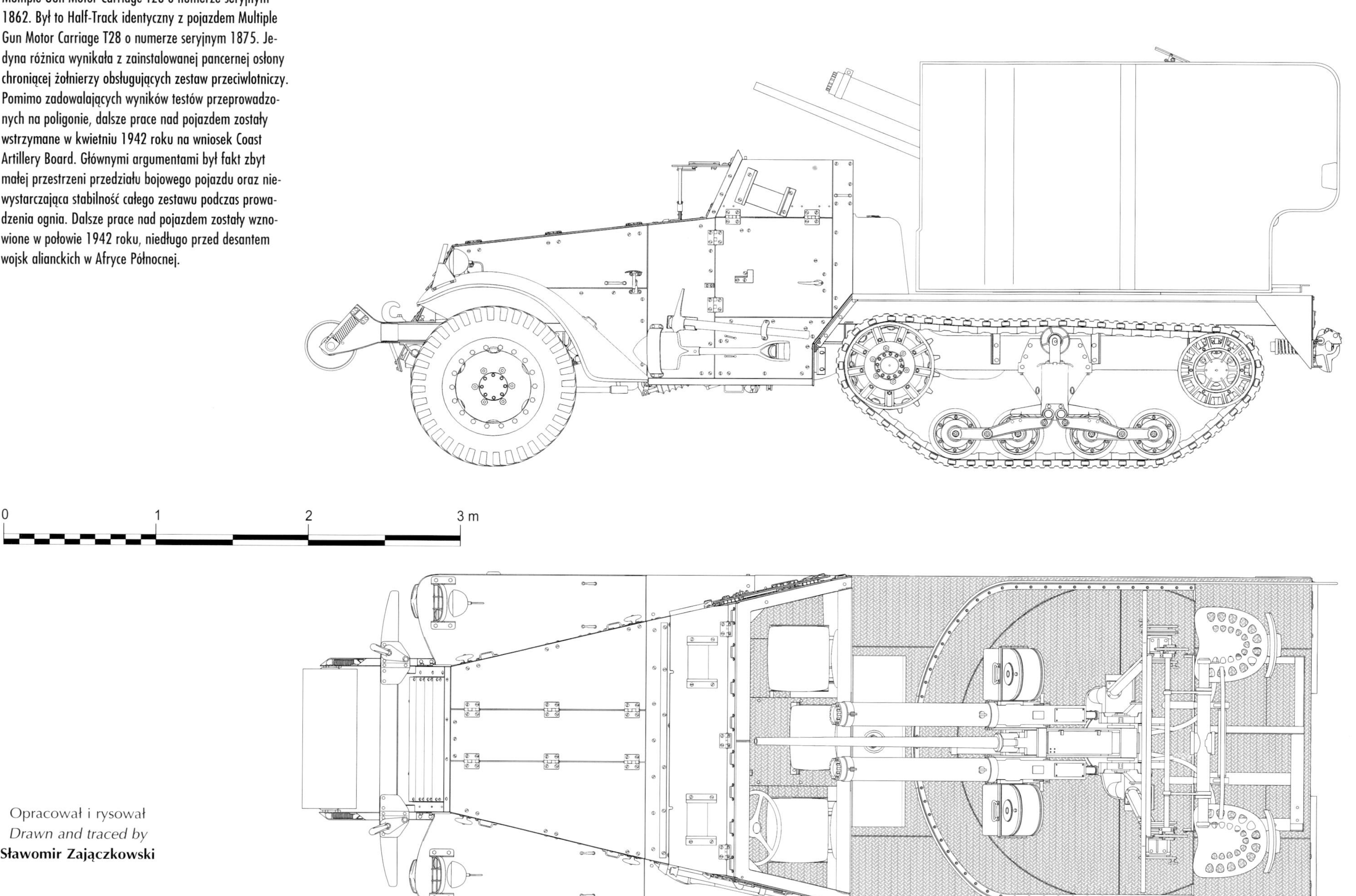

Opracował i rysował
Drawn and traced by
Sławomir Zajączkowski

skala 1:35 *scale*

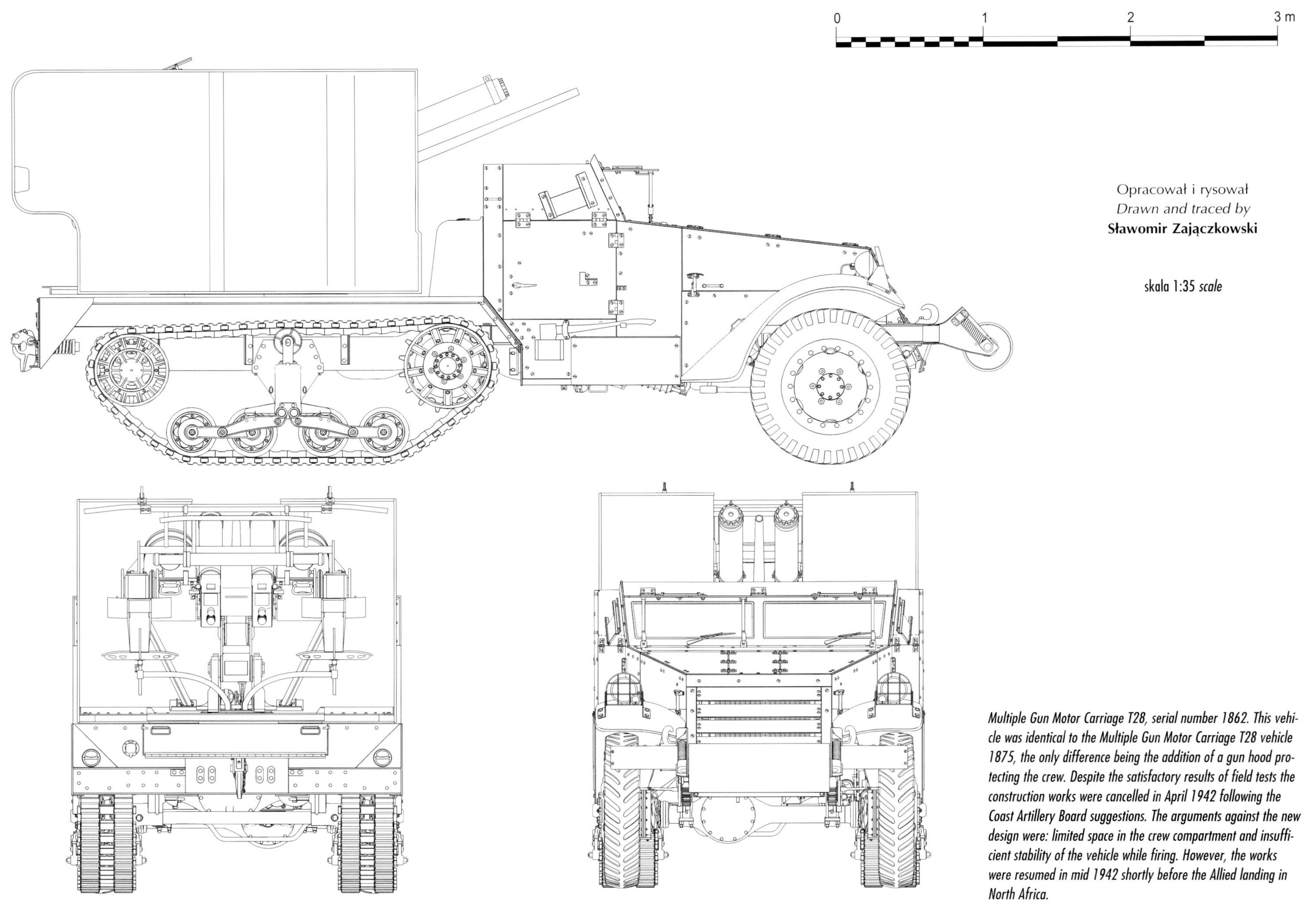

Opracował i rysował
Drawn and traced by
Sławomir Zajączkowski

skala 1:35 *scale*

Multiple Gun Motor Carriage T28, serial number 1862. This vehicle was identical to the Multiple Gun Motor Carriage T28 vehicle 1875, the only difference being the addition of a gun hood protecting the crew. Despite the satisfactory results of field tests the construction works were cancelled in April 1942 following the Coast Artillery Board suggestions. The arguments against the new design were: limited space in the crew compartment and insufficient stability of the vehicle while firing. However, the works were resumed in mid 1942 shortly before the Allied landing in North Africa.

Multiple Gun Motor Carriage T28E1. Po wznowieniu prac nad pojazdem wyposażonym w wielolufowy, kombinowany, zestaw przeciwlotniczy, zamiast pojazdu Half-Track Car M2, użyto Half-Tracka Personnel Carrier M3. Dzięki temu, pojazd oznaczony zgodnie z Ordnance Comitee Minutes 18477 z 9 lutego 1942 roku jako Multiple Gun Motor Carriage T28E1, dysponował większą ilością miejsca w przedziale bojowym. Łącznie wyprodukowano 80 tych pojazdów z których większa część wzięła udział w walkach prowadzonych w Tunezji. Takie zestawy przeciwlotnicze okazały się wysoce skuteczne w zwalczaniu samolotów wroga na niskich i średnich wysokościach, aczkolwiek nie były wolne od wad. Głównym mankamentem i tematem skarg załóg tych pojazdów był fakt używania wielkokalibrowych karabinów maszynowych M2 z lufami chłodzonymi wodą oraz zupełny brak osłony dla żołnierzy obsługujących uzbrojenie. Konserwacja tych karabinów była skomplikowana i czasochłonna, a zbiorniki M3 na wodę oraz przewody ją doprowadzające do chłodnicy, zajmowały zbyt wiele miejsca w pojeździe, znacznie utrudniając się poruszanie ładowniczych.

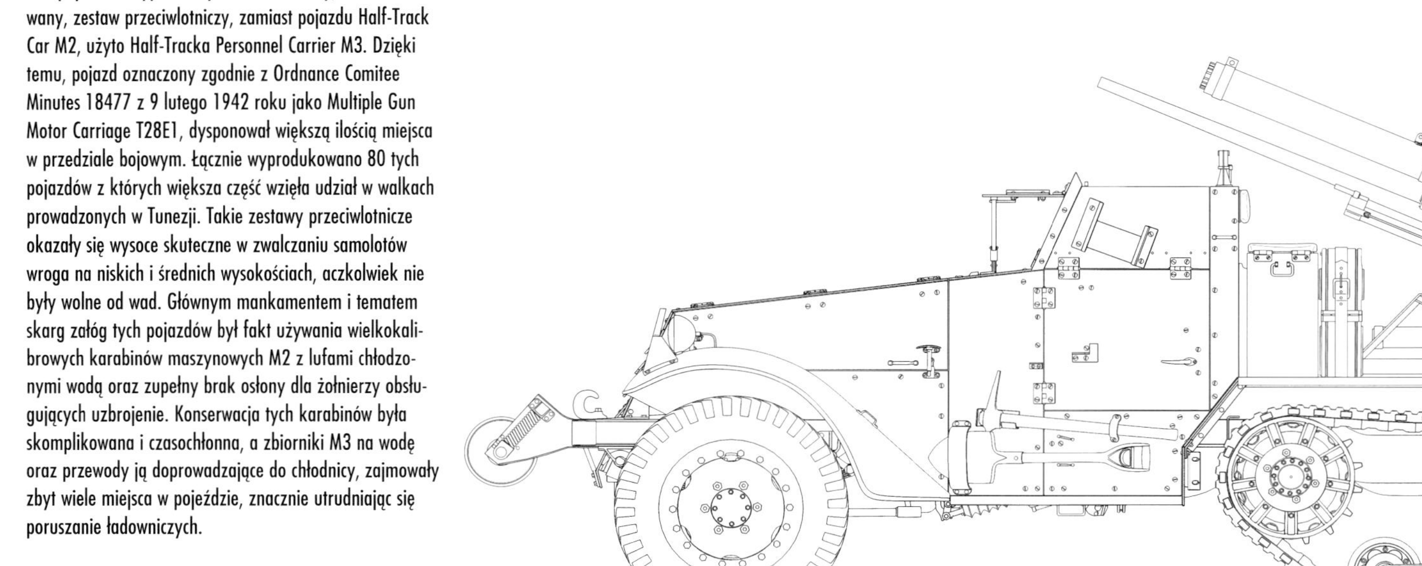

0 1 2 3 m

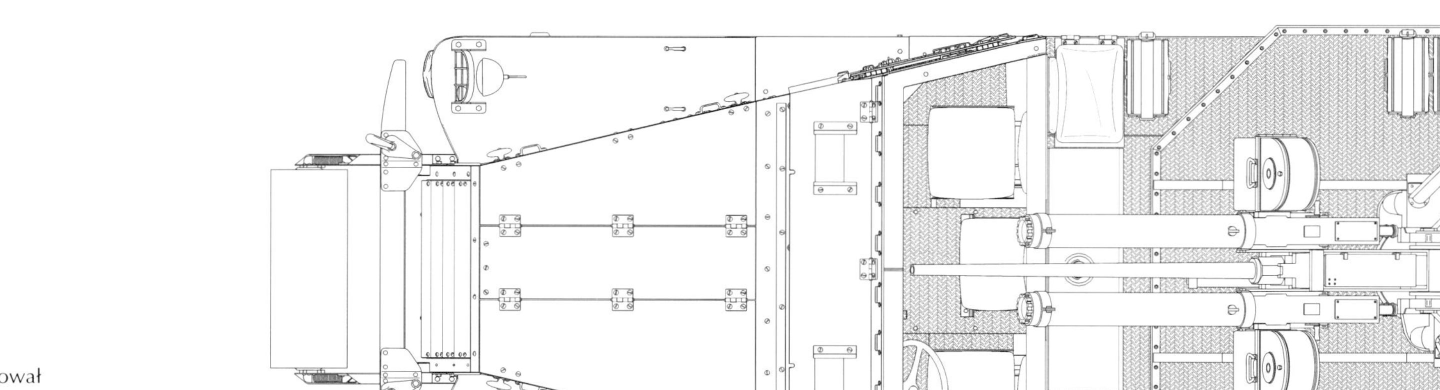

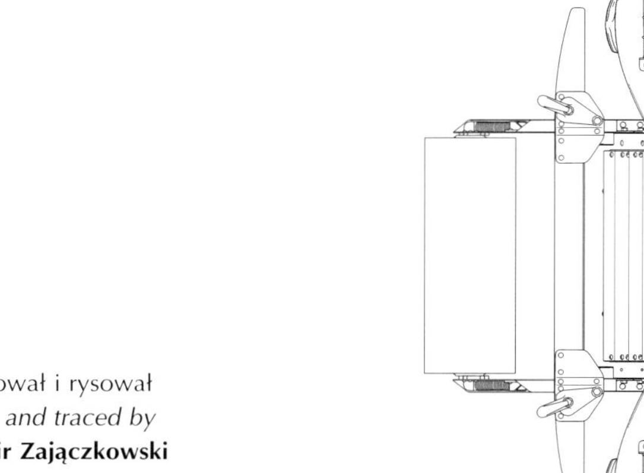

Opracował i rysował
Drawn and traced by
Sławomir Zajączkowski

skala 1:35 *scale*

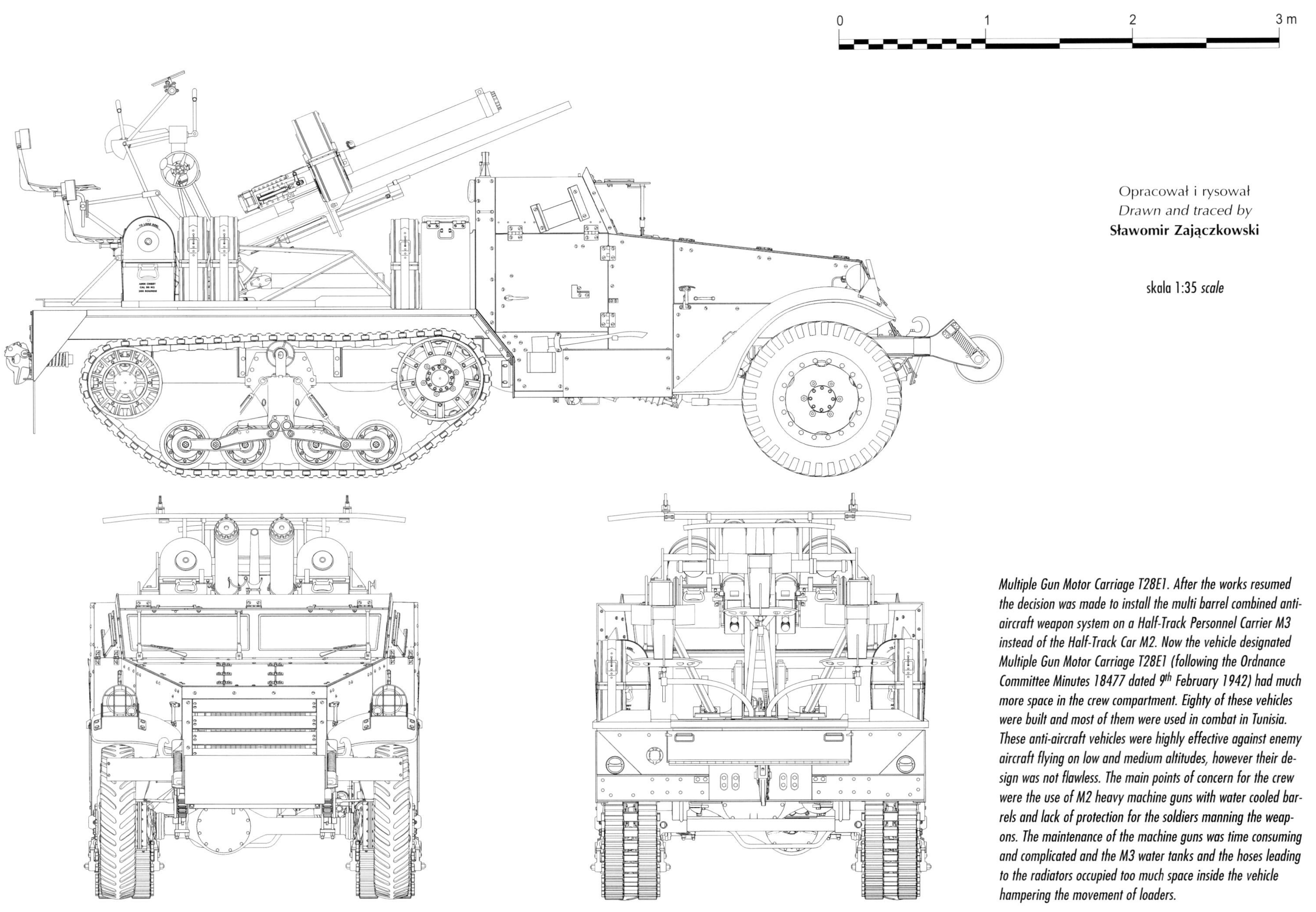

Opracował i rysował
Drawn and traced by
Sławomir Zajączkowski

skala 1:35 *scale*

Multiple Gun Motor Carriage T28E1. After the works resumed the decision was made to install the multi barrel combined anti-aircraft weapon system on a Half-Track Personnel Carrier M3 instead of the Half-Track Car M2. Now the vehicle designated Multiple Gun Motor Carriage T28E1 (following the Ordnance Committee Minutes 18477 dated 9th February 1942) had much more space in the crew compartment. Eighty of these vehicles were built and most of them were used in combat in Tunisia. These anti-aircraft vehicles were highly effective against enemy aircraft flying on low and medium altitudes, however their design was not flawless. The main points of concern for the crew were the use of M2 heavy machine guns with water cooled barrels and lack of protection for the soldiers manning the weapons. The maintenance of the machine guns was time consuming and complicated and the M3 water tanks and the hoses leading to the radiators occupied too much space inside the vehicle hampering the movement of loaders.

Multiple Gun Motor Carriage M15. Pilotażowy pojazd, z okresu przed testami poligonowymi. Jest to w zasadzie udoskonalona wersja Half-Tracka M28E1. Pojazd otrzymał opancerzenie, zapewniające ochronę załodze obsługującej zestaw przeciwlotniczy. Wielkokalibrowe karabiny Browning kalibru 12,7 mm z lufami chłodzonymi wodą, zastąpiono karabinami M2HB tego samego kalibru. Ordnance Comitee Minutes 19087 z 29 października 1942 roku wprowadzał tak udoskonalony pojazd do seryjnej produkcji. Dodatkowo w listopadzie tego samego roku celownik M2E1 został zastąpiony celownikiem M6.

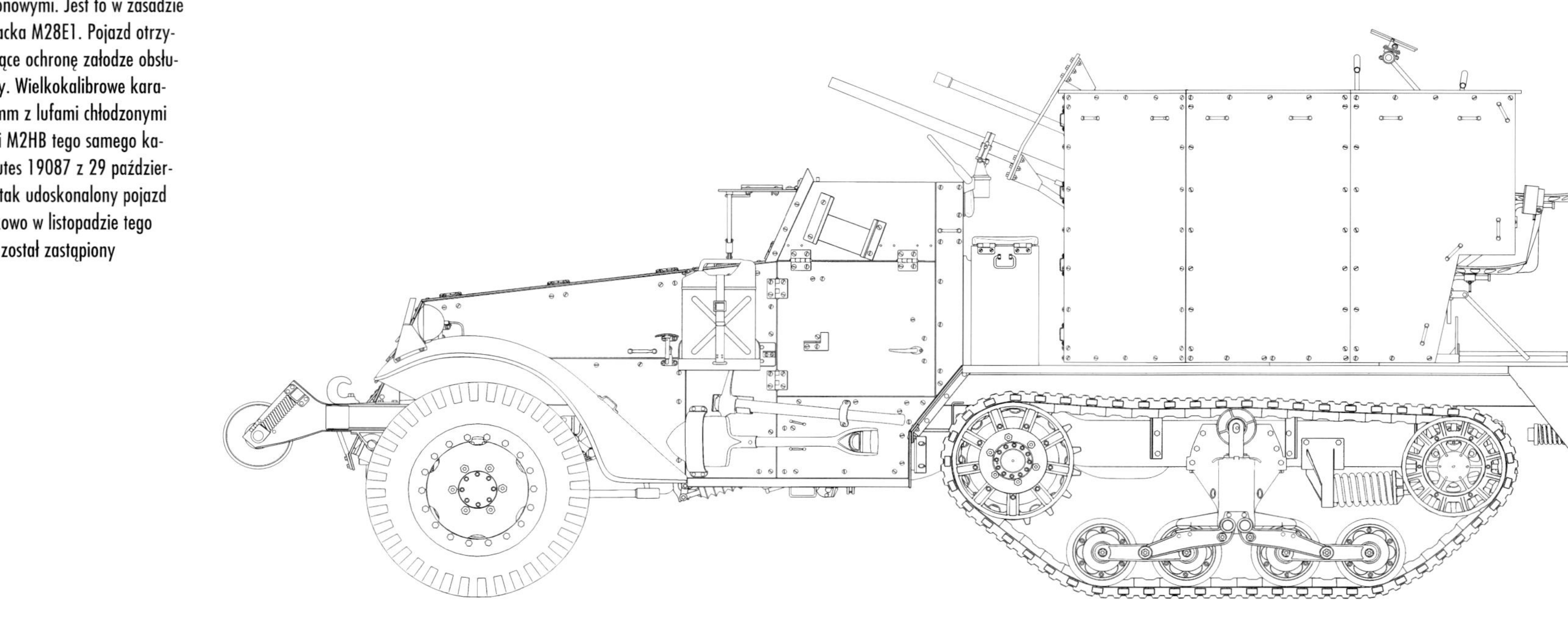

0 1 2 3 m

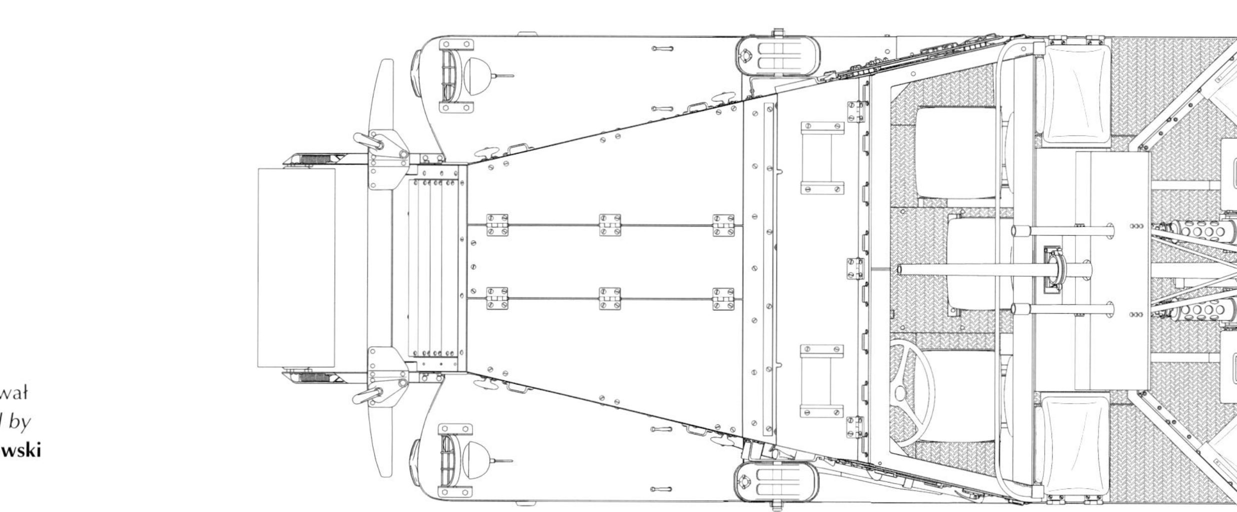

Opracował i rysował
Drawn and traced by
Sławomir Zajączkowski

skala 1:35 *scale*

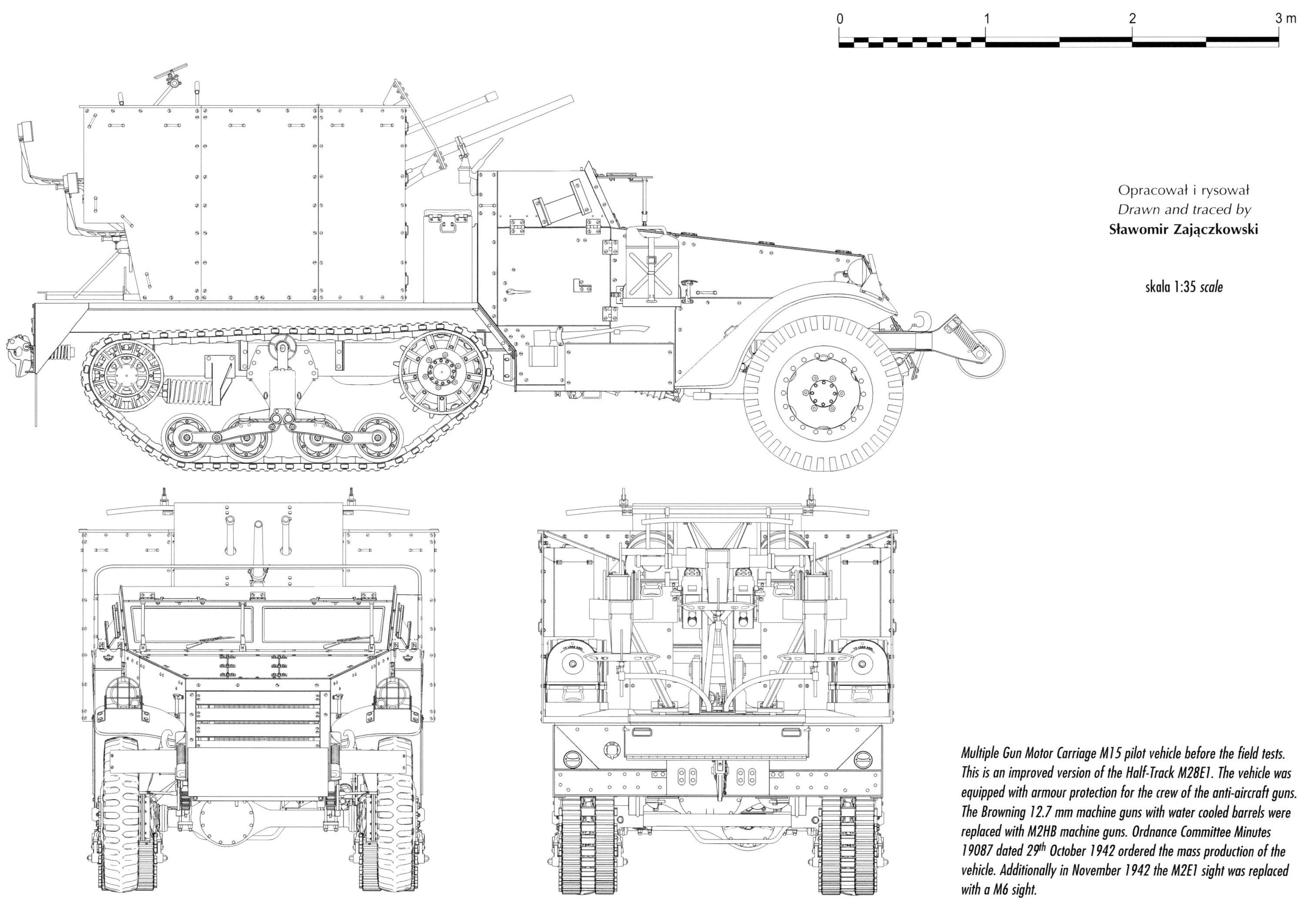

Multiple Gun Motor Carriage M15 pilot vehicle before the field tests. This is an improved version of the Half-Track M28E1. The vehicle was equipped with armour protection for the crew of the anti-aircraft guns. The Browning 12.7 mm machine guns with water cooled barrels were replaced with M2HB machine guns. Ordnance Committee Minutes 19087 dated 29th October 1942 ordered the mass production of the vehicle. Additionally in November 1942 the M2E1 sight was replaced with a M6 sight.

Multiple Gun Motor Carriage M15. Uwagę zwraca brezentowy dach zabezpieczający najważniejsze mechanizmy uzbrojenia przed złymi warunkami atmosferycznymi. Podczas testów poligonowych prowadzonych na poligonie Aberdeen Proving Ground w okresie od grudnia 1942 r. do końca stycznia 1943 r. usunięta została przednia płyta pancerna z wieżyczki, ponieważ ograniczała w znacznym stopniu widoczność. Dodatkowo zwiększona została liczba pocisków kalibru 37 mm zabieranych na pokład z 200 do 240 pocisków. Produkcja tych pojazdów odbywała się w zakładach firmy Autocar Company i trwała od lutego do kwietnia 1943 roku, skutkując imponującą liczbą wyprodukowanych pojazdów wynoszącą 600 Half-Tracków.

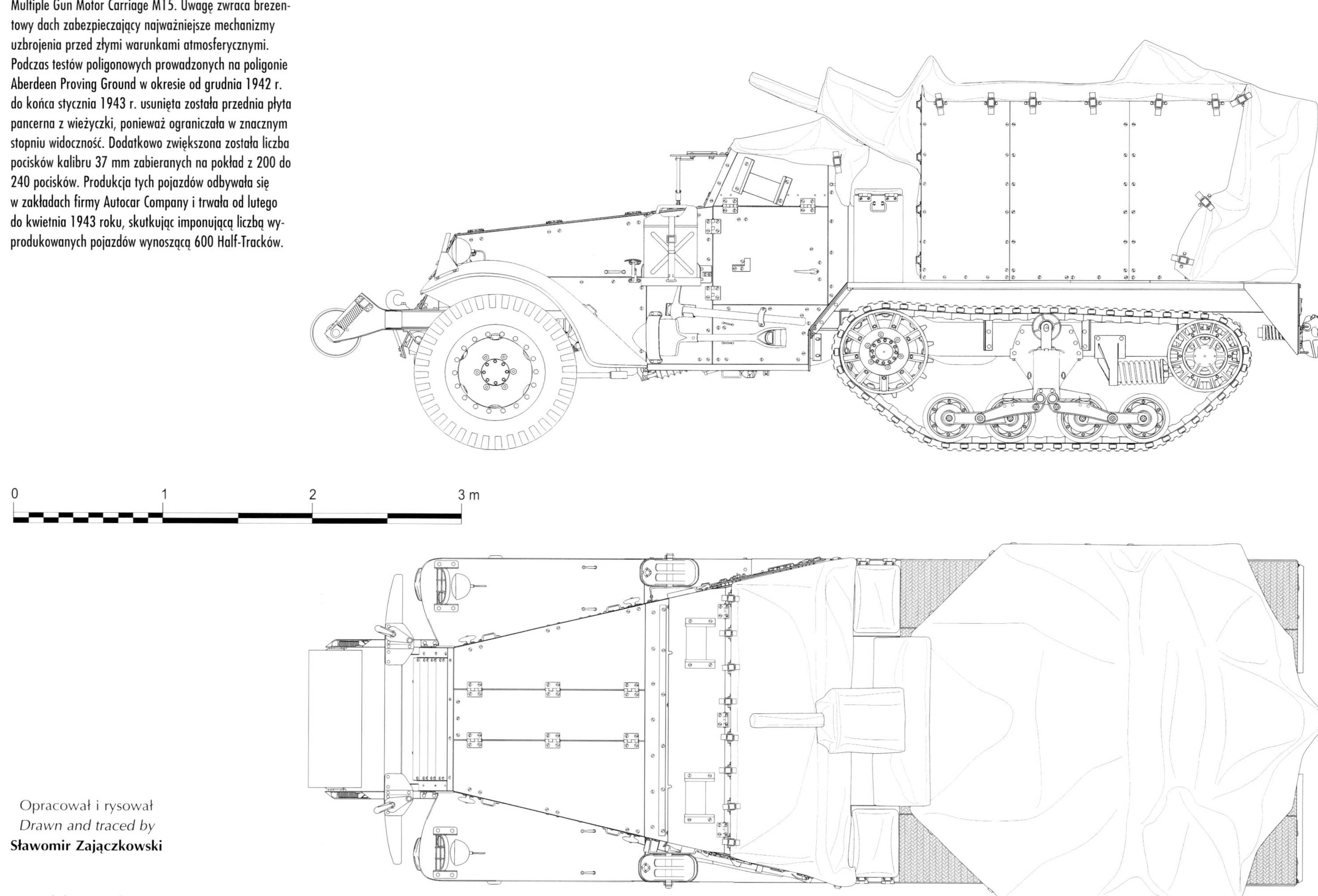

Opracował i rysował
Drawn and traced by
Sławomir Zajączkowski

skala 1:35 *scale*

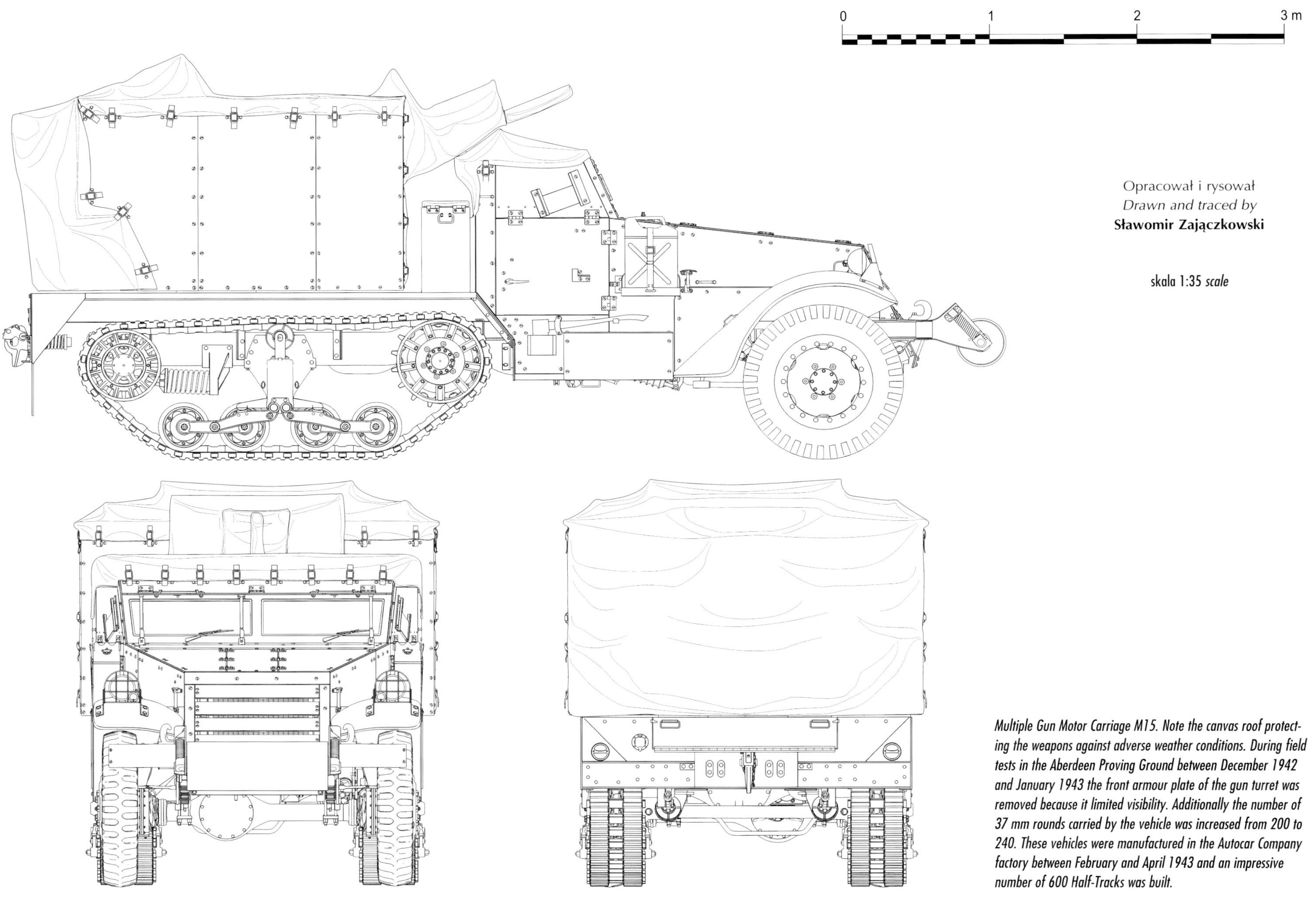

Multiple Gun Motor Carriage M15. Note the canvas roof protecting the weapons against adverse weather conditions. During field tests in the Aberdeen Proving Ground between December 1942 and January 1943 the front armour plate of the gun turret was removed because it limited visibility. Additionally the number of 37 mm rounds carried by the vehicle was increased from 200 to 240. These vehicles were manufactured in the Autocar Company factory between February and April 1943 and an impressive number of 600 Half-Tracks was built.

► Zdjęcie doskonale przedstawia z jak trudnymi warunkami atmosferycznymi radzić sobie musiała załoga Half-Tracka M15A1. Pojazd wchodzi w skład 778th AAA Battalion przydzielony do 3rd Armored Division w okresie walk o miasto Bastogne, 19 stycznia 1945 roku. / NARA

► *The Half-Track M15A1 crews sometimes had to face adverse weather conditions. This vehicle belongs to the 778th AAA Battalion assigned to the 3rd Armored Division fighting in Bastogne, 19th January 1945. / NARA*

▼ Half-Track Combination Gun Motor Carrier M15A1 wchodzący w skład 390th Anti-Aircraft Artillery Battalion w okolicy Hoeville we Francji, wrzesień 1944 roku. Uwagę zwraca uzbrojenie Half-Tracka — automatyczna armata kalibru 37 mm oraz dwa wielkokalibrowe karabiny maszynowe kalibru 12,7 mm. / NARA

▼ *Half-Track Combination Gun Motor Carrier M15A1 of the 390th Anti-Aircraft Artillery Battalion near Hoeville, France, September 1944. Note the Half-Track's armament consisting of a 37 mm autocannon and two 12.7 mm heavy machine guns. / NARA*

▲ Multiple Gun Motor Carriage M15A1 z nieustalonej jednostki. Pojazd ciągnie jednotonową przyczepę amunicyjną M24. Przyczepa mieściła 350 sztuk nabojów kalibru 37 mm oraz 2700 sztuk nabojów kalibru 12, 7 mm. / NARA

▲ Multiple Gun Motor Carriage M15A1 of an unknown unit. The vehicle has a one ton M24 ammunition trailer. The trailer could carry 350 37 mm rounds and 2700 12.7 mm rounds. / NARA

▼ Multiple Gun Motor Carriage M15A1 z D Battery, 467th Anti-Aircraft Artillery Battalion osłaniający przeprawę na rzece Moza we Francji 27 grudnia 1944 roku. / NARA

▼ Multiple Gun Motor Carriage M15A1 of the D Battery, 467th Anti-Aircraft Artillery Battalion protecting the Meuse River crossing in France, 27th December 1944. / NARA

Multiple Gun Motor Carriage M15A1. Główną zmianą w tym pojeździe w stosunku do M15 było zastosowanie innego łoża. Combination Gun Mount M42 zostało zastąpione przez Combination Gun Mount M54. Dzięki nowemu łożu, automatyczna armata kalibru 37 mm została przeniesiona ponad dwa karabiny Browning. Ilość pocisków kalibru 37 mm wynosiła 200 sztuk, natomiast pocisków kalibru 12,7 mm 1200 sztuk. Uwagę zwracają przednie, demontowane, lampy znajdujące się na bocznych osłonach przedziału silnikowego. Ordnance Comitee Minutes 22985 z 24 lutego 1944 roku zalecały zmianę przyrządów celowniczych na M14, co zostało potwierdzone w Ordnance Comitee Minutes 23270. Multiple Gun Motor Carriage M15A1 były produkowane w firmie Autocar Company od października 1943 roku. Sam pojazd służył natomiast w US Army do końca wojny w Korei.

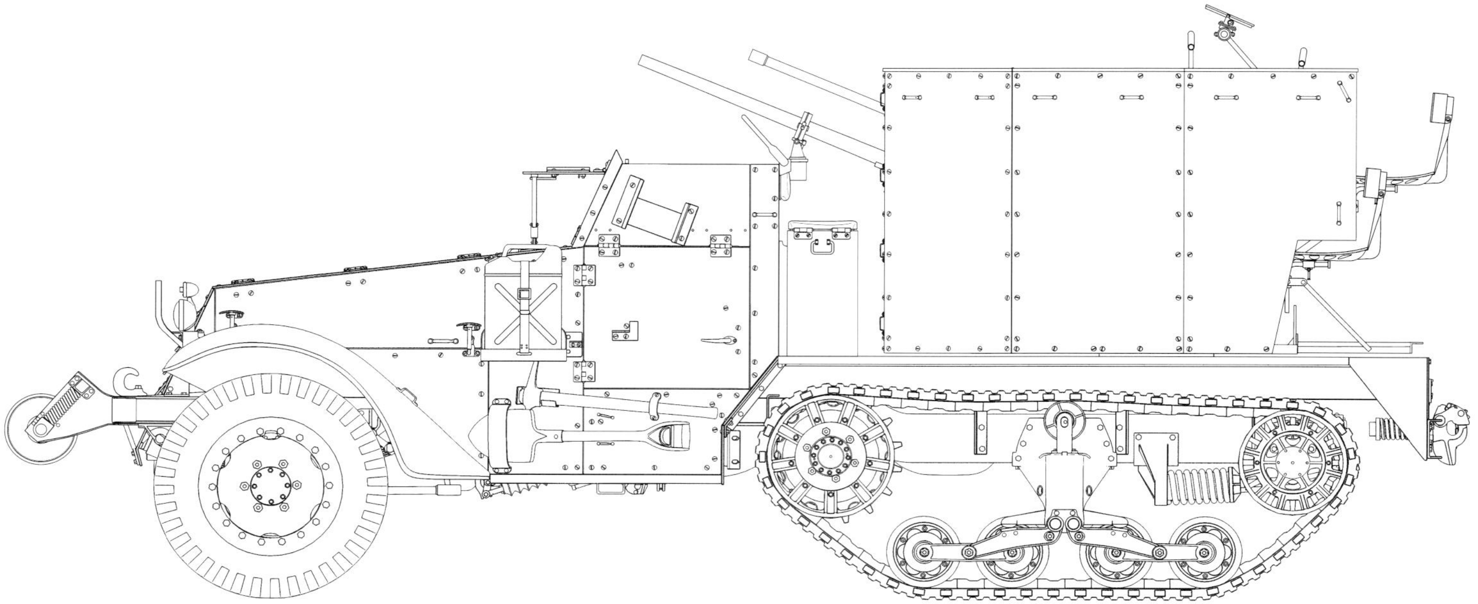

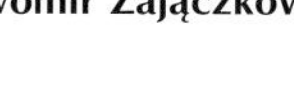

0 1 2 3 m

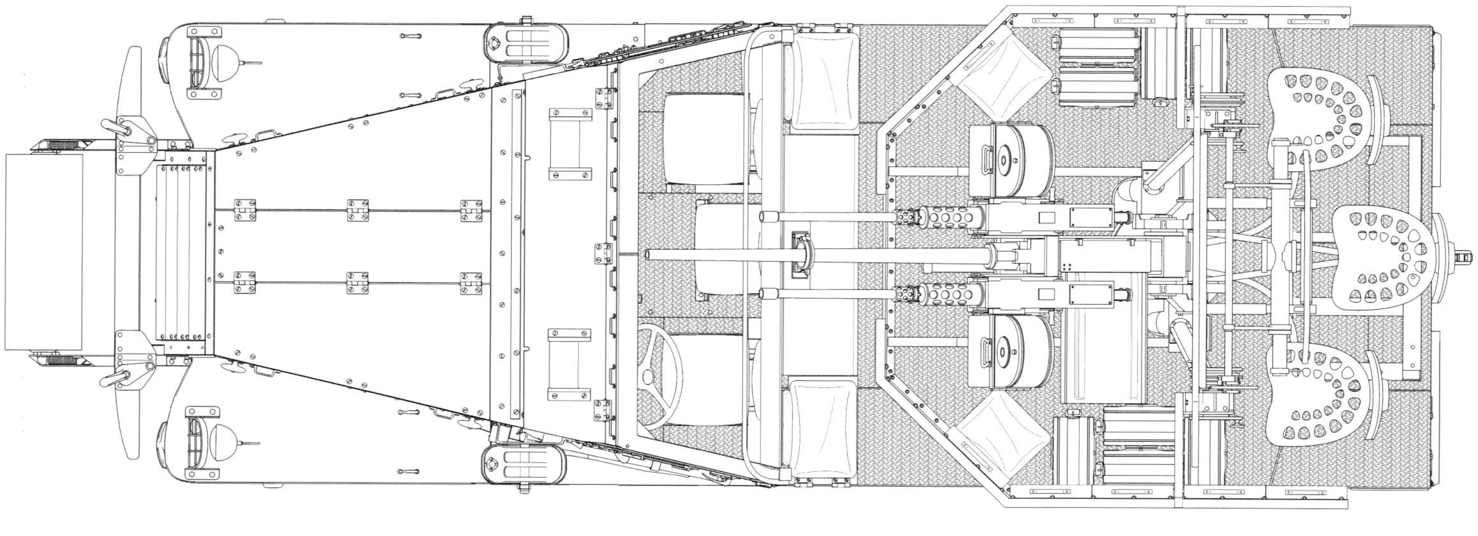

Opracował i rysował
Drawn and traced by
Sławomir Zajączkowski

skala 1:35 *scale*

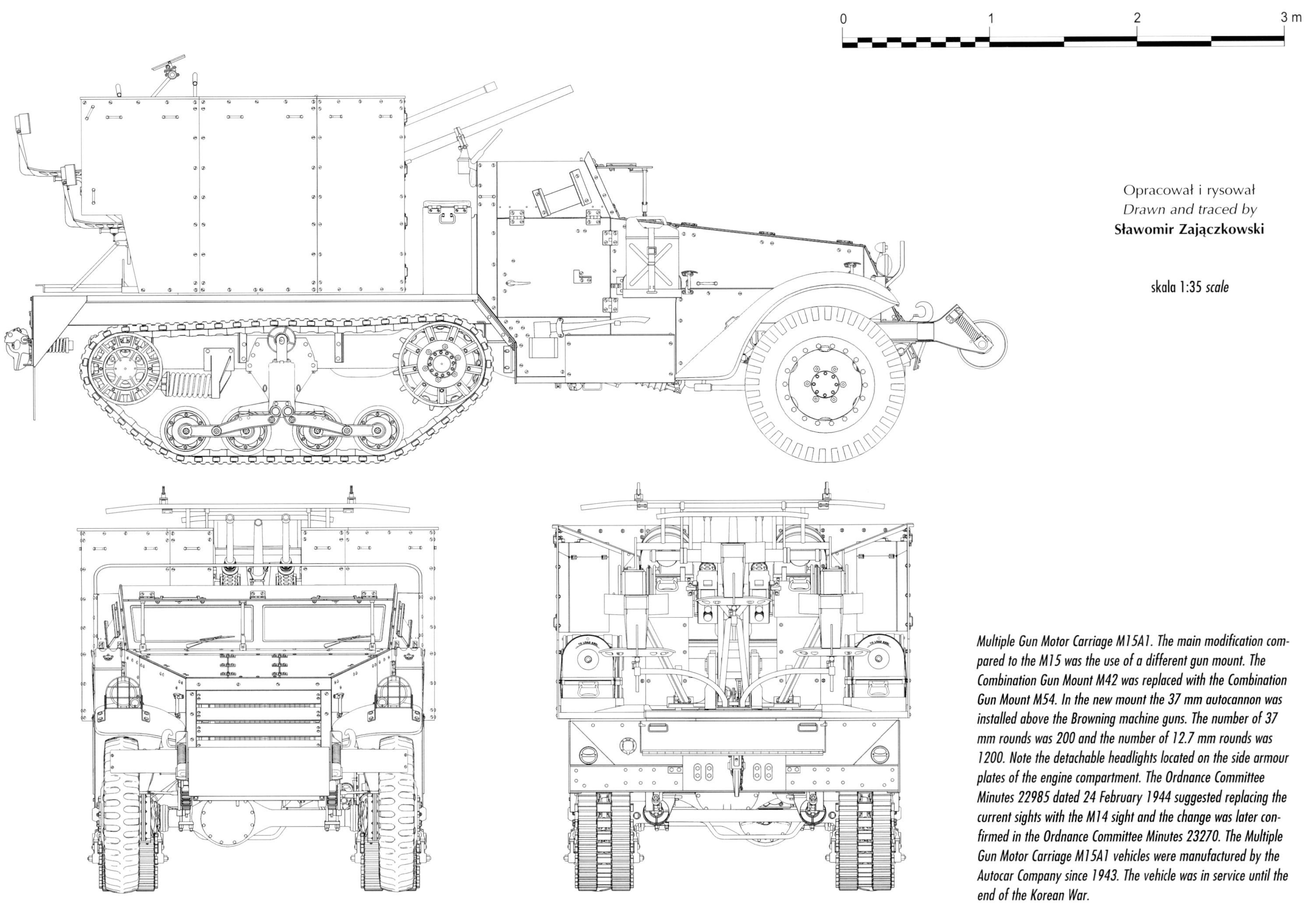

Opracował i rysował
Drawn and traced by
Sławomir Zajączkowski

skala 1:35 *scale*

Multiple Gun Motor Carriage M15A1. The main modification compared to the M15 was the use of a different gun mount. The Combination Gun Mount M42 was replaced with the Combination Gun Mount M54. In the new mount the 37 mm autocannon was installed above the Browning machine guns. The number of 37 mm rounds was 200 and the number of 12.7 mm rounds was 1200. Note the detachable headlights located on the side armour plates of the engine compartment. The Ordnance Committee Minutes 22985 dated 24 February 1944 suggested replacing the current sights with the M14 sight and the change was later confirmed in the Ordnance Committee Minutes 23270. The Multiple Gun Motor Carriage M15A1 vehicles were manufactured by the Autocar Company since 1943. The vehicle was in service until the end of the Korean War.

Multiple Gun Motor Carriage M14. Pojazd powstał poprzez zamontowanie w pojeździe Half-Track Personnel Carrier M5 wyprodukowanym przez firmę Internationa Harvester Company, wieżyczki uzbrojonej w dwa wielkokalibrowe karabiny maszynowe Browning M2HB TT kalibru 12,7 mm i oznaczonej M33 twin .50 caliber machine gun mount. Uwagę zwracają charakterystyczne elementy nadwozia Half-Tracka, typowe dla pojazdów pochodzących z fabryki IHC, tj. proste przednie błotniki, oraz lekko zaokrąglone naroża tylnej części pojazdu. Half-Tracki M14 przeznaczone były na wojskową pomoc wojskom alianckim w ramach programu Lend- Lease.

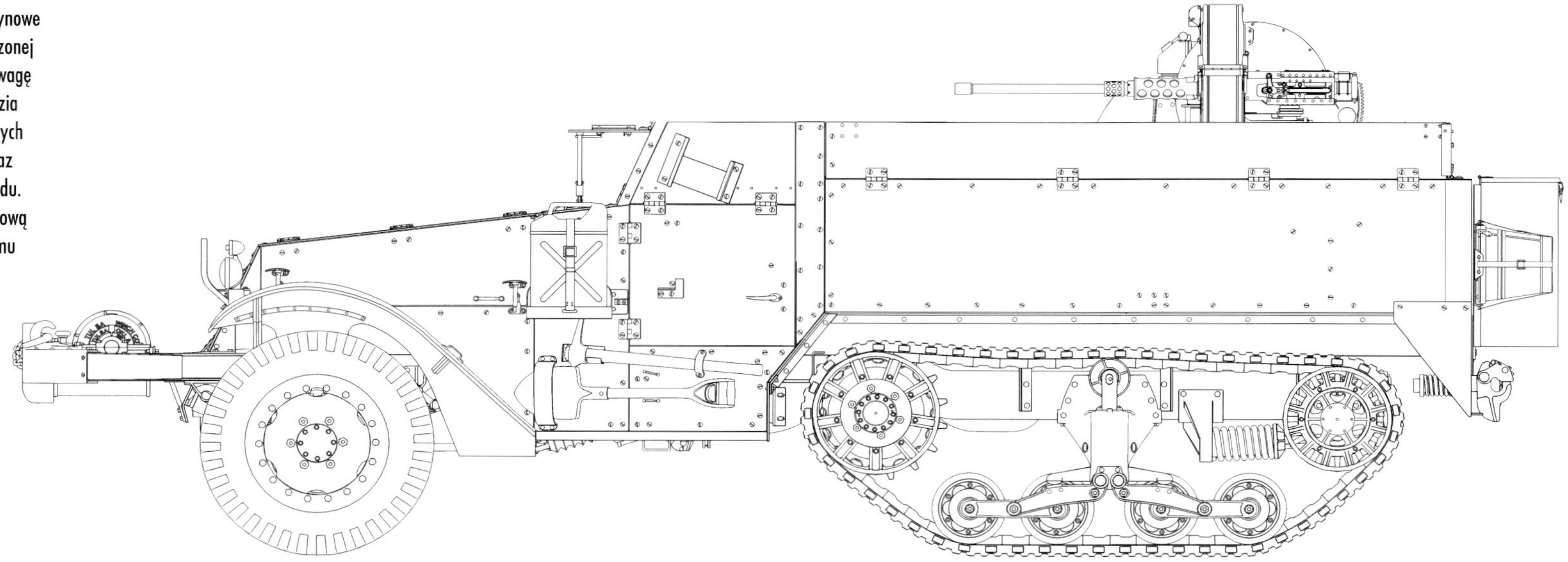

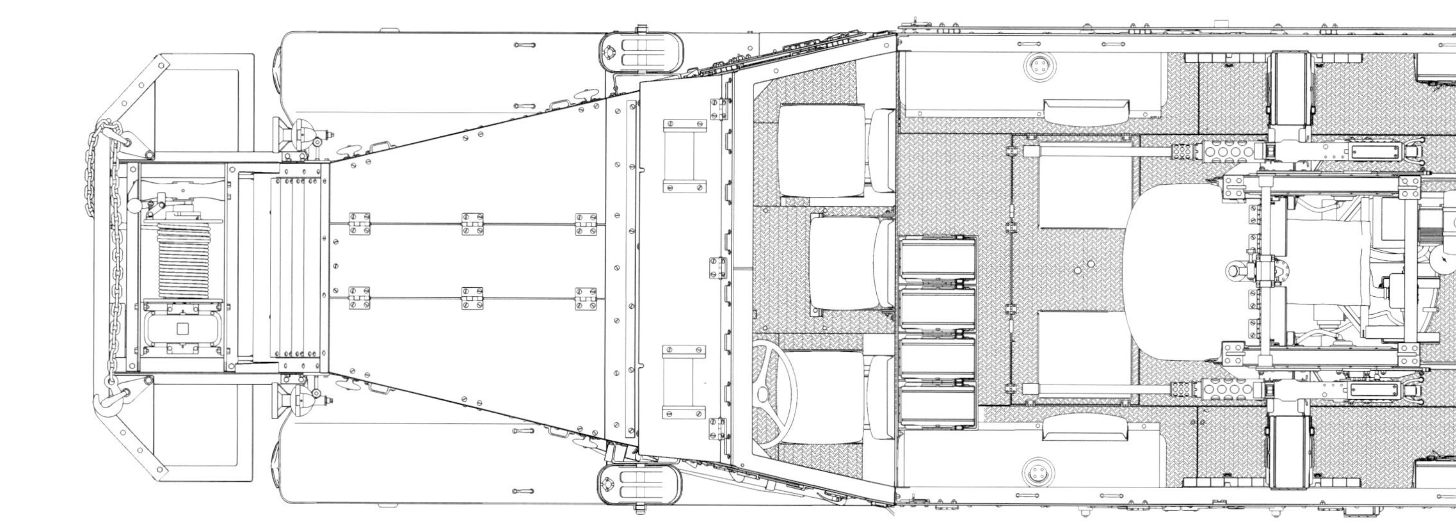

Opracował i rysował
Drawn and traced by
Sławomir Zajączkowski

skala 1:35 *scale*

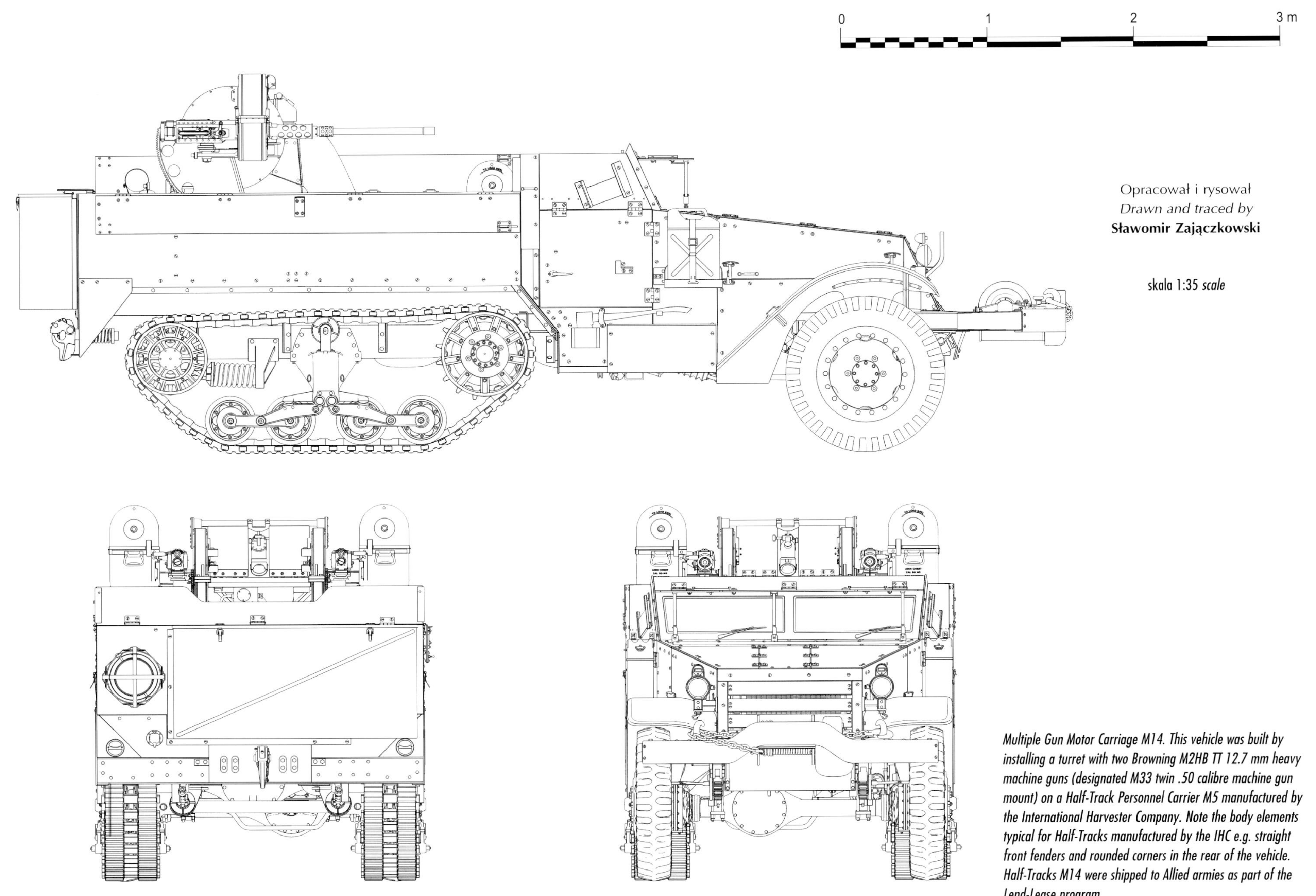

Opracował i rysował
Drawn and traced by
Sławomir Zajączkowski

skala 1:35 *scale*

Multiple Gun Motor Carriage M14. This vehicle was built by installing a turret with two Browning M2HB TT 12.7 mm heavy machine guns (designated M33 twin .50 calibre machine gun mount) on a Half-Track Personnel Carrier M5 manufactured by the International Harvester Company. Note the body elements typical for Half-Tracks manufactured by the IHC e.g. straight front fenders and rounded corners in the rear of the vehicle. Half-Tracks M14 were shipped to Allied armies as part of the Lend-Lease program.

◄ Multiple Gun Motor Carriage M14 widok od góry z prawej strony. Jest to egzemplarz produkcyjny, co można stwierdzić po demontowanych przednich lampach oraz przednich kołach późnego typu. / archiwum autora

◄ *Multiple Gun Motor Carriage M14 top view. This vehicle is equipped with detachable headlights and late type front wheels and belongs to the production lot.* / author's collection

▼ Multiple Gun Motor Carriage M14, widok z prawej strony. Pojazdy tego typu produkowane były przez firmę International Harvester Company. / archiwum autora

▼ *Multiple Gun Motor Carriage M14, right side view. These vehicles were manufactured by the International Harvester Company.* / author's collection

◀ Multiple Gun Motor Carriage M16 należący do 488th Anti-Aricraft Artillery, 3rd Army na pozycji w rejonie Bastogne, 27 grudnia 1944 roku. / NARA

◀ *Multiple Gun Motor Carriage M16 of the 488th Anti-Aircraft Artillery, 3rd Army in position near Bastogne, 27th December 1944. / NARA*

▲ Multiple Gun Motor Carriage M16, jeden z najbardziej charakterystycznych typów Half-Tracka. / archiwum autora

▲ *Multiple Gun Motor Carriage M16, one of the most characteristic Half-Track variants. / author's collection*

◀ Half-Track Multiple Gun Motor Carriage M16B podczas wspólnych działań z 35th Infantry Division w okolicach miejscowości Seareinsming w Lotaryngii, 1945 rok. / NARA

◀ *Half-Track Multiple Gun Motor Carriage M16B operating with the 35th Infantry Division near Seareinsming in Lorraine, 1945. / NARA*

Multiple Gun Motor Carriage M16, wersja produkcyjna. w związku z opracowaniem przez inżynierów firmy Maxson Company, nowej strzelniczej wieżyczki przeciwlotniczej, uzbrojonej w cztery karabiny maszynowe Browning M2HB TT, niezwłocznie przystąpiono do prowadzenia testów poligonowych. Nową wieżyczkę oznaczoną M45 multiple .50 caliber machine gun Mount, początkowo zainstalowano na HAlf-Tracku M2. Powstały pojazd noszący oznaczenie Multiple Gun Motor Carriage T58, podczas testów ogniowych osiągnął zadowalające wyniki. Głównym zaleceniem determinującym dalszą produkcję, było użycie Half-Tracka M3, który zapewniał więcej miejsca w swoim przedziale transportowym. Kontrakt na budowę pojazdów Multiple Gun Motor Carriage M16 otrzymała firma White, a seryjna produkcja rozpoczęła się w maju 1943 roku.

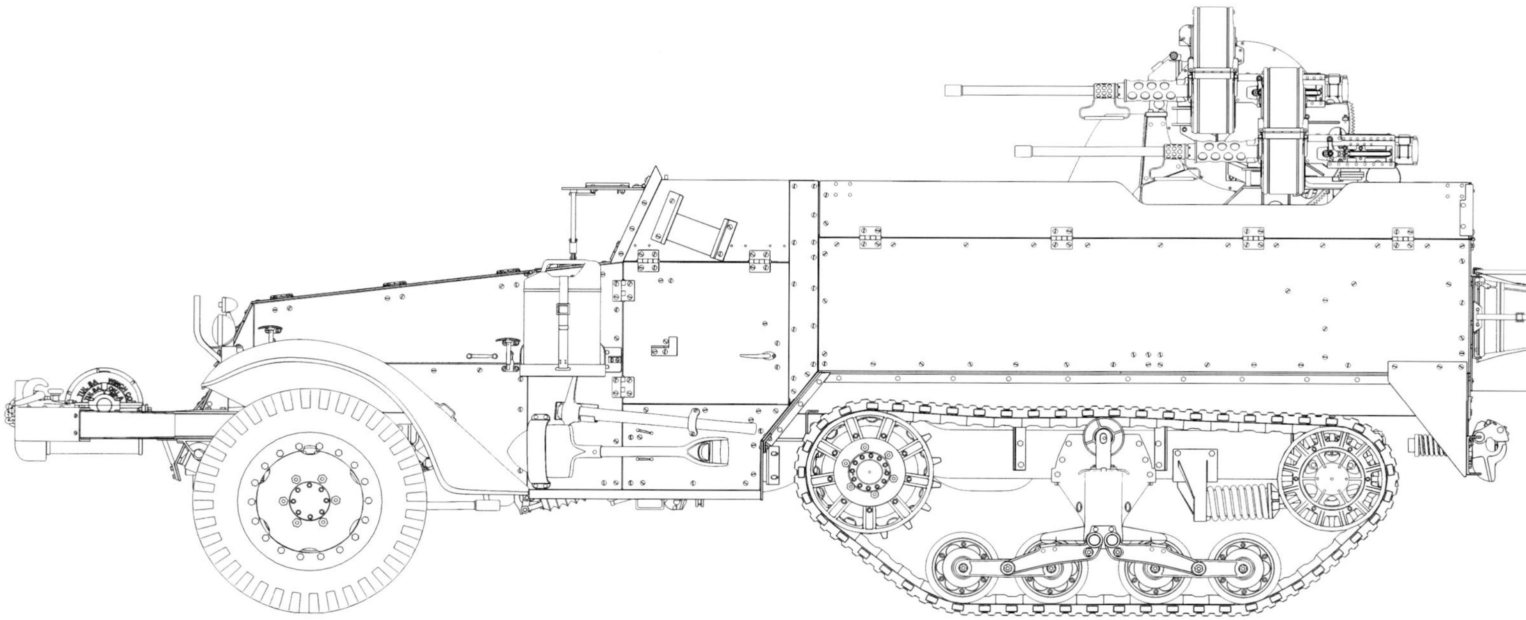

0 1 2 3 m

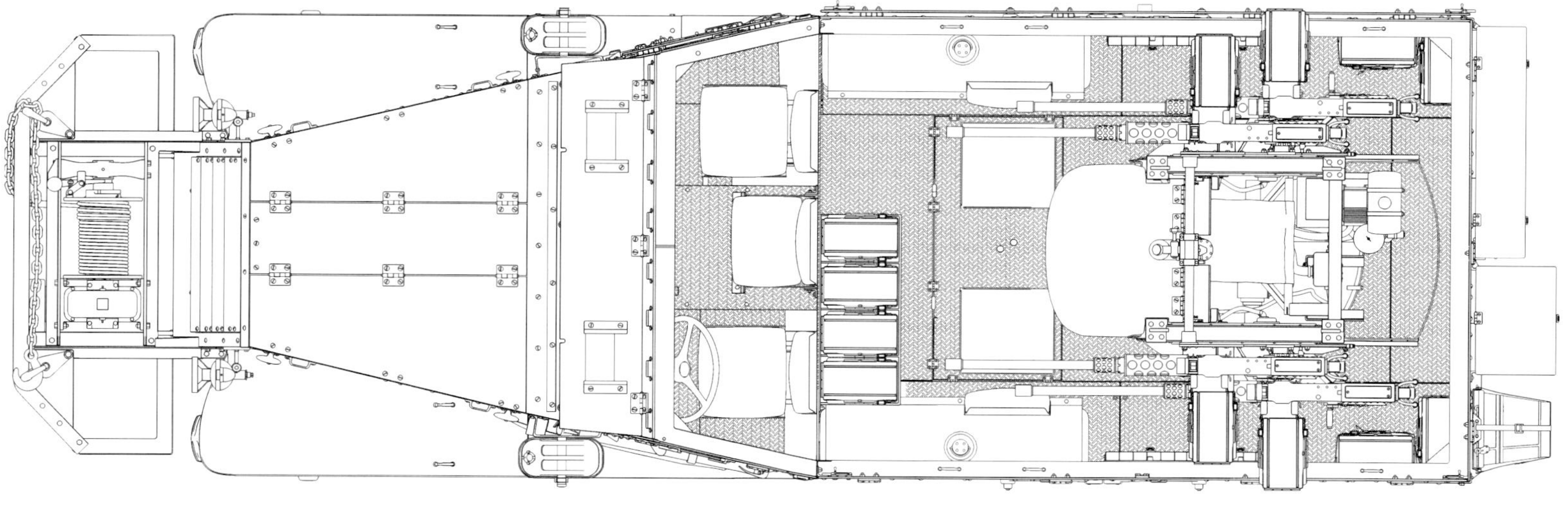

Opracował i rysował
Drawn and traced by
Sławomir Zajączkowski

skala 1:35 *scale*

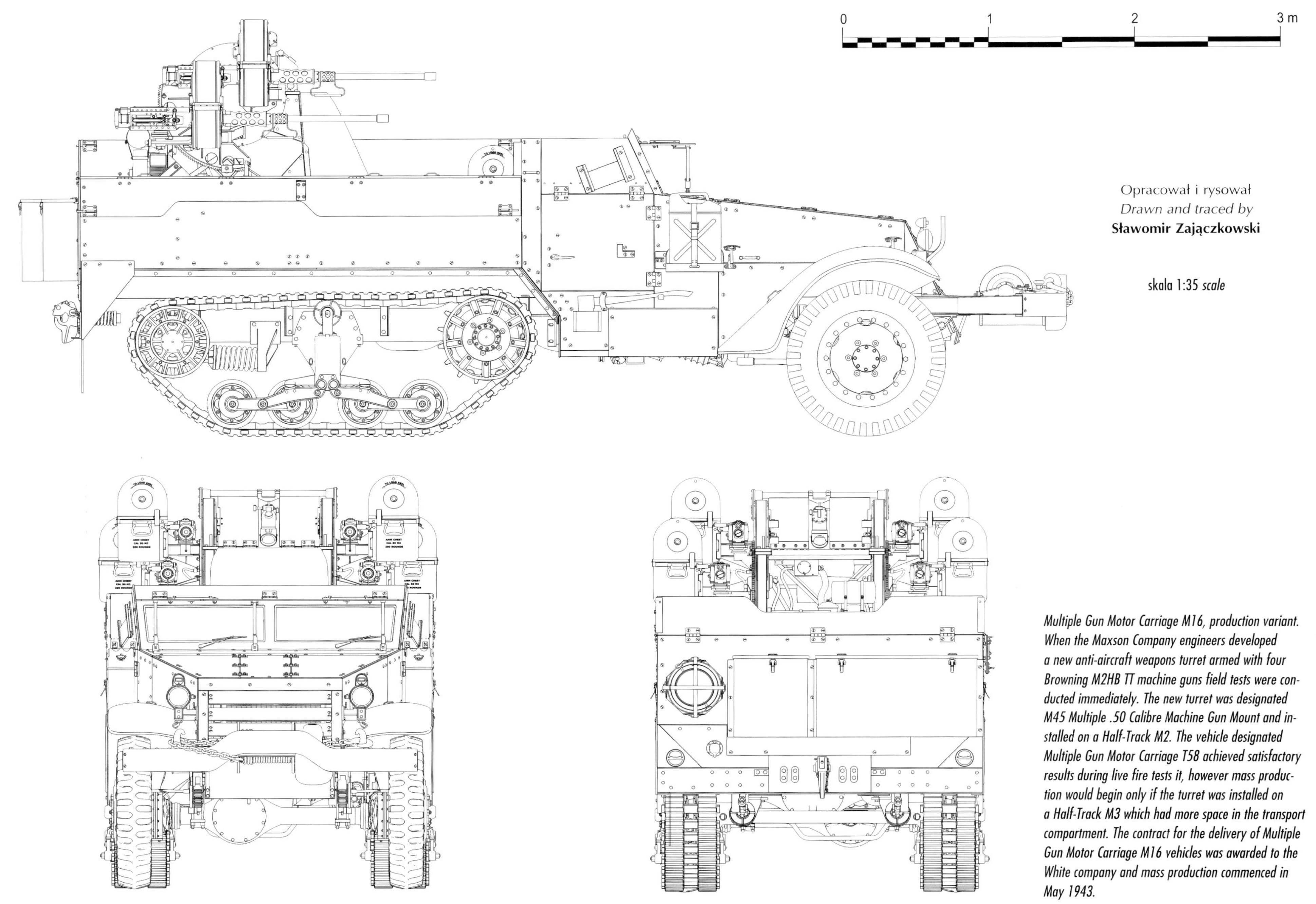

Opracował i rysował
Drawn and traced by
Sławomir Zajączkowski

skala 1:35 *scale*

Multiple Gun Motor Carriage M16, production variant. When the Maxson Company engineers developed a new anti-aircraft weapons turret armed with four Browning M2HB TT machine guns field tests were conducted immediately. The new turret was designated M45 Multiple .50 Calibre Machine Gun Mount and installed on a Half-Track M2. The vehicle designated Multiple Gun Motor Carriage T58 achieved satisfactory results during live fire tests it, however mass production would begin only if the turret was installed on a Half-Track M3 which had more space in the transport compartment. The contract for the delivery of Multiple Gun Motor Carriage M16 vehicles was awarded to the White company and mass production commenced in May 1943.

Multiple Gun Motor Carriage M17. Sytuacja w przypadku Half-Tracka M17 jest identyczna jak z Half-Trackiem M14. Obydwa pojazdy powstały celem zapewnienia wsparcia sprzętowego wojskom alianckim w ramach programu Lend-Lease. Po za różnicami wynikającymi konstrukcji Half-Tracka M3 i Half-Tracka M5, zestawy przeciwlotnicze M16 i M17 były takie same.

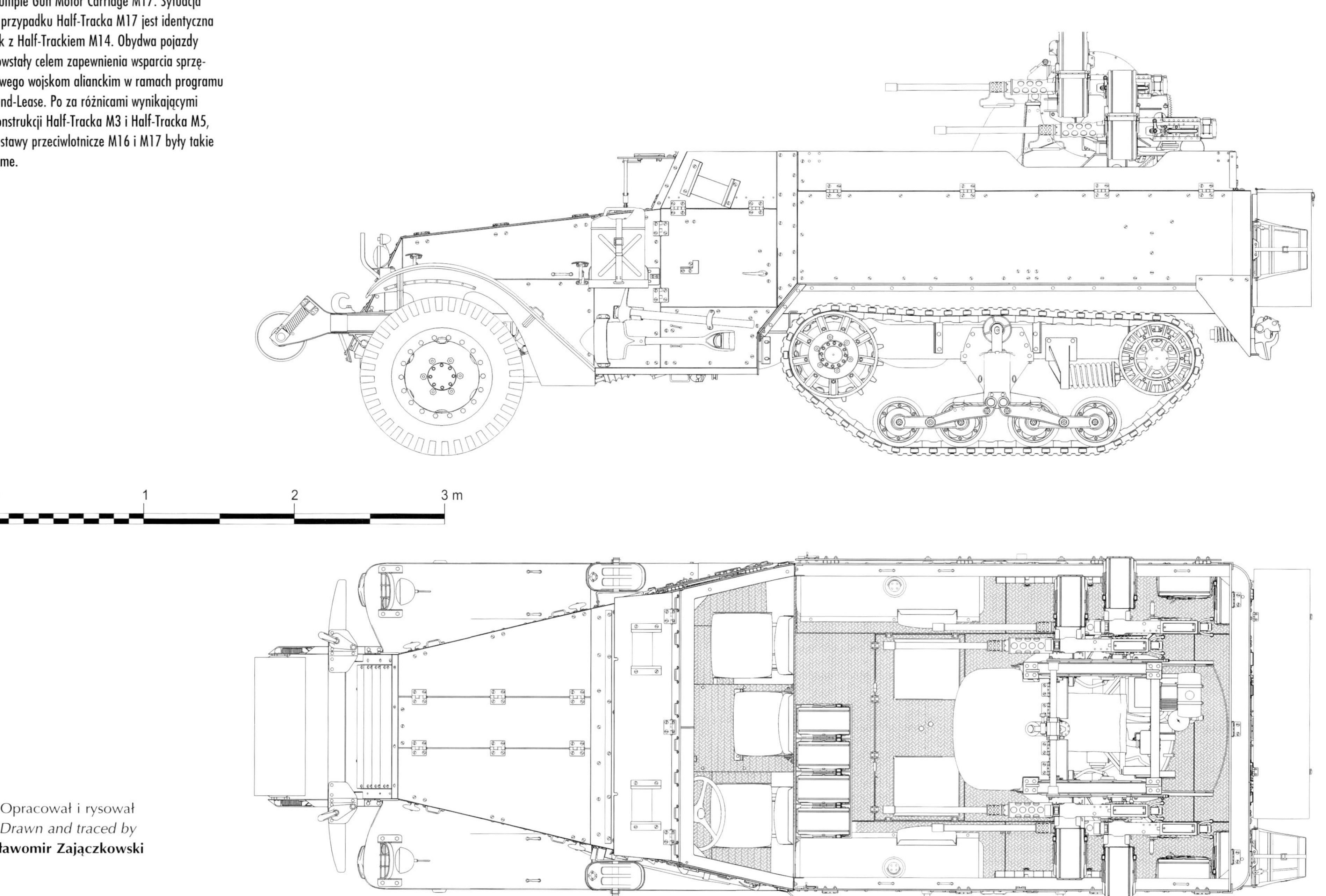

Opracował i rysował
Drawn and traced by
Sławomir Zajączkowski

skala 1:35 *scale*

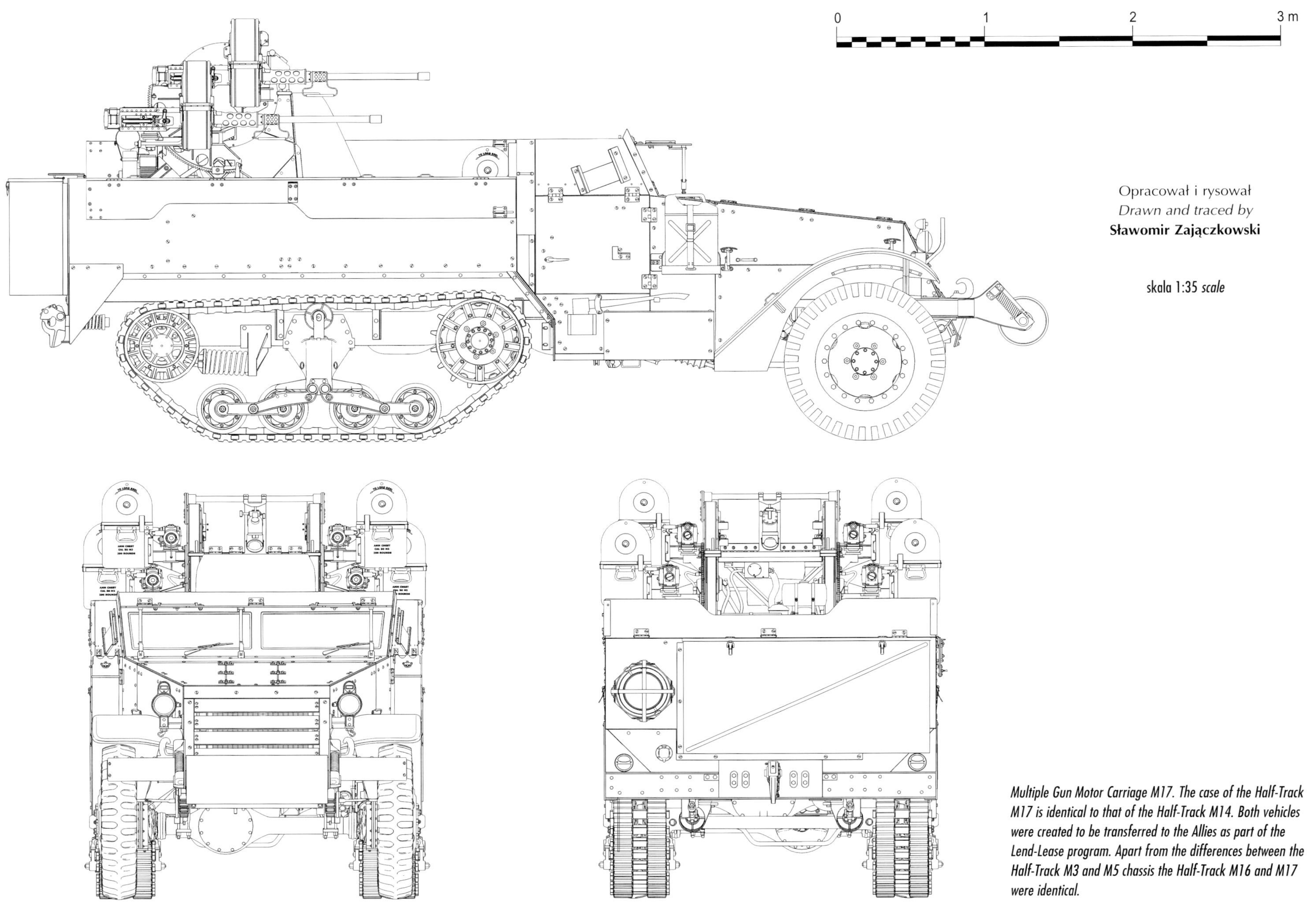

Multiple Gun Motor Carriage M17. The case of the Half-Track M17 is identical to that of the Half-Track M14. Both vehicles were created to be transferred to the Allies as part of the Lend-Lease program. Apart from the differences between the Half-Track M3 and M5 chassis the Half-Track M16 and M17 were identical.

Multiple Gun Motor Carriage M16B. Przed inwazją w Normandii pułkownik John B. Medarisa, szefa uzbrojenia Pierwszej Armii USA, zlecił przekonstruowanie pojazdów Half-Track Car M2, do pełnienia roli samobieżnych zestawów przeciwlotniczych. Wieżyczki z karabinami maszynowymi M2HB, zostały zdemontowane z przyczep Multiple Machine Gun Carriage M51 oraz Machine Gun Trailer Mount M55 i zainstalowane w przedziale transportowym pojazdów M2, z wykorzystaniem cylindrycznej podkładki pod wieżyczki, która niwelowała brak odchylanych górnych części płyt pancernych przedziału bojowego. Tak powstałe pojazdy zostały nieoficjalnie oznaczone M16B. Pojazdy zostały przydzielone do dwudziestu batalionów przeciwlotniczych uprzednio uzbrojonych w ciągnioną artylerię przeciwlotniczą. Pojazdy te brały udział walkach od pierwszych dni inwazji. Gdy zagrożenie ze strony lotnictwa wroga zmalało, pojazdy były wykorzystywane głównie do udzielania wsparcia ogniowego walczącej piechocie.

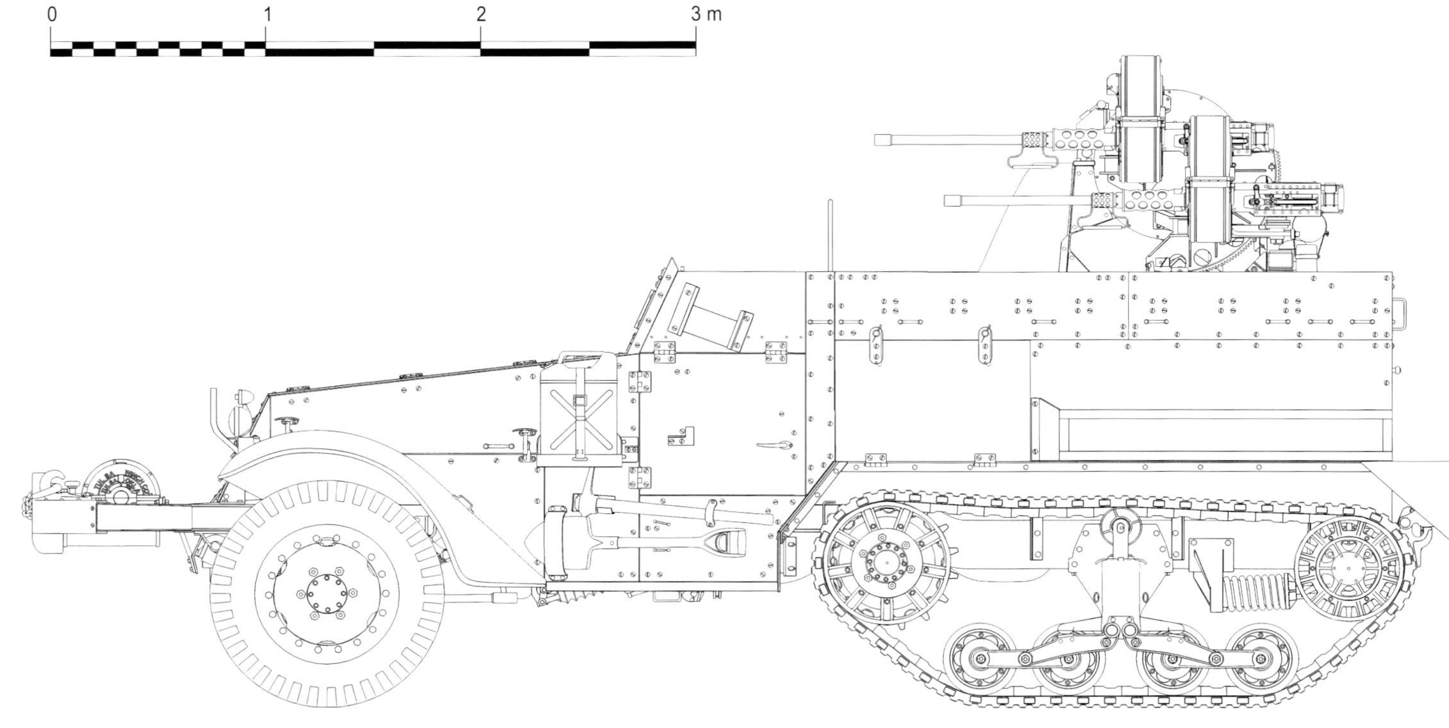

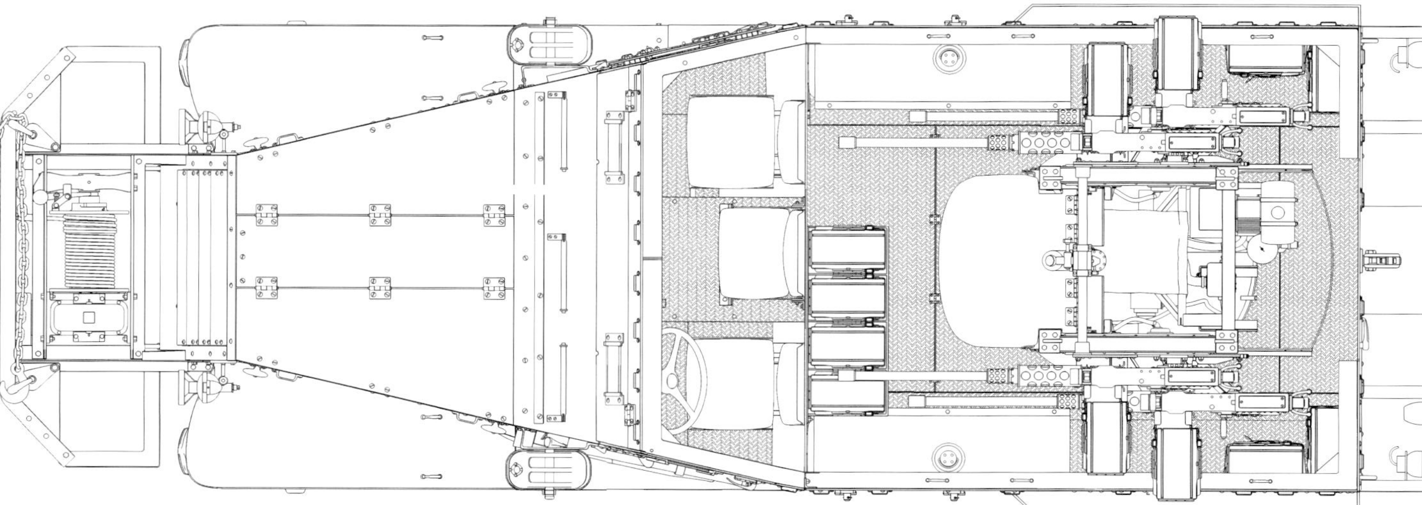

Opracował i rysował
Drawn and traced by
Sławomir Zajączkowski

skala 1:35 *scale*

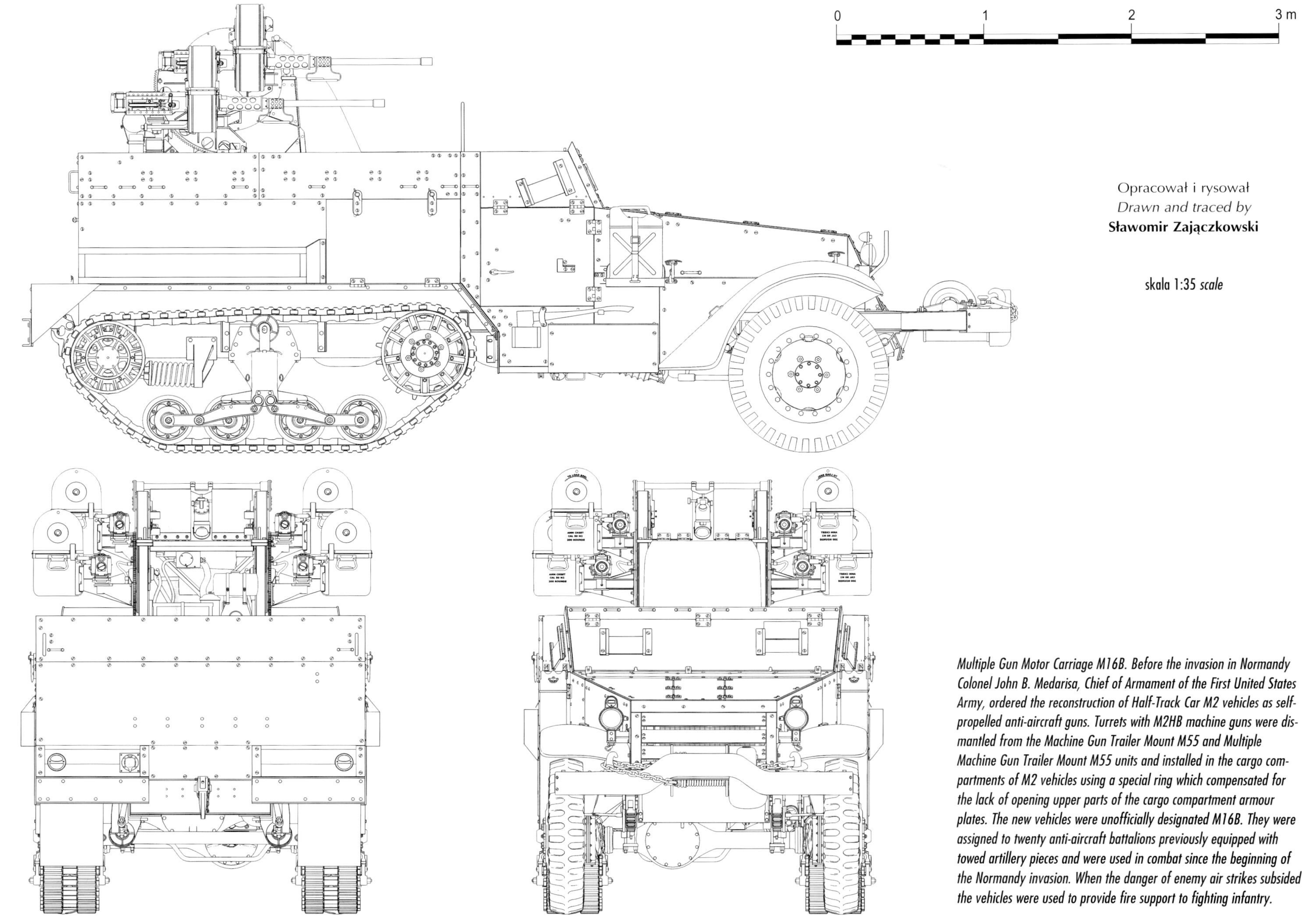

Opracował i rysował
Drawn and traced by
Sławomir Zajączkowski

skala 1:35 *scale*

Multiple Gun Motor Carriage M16B. Before the invasion in Normandy Colonel John B. Medarisa, Chief of Armament of the First United States Army, ordered the reconstruction of Half-Track Car M2 vehicles as self-propelled anti-aircraft guns. Turrets with M2HB machine guns were dismantled from the Machine Gun Trailer Mount M55 and Multiple Machine Gun Trailer Mount M55 units and installed in the cargo compartments of M2 vehicles using a special ring which compensated for the lack of opening upper parts of the cargo compartment armour plates. The new vehicles were unofficially designated M16B. They were assigned to twenty anti-aircraft battalions previously equipped with towed artillery pieces and were used in combat since the beginning of the Normandy invasion. When the danger of enemy air strikes subsided the vehicles were used to provide fire support to fighting infantry.

Multiple Gun Motor Carriage M16, wersja z okresu wojny w Korei. Podczas tego konfliktu, pojazdy Half-Track M16 przeżyły "drugą młodość". Jest to standardowa wersja pojazdu M16, taka sama jak te z okresu II Wojny Światowej. Podczas konfliktu koreańskiego pojazdy te były używane do udzielania wsparcia ogniowego jednostkom naziemnym, oraz odpierania zmasowanych, frontalnych ataków wroga z wykorzystaniem taktyki ludzkiej fali. Uwagę zwracają pancerne osłony zainstalowane na wieżyczce strzelniczej. Te płyty pancerne nazywane były Bat Wings. Wprowadzone zostały celem zapewnienia dodatkowej osłony ładowniczym karabinów maszynowych.
w początkowym okresie konfliktu, wojska amerykańskie odnotowywały liczne straty w załogach Half-Tracków, spowodowane ogniem snajperów wroga, wprowadzenie osłon Bat Wings, praktycznie wyeliminowało ten problem.

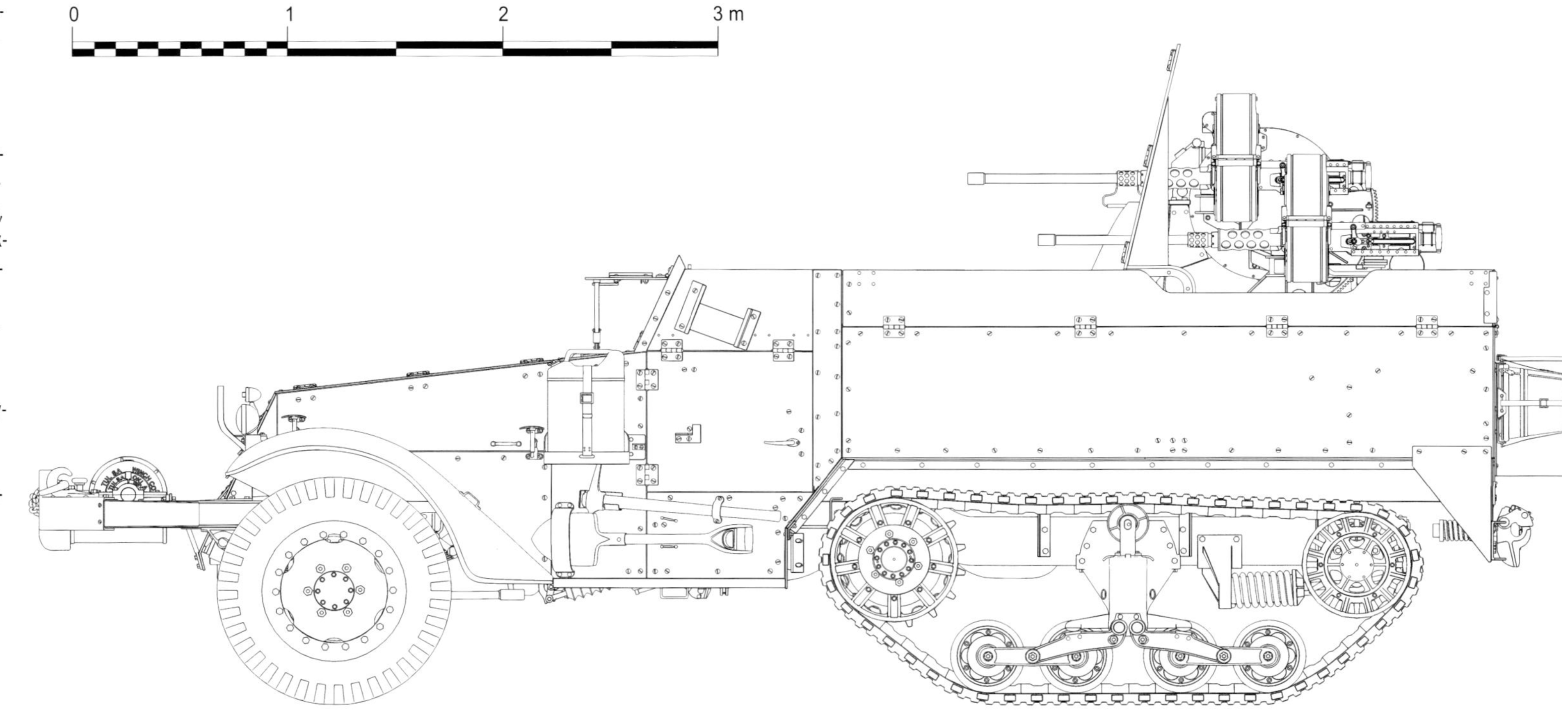

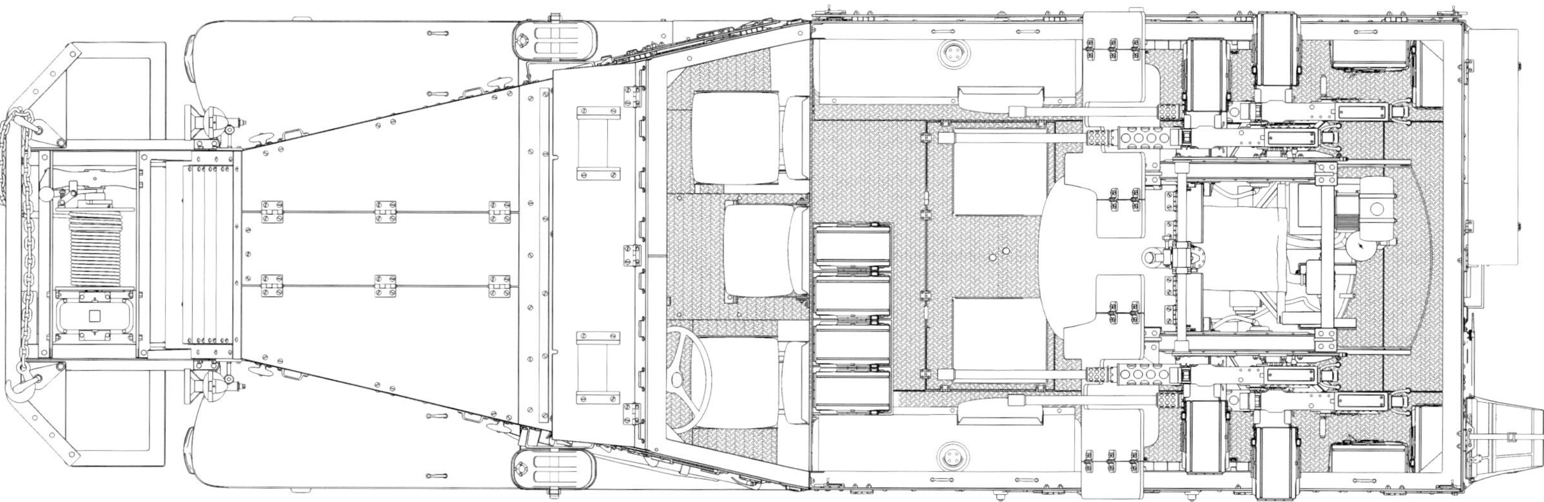

Opracował i rysował
Drawn and traced by
Sławomir Zajączkowski

skala 1:35 *scale*

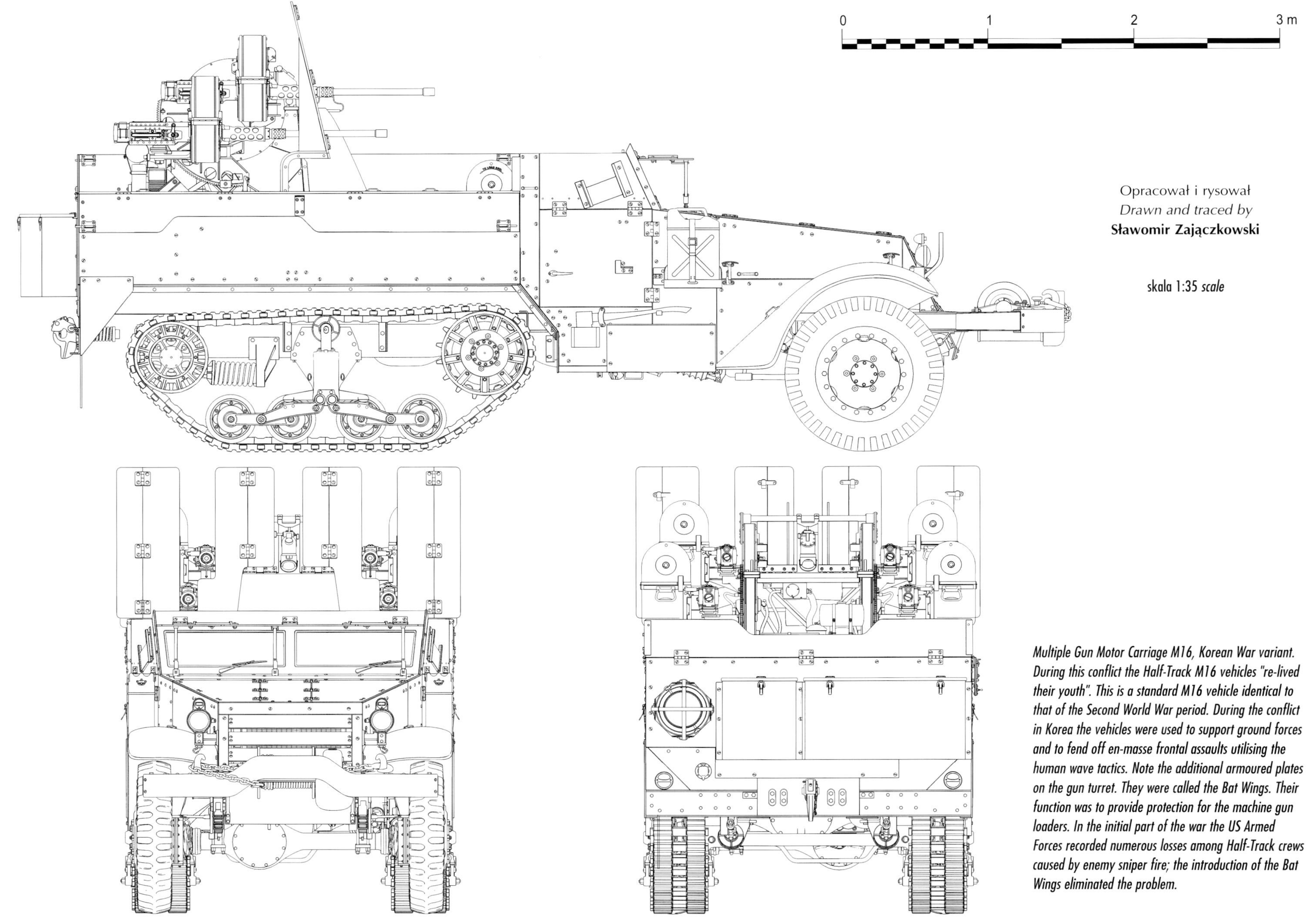

Multiple Gun Motor Carriage M16, Korean War variant. During this conflict the Half-Track M16 vehicles "re-lived their youth". This is a standard M16 vehicle identical to that of the Second World War period. During the conflict in Korea the vehicles were used to support ground forces and to fend off en-masse frontal assaults utilising the human wave tactics. Note the additional armoured plates on the gun turret. They were called the Bat Wings. Their function was to provide protection for the machine gun loaders. In the initial part of the war the US Armed Forces recorded numerous losses among Half-Track crews caused by enemy sniper fire; the introduction of the Bat Wings eliminated the problem.

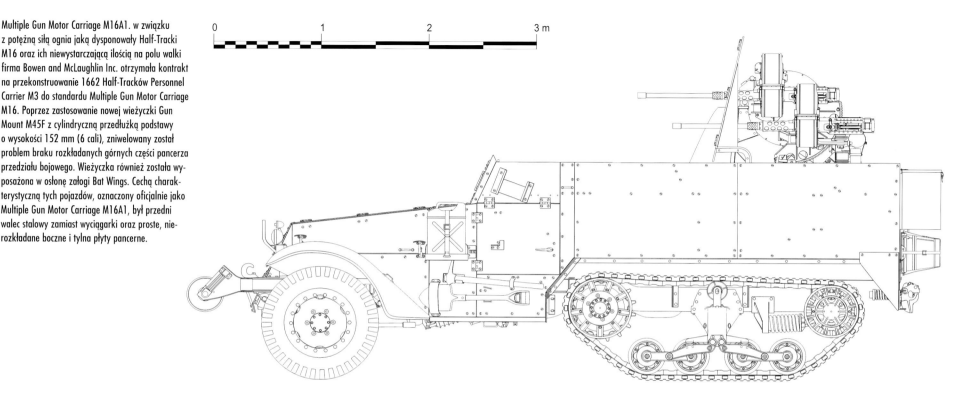

Multiple Gun Motor Carriage M16A1. w związku z potężną siłą ognia jaką dysponowały Half-Tracki M16 oraz ich niewystarczającą ilością na polu walki firma Bowen and McLaughlin Inc. otrzymała kontrakt na przekonstruowanie 1662 Half-Tracków Personnel Carrier M3 do standardu Multiple Gun Motor Carriage M16. Poprzez zastosowanie nowej wieżyczki Gun Mount M45F z cylindryczną przedłużką podstawy o wysokości 152 mm (6 cali), zniwelowany został problem braku rozkładanych górnych części pancerza przedziału bojowego. Wieżyczka również została wyposażona w osłonę załogi Bat Wings. Cechą charakterystyczną tych pojazdów, oznaczony oficjalnie jako Multiple Gun Motor Carriage M16A1, był przedni walec stalowy zamiast wyciągarki oraz proste, nierozkładane boczne i tylna płyty pancerne.

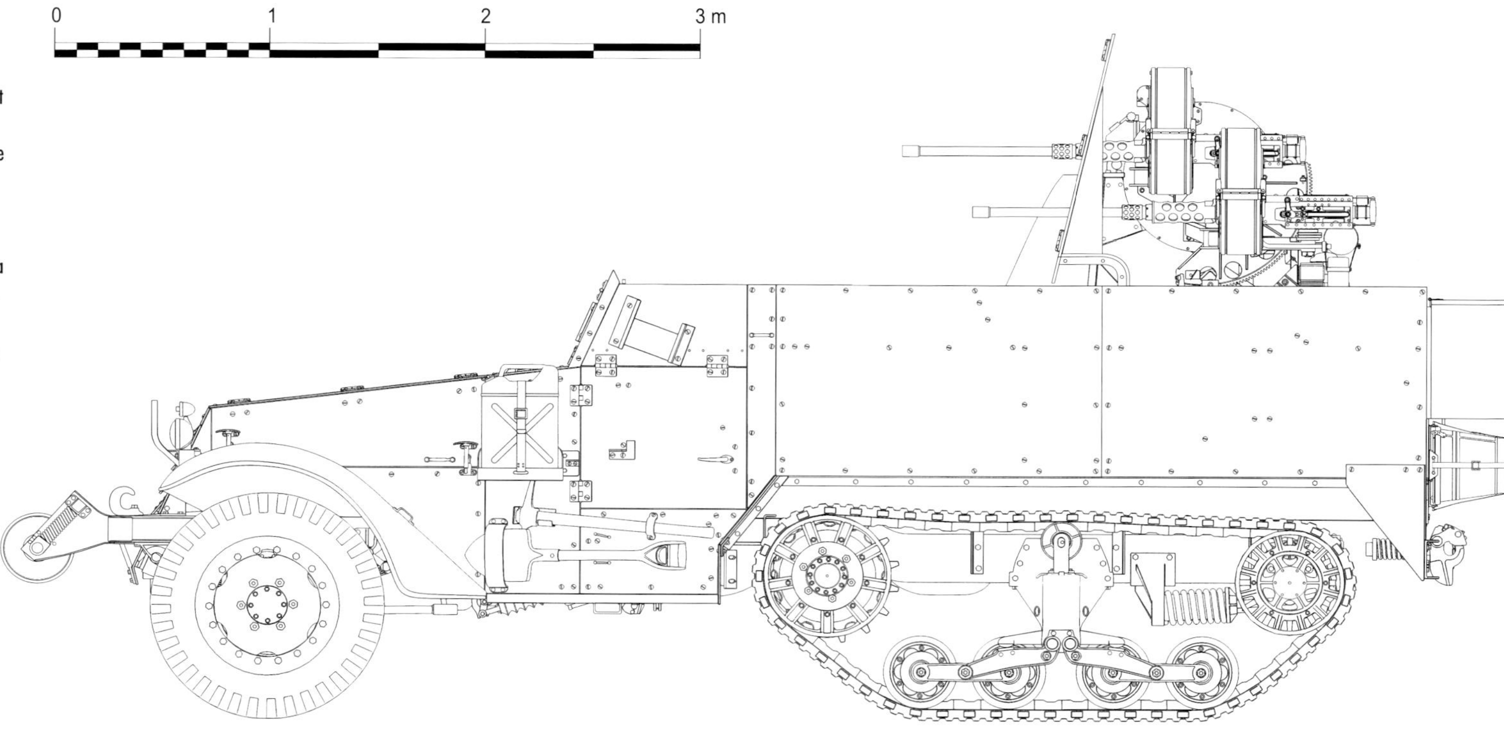

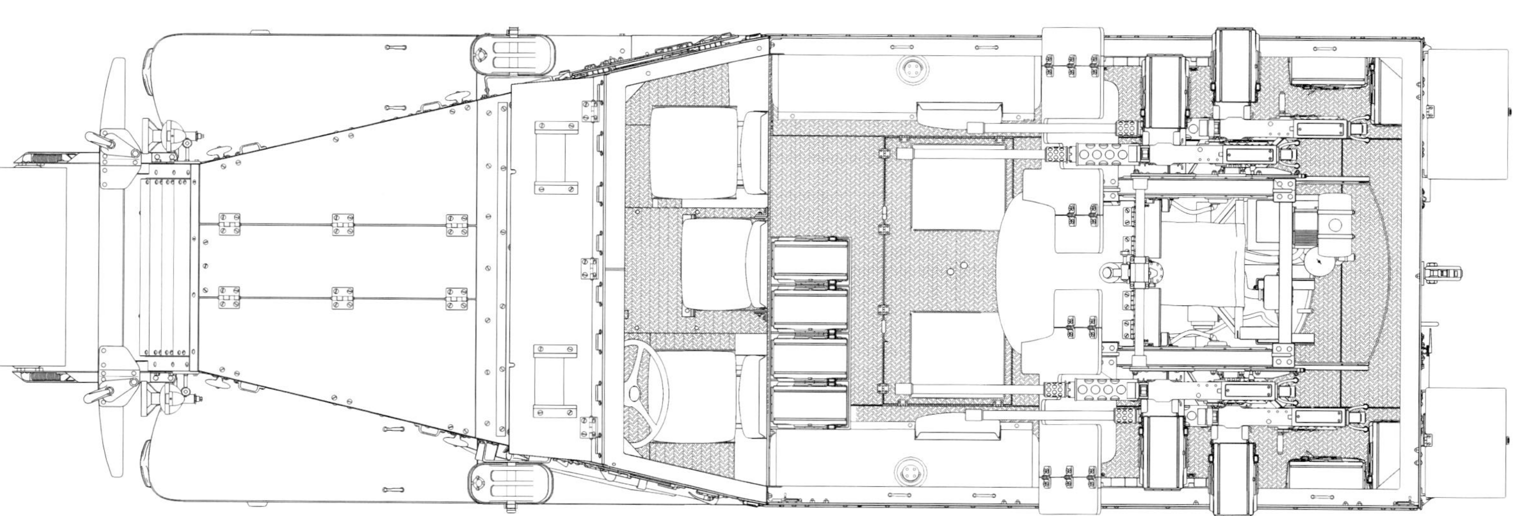

Opracował i rysował
Drawn and traced by
Sławomir Zajączkowski

skala 1:35 *scale*

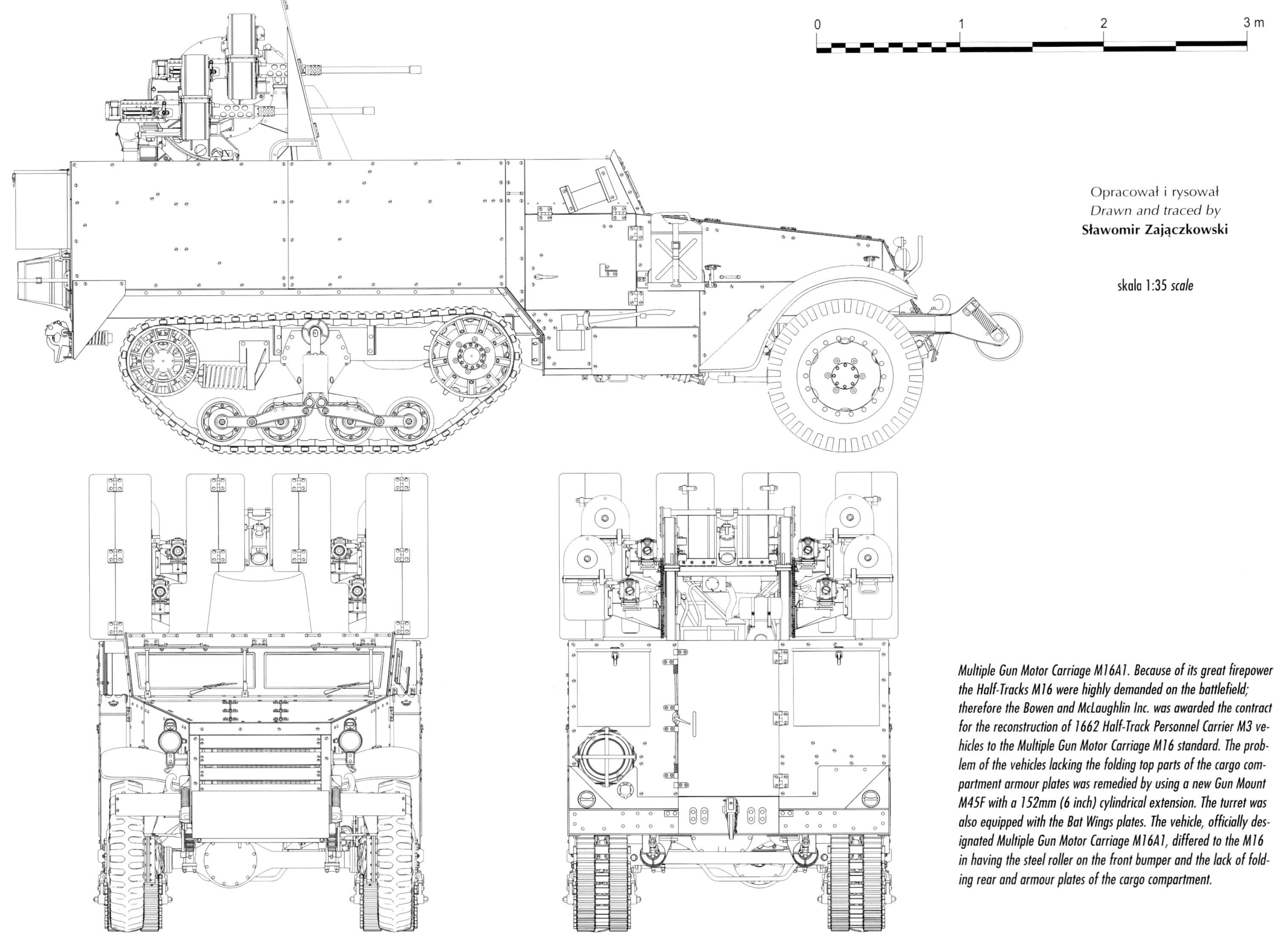

Multiple Gun Motor Carriage M16A1. Because of its great firepower the Half-Tracks M16 were highly demanded on the battlefield; therefore the Bowen and McLaughlin Inc. was awarded the contract for the reconstruction of 1662 Half-Track Personnel Carrier M3 vehicles to the Multiple Gun Motor Carriage M16 standard. The problem of the vehicles lacking the folding top parts of the cargo compartment armour plates was remedied by using a new Gun Mount M45F with a 152mm (6 inch) cylindrical extension. The turret was also equipped with the Bat Wings plates. The vehicle, officially designated Multiple Gun Motor Carriage M16A1, differed to the M16 in having the steel roller on the front bumper and the lack of folding rear and armour plates of the cargo compartment.

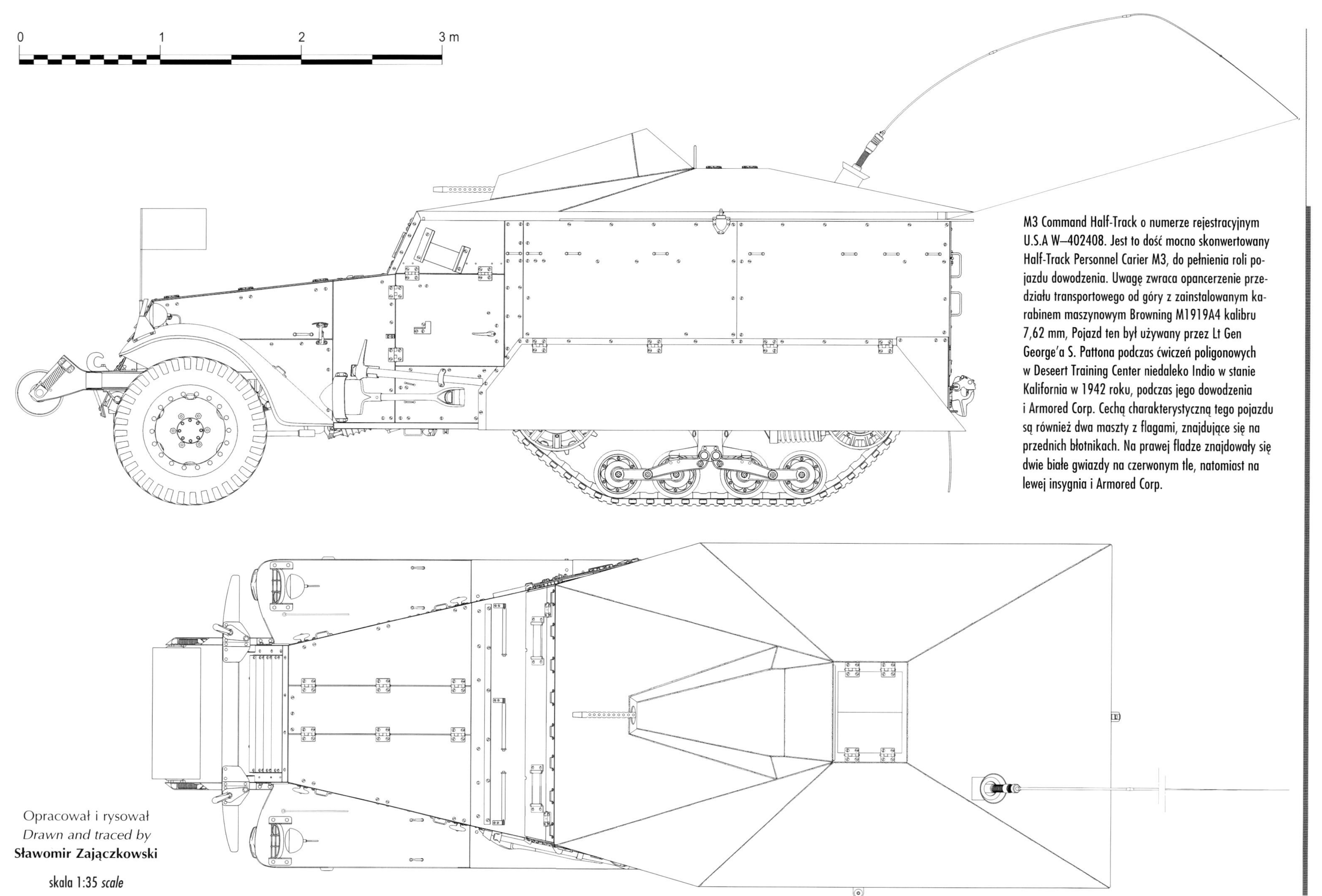

M3 Command Half-Track o numerze rejestracyjnym U.S.A W–402408. Jest to dość mocno skonwertowany Half-Track Personnel Carier M3, do pełnienia roli pojazdu dowodzenia. Uwagę zwraca opancerzenie przedziału transportowego od góry z zainstalowanym karabinem maszynowym Browning M1919A4 kalibru 7,62 mm, Pojazd ten był używany przez Lt Gen George'a S. Pattona podczas ćwiczeń poligonowych w Deseert Training Center niedaleko Indio w stanie Kalifornia w 1942 roku, podczas jego dowodzenia i Armored Corp. Cechą charakterystyczną tego pojazdu są również dwa maszty z flagami, znajdujące się na przednich błotnikach. Na prawej fladze znajdowały się dwie białe gwiazdy na czerwonym tle, natomiast na lewej insygnia i Armored Corp.

Opracował i rysował
Drawn and traced by
Sławomir Zajączkowski

skala 1:35 *scale*

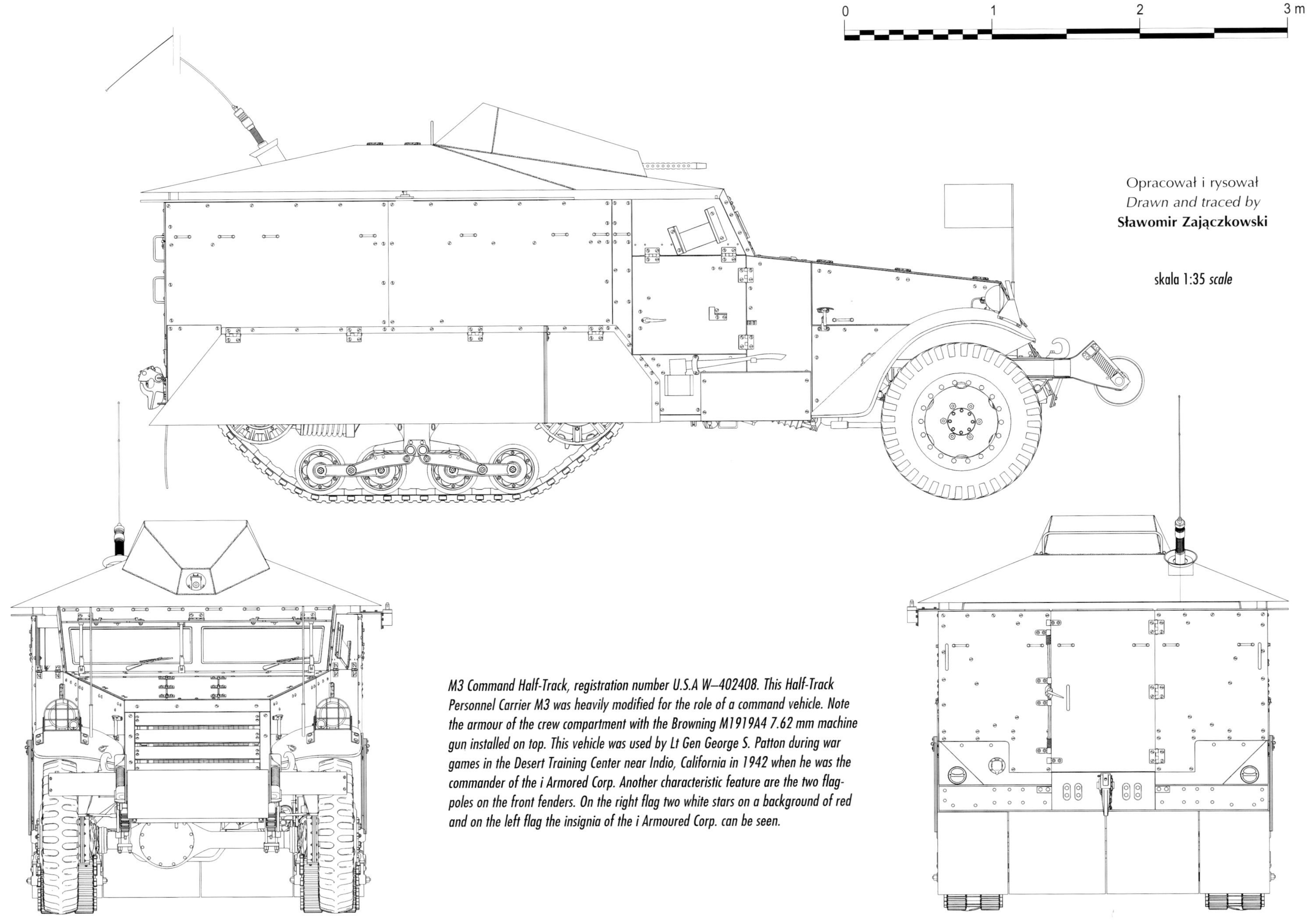

M3 Command Half-Track, registration number U.S.A W–402408. This Half-Track Personnel Carrier M3 was heavily modified for the role of a command vehicle. Note the armour of the crew compartment with the Browning M1919A4 7.62 mm machine gun installed on top. This vehicle was used by Lt Gen George S. Patton during war games in the Desert Training Center near Indio, California in 1942 when he was the commander of the i Armored Corp. Another characteristic feature are the two flag-poles on the front fenders. On the right flag two white stars on a background of red and on the left flag the insignia of the i Armoured Corp. can be seen.

▲ M3 Command Half-Track. Znacznie zmodyfikowany Half-Track, który był używany przez MAJ GEN George'a S. Pattona podczas ćwiczeń poligonowych w Desert Training Center niedaleko Idaho w stanie Kalifornia w 1942 roku, podczas jego dowodzenia i Armored Corp. Uwagę zwraca opancerzony dach zakrywający przedział transportowy oraz karabin maszynowy w pancernej kopule, umieszczony w przedniej części pancernego dachu. / NARA

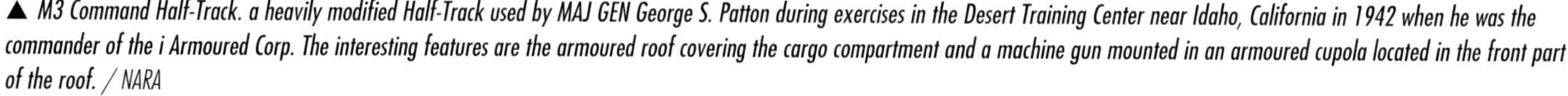

▲ M3 Command Half-Track. a heavily modified Half-Track used by MAJ GEN George S. Patton during exercises in the Desert Training Center near Idaho, California in 1942 when he was the commander of the i Armoured Corp. The interesting features are the armoured roof covering the cargo compartment and a machine gun mounted in an armoured cupola located in the front part of the roof. / NARA

◀ "Pancerna salonka" generała Pattona w pełnej okazałości. Uwagę zwracają dodatkowe elementy pancerza zamontowane na tym Half-Tracku M3, mające zapewnić dodatkową ochronę przewożonym wewnątrz osobom jak również podzespołom pojazdu. Jest to przede wszystkim pancerny dach z karabinem maszynowym Browning M1919A4 kalibru 7,62 mm (0.30) oraz stalowy fartuch chroniący wózek gąsienicowy. Ponadto doskonale widoczne również dwa maszty z flagami, znajdujące się na przednich błotnikach. Na prawej fladze znajdowały się dwie białe gwiazdy na czerwonym tle, natomiast na lewej insygnia i Armored Corp. Jako, że ten Half-Track pełnił rolę pojazdu dowodzenia, warto zwrócić również uwagę na dodatkowe anteny zamontowane w tylnej części pojazdu. / NARA

◀ General Patton's "Armoured club-car" in full view. This Half-Track M3 is equipped with additional armour to offer grater protection to its passengers and to the vital parts of the vehicle. The additional armour consists of an armoured roof with a Browning M1919A4 7.62 mm (.30) machine gun and a steel plate protecting the tracked suspension. The two flag poles installed on the front fenders are clearly visible. On the right flag two white stars on a background of red and on the left flag the insignia of the i Armoured Corp. can be seen. As this Half-Track was used as a command vehicle additional antennas were installed in the rear part of the vehicle. / NARA

Wersje rozwojowe, które nie weszły do seryjnej produkcji

Development variants which never entered mass production

Half-Track Amphibian Cargo Carrier T32

Jest niemalże niepisaną tradycją, że konstruktorzy opracowywanych pojazdów wojskowych, zbudowanych z konkretnym przeznaczeniem, do jasno określonych i sprecyzowanych celów, popełniają wiele różnych „mutacji" tychże pojazdów, szukając dla nich innych zastosowań, do których pojazd mógłby zostać użyty. Jest to powszechna praktyka, nawet w dzisiejszych czasach, ponieważ konstruowaniem pojazdów, a w szczególności konfliktami zbrojnymi rządzi niepodzielnie jedna dziedzina — ekonomia. Podstawową zasadą ekonomii jest twierdzenie o ograniczonych zasobach. w przypadku konstruowania pojazdów wojskowych są to przede wszystkim fundusze pozwalające na prowadzenie kilku, lub kilkunastu niezależnych pro-

▼ **Rysunek przedstawiający amfibię z wykorzystaniem napędu półgąsienicowego, wszelkie prace prowadzone były pod nazwą Projekt Pelikan. Projekt ten nie doczekał się budowy pojazdu w skali 1:1. Ciekawostką był fakt, że napęd gąsienicowy miał pochodzić od amerykańskiego czołgu średniego.**

▼ *A drawing presenting an amphibious vehicle utilising a half--track drive, all works were conducted under the codename Project Pelican. This project did not conclude with the completion of a 1:1 scale vehicle. Interestingly, the track-drive originated from an American medium tank.*

Half-Track Amphibian Cargo Carrier T32.

It is almost an unwritten tradition that the designers of military vehicles built for a specific purpose create numerous variants („mutations") of the said vehicles to adapt them to different new duties. Even today this remains a common practice since both the design of military vehicles and armed conflicts are governed first and foremost by the rules of economy. One of the major rules which apply to economy is that all resources are limited. In case of military vehicles this means that funds for numerous parallel development programs for the construction of specialized vehicles are always limited. Because of that and as a result of time constraints the designers of the Half-Track attempted to adapt the vehicle to perform various functions ranging from unarmed artillery tractors to anti-aircraft vehicles.

The least known variant of the Half-Track, which was never built and remained on the drawing boards, was the result of an attempt to build an amphibious half-track vehicle. Although it was a completely new design utilising the concept of the half-track drive, it is impossible not to mention it while describing the history of the Half-Track.

In July 1942 during the initial construction of the DUKW[1] National Defence Research Committee[2] indicated a need to design and build a larger vehicle capa-

[1] *Six-wheeled amphibious vehicle with an all-wheel drive. Built by the General Motors Corporation during the Second World War. According to the General Motors Corporation terminology of that period „D" means the vehicle was designed in 1942, „U" stands for „utility, amphibious", „K" stands for „all-wheel drive" and „W" indicated two rear axels. The soldiers called the vehicle DUCK.*

[2] *The National Defence Research Committee was an organisation created to „to coordinate, supervise, and conduct scientific research on the problems underlying the development, production, and use of mechanisms and devices of warfare" in the United States which functioned between the 27th June 1940 and 28th June 1941. Most works were conducted in strict secrecy. It conducted research of what would become some of the most important technology during the Second World War, including radar and the atomic bomb. It was superseded by the Office of Scientific Research and Development in 1941 and reduced to merely an advisory organization until it was eventually terminated in 1947.*

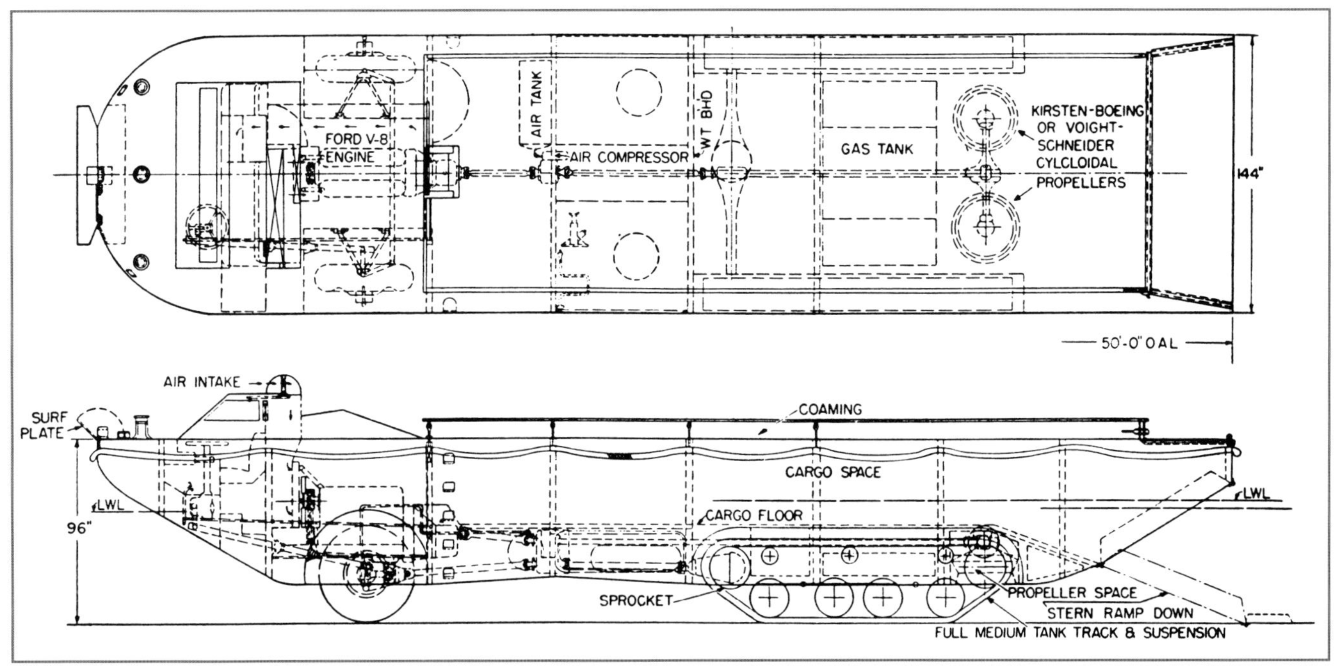

▶ **Rysunek techniczny przestawiający pojazd amfibijny na podwoziu półgąsienicowym, który oznaczony został jako Half-Track Amphibian Cargo Carrier T32.**

▶ ***A technical drawing of a amphibious vehicle with a half-track drive designated Half-Track Amphibian Cargo Carrier T32.***

jektów wyspecjalizowanych pojazdów. w związku z ograniczeniami funduszy oraz ograniczeniami czasowymi, konstruktorzy Half-Tracka, starali się zaadoptować ten pojazd do bardzo wielu zadań. Od nieuzbrojonych ciągników artyleryjskich, do wyspecjalizowanych zestawów przeciwlotniczych. Najmniej znaną wersją Half-Tracka, która nie doczekała się fizycznej realizacji i pozostała na deskach kreślarskich konstruktorów jest, próba zbudowania w oparciu o napęd półgąsienicowy amfibii. Była to zupełnie nowa konstrukcja, w której próbowano wykorzystać ideę pojazdu o napędzie półgąsienicowym. Opisując konstrukcję Half-Tracka, nie można pominąć opisu tej, niewątpliwie ciekawej konstrukcji.

W czerwcu 1942 roku, podczas początkowych prac nad pojazdem DUKW[1] National Defense Research Committee[2], wskazywało potrzebę zaprojektowania i zbudowania większego pojazdu, zdolnego przewozić znacznie większe ładunki, aniżeli pojazdy kołowe, dla których maksymalna masa przewożonego ładunku wynosiła 6 ton. w związku z tym faktem rozpoczęły się liczne prace badawcze nad opracowaniem pojazdu am-

ble of carrying heavier loads than wheeled vehicles which had a maximum payload of 6 tonnes. As a result, design works commenced to build an amphibious vehicle which utilised a half-track drive while operating on land. All works were conducted under the codename Project Pelican. Various concepts utilising different tracked drives from tanks of that period and wheels installed on the front axle were created. None of the designed vehicles were ever built as a 1:1 scale prototype; however some wooden scale models were built for use in water environment performance tests.

In May 1944 the Ordnance Department inquired the National Defence Research Committee about the possibility to design and build a half-track vehicle capable of amphibious assault operations. The project was conducted by the Sparkman & Stephen Inc. The complete vehicle weight was 37,000 pounds and the payload was 30,000 pounds. The cargo compartment had an area of 200 sq. ft with a loading ramp located at the back of the vehicle which facilitated the loading process. The vehicle was to be powered by the Continental R975–C4 engine, the same engine which was used in the 76 mm Gun Motor Carriage M18. In water the vehicle would be propelled by two 28 inch propellers. The vehicle speed was estimated at least 30 mph on land and 8 mph in water.

The OCM document no. 24252 dated 26th June 1944 recommended construction of three prototypes to test the vehicle's suitability for combat operations. The vehicle was designated Half-Track Amphibian Cargo Carrier T32. However, the production never started and

▼ **Wizualizacja projektu T32. Pomimo wstępnych rekomendacji mówiących o budowie trzech pojazdów tego typu, celem ich dalszej ewaluacji, projekt został wstrzymany i pozostał na dechach kreślarskich konstruktorów. / NARA**

▼ ***Visualisation of a T32 vehicle. Despite the initial recommendations to build three vehicles for further evaluation the project was cancelled and the vehicle remained on the drawing board. / NARA***

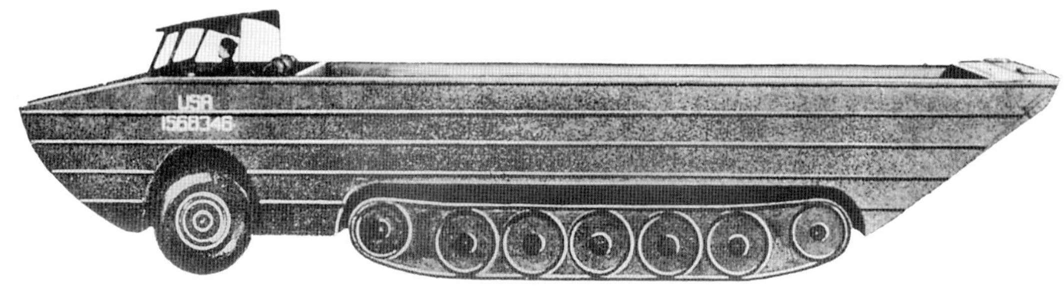

[1] Sześciokołowy pojazd amfibijny, z napędem na wszystkie koła. Zbudowany przez firmę General Motors Corporation podczas II Wojny Światowej. Zgodnie z terminologią firmy General Motors Corporation z tego okresu „D" oznaczało, że pojazd został zaprojektowany w 1942, „U" oznacza „wielozadaniowy, amfibijny", „K" — „napęd na wszystkie koła", a „W" — dwie osie z tyłu pojazdu. Żołnierze potocznie nazywali pojazd DUCK

[2] National Defense Research Committee była organizacją założoną „celem koordynowania, nadzorowania i prowadzenia badań naukowych na temat problemów leżących u podstaw rozwoju, produkcji i stosowania mechanizmów i urządzeń w działaniach wojennych" w Stanach Zjednoczonych i funkcjonowała od 27 czerwca 1940 do 28 czerwca 1941 roku. Większość prac została wykonana w ścisłej tajemnicy. Prowadziła badania nad najważniejszymi technologiami w okresie II Wojny Światowej, w tym radarów i bomby atomowej. w 1941 roku National Defense Research Committee została zastąpiona przez Biuro Badań Naukowych i Rozwoju, a jej ranga obniżona do organizacji doradczej, dopóki nie została ostatecznie rozwiązana w 1947 roku.

▲ Pojazdy M3A1 Half-Track Personnel Carrier wchodzące w skład 3132nd Signal Service Company podczas ich pobytu w bazie Pine Camp w stanie Nowy Jork, tuż przed wyruszeniem na stary kontynent. Warto zwrócić uwagę na specjalne głośniki umieszczone w przedziale transportowym Half-Tracków oraz fakt iż niektóre pojazdy posiadają zderzak z wyciągarką a niektóre stalowy walec. / NARA

▲ *M3A1 Half-Track Personnel Carrier of the 3132nd Signal Service Company in Pine Camp, New York prior to their departure for Europe. The vehicles are equipped with speakers located in the cargo compartment. Some Half-Tracks are equipped with a winch while some have a steel roller instead. / NARA*

fibijnego wykorzystującego podczas poruszania się po lądzie napęd półgąsienicowy. Wszystkie prace prowadzone były pod nazwą *Project Pelikan*. Pojawiały się różne koncepcje wykorzystujące różnego rodzaju napędy gąsienicowe stosowane w czołgach z okresu, w połączeniu z kołami zamocowanymi na przedniej osi pojazdu. Opracowane projekty nie doczekały się prototypu w skali 1:1, jednakże prowadzono liczne testy, w tym testy w środowisku wodnym z wykorzystaniem odpowiednio przeskalowanych modeli drewnianych.

W maju 1944 roku Ordnance Department, złożył zapytanie do National Defense Research Committee o możliwość zaprojektowania i zbudowania pojazdu wykorzystującego napęd półgąsienicowy, który będzie zdolny realizować operacje desantowe z morza. Projekt był prowadzony przez firmę Sparkman & Stephen Inc. Pojazd o masie własnej około 16.800 kg (37.000 funtów) posiadał ładowność ok. 13.600 kg (30.000 funtów). Ładownia posiadała powierzchnię 18,5 m^2, z rampą umiejscowioną w tylnej części pojazdu, umożliwiającą załadunek towarów przeznaczonych do transportu. Pojazd miał napędzać silnik Continental R975–C4, ten sam, który był zastosowany w pojeździe 76 mm Gun Motor Carriage M18. w wodzie pojazd byłby poruszany przy pomocy dwóch śrub o średnicy 71,12 cm każda. Prędkość na lądzie powinna wynosić min. 48 km/h, a w wodzie 12 km/h.

Domument OCM numer 24252 z 26 czerwca 1944 roku, zalecał budowę trzech prototypów, aby istniała możliwość dokonania stosownych testów przydatności operacyjnej projektowanego pojazdu. Został on oznaczony Half-Track Amphibian Cargo Carrier T32. Jednakże do produkcji nie doszło i pojazd pozostał na deskach kreślarskich, ponieważ Army Service Forces nie zaakceptowały projektu i program budowy trzech

the vehicle remained on the drawing board because the Army Service Forces did not accept the design and the construction of the three T32 prototypes was cancelled. This was caused by the development of the LVT vehicle family[3].

Half-Track Truck T15, T16, T17, T18 and T19; Half-Track Car T16

Parallel to the production of the Half-Tracks design works were conducted to improve the terrain handling capability of half-track vehicles as well as to improve their load capacity. In October 1941 the Mack Manufacturing Company finished construction of the vehicle initially designated as Half-Track T3. The vehicle had a rear-mounted engine and the weight distribution was 80% tracked suspension — 20% wheeled suspension. The track drive had the same suspension system as the M2 light tank. The front wheels were unpowered, however, they were used for turning as they were connected with a differential mechanism responsible for distributing torque to the tracks.

Tests conducted in the Aberdeen Proving Grounds showed that the vehicle had quite good terrain handling capability. This design was not developed however, as other new vehicles were being designed at that time and numerous improvements were suggested necessary for the T3 by the Ordnance Department. Although it was envisaged that the vehicle might be equipped with a M2A1 105 mm howitzer the vehicle never left the drawing board and further work on the T3 was halted in June 1942.

Another attempt to improve the already good performance of the Half-Track was the M2 Half-Track

[3] *Landing Vehicle Tracked. Tracked amphibious vehicle, often called amtrac – short for amphibious tractor. American tracked amphibious vehicle used during the Second World War for amphibious assault operations.*

▲ Half-Track Truck T17 podczas testów prowadzonych na poligonie Aberdeen Proving Ground, 25 czerwca 1943 roku. Pojazd pilotażowy Nr 2 wyprodukowany przez firmę Autocar. Pojazd pilotażowy Nr 1 był wyprodukowany przez firmę White. Dość mocno rozbudowana konstrukcja, znacznie większa niż standardowy Half-Track. / NARA

▲ *Half-Track Truck T17 during tests in the Aberdeen Proving Ground, 25th June 1943. Vehicle No.2 of the pilot lot manufactured by Autocar. Vehicle No.1 of the pilot lot manufactured by White. a complicated design, much larger than a standard Half-Track. / NARA*

prototypów T32 został wstrzymany. Było to spowodowane rozwijaniem się rodziny pojazdów LVT[3].

Half-Track Truck T15, T16, T17, T18 i T19; Half-Track Car T16

Niemalże równolegle z produkcją Half-Tracków, trwały prace mające na celu poprawienie zdolności terenowych pojazdów z napędem półgąsienicowym, jak również zwiększenie ładowności tych pojazdów. w październiku 1941 roku firma Mack Manufacturing Corporation ukończyła prace nad pojazdem oznaczonym wstępnie Half-Track T3. Pojazd posiadał silnik zamontowany w tylnej części pojazdu, a rozkład naci-

[3] Landing Vehicle Tracked. Gąsienicowy pojazd amfibijny, często określany jako amtrac – od angielskiego amphibious tractor. Rodzina amerykańskich pływających transporterów gąsienicowych, używanych w okresie II wojny światowej celem realizowania operacji desantowych z morza.

▶ Half-Track Truck T17, widok od tyłu. Widoczny wzmocniony i przedłużony wózek gąsienicowy, względem tego stosowanego w modelach produkcyjnych. Uwagę zwracają również nieznacznie pochylone płyty pancerza, które dzięki temu zabiegowi miały zwiększoną odporność na penetrację pocisków lub odłamków, przy zachowaniu tej samej masy co pancerz modeli produkcyjnych. / NARA

▶ *Half-Track Truck T17, rear view. a reinforced, lengthened track suspension system different to that in the production vehicles is visible. The slightly slanting armour plates offered improved protection against penetration and shrapnel while maintaining the same weight as the production vehicle's armour. / NARA*

▲ Half-Track Truck T16 wyprodukowany przez firmę Diamond T Motor Car Company podczas sesji fotograficznej na poligonie Aberdeen 25 czerwca 1943 roku, celem uzupełnienia dokumentacji projektu. Uwagę zwraca, przedłużony wózek gąsienicowy oraz dość charakterystyczny kształt przedniej części pojazdu jak również stalowy walec wkomponowany w przedni zderzak. Pojazd posiada uzbrojenie w postaci karabinu maszynowego Browning M1919Ak kalibru 7,62 mm (0,30). / NARA

▲ *Half-Track Truck T16 manufactured by Diamond T Motor Car Company during a photographic session in the Aberdeen test range completing the project documentation, 25th June 1943. The lengthened track suspension system and a characteristic shape of the vehicle front end as well as the steel roller installed in the front bumper are visible. The vehicle is armed with a Browning M1919Ak 7.62 (0.30) calibre machine gun. / NARA*

sku pojazdu na podłoże w 80% przypadał na zawieszenie gąsienicowe a 20% na zawieszenie kołowe. Napęd gąsienicowy był zawieszeniem używanym w czołgu lekkim M2. Przednie koła nie były napędzane, jednakże sterowanie pojazdem odbywało się przy ich pomocy, ponieważ były połączone z dyferencjałem odpowiedzialnym za przekazywanie momentu obrotowego na gąsienice.

Testy przeprowadzone na poligonie Aberdeen Proving Ground, wykazały dość dobre zdolności w pokonywaniu przeszkód terenowych. Jednakże projekt nie został rozwinięty, ponieważ równocześnie trwały prace nad nowymi pojazdami, a do T3 zalecanych było wiele usprawnień, proponowanych przez Ordnance Department. Pomimo, że na pojeździe przewidywano instalację haubicy M2A1 kalibru 105 mm, pojazd pozostał na deskach kreślarskich, a dalsze prace nad projektem T3 zostały zawieszone w czerwcu 1942 roku.

Kolejną propozycją polepszenia i tak dobrych osiągów Half-Tracka była modyfikacja pojazdu oznaczonego M2 Half-Track Car. Modyfikacja polegała na

▼ Half-Track Truck T19 wyprodukowany przez firmę Mack Manufacturing Corporation. Jednobryłowa konstrukcja pojazdu spowodowana była zamontowaniem silnika w tylnej części pojazdu. Uwagę zwracają potężne wózki gąsienicowe z wykorzystaniem stalowych gąsienic oraz znacznych rozmiarów osłony na przednie lampy. Zdjęcie wykonano 18 grudnia 1942 roku na poligonie doświadczalnym firmy General Motors. / NARA

▼ *Half-Track Truck T19 manufactured by Mack Manufacturing Corporation. a one-box design resulted from placing the engine in the rear part of the vehicle. The massive track suspension system utilising steel tracks and large headlight guards are visible. This picture was taken on the 18th December 1942 at the General Motors test range. / NARA*

▶ Half-Track Car T16 podczas kolejnej ewaluacji projektu prowadzonej na poligonie Aberdeen Proving Ground 3 stycznia 1942 roku. Bardzo dobrze widoczne dodatkowe opancerzenie zapewniające ochronę żołnierzom znajdującym się w pojeździe. Pojazd uzbrojony w wielkokalibrowy karabin maszynowy Browning M2HB oraz dwa karabiny maszynowe Browning M1919A4 kalibru 7,62 mm. / NARA

▶ *Half-Track Car T16 during another design evaluation in the Aberdeen Proving Ground, 3rd January 1942. Additional armour protecting the soldiers inside the vehicle is visible. The vehicle is armed with a Browning M2HB heavy machine gun and two Browning M1919A4 7.62 mm machine guns. / NARA*

wydłużeniu ramy pojazdu i zainstalowaniu dłuższego wózka gąsienicowego w miejsce standardowego. Nowy wózek posiadał większe koła nośne, które umożliwiały wykorzystanie gąsienic o szerokości 356 mm w miejsce standardowych o szerokości 305 mm. Dzięki temu kontakt gąsienic z podłożem został wydłużony z 119 cm do 156 cm, co pozytywnie wpłynęło na zmniejszenie nacisku na podłoże przez pojazd. Kolejną nowością zaimplementowaną do tego pojazdu było dodanie składanego dachu pancernego o jednolitej grubości 6,35 mm (1/4 cala). Pozostałe podzespoły Half-Tracka pozostały niezmienione.

Car design. The suggested modification called for lengthening of the vehicle frame and installation of a longer track suspension system in place of a standard one. The new suspension system used larger road wheels which allowed for the use of wider 14 inch tracks instead of the standard 12 inch tracks. This increased the track contact length form 46.75 inch to 61.5 inch which reduced the ground pressure of the vehicle. Another improvement implemented in the vehicle was the addition of a folding armoured roof with a thickness of 1/4 inch. Other components of the Half-Track remained unaltered.

▼ *Half-Track Car T16, rear-left view. The armoured roof support structure is visible. On the rear armoured plate two machine gun tripods are located which allow for the use of the weapons outside the vehicle. Note the track suspension system is much larger than the standard one. This suspension system used larger road wheels which allowed for the use of 14 inch tracks instead of the standard 12 inch tracks. The track was also different – it was 14 inch wide. In the production vehicles the track was 12 inches wide. / NARA*

▶ Half-Track Car T16 widok od tyłu z lewej strony. Doskonale widoczne szczegóły konstrukcji nośnej pancernego dachu. Na tylnej płycie pancernej znajdują się podstawy pod karabiny maszynowe, umożliwiające ich używanie po demontażu z pojazdu. Ponadto warto zwrócić uwagę na wózek gąsienicowy, potężny w porównaniu do seryjnie stosowanych. Wózek ten posiadał większe koła nośne, które umożliwiały wykorzystanie gąsienic o szerokości 355 mm w miejsce standardowych o szerokości 304 mm. Gąsienica również była szersza, bo szerokości 14 cali. w seryjnych modelach gąsienica była szerokości 12 cali. / NARA

Half-Track Car M2, po zaimplementowanych modyfikacjach został oznaczony, jako Half-Track Car T16. Seria testów poligonowych wykazała, zupełną nieprzydatność pancernego dachu. Ponadto podczas prób terenowych, standardowy silnik i napędy okazały się niewystarczające, aby pojazd mógł efektywnie pokonać przygotowany tor przeszkód. Po zakończeniu testów poligonowych, program rozwoju T16 został wstrzymany, a jego wyniki przekazane zostały do wykorzystania przy pracach prowadzonych nad nowym programem budowy pojazdów Half-Track Truck.

Pierwszym projektem nowej linii pojazdów, będących wersjami rozwojowymi Half-Tracków, był pojazd oznaczony Half-Track Truck T14. w założeniach sprecyzowano, że pojazd powinien mieć masę 10 ton, a ładowność wynoszącą 2540 kg (5600 funtów). Powinien także posiadać pancerz zdolny powstrzymać pociski kalibru 7,62 mm. Przestrzeń ładunkowa powin-

Following these modifications the Half-Track Car M2 was designated as Half-Track Car T16. a series of field tests soon proved that the folding armoured roof was useless. The tests also showed that the standard engine and transmission had insufficient parameters for the vehicle to complete the prepared obstacle course. After the field tests were complete the T16 develop-

▲ Zdjęcie doskonale przedstawia składany dach pancerny Half-Tracka T16 o jednolitej grubości 6,35 mm (1/4 inch). Ponadto uwagę zwraca znacznych rozmiarów wózek gąsienicowy. / NARA

▲ *The picture also presents the 6.35 mm (1/4 inch) folding armoured roof. The large track suspension system is visible. / NARA*

▼ Half-Track Car T16 ze złożonym dachem pancernym. Dzięki temu dobrze są widoczne detale konstrukcyjne wspomnianego dachu. Warto również zwrócić uwagę, że karabiny maszynowe, zamontowane są na szynie (skate-rail) biegnącej wzdłuż górnej, wewnętrznej, krawędzi pancerza pojazdu. / NARA

▼ *Half-Track Car T16 with the armoured roof folded. The details of the support structure are visible. Also note the machine guns mounted on the skate-rail located around the inner upper edge of the vehicle armour plating. / NARA*

▲ Zdjęcie przedstawiające porównanie pojazdów Half-Track Car T16 wyprodukowanego przez firmę Autocar z pojazdem Half-Track Car M2 wyprodukowanym przez firmę White Motor Company. Uwagę zwraca przedłużony wózek nośny pojazdu T16. / NARA

▲ *The photograph presents the comparison between the Half-Track Car T16 manufactured by Autocar with a Half-Track Car M2 manufactured by White Motor Company. Note the extended rear bogey of the T16 vehicle. / NARA*

na być zamknięta płytą pancerną od góry. Prędkość, jaką pojazd powinien rozwijać po drodze utwardzonej to 72 km/h. Prędkość powinna być osiągnięta przy pełnym załadunku pojazdu oraz holowaniu haubicy kalibru 105 mm. Powyższe wymagania zostały zawarte w dokumencie OCM numer 17203 z 11 września 1941 roku.

Założenia zostały dokładnie przestudiowane przez Half-Track Vehicle Committee na spotkaniu 20 października 1941 roku. Efektem spotkania była decyzja o zawieszeniu dalszych prac nad tym projektem i rozpoczęcie prac nad nowymi Half-Trackami. Dokument OCM numer 17968 z 26 marca 1942 roku zakładał rozpoczęcie prac konstruktorskich nad budową pięciu nowych wozów oznaczonych Half-Track Truck T15, Half-Track Truck T16, Half-Track Truck T18 oraz Half-Track Truck T19.

Wszystkie pojazdy miały służyć, jako ciągniki artyleryjskie, które będą ciągnąć zestawy artyleryjskie nieprzekraczające masy 2950 kg (6500 funtów); dodatkowo powinny zabierać na pokład ładunek o masie 2700 kg (6000 funtów) oraz 14 osób załogi. Pancerz powinien być zdolny zapewniać ochronę przed pociskami kalibru 7,62 mm. Założenia przewidywały uzbrojenie wspomnianych pojazdów w jeden wielkokalibrowy karabin maszynowy M2HB kalibru 12,7 mm, który stanowić miał środek obrony przed siłą żywą oraz aparatami latającymi przeciwnika.

Do napędu poszczególnych pojazdów wykorzystano następujące silniki: benzynowy White 24AX, zamontowany w rzedniej części pojazdu T15; benzynowy Hercules RXLD, zamontowany w przedniej części pojazdu T16 i T17; silnik diesla General Motors 6–71 zamontowany w tylnej części pojazdu T18 oraz benzynowy White 24AX zamontowany w tylnej części pojazdu T19.

Gąsienice używane w tych pojazdach były takie same, jak te wykorzystane w pojeździe Half-Track Car T16 oraz czołgu lekkim M3.

Po testach terenowych przeprowadzonych na poligonie Abeerdeen Proving Ground latem 1943 roku, wszystkie projekty zostały zawieszone. Głównym powodem były niezadowalające wyniki testów. Pojazdy nie rozwijały wystarczających osiągów podczas przejazdów na specjalnie przygotowanych odcinkach. Ponadto główny odbiorca wersji produkcyjnych — US Army — nie był już zainteresowany ciągnikami artyleryjskimi wykorzystującymi napęd półgąsienicowy.

ment program was abandoned but the results of the tests were used in the new Half-Track Truck programme.

The first design in a new series of vehicles developed on the basis of the Half-Track was the Half-Track Truck T14. The vehicle was to weight 10 tonnes and have a payload of 5,600 pounds (2540 kg). It was to be equipped with armour protection capable of stopping 7.62 mm rounds. The cargo compartment was to be covered with an armoured plate. The required road speed was 45 mph. The vehicle should reach that speed at full load and while towing a 105 mm howitzer. The abovementioned requirements were contained in the OCM document no. 17203 dated 11th September 1941.

They were carefully considered by the Half-Track Vehicle Committee during a meeting on the 20th October 1941. The result of this meeting was the abandoning of this design and the decision to start the design of new Half-Tracks variants. The OCM document no. 17968 dated 26th March 1942 called for commencing construction of five new vehicles designated Half-Track Truck T15, Half-Track Truck T16, Half-Track Truck T18 and Half-Track Truck T19.

All vehicles were to serve as artillery tractors able to tow artillery pieces not heavier than 6500 pounds. Additionally, they were supposed to carry a 6000 pounds load and a crew of 14 men. The armour protection should be capable of stopping 7.62 mm rounds. The vehicle was to be equipped with a single 12.7 mm M2HB heavy machinegun as protection against enemy personnel and aerial vehicles.

The following engines were to be used to power the vehicles: White 24AX front-mounted gasoline engine in the T15; Hercules RXLD front-mounted gasoline engine in the T16 and T17; General Motors 6–71 rear-mounted diesel engine in the T18; White 24AX rear-mounted gasoline engine in the T19.

The tracks used in these vehicles were identical to those used in the Half-Track Car T16 and the M3 light tank.

After a series of tests in the Aberdeen Proving Ground conducted in summer 1943 all these projects were cancelled. The vehicles' performance in the specially prepared obstacle courses was insufficient. In addition, the main recipient of the production version of the vehicle, the US Army was no longer interested in half-track artillery tractors.

Half-Track w boju

Half-Track in Combat

W służbe US Army i USMC

Idea wykorzystania przez wojsko pojazdów częściowo napędzanych przy pomocy napędu gąsienicowego, rozpoczęła się od współpracy francuskiej firmy Citroen z Adolphem Kegresse, tuż po jego powrocie z Rosji. Następnie po ukończonej w 1923 roku pierwszej zmotoryzowanej wyprawie mającej na celu przejechanie pustyni Sahara z wykorzystaniem pięciu pojazdów półgąsienicowych Citroen-Kegresse, armia francuska rozpoczęła testowe implementowanie pojazdów półgąsienicowych, służących do przewozu żołnierzy w pierwszych na świecie brygadach zmotoryzowanych. Był to moment zwrotny w historii wojskowości, ponieważ powstała nowa koncepcja wykorzystania oddziałów piechoty, jako piechoty zmotoryzowanej, doskonale rozwinięta przez niemieckich i amerykańskich sztabowców.

Przystępując do pierwszych operacji ofensywnych w Afryce Północnej, wojska USA miały znacznie więcej czołgów niż pojazdów zmechanizowanych umożliwiających, bezpieczny transport piechoty w trudnym terenie. 1st Armored Division prowadząc boje w Afryce Północnej posiadała na stanie sześć batalionów czo-

In US Army and USMC Service

The idea to use vehicles powered partially using a track drive in the military started with the cooperation of the French company Citroen with Adolph Kegresse shortly after his return from Russia. After his expedition across the Sahara Desert in 1923 where he used five Citroen-Kegresse half-track vehicles, the French Army started experimental implementation of half-track vehicles used to carry troops belonging to the world's first motorized brigades. It was a turning point in military history as a new concept to use infantry as motorised infantry was born; it was later developed further by German and American commanders.

When the American troops entered combat in North Africa they had at their disposal many more tanks than personnel carriers allowing to safely transport troops in rough terrain. The 1st Armored Division fighting in North Africa had six armoured battalions and only three motorized infantry regiments. As the war progressed these proportions changed and the number of armoured battalions was reduced. On the other hand, the incredible ability to mass produce half-track vehicles resulted in the US armed forces equip-

◣ Half-Tracki T19 Howitzer Motor Carriage 105 mm z A Battery, 59th Armored Field Artillery Battalion wraz z załogami oczekują inspekcji w Camp Chaffee w stanie Arkansas 31 października 1942 roku. W głębi zdjęcia widoczne jeszcze są Half-Tracki M3 Personnel Carrier oraz Half-Tracki M2 Car. Uwagę zwraca dodatkowe wyposażenie artyleryjskie, rozłożone pomiędzy załogami a pojazdami. Doskonale widoczne tyczki artyleryjskie. / NARA

◀ *Half-Track T19 Howitzer Motor Carriage 105 mm vehicles of the A Battery, 59th Armored Field Artillery Battalion with their crews await inspection at Camp Chaffee, Arkansas, 31st October 1942. Half-Track M3 Personnel Carrier and M2 Car are visible in the background. Additional equipment used by artillery units is visible between the vehicles and their crews. The artillery range poles are visible in the photograph. / NARA*

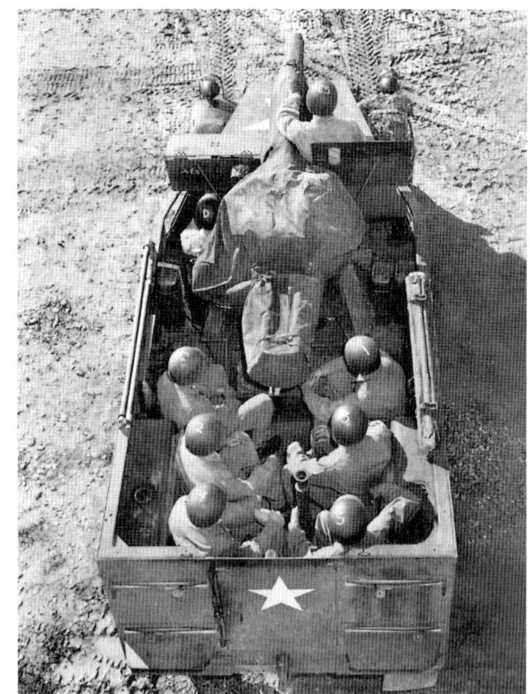

▶ Zdjęcie przedstawiające rozmieszczenie załogi Half-Tracka T19 Howitzer Motor Carriage 105 mm. Na hełmach namalowane oznaczenia funkcyjne: D – Driver, CS – Chief of section, G- Gunner, numery od 1 do 5 – kanonierzy. Uwagę zwraca brezentowy pokrowiec ochraniający haubicę przed złymi warunkami atmosferycznymi oraz przed kurzem i piaskiem. / NARA

▶ *A photograph presenting the crew arrangement in the T19 Howitzer Motor Carriage 105 mm. On the helmets the function designations are applied: D – Driver, CS – Chief of Section, G – Gunner, numbers 1 to 5 – Loaders. A canvas cover protecting the howitzer against adverse weather conditions, dust and sand is visible. / NARA*

ping all of their infantry regiments with Half-Tracks M2 and M3 in all their variants. In addition, numerous support vehicles based on the Half-Track were introduced.

The Half-Track, a US Army workhorse during the Second World War, was the only US Army vehicle which entered service before the Japanese attack on the US Navy base in Pearl Harbour and was taken out of service after the Korean War. By all means it stands as a record of armoured vehicle service time which will never be broken by another US Army armoured vehicle.

In addition, Half-Track vehicles served, although no longer with the US armed forces, in the Algerian War fought by France in the years 1954–1962, Vietnam War and some of the wars fought by Israel.

The first combat use of the Half-Track occurred during the defence of the Philippines in 1941. 46 Half-Track Car M2 vehicles were used together with an unknown number of Half-Track Personnel Carrier M3 vehicles and 50 out of 86 manufactured 75 mm Gun Motor Carriage T12 vehicles from the pilot lot which were sent to the Philippines prior to the Japanese attack on Pearl Harbour.

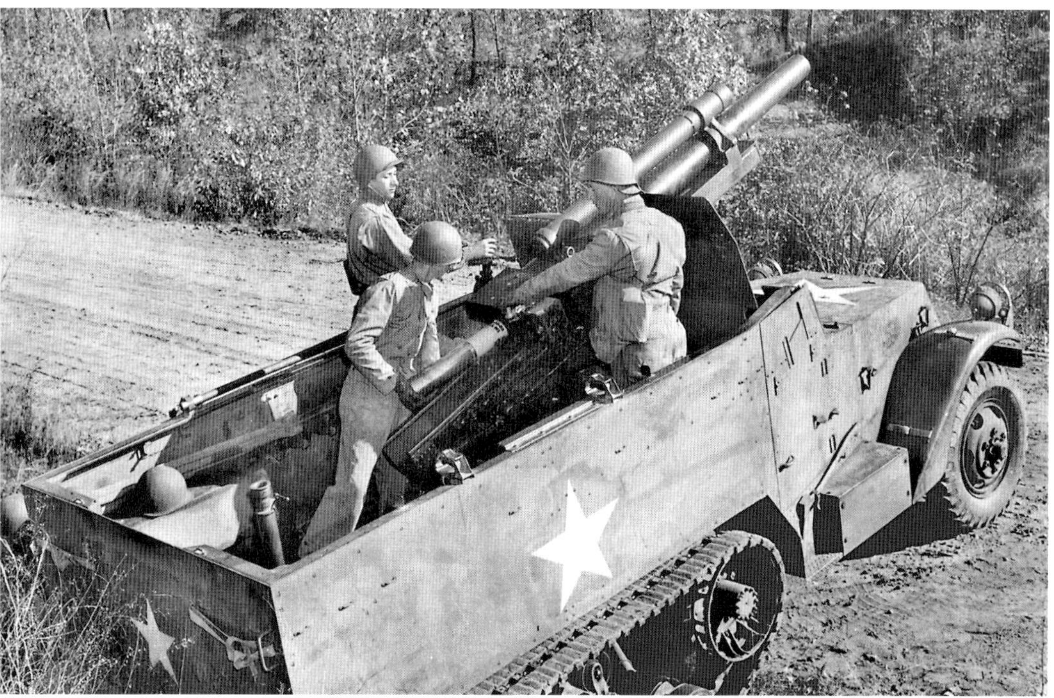

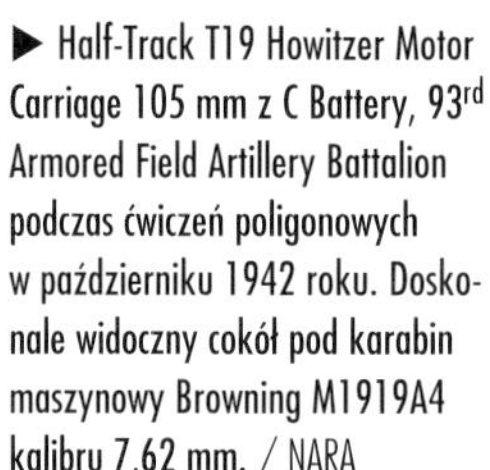

▶ Half-Track T19 Howitzer Motor Carriage 105 mm z C Battery, 93rd Armored Field Artillery Battalion podczas ćwiczeń poligonowych w październiku 1942 roku. Doskonale widoczny cokół pod karabin maszynowy Browning M1919A4 kalibru 7,62 mm. / NARA

▶ *Half-Track T19 Howitzer Motor Carriage 105 mm of the C Battery, 93rd Armored Field Artillery Battalion during exercises in October 1942. The mount for the Browning M1919A4 7.62 mm machine gun is visible. / NARA*

łgów i tylko trzy bataliony piechoty zmotoryzowanej. w toku działań wojennych sytuacja ta się zmieniła i ilość batalionów pancernych została zmniejszona. Natomiast niebywałe możliwości produkcji pojazdów półgąsienicowych na masową skalę, sprawiły, że USA w pełni wyposażyła swoje bataliony piechoty w Half-Tracki M2 oraz M3 i ich wszystkie wersje rozwojowe. Ponadto na uzbrojenie weszły liczne pojazdy wsparcia zbudowane w oparciu o konstrukcję Half-Tracka.

▶ Ten sam Half-Track, podczas prowadzenia ognia na poligonie przy bazie Camp Chaffe w stanie Arkansas. Uwagę zwraca karabin maszynowy Browning M1919A4 kalibru 7,62 mm, zamocowany na cokole w tylnej części pojazdu. Była to jedyna broń defensywna pojazdu, nie licząc broni będącej na wyposażeniu załogi. / NARA

▶ *The same Half-Track while firing in the training area near the Camp Chaffee base, Arkansas. An additional Browning M1919A4 7.62 mm machine gun is mounted in the rear of the vehicle. This was the vehicle's only defensive weapon apart from the crew's individual weapons. / NARA*

▲▼ Half-Track M3 Personnel Carrier w roli pojazdu zaopatrzeniowego, przewożącego amunicję kalibru 105 mm. w przedziale transportowym widoczne dodatkowe kanistry z paliwem. Ponadto uwagę zwraca karabin maszynowy Browning M1919A4 kalibru 7,62 zamontowany na cokole. / NARA

▲▼ *Half-Track M3 Personnel Carrier supply vehicle carrying 105 mm ammunition. Additional jerrycans are visible in the cargo compartment. An additional Browning M1919A4 7.62 mm machine gun is mounted on the vehicle. / NARA*

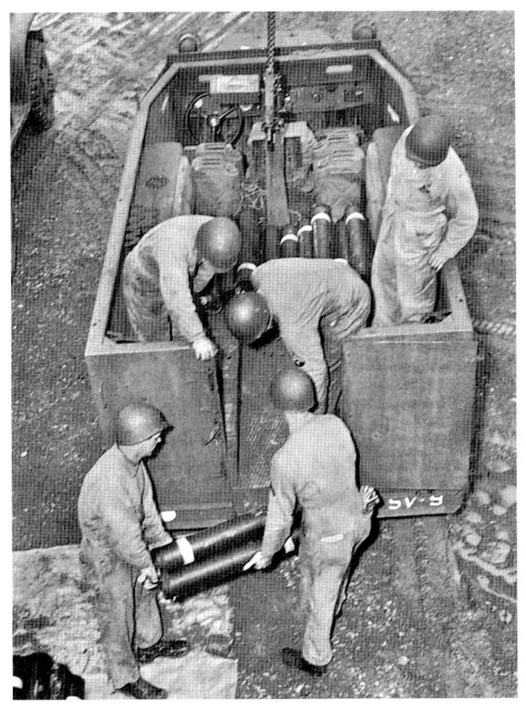

▲ Half-Track Car M2A1 w roli samobieżnej wyrzutni rakiet. Zdjęcie wykonano w Bengal Air Depot w Indiach w 1944 roku. Half-Track był uniwersalnym pojazdem, idealną konstrukcją – platformą, do budowania nowych, niekoniecznie seryjnych pojazdów. Był to prawdziwy wół roboczy armii USA podczas II Wojny Światowej. / NARA

▲ *Half-Track Car M2A1 as a self-propelled missile launcher. This photograph was taken in the Bengal Air Depot in India in 1944. The Half-Track was a multi-purpose vehicle – a perfect platform for adaptation to new roles. It truly was a US Armed Forces work horse during the 2nd World War. / NARA*

▼ Multiple Gun Motor Cariage T28E1 na przygotowanym stanowisku ogniowym w Tunezji, luty 1943 roku. Karabiny maszynowe kalibru 12,7 mm służyły do wstrzeliwania się w cel wykorzystując amunicję smugową. Gdy celowniczy wstrzelił się w cel rozpoczynał również prowadzić ogień z wykorzystaniem armaty kalibru 37 mm. Pomimo faktu, że pojazd ten był bardzo dobrym środkiem ogniowym do niszczenia celów latających na niskich pułapach, nastręczał on również problemów załodze, nie będąc konstrukcją wolną od wad. Załogi tych pojazdów narzekały głównie na brak jakiejkolwiek osłony przed ostrzem wroga oraz na użycie karabinów z lufami chłodzonymi wodą. Ich obsługa oraz konserwacja nastręczała wielu kłopotów. Ponadto kanistry M3 na wodę oraz przewody ją doprowadzające do chłodnicy, zajmowały zbyt wiele miejsca. / NARA

▼ *Multiple Gun Motor Carriage T28E1 in an emplaced firing position, Tunisia, February 1943. The 12.7 mm machine guns were used for firing ranging shots using tracer rounds. When the gunner acquired the target he opened fire using the 37 mm gun. Although the vehicle was an effective weapon against aerial targets flying at low altitudes it was not flawless and caused some problems for the crew. The crews complained that the vehicle lacked protection against enemy fire and that the machine guns with water cooled barrels were difficult to maintain. The M3 water containers and the hoses which connected them to the radiator took too much space inside the vehicles. / NARA*

Half-Track, wół roboczy armii USA podczas II wojny światowej, jest jedynym pojazdem US Army, który wszedł do służby przed atakiem Japończyków na bazę US Navy w Pearl Harbor, a zakończył ją po wojnie w Korei. Jest to bez wątpienia rekord, który nie zostanie nigdy pobity, jeżeli chodzi o czas czynnej służby pojazdu opancerzonego w US Army.

Ponadto pojazdy Half-Track, już nie w barwach USA, służył podczas wojny algierskiej prowadzonej w latach 1954–1962 przez Francję, wojny w Wietnamie oraz wojen toczonych przez Izrael.

Pierwsze użycie bojowe Half-Tracka nastąpiło podczas obrony Filipin w 1941 roku. w walkach udział wzięło 46 pojazdów Half-Track Car M2, nieznana liczba pojazdów Half-Track Personal Carier M3 oraz 50 z 86 wyprodukowanych w partii pilotażowej pojazdów 75 mm Gun Motor Carriage T12, które zostały wysłane do Filipin przed atakiem Japończyków na Pearl Harbor.

Wszystkie pojazdy opancerzone służyły w związku taktycznym Provisional Tank Group. Ciekawostką

▲ 75 mm Gun Motor Carriage M3, przez US Marines oznaczony jako Self Propelled Mount z 2nd Special Weapons Company podczas działań wspierających na Sajpanie, 30 lipca 1944 roku. Pojazd ten, pomimo faktu, iż został zaprojektowany do niszczenia czołgów nieprzyjaciela, podczas walk na Guadalcanal służyły jako artyleria samobieżna, która ostrzeliwała i niszczyła pozycje wroga prowadząc ostrzał bezpośredni. / NARA

▲ 75 mm Gun Motor Carriage M3, designated Self Propelled Mount by the US Marines, of the 2nd Special Weapons Company during support operations in Taipan, 30th July 1944. Although this vehicle was designed for destroying enemy tanks, it was used as mobile artillery firing directly at enemy positions during the Guadalcanal campaign. / NARA

▼ Half-Track Personnel Carrier M3 podczas walk na wyspie Peleilu w 1944 roku. Uwagę zwraca znaczna ilość zaczepów na dodatkowe wyposażenie znajdująca się na tym pojeździe. Uzbrojenie Half-Tracka to wielkokalibrowy karabin maszynowy Browning M2HB kalibru 12,7 mm. / NARA

▼ Half-Track Personnel Carrier M3 during combat in the Peleilu Island in 1944. Large number of additional stowage hooks are installed on the vehicle. This Half-Track is armed with a Browning M2HB 12.7 mm heavy machine gun. / NARA

◀ Multiple Gun Motor Carriage M15A1 z D Battery, 834th Anti-Aricraft Artillery (Automatic Weapons) Battalion (Self Propelled) w rejonie Machinato, Okinawa 12 czerwca 1945 roku. Dwa wielkokalibrowe karabiny maszynowe kalibru 12,7 mm oraz automatyczna armata kalibru 37 mm, zapewniały Half-Trackowi M15A1 potężną siłę ognia, która wykorzystywana była w końcowym okresie walk na Pacyfiku do wspierania oddziałów naziemnych. Ilość amunicji do zestawu przeciwlotniczego przewożonej przez Half-Tracka M15A1 to: 200 sztuk amunicji kalibru 37mm (HE M54 lub AP M59) oraz 1200 sztuk amunicji kalibru 12,7mm. / NARA

◀ *Multiple Gun Motor Carriage M15A1 of the D Battery, 834th Anti-Aircraft Artillery (Automatic Weapons) Battalion (Self Propelled) near Machinato, Okinawa, 12th June 1945. In the closing stages of the war in the Pacific the great firepower provided by the two 12.7 mm heavy machine guns and the automatic 37 mm gun was used to support troops fighting on the ground. The Half-Track M15A1 carried the following amount of ammunition: 200 pcs. of 37mm rounds (HE M54 or AP M59) and 1200 pcs. of 12.7 mm rounds. / NARA*

jest fakt, że w czasie trwania II wojny światowej, była to jedyna jednostka US Army, która była wyposażona zarówno w Half-Tracki jak i brytyjskie pojazdy Bren Carrier. Te ostatnie nie były jednak zbyt lubiane przez żołnierzy amerykańskich, ze względu na wrażliwość pojazdów na ogień przeciwnika oraz niewystarczającą ilość miejsca wewnątrz pojazdu.

48 pojazdów T12 zostało sformowanych w ramach Provisional Field Artillery Brigade w trzy Provisional Artillery Battallions. Każdy batalion składał się z czterech baterii, natomiast każda bateria składała się z czterech pojazdów 75 mm Gun Motor Carriage T12. Half-Tracki te, rzadko były wykorzystywane do zwal-

▼ Saperzy US Army dokonują przeglądu kolumny pojazdów pancernych i opancerzonych, która została zniszczona podczas walk o miejscowość Lorraine we Francji 10 września 1944 roku. Na zdjęciu widoczne dwa zniszczone Half-Tracki Personnel Carrier M3A1. Half-Track na pierwszym planie został najprawdopodobniej trafiony pociskiem typu HE, który spowodował pożar pojazdu. / NARA

▼ *US Army engineers survey the column of armoured vehicles destroyed in combat near Lorraine, France, 10th September 1944. In the photograph two Half-Tracks Personnel Carrier M3A1 are visible. The first one was probably hit with a HE round which set the vehicle on fire. / NARA*

▲ Half-Track M3 Personnel Carrier w roli pojazdu zaopatrzeniowego, podczas wyładunku amunicji kalibru 105 mm, z okresu walk o przełęcz Kesserine 17 lutego 1943 roku. Half-Track ze względu na swoje właściwości jezdne, opancerzenie i zdolność ciągnienia przyczep, był doskonałym środkiem do pełnienia roli pojazdu dostarczającego amunicję oraz inne niezbędne zaopatrzenie materiałowe na pierwszą linię walk. Uwagę zwraca ciekawe malowanie ochronne Half-Tracka. / NARA

▲ *Half-Track M3 Personnel Carrier supply vehicle unloading 105 mm ammunition during operations near the Kesserine Pass, 17th February 1943. Due to its terrain handling capability, armour and the ability to tow trailers the Half-Track was an excellent supply vehicle providing munitions and other materiel to the front line. Note the interesting camouflage pattern. / NARA*

▼ M2 Half-Track Car w roli wyspecjalizowanego pojazdu, pełniącego role wozu łącznościowego. Szpula z kablem przytroczona do tylnej ściany pancernej, składany maszt antenowy do prawego boku pojazdu. Uwagę zwraca dość nietypowo zamocowany karabin maszynowy Browning M1919A4 kalibru 7,62 mm w pokrowcu brezentowym oraz łańcuchy na przednich kołach pojazdu. / USMC

▼ *M2 Half-Track Car as a specialized communications vehicle. The wire reel is attached to the rear armour plate and a folding antenna mast is attached on the right side armour plate. The Browning M1919A4 7.62 mm machine gun mounted in an unusual way is covered with canvas; chains are installed on the front wheels. / USMC*

▲ Wnętrze Half-Tracka Personnel Carrier M3 pełniącego rolę pojazdu łącznościowego wchodzącego w skład 143rd Signal Company, 3rd Army podczas ćwiczeń przeprowadzanych w Angli w maju 1944 roku. Uwagę zwraca wnętrze pojazdu pomalowane kolor biały. / NARA

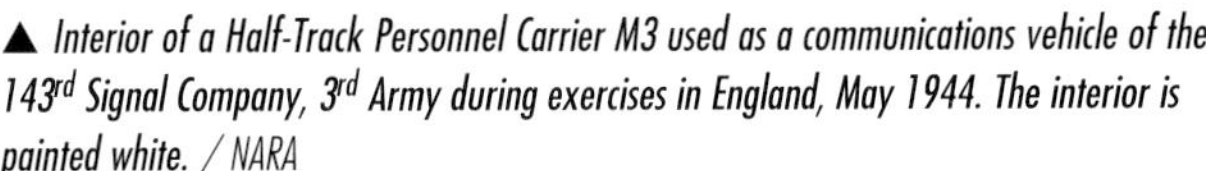

▲ *Interior of a Half-Track Personnel Carrier M3 used as a communications vehicle of the 143rd Signal Company, 3rd Army during exercises in England, May 1944. The interior is painted white. / NARA*

▲ Ten samo pojazd, widok od tyłu. Bardzo dobrze widoczny sposób mocowania stołu, przy którym pracowali łącznościowcy. Ponadto uwagę zwraca dodatkowe wyposażenie łącznościowe przytroczone do tylnej części pojazdu po obu stronach drzwi prowadzących do tylnego przedziału Half-Tracka. / US Army

▲ *The same vehicle, rear view. The support structure of the table where the crew worked is visible. Note the additional communications equipment attached to the rear of the vehicle on both sides of the door leading inside the Half--Track crew compartment. / US Army*

▲ Kolejne ujęcie tego samego Half-Tracka, przedstawiające widok na tylny przedział pojazdu z lewej strony. Doskonale widoczny stół, dodatkowe okablowanie oraz oświetlenie. Radio odbiorniki widoczne na pierwszym planie to odbiorniki BC-312, będące częścią zestawu nadawczo odbiorczego SRC – 193. /US Army

▲ *Another photograph of the Half-Track interior from the left-hand side. The table, additional wiring and lighting are visible. The radio receivers in the foreground are the BC-312 type, which was part of the SRC-193 transceiver set. / US Army*

czania siły pancernej Japończyków, ponieważ podczas walk na Filipinach wojska Kraju Kwitnącej Wiśni nie używały zbyt dużej ilości broni pancernej. Natomiast pojazdy T12 cenione były za możliwość wspierania walczącej piechoty ogniem bezpośrednim.

Walki na Filipinach uwidoczniły również kilka niedociągnięć występujących w pojazdach Half-Track pochodzących z pierwszych serii produkcyjnych. Główne uwagi dotyczące Half-Tracków, które były zawarte w raportach przesyłanych z Filipin, dotyczyły

▲ Kolumna niemieckich wojsk zmechanizowanych w Afryce Północnej. Podczas walk w rejonie przełęczy Kesserine, znaczna ilość amerykańskiego sprzętu wpadła w ręce Niemców. Na zdjęciu widoczny pojazd Half-Track Personnel Carrier M3 w rękach wojsk Africa Korps.

▲ *German motorised troops column in North Africa. During combat near the Kesserine Pass large numbers of American equipment were captured by the Germans. Here a Half-Track Personnel Carrier M3 captured by the Afrika Korps is shown.*

w głównej mierze zawieszenia. Przednie resory piórowe, okazały się zbyt słabe podczas intensywnego i długotrwałego przemieszczania się pojazdu w trudnym terenie. Resory te miały tendencję do pękania. Ponadto najpoważniejszą usterką, jaka występowała na Filipinach podczas poruszania się w ciężkim terenie, było zrzucanie gumowych gąsienic napędowych. Było to spowodowane niedostatecznym ich naciągiem. Warto tu zaznaczyć, że Half-Tracki pierwszych serii produkcyjnych nie były wyposażane w drążek napinający gąsienicę. Problem ten został wyeliminowany dopiero podczas kampanii w Afryce Północnej.

Kolejną kwestią, na którą położony był nacisk w raportach otrzymywanych przez Ordnance Department, była szyna (skate-rail) z łożem M35 na którym osadzony była karabin maszynowy M1917A1 (stosowany głównie w początkowym okresie II wojny światowej) lub karabin maszynowy M1919A4, oba o kalibrze 7,62 mm[4]. Wydawało by się, że koncepcja wyko-

[4] Oba karabiny maszynowe oraz pozostałe uzbrojenie, które było przewożone na Half-Trackach i służyło obronie bezpośredniej pojazdu, zostało szerzej opisane w pierwszej części monografii Half-Tracka.

All vehicles were used by the Provisional Tank Group. It is interesting to note that during the Second World War it was the only US Army unit to be equipped with both Half-Tracks and British Bren Carrier vehicles. The latter were disliked by the American soldiers because of their vulnerability to enemy fire and an insufficient amount of space inside the vehicle.

The 48 T12 vehicles formed three Provisional Artillery Battalions of the Provisional Field Artillery Brigade. Each battalion consisted of four batteries, while each battery consisted of four 75 mm Gun Motor Carriage T12 vehicles. Half-Tracks were rarely used to combat Japanese armoured vehicles as during the Philippines campaign very few armoured vehicles were in use with the enemy. The T12 vehicles however, were valued for their ability to support the fighting infantry with direct fire.

The fighting in the Philippines also indicated some shortcomings of the initial production batch Half--Tracks. The main problems mentioned in the reports from the Philippines mainly concerned the suspension system. The front leaf-springs turned out to be too fragile for intensive prolonged use in heavy terrain. The springs often cracked. In addition, the most severe problem which occurred during use in the Philippines was the throwing of tracks during operations in heavy terrain. This was caused by insufficient tensioning of the track. It is important to note that early production Half-Tracks were not equipped with a track tensioning bar. This problem was mitigated during the North African campaign.

The Ordnance Department was also notified of the problems with the skate-rail with the M35 mount for the M1917A1 machine gun (used in the initial stages of the war) or the M1919A4, both firing 7.62 mm rounds[4].

[4] *Both the machine guns, as well as other equipment used for direct defence of the vehicle were discussed in detail in the first part of the monograph.*

▶ Kolejny przykład wykorzystania amerykańskiego sprzętu wojskowego przez wojska Afrika Korps podczas walk w Afryce północnej. Na tym Half-Tracku osadzona została armata. Dodatkowo pojazd uzyskał malowanie ochronne naniesione przez niemieckich żołnierzy, tak samo jak krzyże namalowane na obu burtach.

▶ *Another example of an American vehicle captured and used by the Afrika Korps during operations in North Africa. a gun is installed on this Half-Track. The vehicle has camouflage and markings (in the form of crosses)on the vehicle sides applied by the German soldiers.*

▶ Niemalże doszczętnie zniszczony pojazd Half-Track T19 Howitzer Motor Carriage 105mm. Half-Track ten uległ takim zniszczeniom w wyniku ostrzału niemieckiej artylerii w okolicach Sened w Tunezji. Na tylną część wraku pojazdu została nałożona przyczepa służąca do przewożenia dodatkowej amunicji, również zniszczona.

▶ This Half-Track T19 Howitzer Motor Carriage 105 mm was almost entirely destroyed by a German artillery barrage near Sened, Tunisia. a destroyed ammunition trailer was placed on the rear part of the wreck.

◢ Doszczętnie zniszczony Half-Track Personnel Carrier M3 podczas walk w Afryce Północnej. Tego typu uszkodzenia spowodować musiał ostrzał artylerii ciężkiego kalibru lub bomba lotnicza.

◢ Half-Track Personnel Carrier M3 completely destroyed in combat in North Africa. This damage must have been caused by large-calibre artillery fire or a bomb.

▼ Half-Track Car M2 z okresu bitwy o El Guettar 23 marca 1943 roku. Pojazd uzbrojony w wielkokalibrowy karabin maszynowy Browning M2HB kalibru 12,7 mm. Po za dodatkowym wyposażeniem przytroczonym do pojazdu, uwagę zwraca nietypowo przymocowana metalowa skrzynka, znajdująca się tuż przy drzwiach kierowcy pojazdu oraz dwie anteny. Oficerowie czytający mapę to CAPT Paulik oraz 1LT Gioa z 601st Tank Destroyer Battalion. w tle widoczny jest Half-Track 75 mm Gun Motor Carriage M3. / NARA

▼ Half-Track Car M2 during the battle of El Guettar, 23rd March 1943. The vehicle is armed with a Browning M2HB 12.7 mm heavy machine gun. The vehicle has additional stowage including a metal crate near the driver door and two antennas. Officers looking at the map are Capt Paulik and 1Lt Gioa of the 601st Tank Destroyer Battalion. In the background a Half--Track 75 mm Gun Motor Carriage M3 is visible. / NARA

▲ Jak widać, napęd pół-gąsienicowy zapewniał Half-Trackowi doskonałe właściwości jezdne w terenie oraz zdolność pokonywania trudnych przeszkód terenowych. Jednakże nie oznaczało to że Half-Track wszędzie wjedzie i wyjedzie. w tym wypadku niezbędna byłą pomoc innej maszyny, celem wyciągnięcia z głębokiego błota unieruchomionego Half-Tracka. / NARA

▲ *As we can see, the Half-Track drive gave the vehicle excellent terrain handling capabilities. Unfortunately this did not mean that the Half-Track could go anywhere. In this case the help of another vehicle was necessary to pull an immobilised Half-Track out of the mud. / NARA-*

rzystania szyny biegnącej wzdłuż wewnętrznej, górnej krawędzi pancerza pojazdu jest praktyczna. Zamysłem konstruktorów była możliwość jak najszybszej zmiany sektorów ostrzału, podczas prowadzenia ognia z wnętrza pojazdu. Niestety pomysł ten okazał się wysoce chybiony, szczególnie w warunkach prowadzenia ognia na krótkie dystanse i konieczności przenoszenia ognia karabinów maszynowych z lewej burty na prawą, z przodu na tył pojazdu lub odwrotnie. Zajmowało to zbyt wiele czasu i trudności związanych z przemieszczeniem się celowniczego kaemu wewnątrz pojazdu.

Najwięcej uwag dotyczyło najważniejszego zagadnienia, mianowicie niewystarczającego opancerzenia pojazdu. Kwestionowano nie tylko brak pancerza osłaniającego załogę od góry, ale też grubość pancerza zastosowanego w pojazdach. Problem ten jednak nie został rozwiązany do końca wojny. Oczywiście przeprowadzono w USA serię testów i prób zwiększenia grubości pancerza, jednakże okazało się, że pozostałe podzespoły pojazdu, takie jak zawieszenie, rama oraz silnik, wymagałyby wymiany na bardziej wytrzymałe. w związku z tym faktem wszelkie dalsze prace nad zwiększeniem grubości pancerza Half-Tracków zawieszono. Dzięki grubości pancerza, pojazdy Half-Track nosiły przydomek *Purple Heart Boxes*, pochodzący od nazwy odznaczenia za rany poniesione w boju – *Purple Heart*.

Pomimo pewnych niedociągnięć, pojazd był lubiany przez żołnierzy US Army i dobrze rokował jako pojazd, który posiadał bardzo duże zdolności porusza-

It seemed that the use of a single rail around the upper edge of the side armour was a practicable solution. The designers' intention was to allow for a quick change of the firing sectors while firing from inside the vehicle. Unfortunately, especially during close range shooting, with the need to quickly shift fire from the left to the right and from the front to the back of the vehicle the moving of the gun and the gunner inside the vehicle was problematic and time consuming.

Most numerous however, were the comments on the vehicle's insufficient armour protection. Both the lack of an armoured roof and inadequate thickness of existing armour were criticised. This problem remained unsolved throughout the war. Of course attempts were made in the USA to increase the armour thickness but other vehicle components such as the suspension, vehicle frame and the engine would have to be replaced with more durable ones. Because of that all works on improving the Half-Track armour protection were cancelled. Because of this deficiency the Half-Track was nicknamed *Purple Heart Box* originating from the *Purple Heart* – a decoration received for wounds sustained in battle.

▶ M2 Half-Track Car, zniszczony przez minę. Przedmieścia Palermo, Sycylia, sierpień 1943 rok. / NARA

▶ *M2 Half-Track Car destroyed on mines in the outskirts of Palermo, Sicily, August 1943. / NARA*

▲ M2 Half-Track Car uzbrojony w wielkokalibrowy karabin maszynowy M2HB kalibru 12,7 mm znajdujący się na prawej burcie oraz Browning M1919A4 na lewej burcie. Oran, Algeria w Afryce Północnej. / NARA

▲ *M2 Half-Track Car armed with a M2HB 12.7 mm heavy machine gun on the right side and a Browning M1919A4 on the left side. Oran, Algeria. / NARA*

▶ Niepublikowane dotąd zdjęcie przedstawiające pojazd Half-Track 75 mm Gun Motor Carriage M3 z niezidentyfikowanej jednostki, obsadzony przez czarnoskórych żołnierzy armii USA. / US Army

▶ *Never before published photograph of a Half-Track 75 mm Gun Motor Carriage M3 of an unidentified unit with a crew of African-American US Army soldiers. / US Army*

nia się w trudnym terenie oraz jako mobilna platforma służąca do przewożenia uzbrojenia.

Podczas walk defensywnych prowadzonych na Filipinach, kwestią czasu było, kiedy pojazdy tego typu zostaną użyte przez USA w działaniach ofensywnych. Po raz pierwszy nastąpiło to również podczas działań wojennych prowadzonych na Pacyfiku. Archipelag Wysp Salomona, a konkretnie wyspa Guadalcanal, był teatrem działań piechoty morskiej USA, która w dniach od 7 sierpnia 1942 do 8 lutego 1943 roku prowadziła działania, które były początkiem amerykańskiej kontrofensywy lądowej w trwającej od ośmiu miesięcy wojnie z Japonią. w skład wojsk 1. Dywizji Piechoty Morskiej, desantujących się na Guadalcanal, wchodził również 1st Special Weapons Battalion, który posiadał na uzbrojeniu 12 pojazdów Half-Track 75 mm Gun Motor Carriage M3. Pojazdy te, pomimo faktu, iż zostały zaprojektowany do niszczenia czołgów nie-

▼ Trzy Half-Tracki 75 mm Gun Motor Carriage M3 należące do US Army 1st Armored Division, unieszkodliwione przez oddziały Afrika Korps podczas walk o przełęcz Kesserine w lutym 1943 roku. / US Army

▼ *Three Half-Track 75 mm Gun Motor Carriage M3 vehicles of the US Army 1st Armored Division destroyed by the Afrika Korps soldiers during combat in the Kesserine Pass, February 1943. / US Army*

Despite some shortcomings the vehicle was well liked by US Army soldiers as a vehicle capable of traversing difficult terrain and as a mobile gun platform.

After the strictly defensive Philippines campaign it was only a matter of time when the Half-Track will be used in offensive operations. This also occurred during the Pacific campaign. The Salomon Islands and Guadalcanal in particular were the scene for US Marine Corps operations which lasted from the 7th of August 1942 until the 8th of February 1943 and were the first in a series of American land offensives in the war with Japan. 12 Half-Track 75 mm Gun Motor Carriage M3 vehicles from the 1st Special Weapons Battalion were part of the 1st US Marine Division landing on Guadalcanal. Although this vehicle was designed for destroying enemy tanks, during the Guadalcanal campaign it was used as mobile artillery firing directly at enemy positions. The vehicles were highly valued by the Marines because they could easily go over rough terrain which was prevalent during the operations in the Pacific. This caused them to be used to provide close support to advancing troops and destroying fortified Japanese positions. They were effectively used in this role throughout the Pacific campaign. Despite the fact that the US Army no longer used this tank destroyer, the USMC deployed it until the end of hostilities including the Okinawa campaign. The Marines, known for giving nicknames to their vehicles, called their 75 mm Gun Motor Carriage M3 Half-Tracks *Bunker Busters*, because the vehicle turned out to be highly effective in destroying enemy emplacements and bunkers by direct fire. The vehicle's weak point was the lack of armoured roof protecting the inside of the vehicle from attacks from the top which made it especially vulnerable to enemy grenades. Attacks using

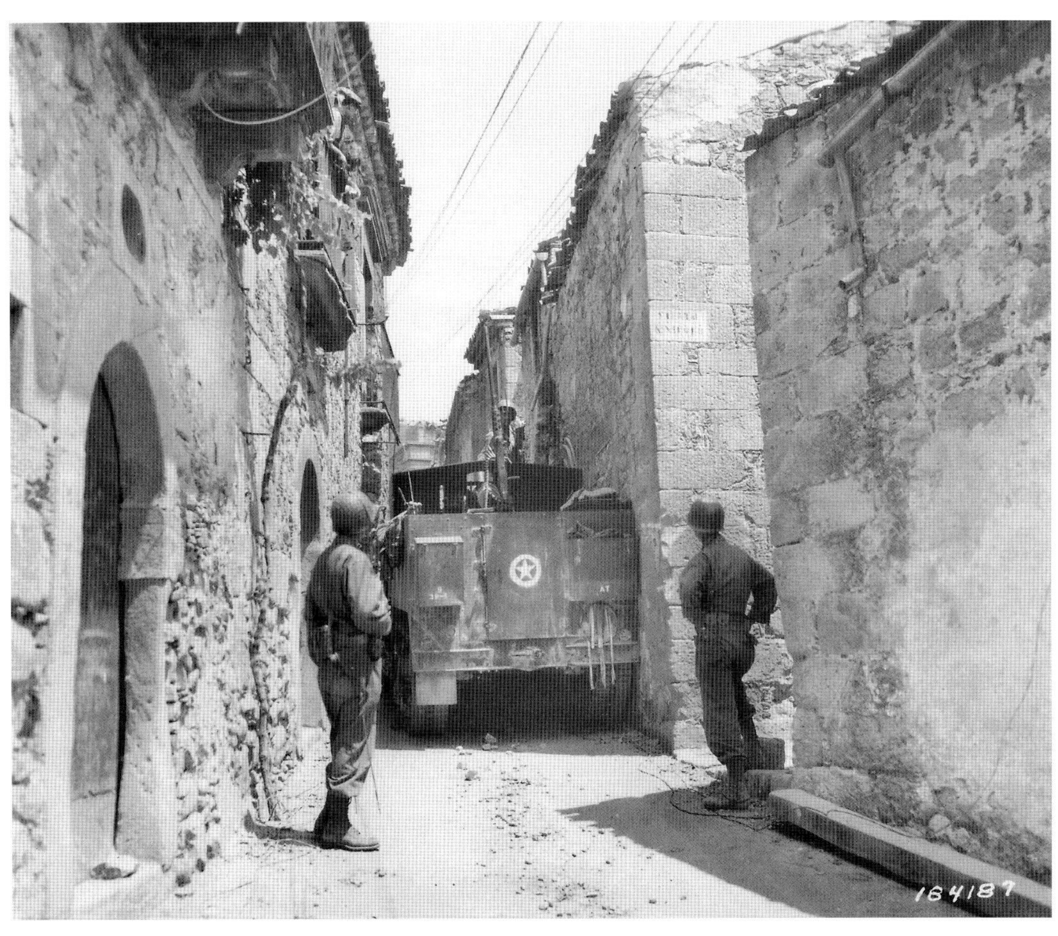

◀ Stosunkowo niewielkie rozmiary Half-Tracków, w tym przypadku Gun Motor Carriage 75 mm M3 okazały się zaletą podczas przejazdu przez wąskie uliczki znajdujące się na Sycylii w lipcu 1943 roku. / US Army

◀ *The relatively small dimensions of the Half-Track, in this case the Gun Motor Carriage 75 mm M3 were an advantage while travelling through the narrow streets of Sicilian towns in July 1943. / US Army*

▼ Half-Track M3 Personnel Carrier podczas pokonywania przeszkody wodnej, w czasie ćwiczeń na nieustalonym poligonie US Army. / US Army

▼ *A fording Half-Track M3 Personnel Carrier during exercises in an unknown US Army training area. / US Army*

▲ Ćwiczenia poligonowe z użyciem środków pozoracji pola walki. z zasłony dymnej wyjeżdża Half-Track Car M2. / NARA

▲ *Field exercises using pyrotechnics. Half-Track Car M2 driving through a smokescreen. / NARA*

przyjaciela, podczas walk na Guadalcanal służył jako artyleria samobieżna, która ostrzeliwała i niszczyła pozycje wroga prowadząc ostrzał bezpośredni. Pojazdy te były cenione przez Marines, ponieważ mogły bez większych problemów poruszać się po ciężkim terenie, a głównie taki występował podczas działań na Pacyfiku. To z kolei powodowało, że były wzywane do udzielania bliskiego wsparcia atakującym piechociarzom i niszczenia ufortyfikowanych punktów oporu Japończyków. z powodzeniem pojazdy te stosowane były przez cały okres walk na Pacyfiku. Pomimo że po walkach w Afryce Północnej US Army odeszła od tego niszczyciela czołgów, USMC z powodzeniem wykorzystywał go do końca działań wojennych, z działaniami na Okinawie włącznie. Marines, znani

◥▶ Half-Track Car M2A1 należący do 495th Field Artillery, 12th Armored Division uszkodzony przez minę w miejscowości Bining, Francja 10 grudnia 1944 roku. Uwagę zwraca dość dużych rozmiarów zasobnik na dodatkowy sprzęt i wyposażenie znajdujący się na tylnej płycie pancernej pojazdu. / NARA

◥▶ *Half-Track Car M2A1of the 495th Field Artillery, 12th Armored Division damaged on mines in Bining, France, 10th December 1944. Note the large stowage bin and the additional equipment on the rear armour plate. / NARA*

◀ M3 Half-Track Personnel Carrier o numerze rejestracyjnym U.S.A W – 401830, przejęty przez wojska niemieckie w czasie działań w Afryce Północnej na początku 1943 roku. Żołnierze Afrika Korps, w ciekawy sposób umieścili koło zapasowe oraz podstawę trójnożną pod karabin maszynowy M2HB, w który jest uzbrojony pojazd, na lewej płycie pancernej pojazdu. Uwagę zwraca brak przednich lamp pojazdu oraz kaktus umieszczony na prawej części przedniego zderzaka. Kamuflaż naniesiony na pojazd jest typowym malowaniem ochronnym stosowanym przez US Army podczas działań w Tunezji. / NARA

◀ *M3 Half-Track Personnel Carrier registration number U.S.A. W-401830 captured by the German soldiers in North Africa, early 1943. The Africa Korps soldiers placed the spare wheel and the M2HB machine gun tripod, which the vehicle is equipped with on the left armoured plate. Note the missing headlights and a cactus painted on the right side of the front bumper. The camouflage pattern is typical for the US Army during operations in Tunisia. / NARA*

▲ M3 Half-Track Personnel Carrier wchodzący w skład 146th Armored Signal Company podczas przejazdu przez most przygotowany przez saperów z 6th Armored Division, z okresu działań w okolicy La Rogue 31 lipca 1944 roku. Uwagę zwracają siatki maskujące przytroczono do przednich błotników pojazdu. / NARA

▲ M3 Half-Track Personnel Carrier of the 146th Armored Signal Company traversing a bridge prepared by the engineers of the 6th Armored Division during operations near La Rogue, 31st July 1944. Note the camouflage netting attached to the front fenders. / NARA

▼ M3A1 Half-Track Personnel Carrier wchodzący w skład a Company, 17th Armored Engineer Battalion, 2nd Armored Division, podczas wyjazdu z plaży w czasie operacji Overlord, czerwiec 1944 roku. Uwagę zwraca znaczna ilość dodatkowego wyposażenie przewożona na pojeździe, w postaci zwojów drutu kolczastego oraz skrzynek z dodatkowym wyposażeniem używanym przez saperów. / NARA

▼ M3A1 Half-Track Personnel Carrier of the a Company, 17th Armored Engineer Battalion, 2nd Armored Division, leaving the beach during Operation Overlord, June 1944. Numerous additional equipment is carried by the vehicle including barbed wire and additional engineering equipment. / NARA

grenades often happened during the night and were usually suicide attacks by Japanese soldiers using knives and grenades and, rarely, handguns.

Both the US Marines and the US Army soldiers fighting in the Pacific equipped their Half-Tracks with additional machine guns. This was their answer to numerous Japanese en-masse attacks which the soldiers had to face in the islands of the Pacific. Often seen in pictures from that period are Half-Track 75 mm Gun Motor Carriage M3 vehicles equipped with a M2HB heavy machine gun on each side and, commonly, with a M1919A4 machine gun on the rear armour plate. Additionally, the M2 ammunition boxes for 100 12.7

z nadawania różnym pojazdom przydomków, pojazdy Half-Track 75 mm Gun Motor Carriage M3 nazywali *Bunker Busters*, ponieważ pojazd ten okazał się wysoce skuteczny w niszczeniu przygotowanych umocnień i bunkrów wroga ogniem na wprost. Słabym punktem

mm (.50 cal) rounds supplying the machine guns were replaced with M2 ammunition boxes for 200 rounds used in the anti-aircraft version of the M2HB machine guns. If the crew had to defend themselves against Japanese attacks from the front an additional fourth

▲ M3A1 Half-Track Personnel Carrier wchodzący w skład US Army 3rd Armored Division, przejeżdża przez ruiny miejscowości Roncey 1 sierpnia 1944 roku. Uwagę zwraca spora ilość dodatkowego sprzętu przewożona na Half-Tracku oraz siatka maskująca znajdująca się na lawecie armaty przeciwpancernej kalibru 37 mm, broni raczej nieodpowiedniej do niszczenia celów opancerzonych na tym etapie wojny. Niemieckie pojazdy znajdujące się w tle należały do SS-Pz.Jg.Abt. 2 z 2.SS-Panzer-Division. / NARA

▲ M3A1 Half-Track Personnel Carrier of the 3rd Armored Division advancing through the ruins of Roncey, 1st August 1944. The vehicle carries various additional equipment; note the camouflage netting on the 37 mm anti-tank gun carriage, a weapon which in this stage of the war was rather unsuitable for destroying armoured targets. The German soldiers in the background belong to the SS-Pz. Jg.Abt 2 of the 2.SS-Panzer-Division. / NARA

▼ M2A1 Half-Track Car podczas przejazdu przez miejscowość Xosse we Francji 18 listopada 1944 roku. Uwagę zwracają nietypowo przymocowane kanistry z dodatkowym paliwem oraz maszt anteny. Pojazd uzbrojony w karabin maszynowy kalibru 12,7 mm, przykryty pokrowcem z brezentu. Dodatkowe wyposażenie znajduje się również na stalowym walcu w przednim zderzaku. Ciekawie prezentuje się sylwetka żołnierza stojącego na masce jadącego pojazdu i opierającego się o lufę pięćdziesiątki. / NARA

▼ M2A1 Half-Track Car advancing through Xosse in France, 18th November 1944. Note the unusual way in which the jerrycans are attached to the vehicle and the antenna mast. The vehicle is armed with a 12.7 mm machine gun, here with a canvas cover. Additional equipment is also located on the steel roller in the front bumper. Note the silhouette of the soldier standing on the hood and leaning against the .50 cal machine gun barrel. / NARA

▲ Multiple Gun Motor Cariage T28E1 wchodzący w skład sił 3rd Infantry Division podczas załadunku na barkę desantową, w ramach przygotowań do Operacji Husky – inwazji na Sycylię. Uwagę zwraca dodatkowy kanister na paliwo, przymocowany do bocznej płyty pancernej chroniącej przedział silnika. / NARA

▲ Multiple Gun Motor Carriage T28E1 of the 3rd Infantry Division being loaded on a landing craft during preparations for Operation Husky – the allied landing in Sicily. Note the additional jerrycan attached to the side armour plate protecting the engine compartment. / NARA

▶ Multiple Gun Motor Cariage T28E1 należący do a Battery, 443rd Anti-Aircraft Artillery Battalion będącego częścią sił w ramach 5th Army w rejonie Venafro we Włoszech, 19 listopada 1943 roku. Uwagę zwraca sześć sylwetek samolotów namalowanych tuż za drzwiami kierowcy, oznaczające zestrzelenie sześciu samolotów wroga. / NARA

▶ Multiple Gun Motor Carriage T28E1 of the a Battery, 443rd Anti-Aircraft Artillery Battalion part of the 5th Army near Venafro, Italy, 19th November 1943. The six silhouettes painted behind the driver's door denote six enemy aircraft shot down by this vehicle. / NARA

▼ Half-Track M16B z 337th Anti-Aricraft Artillery Battalion podczas wspierania walczącej piechoty. Przed inwazją w Normandii, szefa uzbrojenia Pierwszej Armii USA zamówił przekonstruowanie pojazdów Half-Track Car M2, do pełnienia roli samobieżnych zestawów przeciwlotniczych. Wieżyczki z karabinami maszynowymi M2HB TT, zostały zdemontowane z przyczep Multiple Machine Gun Carriage M51 oraz Machine Gun Trailer Mount M55 i zainstalowane w przedziale transportowym pojazdów M2. Nowopowstałe, samobieżne zestawy przeciwlotnicze zostały nieoficjalnie oznaczone jako Half-Track M16B. / NARA

▼ Half-Track M16B of the 337th Anti-Aircraft Artillery Battalion supporting the fighting infantry. Before the invasion in Normandy the Chief of Armament of the First United States Army ordered the reconstruction of Half-Track Car M2 vehicles as self-propelled anti-aircraft guns. The M2HB TT turrets were dismantled from Multiple Machine Gun Carriage M51 trailers and Machine Gun Trailer Mounts M55 and installed on the M2 vehicles. The new self-propelled anti-aircraft vehicles were unofficially designated Half-Track M16B. / NARA

▲ Multiple Gun Motor Carraige M13 z C Battery, 441st Anti-Aircraft Artillery Battalion podczas zabezpieczania rejonu Anzio przed atakiem sił powietrznych wroga, 22 stycznia 1944 roku. / NARA

▲ Multiple Gun Motor Carriage M13 of the C Battery, 441st Anti-Aircraft Artillery Battalion protecting the Anzio region against air-raids, 22nd January 1944. / NARA

▲ Ciekawe zdjęcie przedstawiające pojazd M2 Half-Track Car w roli narzędzia wojny psychologicznej. Siedzący na schodach żołnierz, czyta tekst propagandowy, korzystając z mikrofonu zakładanego na głowę. Dźwięk emitowany jest przez głośnik znajdujący się w tylnej lewej części Half-Tracka. / NARA

▲ *An interesting photo of a M2 Half-Track Car as a weapon of psychological warfare. The soldier on the stairs is reading a propaganda text using a head-worn microphone. The sound is reproduced using a loudspeaker in the rear-left part of the Half-Track. / NARA*

▼ Half-Tracki M5A1Personnel Carrier wchodzące w skład 2e Division Blindée. Załogi pojazdów świętują wraz z mieszkańcami miejscowości Alençon wyzwolenie 14 sierpnia 1944 roku. Uwagę zwracają siatki maskujące znajdujące się na Half-Tracku. / NARA

▼ *Half-Track M5A1 Personnel Carrier vehicles of the 2e Division Blindée. The crews celebrate the liberation of Alençon on the 14th August 1944 together with its inhabitants. The camouflage netting placed on the Half-Track is visible.* / NARA

▶ M3 Personnel Carrier z nieustalonej amerykańskiej jednostki. Jest to pojazd, który został przebudowany w polowym warsztacie naprawczym do standardu pojazdu M3A1, co widać po stanowisku strzeleckim M49 Ring Mount z wielkokalibrowym karabinem maszynowym M2HB kalibru 12,7 mm (0.50) oraz półkach na miny przeciwpiechotne. Uwagę zwracają natomiast przednie lampy wczesnego typu oraz zasobniki na tylnej płycie pancernej, które blokują wejście do przedziału transportowego. Tak przeładowane dodatkowym sprzętem Half-Tracki, spotykane były głównie w końcowym okresie II Wojny Światowej. / NARA

▶ *M3 Personnel Carrier of an unknown American unit. This vehicle was modified in a field workshop to the M3A1 standard; it is equipped with a M49 Ring Mount with a M2HB .50 heavy machine gun and anti-personnel mine racks. Also seen are early type headlights and stowage racks on the rear armour plate blocking access to the cargo compartment. Modified Half-Tracks overloaded with additional equipment were most often seen in the closing stages of the Second World War. / NARA*

pojazdu był brak pancerza, chroniącego przedział bojowy od góry, przez co pojazd był narażony na ataki wroga przy użyciu granatów. Te zdarzały się najczęściej w porze nocnej i nosiły charakter ataków samobójczych, a japońscy żołnierze atakujący pozycje Marines uzbrojeni byli w noże, granaty oraz, z rzadka, w broń krótką.

Ponadto oddziały US Marines oraz US Army, walczące na Pacyfiku, dozbrajały swoje Half-Tracki w ponad regulaminowe karabiny maszynowe. Było to odpowiedzią na liczne, zmasowane kontrataki, z którymi spotykali się żołnierze walczący na wyspach Pacyfiku. Bardzo często na zdjęciach z tego okresu można spotkać pojazdy Half-Track 75 mm Gun Motor Carriage M3, dozbrojone w wielkokalibrowe karabiny maszynowe M2HB, zamocowane po jednym na burtę oraz nierzadko z karabinem maszynowym M1919A4, który był przymocowany do górnej krawędzi tylnej płyty pancernej. Dodatkowo, skrzynki amunicyjne M2 zawierające 100 naboi kalibru 12,7 mm i zasilające ka-

machine gun was mounted in the front of the vehicle. The machine gun mount was installed on the driver compartment front armour plate and the machine gun itself, usually a 7.62 mm M1919A4, was operated by

▼ Kolumna Half-Tracków, wchodząca w skład 2nd Armored Division, podczas przejazdu przez francuską miejscowość Saint-Sever, Calvados 5 sierpnia 1944 roku. Kolumnę prowadzi pojazd M3A1, za nim znajduje się Half--Track M3 pełniący rolę opancerzonego pojazdu ewakuacji medycznej. Trzecim pojazdem w kolumnie jest Half--Track M3A1. Warto zwrócić uwagę na oznakowanie dwóch pierwszych Half-Tracków. Gwiazda znajdująca się na masce pierwszego pojazdu jest w pełnej obwódce. Ponadto na przedniej płycie pancernej widnieje napis PRESTONE 43, świadczący o zalaniu chłodnicy niezamarzającym płynem chłodniczym w 1943 roku. Dobrze oznakowany ambulans, posiadający czerwone krzyże na białym tle, namalowane na bocznych płytach pancernych oraz duży krzyż na białym tle namalowany na górnej płycie pancernej przedziału silnikowego. / NARA

▼ *A column of Half-Tracks of the 2nd Armored Division advancing through a French village of Saint-Sever-Calvados, 5th August 1944. Leading the column is a M3A1 vehicle followed by an armoured ambulance Half-Track M3. The third vehicle is another Half-Track M3A1. The first two Half-Tracks bear interesting markings. The star on the hood of the first vehicle has a full circle around it. Additionally, the sign PRESTONE 43 informs that the radiator has been filled with anti-freeze coolant in 1943. a well marked ambulance bears the red cross on a white background on both side armour plates and a large cross on the engine compartment's armoured cover. / NARA*

▼ Half-Track Multiple Gun Motor Carriage z nieustalonej jednostki, na pozycji ogniowej w pełnej gotowości do odparcia ewentualnego ataku sił powietrznych wroga. Grudzień 1944 roku. / NARA

▼ Half-Track Multiple Gun Motor Carriage of an unknown unit in a firing position prepared to open fire against enemy aerial units. December 1944. / NARA

▲ Paradny Half-Track M3 Personnel Carrier noszący nazwę własną Bess, przewożący wysokich rangą oficjeli USA podczas przeglądu wojsk. Uwagę zwracają specjalne poręcze pomalowane na biało, ułatwiające utrzymanie równowagi VIPom podczas jazdy Half-Trackiem. Ponadto warto zwrócić uwagę na imponującą ilość zgromadzonego sprzętu pancernego, będącego przedmiotem przeglądu. / NARA

▲ Half-Track M3 Personnel Carrier with the individual name Bess, used for transporting high ranking officials during troop inspections. The special white handrails helped the officials maintain balance while riding the Half--Track. Note the number of armoured vehicles being inspected. / NARA

a second driver. There are also some examples of machineguns installed on the gun shield protecting the gun and the crew.

All these modifications improving the crew's firepower were caused by the fact that the vehicles often were used among the first ranks of advancing Marines to quickly and effectively neutralise the enemy positions. Also, while traversing the jungle the Marines would prefer to have one machinegun too many rather than lack one. Already then the *accuracy by volume* strategy was used...

Another interesting field modification of the Half--Track was made during operations in the Pacific. The vehicle, known unofficially as Gun Motor Carriage M15 Special (described in detail in the first part of the monograph), was built by installing a 40 mm M1 antiaircraft gun on the Half-Track chassis.

In 1942 Iosif Wissarionowicz Dżugaszwili pressed the Great Britain and the USA to attack the Germans and open a second front in Europe to relieve the Red Army. The British Prime Minister Winston Churchill however claimed that the American and British armies were not yet prepared to land in Europe. a claim which was not far from true. Instead, he suggested an attack on North Africa and later on Italy to eliminate Germany's allies from the war.

The Allied landing in the French part of North Africa began on the 8th of November 1942 as part of *Operation Torch* and large numbers of Half-Tracks in use. At that time each US Armoured division had two armoured battalions in its composition. Each of these battalions was equipped with 100 Half-Tracks. In addi-

rabiny maszynowe M2HB, zastępowane były skrzynkami amunicyjnymi M2 zawierającymi 200 naboi, które były używane na zestawach przeciwlotniczych. Ponadto, aby załoga mogła się bronić przed atakami piechoty japońskiej od przodu, montowano czwarty karabin maszynowy na przedzie pojazdu. Często łoże karabinu montowane było do przedniej płyty pancernej przedziału kierowcy, a sam karabin — najczęściej M1919A4 kalibru 7,62 mm, obsługiwany był przez drugiego kierowcę. Zdarzały się również przypadki, montowania karabinów maszynowych na górnej płycie osłaniającej armatę i załogę, która ją obsługiwała.

Wszystkie kwestie dotyczące konwersji pojazdów pod kątem zwiększenia siły ognia pojazdów spowodowane były faktem, że pojazdy te niejednokrotnie nacierały na pierwszej linii szeregów Marines, aby móc szybko i skutecznie niszczyć pozycje wroga. Poza tym, przedzierając się przez dżunglę, Marines woleli mieć o jeden karabin za dużo, niż o jeden za mało. Już w tym okresie stosowano, swego rodzaju „taktykę" *accuracy by volume*...

Podczas działań na Pacyfiku, dokonana została również jedna z ciekawszych konwersji Half-Tracka, mianowicie powstał pojazd oznaczony nieoficjalnie Gun Motor Carriage M15 Special (szerzej opisany w pierwszej części monografii Half-Tracka), poprzez zainstalowanie na Half-Tracku armaty przeciwlotniczej M1 kalibru 40 mm.

W 1942 roku, Iosif Wissarionowicz Dżugaszwili, znany powszechnie jako Stalin, naciskał na Wielką Brytanię oraz USA, aby kraje te zaatakowały i utworzyły drugi front w Europie, celem zmniejszenia nacisku Wermachtu na Armię Czerwoną. Jednakże brytyjski premier Winston Churchill, miał odmienne zdanie, podpierając je faktem, że armie angielskie i amerykańskie nie są jeszcze gotowe, aby przeprowadzić desant swoich wojsk na starym kontynencie, co zresztą nie było dalekie od prawdy. w zamian zaproponował Stalinowi atak na Afrykę Północną, a następnie na Włochy, tak, aby wyeliminować z wojny sojuszników Niemiec.

Desant we francuskiej części Afryki Północnej rozpoczął się 8 listopada 1942 roku w ramach *Operacji Torch*, w ramach której Half-Tracki wzięły udział w bardzo dużej liczbie. w tym czasie każda dywizja pancerna w USA składała się z dwóch pułków pancernych. Każdy z tych pułków posiadał na stanie 100 pojazdów Half-Track. Dodatkowo w skład dywizji pancernej wchodził pancerny pułk piechoty, który na stanie etatowym z 1942 roku posiadał 230 Half-Tracków. Pojazdy te były używane po raz pierwszy bojowo na tak dużą skalę. Udział w walkach brały zarówno Half-Tracki przewożące piechotę, ciągniki artyleryjskie, ale również niszczyciele czołgów i zestawy przeciwlotnicze.

Warto w tym miejscu przytoczyć udział w kampanii afrykańskiej 443rd Antiaircraft Artillery, Automatic Weapons Battalion, Self Propelled. Jednostka ta wchodziła w skład Western Task Force dowodzonej przez generała George'a Pattona. Pojazdy półgąsienicowe, jakie jednostka posiadała na swoim stanie to Half-Tracki T28E1 w liczbie 78 sztuk. Ciekawostką jest fakt, że część maszyn była wystawiona na pokłady okrętów floty desantowej, tak, aby skutecznie zapewnić jej osłonę przeciwlotniczą w drodze ku wybrzeżu Północnej Afryki.

▲ Half-Track M3A1 Personnel Carrier zodbyty na amerykanach przez żołnierzy Waffen SS, podczas walk w Normandii latem 1944 roku. Uwagę zwraca maskowanie przed siłami powietrznymi wroga. / NARA

▲ *Half-Track M3A1 Personnel Carrier captured by Waffen SS soldiers, in Normandy, summer 1944. Note the camouflage protecting the vehicle against enemy airstrikes. / NARA*

tion an armoured infantry battalion was part of each armoured division and, in 1942, it was equipped with 230 Half-Tracks. This was the first time when these vehicles were used in combat in large numbers. Half-Track personnel carriers, artillery tractors, tank destroyers and anti-aircraft vehicles all took part in the operation.

It is important to note the participation of the 443rd Antiaircraft Artillery, Automatic Weapons Battalion, Self Propelled in the African campaign. The unit was part of the Western Task Force commanded by General George Patton. During operations it was equipped with 78 Half-Track T28E1 vehicles. Interestingly, some of the unit's vehicles were placed on decks of the landing fleet's ships to improve their anti-aircraft defence as they sailed towards the North African shores.

In combat these vehicles were highly effective against aerial targets flying on medium and low altitudes such as the Stuka dive bombers or Messerschmitt Bf–109 fighter aircraft. The employed tactics required

▼ Half-Track Personnel Carrier M3 przebudowany do standardu M3A1, co można stwierdzić po światłach wczesnego typu oraz pulpicie strzeleckim Ring Mount M49. Pojazd uzbrojony w dwa karabiny maszynowe, jeden kalibru 12,7 mm drugi 7,62 mm. / NARA

▼ *Judging by the early type headlights and the M49 Ring mount, this Half-Track Personnel Carrier M3 was upgraded to the M3A1 standard. The vehicle is equipped with one 12.7 mm machine gun and one 7.62 mm machine gun. / NARA*

▲ Wyładowany sprzętem Half--Track M3A1 Personnel Carrier ciągnący haubicę kalibru 105 mm podczas przejazdu przez zniszczone niemieckie miasteczko Zweibrücken w marcu 1945 roku. Uwagę zwraca zasobnik na amunicję kalibru 12,7 mm znajdujący się nad przednią szybą kabiny kierowcy. / NARA

▲ *A Half-Track M3A1 Personnel Carrier loaded with equipment and towing a 105 mm howitzer advancing through a destroyed German town of Zweibrücken, March 1945. An additional 12.7 mm ammunition box is located above the driver's windscreen. / NARA*

Podczas działań bojowych, pojazdy te okazały się wysoce skuteczne przeciwko celom na średnich, a w szczególności na małych dystansach, np. takim jak bombowce nurkujące Stuka czy myśliwce Messersmitt Bf 109. Taktyka strzelania, polegała na wstępnym ostrzelaniu celu przy pomocy wielkokalibrowych karabinów maszynowych M2 kalibru 12,7 mm, a gdy cel znalazł się dostatecznie blisko, celowniczy otwierał ogień z armaty kalibru 37 mm. Zabieg ten w głównej mierze miał sprawić aby piloci wrogich maszyn, poczuli się pewnie widząc tylko ogień prowadzony z karabinów maszynowych i podlecieli bliżej atakowanego celu. Wtedy następował ostrzał z armaty kalibru 37 mm, która była doskonała do zwalczania celów latających na niedużych wysokościach. Antiaircraft Artillery, Automatic Weapons Battalion, został zreorganizowany 12 września 1943 roku. Reorganizacja polegała na zdjęciu ze stanu jednostki części pojazdów T28E1 i zastąpieniu ich Half-Trackami M13. Stan jednostki

opening fire first with the 12.7 mm M2 heavy machine guns and then when the target was close enough the gunner opened fire with the 37 mm cannon. The enemy pilots thinking they were only facing machine gun fire approached closer to their targets, then they were shot

▼ M3 Half-Track Personnel Carrier wchodząc w skład 2nd Corps dowodzonego przez generała Bradleya podczas przejazdu przez znacznie zniszczoną Sycylijską wioskę. Pojazd uzbrojony w karabin maszynowy Browning M1919A4 kalibru 7,62 mm (0,30). Uwagę zwracają przednie lampy wczesnego typu. Malowanie typowe dla okresu prowadzenia działań na Sycylii. / NARA

▼ *M3 Half-Track Personnel Carrier of the 2nd Corps commanded by General Bradley while advancing through a destroyed Sicilian village. The vehicle is armed with a Browning M1919A4 7.62 mm (0.30) machine gun. Note the early type headlights. The camouflage pattern is typical for the Sicily operations. / NARA*

▲ M2A1 Half-Track Car podczas przejazdu przez francuską wioskę w czerwcu 1944 roku. Pojazd uzbrojony w wielkokalibrowy karabin maszynowy Browning M2HB kalibru 12,7 mm (0,50) oraz karabin maszynowy Browning M1919A4 kalibru 7,62 mm (0,30). Uwagę zwraca ilość dodatkowego sprzętu przewożona na specjalnych, rozkładanych półkach znajdujących się na tylnej płycie pancernej pojazdu. w lewym zasobniku na miny przeciwpiechotne umieszczone są tyczki artyleryjskie używane do wyznaczania kątów ostrzału. / NARA

▲ *M2A1 Half-Track Car advancing through a French village in June 1944. The vehicle is armed with a Browning M2HB 12.7 mm (0.50) heavy machine gun and a Browning M1919A4 7.62 mm (0.30) machine gun. a large number of additional equipment is carried on the folding racks located on the rear armour plate. In the left-hand anti-personnel mine rack artillery range poles used to determine the angle of fire are placed. / NARA*

▼ Half-Track T30 75 mm Howitzer Motor Carriage z 2nd Armored Division przejeżdżający przez miejscowość Ribera na Sycylii 25 lipca 1943 roku. Warto zwrócić na malowanie i oznakowanie typowe dla Operacji Husky. Białe gwiazdy malowane na bocznych płytach pancernych, po doświadczeniach wyniesionych z walk w Afryce Północnej, zaczęto malować z białą lub żółtą obwódką. Oficjalnie podczas działań na Sycylii obowiązywała obwódka koloru żółtego, aczkolwiek spotkać można również obwódki koloru białego. Obwódka zapobiegała pomyłkom przy identyfikacji pojazdów z dużej odległości. Biała gwiazda obserwowana z dużego dystansu "zlewała się" i wyglądała jak krzyż stosowany do oznaczania niemieckich pojazdów. / NARA

▼ *Half-Track T30 75 mm Howitzer Motor Carriage of the 2nd Armored Division advancing through Ribera, Sicily, 25th July 1943. The camouflage pattern is typical for vehicles participating in Operation Husky. a white or yellow circle was added around the white star painted on each side armour plate following the experience of combat in North Africa. During the operations in Sicily the circle was colour was yellow but vehicles with white circles were also common. The circle facilitated the identification of vehicles over long distances. It turned out that when viewed from afar the white star became "blurred" and resembled a cross used on the German vehicles. / NARA*

zgodnie z nowym etatem wynosił 32 pojazdy T28E1 i 32 pojazdy M13. Jednostka ta służyła jeszcze podczas walk we Włoszech oraz desantu w południowej Francji. Wojnę zakończyła w Niemczech, posiadając na stanie jeszcze 28 pojazdów Half-Track T28E1, co było wydarzeniem o tyle ciekawym, że karabiny maszynowe M2 chłodzone wodą nie zostały zastąpione karabinami maszynowymi M2HB, z lufami chłodzonymi powietrzem.

Podczas działań wojennych prowadzonych w Afryce Północnej, spora część Half-Tracków 75 mm Gun Motor Carriage M3, została utracona w związku z niewłaściwym ich użyciem pod względem taktycznym. Największe straty US Army poniosła podczas bitew nieopodal Sidi bou Zid oraz przełęczy Kesserine. Ówczesna amerykańska myśl taktyczna odnosząca się do niszczycieli czołgów, a takowym był Half-Track 75 mm Gun Motor Carriage M3, mówiła, że pojazdy te po zajęciu dogodnego miejsca oczekują na czołgi wroga w ukryciu, tak, aby podczas zasadzki wyrządzić jak największe straty, jednocześnie starając się minimalizować własne. Oczywistym było, że Half-Track podczas starcia z czołgiem nie ma najmniejszych szans. Uwidoczniło się to podczas starcia w okolicy El Guettar w marcu 1943 roku, kiedy to pozycje 1st

◀ Kolumna pojazdów M3A1 Half-Track Personnel Carrier, podczas przejazdu przez francuską wieś 9 sierpnia 1944 roku. Doskonale widoczne stanowisko strzeleckie M49 Ring Mount z wielkokalibrowym karabinem maszynowym Browning M2HB kalibru 12,7 mm (0,50). Do błotników przytroczone zostały siatki maskujące. Uwagę zwracają stalowe słupki znajdujące się na przednim zderzaku, służące do budowania zapory z drutu kolczastego. / NARA

◀ *A column of M3A1 Half-Track Personnel Carrier vehicles advancing through a French village, 9 August 1944. The gunner's position with the M49 Ring Mount with a M2HB 12.7 mm (0.50) heavy machine gun is well visible. Camouflage netting is attached to the front fenders. The steel poles on the front bumper were used to build barbed wire barriers.* / NARA

down using the 37 mm cannon which was a very effective weapon against low flying targets. The Antiaircraft Artillery, Automatic Weapons Battalion, was reorganised on the 12th September 1943. The reorganisation was completed by replacing some of the T28E1 vehicles with Half-Track M13 vehicles. According to the new unit establishment it was equipped with 32 T28E1 and 32 M13 vehicles. The unit also served in Italy and during the landing operations in southern France. At the end of hostilities the unit was located in Germany. It still had 28 Half-Track T28E1 vehicles with water-cooled M2 machine guns which were never replaced with M2HB machine guns with air-cooled barrels.

▼ Zdjęcie przedstawiające moment wyzwolenia miejscowości Soignies w Belgii we wrześniu 1944 roku. Na zdjęciu widoczny Half-Track Car M2 o nazwie własnej Alabama. Warto zwrócić uwagę na niestandardowy zasobnik do przewożenia dodatkowego sprzętu i wyposażenia, zamontowany z tyłu pojazdu. / US Army

▼ *This photograph depicts the liberation of Soignies in Belgium in September 1944. The vehicle in the picture is the Half-Track Car M2 called Alabama. Note the unusual stowage bin located in the rear of the vehicle.* / US Army

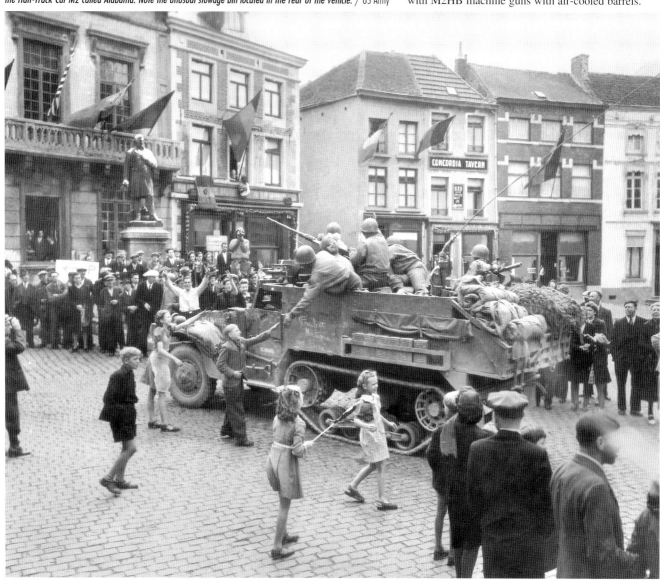

▶ Half-Track Personnel Carrier M3 podczas postoju w mieście Verdun we Francji we wrześniu 1944 roku. Pojazd nosi nazwę własną Butcher. Uwagę zwraca olbrzymi ilość sprzętu przewożona przez tego Half-Tracka, jak również karabin Browning M1917 kalibru 7,62 mm z lufą chłodzoną cieczą, co na tym etapie wojny było rzadkością / US Army

▶ *Half-Track Personnel Carrier M3 at rest in Verdun in France, September 1944. The vehicle is called Butcher. The vehicle carries an unusual amount of equipment and a Browning M1917 7.62 mm machine gun with a water-cooled barrel very rare in this stage of the war. / US Army*

Infantry Division, zostały zaatakowane przez 10. Panzer Division w sile około 100 czołgów. Po zakończeniu starcia, zwieńczonego zwycięstwem Amerykanów, 601st Tank Destroyer Battalion, który stanowił trzon obrony przeciwpancernej, zameldował o zniszczeniu 30 czołgów wroga, w tym dwóch PzKpfw VI Tiger i Ausf. E. Batalion poniósł straty w wysokości 21 zniszczonych pojazdów 75 mm Gun Motor Carriage M3. Stosunek strat własnych do strat wroga jest bliski jeden do jednego, co świadczy o nie najlepszej taktyce zastosowanej przy ich wykorzystaniu. Ponadto, jak wspomniałem wcześniej, Half-Track nie miał najmniejszych szans w bezpośrednim starciu z czołgiem, ponieważ nie posiadał takiej mobilności taktycznej jak czołg, o pancerzu nie wspominając.

Przytoczone wcześniej konwersje Half-Tracków, dotyczące uzbrojenia, były konwersjami na małą skalę, w obrębie danej jednostki. Nie można pominąć przedstawienia, konwersji pojazdu, która osiągnęła liczbę 321 (w niektórych publikacjach można spotkać liczbę 322) przekonstruowanych pojazdów. Przebudowa pojazdów została zlecona przez pułkownika Johna B. Medarisa, szefa uzbrojenia Pierwszej Armii USA.

Przed inwazją w Normandii, zamówił on przekonstruowanie pojazdów Half-Track M2, do pełnienia roli samobieżnych zestawów przeciwlotniczych. Wieżyczki z karabinami maszynowymi M2HB, zostały zdemontowane z przyczep Multiple Machine Gun Carriage M51 oraz Machine Gun Trailer Mount M55 i zainstalowane w przedziale transportowym pojazdów M2. Nowopowstałe zestawy przeciwlotnicze zostały nieoficjalnie oznaczone Half-Track M16B.

Jedną z ciekawszych, a zarazem mniej znanych ról, do jakiej został wykorzystany Half-Track podczas działań II Wojny Światowej, jest udział w operacjach specjalnych, mających na celu wprowadzenie w błąd przeciwnika przy wykorzystaniu m.in. specjalnych systemów nagłaśniających, za pomocą, których emitowano odgłosy i dźwięki amerykańskich wojsk zmechanizowanych. w tym przypadku przeciwnikiem wprowadzanym w błąd były wojska niemieckie podczas II Wojny Światowej.

Program ten był rozwinięty w ramach US Army Signal Corps i prowadzony był przez dwie kompanie: 3132nd Signal Service Company[5]. Jednostka ta została sformowana 1 marca 1944 r. w Pine Camp w stanie

During the North African campaign a large number of Half-Track 75 mm Gun Motor Carriage M3 vehicles were lost due to poor tactical employment. The US Army suffered its biggest loses during the battles near Sidi bou Zid and near the Kesserine pass. The tactics for tank destroyer combat of that time, and the Half-Track 75 mm Gun Motor Carriage M3 was classified as a tank destroyer, advised that the tank destroyers await the enemy tanks concealed after taking suitable positions and then in an ambush they attempt to maximise enemy losses while limiting their own. It was obvious that the Half-Track did not have any chance in a confrontation with a tank. This was clearly visible during the battle near El Guettar in March 1943 when the positions of the 1st Infantry Division were attacked by about 100 tanks of the German 10th Panzer Division. After the battle won by the Americans the 601st Tank Destroyer Battalion which was the core of the American anti-armour defence, reported the destruction of 30 enemy tanks including two PzKpfw. VI Tiger i Ausf. E. The battalion lost 21 75 mm Gun Motor Carriage M3 vehicles. The losses ratio was close to 1:1 which does reflect poorly on the tactics employed at that time. Moreover, as mentioned earlier, the Half-Track had no chance in a confrontation

▼ Half-Track Car M2A1 podczas przerwy w jednym z belgijskich miasteczek 6 września 1944 roku. Wykorzystując przerwę w walkach załoga pojazdu w czasie wykonywania konserwacji wielkokalibrowego karabinu maszynowego Browning M2HB kalibru 12,7 mm. / NARA

▼ *Half-Track Car M2A1 at rest in a Belgian town, 6th September 1944. Using the respite in combat the crew performs maintenance of the Browning M2HB 12.7 mm heavy machine gun. / NARA*

[5] Jednostka o takich samych zadaniach, 3133rd Signal Service Company została powołana do życia 21 czerwca 1944 r. w Pine Camp w stanie Nowy Jork. Ta jednostka przewoziła sprzęt nagłaśniający na zmodyfikowanych niszczycielach czołgów M10 Gun Motor Carriage. 3133rd Signal Service Company służyła w ostatnich dniach wojny we Włoszech.

▲ Multiple Gun Motor Cariage T28E1 należący do 443rd Anti-Aricraft Artillery (Automatic Weapons) Battalion (Self Propelled) ochraniający bazę lotniczą w St. Raphel w południowej Francji. Bardzo dobrze widoczne łoże Combination Gun Mount M42, na którym znajduje się armata automatyczna M1A2 kalibru 37 mm oraz dwa wielkokalibrowe karabiny maszynowe Browning M2 chłodzone cieczą kalibru 12,7 mm. Uwagę zwracają "Pin up girls" umieszczone na wewnętrznej stronie drzwi kierowcy. / NARA

▲ *Multiple Gun Motor Carriage T28E1of the 443rd Anti-Aircraft Artillery (Automatic Weapons) Battalion (Self Propelled) protecting the air force base at St. Raphel in Southern France. The Combination Gun Mount M42 with an automatic 37 mm gun and two Browning M2 12.7 mm heavy machine guns is visible. Note the "Pin up girl" pictures on the inside of the driver's door. / NARA*

▼ Half-Track T19 Howitzer Motor Carriage 105 mm podczas wspierania siódmej armii USA podczas działań prowadzonych w ramach Operacji Anvil w południowej Francji w sierpniu 1944 roku. / NARA

▼ *Half-Track T19 Howitzer Motor Carriage 105 mm supporting the Seventh US Army during Operation Anvil in Southern France, August 1944. / NARA*

Half-Track Personnel Carrier M3A1 o dźwięcznej nazwie własnej AGNES IV uszkodzony w czasie walki. Dobrze widoczny wielkokalibrowy karabin maszynowy Browning M2HB kalibru 12,7 mm znajdujący się na stanowisku strzeleckim. / US Army

Half-Track Personnel Carrier M3A1 called AGNES IV damaged in combat. The Browning M2HB 12.7 mm heavy machine gun is clearly visible. / US Army

◀ Half-Track Personnel Carrier M3A1 wchodzący w skład 16th Infantry Regiment, 1st Infantry Division po zakończeniu walk w rejonie lasu Hürtgen 15 luty 1945. Główny napęd gąsienicowy, oraz dołączany napęd na przednią oś, są największymi zaletami Half-Tracka podczas przemieszczania się przez tak trudny, błotnisty teren. / US Army

◀ *Half-Track Personnel Carrier M3A1 of the 16th Infantry Regiment, 1st Infantry Division after the end of hostilities near Hürtgen Forrest, 15th February 1945. The track drive and the powered front wheels were the Half-Track's biggest assets in traversing difficult, muddy terrain. / US Army*

▶ Half-Track Mortar Carrier z kompanii dowodzenia 48th Armored Infantry Battalion, 7th Armored Division podczas prowadzenia ognia w rejonie Overloon, Holandia, październik 1944 rok. Uwagę zwraca spora ilość dodatkowego sprzętu przytroczona do pancerza pojazdu. Nad półka na miny, można zaobserwować podstawę trójnożną pod karabin maszynowy, oraz "zapasową" parę obuwia. / NARA

▶ *Half-Track Mortar Carrier of the Command Company, 48th Armored Infantry Battalion, 7th Armored Division firing near Overloon in the Netherlands, October 1944. Note the numerous stowage carried on the vehicle armour. Above the mine rack a machine gun tripod and a "spare" pair of shoes are attached. / NARA*

▼ Załoga Half-Tracka M3A1 przejmuje dwóch niemieckich jeńców wojennych od załogi pojazdu zwiadowczego M8 Greyhound. Jednostki nieustalone. Zdjęcie wykonano w miejscowości Grevenstroich w Niemczech 3 marca 1945 roku. / NARA

▼ *Half-Track M3A1 crew taking charge of two German POWs from the crew of a M8 Greyhound scout vehicle. Units unknown. The photograph was taken in Grevenstroich, Germany, 3rd March 1945. / NARA*

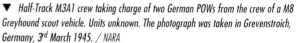

▲ M2 Half-Track Car noszący nazwę własną Public Zoo wraz z żołnierzami z G Company, 2nd Battatlion, 16th Regiment, 1st Infantry Division w oczekiwaniu na dalsze rozkazy w miejscowości Vettweiss w Niemczech w 1945 roku. Uwagę zwraca ciało niemieckiego żołnierza na pierwszym planie./ NARA

▲ *M2 Half-Track Car called Public Zoo with the soldiers of the G Company, 2nd Battalion, 16th Regiment, 1st Infantry Division awaiting orders in Vettweiss, Germany, 1945. Note the dead German soldier in the foreground. / NARA*

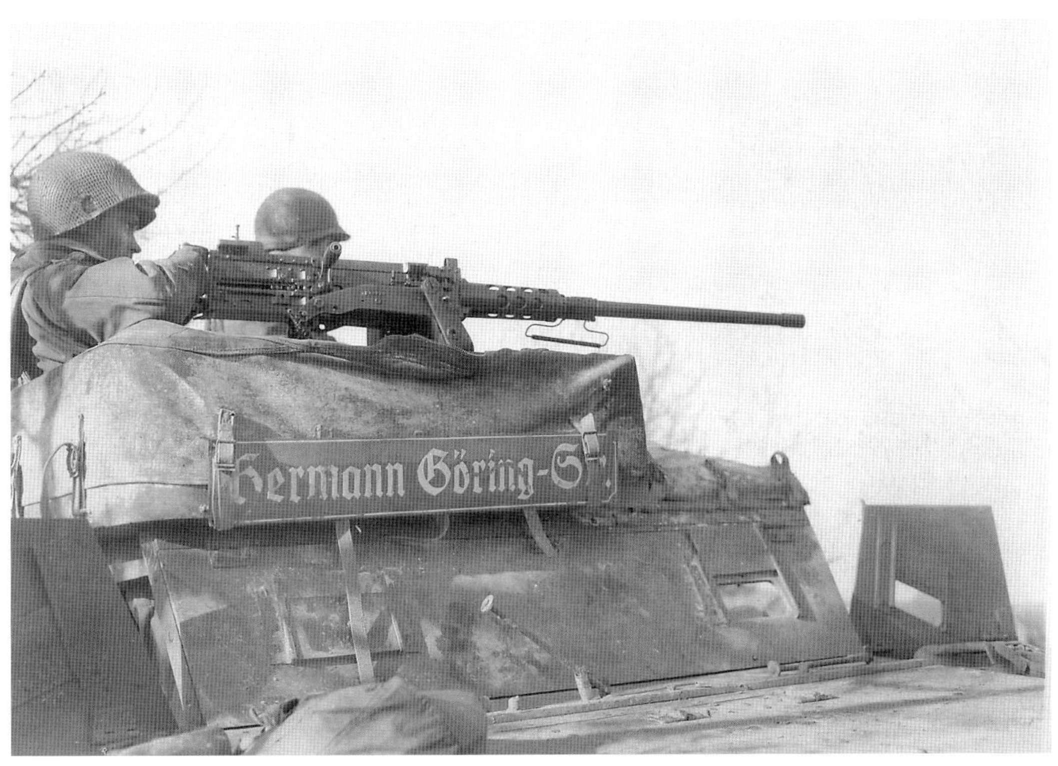

◣ Staff Sergeant George Brackemyre ostrzeliwujący z karabinu maszynowego Browning M2HB kalibru 12,7 mm pozycje niemieckiego strzelca wyborowego w okolicy miejscowości Saarburg w Niemczech, 2 marca 1945 roku. Uwagę zwraca tablica z nazwą ulicy, przytroczona do przedniej części stanowiska strzeleckiego. Pojazd wchodzi w skład C Company, 54th Armored Infantry Battalion, 10th Armored Division./ NARA

◀ *Staff Sergeant George Brackemyre using the Browning M2HB 12.7 mm heavy machine gun against a German sharpshooter's position near Saarburg, Germany, 2nd March 1945. Note the street sign attached to the front part of the gunner's position. The vehicle belongs to the C Company, 54th Armored Infantry Battalion, 10th Armored Division. / NARA*

Saperzy z 125th Engineer Battalion, 14th Armored Division podczas budowy przeprawy przez rzekę Selzbach w Alzacji, Francja 18 marca 1945 roku. Warto zwrócić uwagę na sylwetkę "Pin Up Girl" znajdującą się na górnej płycie pancernej stanowiska strzelca karabinu maszynowego Browning M2HB. / NARA

Combat engineers of the 125th Engineer Battalion, 14th Armored Division constructing a crossing over the River Selzbach in Alsace, France, 18th March 1945. Note the "Pin Up Girl" on the upper armour plate protecting the Browning M2HB machine gunner's position. / NARA

▶ Pierwotnie pułki zamontowane, na bocznych płytach pancernych Half-Tracków, przeznaczone były do przewożenia min przeciwpancernych. Jednakże w praktyce okazało się, że idealnie nadają się również do przewożenia skrzynek z amunicją do karabinów maszynowych. / NARA

▶ *Originally the racks installed on the Half-Track's side armour were used to carry anti-tank mines, however it turned out that they were equally suitable to carry machine gun ammunition boxes. / NARA*

▲ Kolumna Half-Tracków z nieustalonej jednostki podczas przejazdu przez Austrię w końcowym okresie II Wojny Światowej. Warto zwrócić uwagę na dodatkowe zasobniki zamontowane na Half-Tracku, które zostały wykonane w polowym warsztacie naprawczym. / NARA

▲ *A column of Half-Tracks from an unknown unit advancing through Austria in the closing stages o the Second World War. Note the additional storage bins made in a field repair shop, installed on this Half-Track.*/ NARA

◀ Celowniczy wielkokalibrowego karabinu maszynowego browning M2HB kalibru 12,7 mm prowadzi ostrzał pozycji niemieckiego snajpera. Pomimo końcowego okresu wojny na Half-Tracu M3A1 zamontowany jest karabin maszynowy Browning M1917 kalibru 7,62mm, widoczny z prawej strony zdjęcia. / NARA

◀ *Browning M2HB 12.7 mm heavy machine gun gunner firing at a German sniper's position. Although the war is coming to an end the Half-Track M3A1 has the browning M1917 7.62 mm machine gun installed, visible on the left in the photograph.* / NARA

▲ M16 Multiple Gun Motor Carriage z 465 Anti-Aricraft Artillery Battalion w rejonie przeprawy przez rzekę w okolicy miasta Saarburg w Niemczech, 26 luty 1945 roku. Niemieccy jeńcy wojenni przygotowują stanowisko dla Half-Tracka, tak aby w razie ataku niemieckiego lotnictwa zapewniało ono dodatkową ochronę pojazdu. / NARA

▲ *M16 Multiple Gun Motor Carriage of the 456th Anti-Aircraft Artillery Battalion crossing a river near Saarburg in Germany, 26th February 1945. German prisoners of war prepare an emplacement for a Half-Track which will offer additional protection in case of an air raid. / NARA*

▶ Amerykańscy żołnierze z 14th Armored Division, układają na masce Half-Tracka M3A1 ciało zabitego kolegi, który poległ w czasie walk w rejonie miejscowości Steinfeld w Niemczech w kwietniu 1945 roku./ NARA

▶ *Soldiers of the 14th Armoured Division lay their dead comrade on the hood of a Half-Track M3A1. The American solider was killed in combat near Steinfeld, Germany, April 1945. / NARA*

◀ M3A1 Half-Track Personnel Carrier wchodzący w skład 629th Tank Destroyer Battalion, 104th Infantry Division, US First Army podczas przejazdu przez zniszczone w toku walk niemieckie miasto Merzenich. / NARA

◀ *M3A1 Half-Track Personnel Carrier of the 629th Tank Destroyer Battalion, 104th Infantry Division, US First Army advancing through the German city Merzenich. / NARA*

▼ M3A1 Half-Track Personnel Carrier z 62nd Anti-Tank Battalion, 14th Armored Division. Dowódca pojazdu ustawia tablicę z nową nazwą ulicy *88nd Mortar Drive.* Miejscowość Steinfeld, Niemcy, 05 kwietnia 1945 roku. / NARA

▼ *M3A1 Half-Track Personnel Carrier of the 62nd Anti-Tank Battalion, 14th Armored Division. The vehicle commander attaches a new street name sign –* 88th Mortar Drive *in Steinfeld, Germany, 5th April 1945. / NARA*

▲ Załoga Half-Tracka M3 Personnel Carrier, podczas odpoczynku, dzień po przekroczeniu rzeki Ren w Niemczech. Pojazd dość mocno objuczony dodatkowym wyposażeniem. Na przednim zderzaku z wyciągarką, co już jest ciekawostką w przypadku pojazdu M3, znajdują się dodatkowe racje żywnościowe. Na lewym błotniku siatka maskująca. Na półkach przystosowanych do przewożenia min przeciwpiechotnych umieszczone są skrzynki z amunicją do karabinów maszynowych, nad którymi można zaobserwować składane nosze. / NARA

▲ Half-Track M3 Personnel Carrier crew at rest one day after crossing the Rhine in Germany. The vehicle carries numerous stowage. Food rations are placed on the winch equipped front bumper (which was a very rare feature on this type of vehicle), camouflage netting is placed on the left fender and the machine gun ammunition boxes are placed in the anti-personnel mine racks and above them folding stretchers are attached. / NARA

Kolumna Half-Tracków wchodzących w skład 3rd Armored Division, 1st U.S. Army, podczas zabezpieczania przejścia pojmanych niemieckich żołnierzy. Okolice Marburga, Niemcy, 14 kwietnia 1945 roku. / NARA

A column of Half-Tracks of the 3rd Armored Division, 1st U.S. Army overseeing captured enemy soldiers near Marburg, Germany, 14th April 1945. / NARA

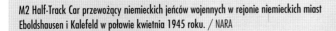

M2 Half-Track Car przewożący niemieckich jeńców wojennych w rejonie niemieckich miast Eboldshausen i Kalefeld w połowie kwietnia 1945 roku. / NARA

M2 Half-Track Car carrying German prisoners of war near the German cities of Eboldshausen and Kalefeld, April 1945. / NARA

Niemieccy żołnierze podczas kapitulacji w jednym z czechosłowackich miast w maju 1945 roku. Uwagę zwraca M3 Half-Track Personnel Carrier, który został prze Niemców zdobyty na wojskach amerykańskich i był używany aż do kapitulacji. / NARA

German soldiers surrendering in a Czechoslovak city in may 1945. Note the Half-Track M3 Personnel Carrier captured from the Americans by the Germans and used until their surrender. / NARA

▼ Ciekawe zdjęcie przedstawiające pojazdy Half-Track Multiple Gun Moror Carriage M16 oraz Half-Track M15 Special z 209th Anti-Aircraft Artillery Battalion wspierające żołnierzy 32nd Infantry Division walczących w rejonie przełęczy Yamashita na Filipinach 17 sierpnia 1945 roku. / NARA

▼ *An interesting photograph showing a Half-Track Multiple Gun Motor Carriage M16 and a Half-Track M15 Special vehicles of the 209th Anti-Aircraft Artillery Battalion supporting the 32nd Infantry Division soldiers near the Yamashita Pass in the Philippines, 17th August 1945. / NARA*

◀ Half-Track M15 Special z 209th Anti-Aircraft Artillery Battalion podczas ostrzeliwania celów naziemnych w rejonie Luzon na Filipinach 8 maja 1945 roku. Jednostka naprawcza Coopers Palins 99th Ordnance Depot stacjonująca niedaleko Brisbane w Australii dokonała kilki konwersji Half-Tracków Multiple Gun Motor Carriage M15 oraz Half-Tracków Personnel Carrier M3 uzbrajając je w automatyczne armaty Bofors kalibru 40 mm. w tym przypadku armata osadzona w wieżyczce została umieszczona na podwoziu Half-Tracka Multiple Gun Motor Carriage M15. / NARA

◀ *Half-Track M15 Special of the 209th Anti-Aircraft Artillery Battalion attacking ground targets near Luzon in the Philippines, 8th May 1945. The Coopers Palins 99th Ordnance Depot repair unit stationed near Brisbane, Australia made several successful conversions of the Half-Track Multiple Gun Motor Carriage M15 and Half-Track Personnel Carrier M3 by installing the Bofors 40 mm autocannons. In this case the turret-mounted cannon was installed on the Half-Track Multiple Gun Motor Carriage M15 chassis. / NARA*

▶ Szczęśliwi cywile witają żołnierzy amerykańskich z 97th Infantry Division piwem i jedzeniem chwilę po wyzwoleniu Pilzna. Uwagę zwraca karabin maszynowy Browning M1917 zamontowany na pulpicie strzeleckim w Half-Tracku M2A1. Czechosłowacja, maj 1945 rok. / NARA

▶ *Happy civilians welcome the American soldiers of the 97th Infantry Division with beer and food moments after the liberation of Plzeň. Note the Browning M1917 machine gun installed in the Half-Track's gun mount. Czechoslovakia, May 1945. / NARA*

▼ Half-Track Multiple Gun Moror Carriage M16 z 209th Anti-Aircraft Artillery Battalion ostrzeliwujący razem z czołgami z 754th Tank Battalion umocnioną pozycję wojsk japońskich 31 lipca 1945 roku. Uwagę zwraca fakt z jakim zainteresowaniem żołnierze amerykańscy obserwują efekt ostrzału. / NARA

Half-Track Multiple Gun Motor Carriage M16 of the 209th Anti-Aircraft Artillery Battalion firing at a Japanese emplacement together with the tanks of the 754th Tank Battalion, 31 July 1945. Note how interested the American soldiers are, looking at the barrage results. / NARA

Half-Track Car M2A1 podczas patrolu na lotnisku Naha, Okinawa, 12 czerwca 1945 roku. / NARA

Half-Track Car M2A1 on patrol on the Naha Airfield, Okinawa 12th June 1945. / NARA

▲ Jeńcy wojenni podczas demontażu płyta pancernych z Half-Tracka, Etain, Francja. w tym miejscu zgromadzono około 20 000 pojazdów, które na miejscu zostały poddane demilitaryzacji. Część pojazdów, w tym Half-Tracki znajdujące się w głębi zdjęcia, zostały wyremontowane i przygotowane do sprzedaży lub ewentualnego przekazania innym krajom. / NARA

▲ *Prisoners of war dismantling armoured plates from a Half-Track in Etain, France. About 20000 vehicles were gathered there and "demilitarized". Some of the vehicles including the Half-Tracks in the background, were repaired and prepared for sale or transfer to other countries. / NARA*

Nowy Jork i wraz z 244th Message Company i 406th Engineer Security Company weszła w skład jednostki specjalnej, oznaczonej, jako 23rd Headquarters Special Troops[6].

Specjalne systemy nagłaśniające składające się z głośników kierunkowych oraz zestawów do odtwarzania uprzednio nagranych dźwięków zainstalowano w przedziale transportowym Half-Tracków wersji M3A1. Każdy zestaw ważył 363 kg i mógł odtwarzać półtoragodzinne nagrania. Zasięg głośników kierunkowych wynosił około 24 km. Dokładna liczba wykorzystywanych Half-Tracków przez 3132nd Signal Service Company jest w chwili obecnej bardzo trudna do ustalenia, ze względu na bardzo trudny dostęp do materiałów źródłowych. Jest to związane również z faktem, iż część dokumentów dotycząca tej jednostki wciąż jest objęta klauzulą Ściśle Tajne.

Program Lend–Lease

W ramach programu pomocy dla państw walczących z nazistowskimi Niemcami, Lend-Lease, prezydent USA mógł *„sprzedawać, przenosić własność, wymieniać, wydzierżawiać, pożyczać i w jakikolwiek inny*

[6] 23rd Headquarters Special Troops – jednostka licząca 1100 żołnierzy, której misją było podszywanie się pod inne jednostki Armii Stanów Zjednoczonych celem oszukania przeciwnika. Misja oraz istnienie tej jednostki objęte były klauzulą Ściśle Tajne do 1996 roku. Niektóre dokumenty wciąż są objęte klauzulą dostępu. Jednostka często określana była nazwą *Ghost Army*, a przez Niemców nazywana *Phantom Army*.

with a tank; it had neither its tactical mobility nor the armour protection.

The aforementioned Half-Track armament upgrades were small scale conversions made in single units. Another conversion, of which 321 (some sources claim 322) were built must also be mentioned. The construction of the vehicles was ordered by Colonel John B. Medaris, Chief of Armament of the First United States Army.

Before the invasion in Normandy he ordered the reconstruction of Half-Track M2 vehicles as self-propelled anti-aircraft guns. The M2HB turrets were dismantled from Multiple Machine Gun Carriage M51 trailers and Machine Gun Trailer Mounts M55 and installed on the M2 vehicles. The new vehicles were unofficially designated as Half-Track M16B.

Some of the most interesting and less known applications of the Half-Track during the Second World War were the special operations aimed at misinforming the enemy of the presence of own troops using, among others, special audio equipment which produced the sounds of American mechanized infantry formations. In this case, the misinformed enemy was the German army.

The program was developed by the US Army Signal Corps and two units took part in it: The 3132nd Signal Service Company[5]. The unit was formed on the 1st of March 1944 in Pine Camp, NY together with 244th Message Company and 406th Engineer Security

[5] *Another unit with the same mission, the 3133rd Signal Service Company was created on the 21st June 1944 in Pine Camp, NY. This unit used modified M10 Gun Motor Carriage tank destroyers to carry audio equipment. The 3133rd Signal Service Company served in the closing days of the war in Italy.*

▲ Polscy żołnierze z 1 Dywizji Pancernej nacierający w czasie walk w rejonie Falaise w sierpniu 1944 roku. w tle stoi Half-Track M5A1. Uwagę zwraca drut kolczasty znajdujący się na przednim zderzaku pojazdu. / Instytut Sikorskiego

▲ *Polish soldiers of the 1st Armoured Division in an assault near Falaise, August 1944. In the background a Half-Track M5A1. Note the barbed wire on the vehicle's front bumper. / Sikorski Institute*

sposób udostępniać innym rządom dowolne produkty ze sfery obronności". Pomoc dla krajów opierających się nazistom, miała wymiar w zakresie dostarczania racji żywnościowych poprzez uzbrojenie strzeleckie piechoty, pojazdy kołowe, czołgi a na samolotach kończąc. Największymi odbiorcami sprzętu przekazywanego przez USA była Wielka Brytania[7] oraz Związek Radziecki.

Half-Tracki przeznaczone dla pomocy wojskowej wspomnianym wcześniej krajom, były produkowane przez firmę International Harvester Company. Były to pojazdy: M5 Half-Track Personnel Carrier, M5A1 Half-Track Personnel Carrier, M9A1 Half-Track Car, Multiple Gun Motor Carriage M14, Multiple Gun Motor Carriage M15 oraz Multiple Gun Motor Carriage M17. Jednakże, jak to bywa często w zawierusze wojennej rzeczywistości, amerykanie przekazywali wojskom brytyjskim również Half-Tracki, które pierwotnie były przeznaczone do użytku przez wojska amerykańskie.

Half-Tracki otrzymały również jednostki Polskich Sił Zbrojnych na Zachodzie, wchodzące w skład wojsk

[7] Wojska brytyjskie otrzymawszy sprzęt wojskowy w ramach programu Lend-Lease, rozdzielały go pozostałym wojskom sojuszniczym, czyli: kanadyjskim, australijskim, nowozelandzkim, hinduskim, południowo afrykańskim, czeskim oraz polskim siłom zbrojnym na zachodzie. Wojska sowieckie otrzymany sprzęt wojskowy w niewielkiej części przekazały Wojsku Polskiemu walczącemu na wschodzie.

◀ Kolejny pojazd M5A1 wyprodukowany przez firmę International Harvester Comapny, używany przez polską 11 Kompanię Saperów, 1 Batalion Saperów, 1 Dywizji Pancernej. / Instytut Sikorskiego

◀ *Another M5A1 vehicle manufactured by the International Harvester Company and used by the Polish 11th Engineer Company, 1st Engineer Battalion, 1st Armoured Division. / Sikorski Institute*

Company and was part of a special unit designated 23rd Headquarters Special Troops[6].

The audio equipment consisting of directional loudspeakers and a playback unit for playing the previously recorded sounds were installed on the Half-Track M3A1. Each set weighted 800 pounds and could play one and a half hour long recordings. The range of the directional loudspeakers was 15 miles. The exact number of Half-Tracks used by the 3132nd Signal Service Company is hard to estimate due to limited access to the source materials. This is related to the fact that some of the documents are still classified.

Lend-Lease Program

Under the provisions of the Lend-Lease program to support countries at war with Nazi Germany the president of the USA was entitled to „sell, transfer title to, exchange, lease, lend, or otherwise dispose of any defence article". The aid provided to the countries resisting the Nazis ranged from food rations, small arms, wheeled vehicles, tanks to aircraft. The largest recipients of the American equipment were Great Britain[7] and the Soviet Union.

Half-Tracks which were to be part of military support to the aforementioned countries were manufactured by the International Harvester Company. These included the following variants: M5 Half-Track Personnel Carrier, M5A1 Half-Track Personnel Carrier, M9A1 Half-Track Car, Multiple Gun Motor Carriage M14, Multiple Gun Motor Carriage M15 and Multiple Gun Motor Carriage M17. However, as it happens during the war, the Americans also transferred some Half-Tracks originally intended for service in the US Army to the British.

Both the Polish Armed Forces in the West (part of the British army) and the Polish Armed Forces in the East received Half-Track vehicles. The Polish Armed Forces in the West used Half-Tracks provided to them

[6] *23rd Headquarters Special Troops – a unit of 1100 troops whose mission was to „impersonate" other US Army units in order to misinform the enemy. The mission and the existence of the unit were classified until 1996. Access to some of the documents is still restricted. The unit was sometimes called the Ghost Army and the Germans used to call it Phantom Army.*

[7] *The British troops, having received the Lend-Lease equipment distributed it to other Allied armies: Canadian, Australian, Indian, New Zealand, South African, Czech and to the Polish Armed Forces in the West. The Soviets also transferred a limited amount of the received equipment to the Polish Armed Forces fighting in the east.*

brytyjskich oraz Wojsko Polskie na Wschodzie. Polskie Siły Zbrojne na Zachodzie używały Half-Tracków przekazanych im przez Brytyjczyków, natomiast Wojsko Polskie na Wschodzie otrzymało niewielkie ilości tych pojazdów od Związku Radzieckiego. Nieduża ich ilość pozwoliła na dokładne przestudiowanie dostępnych materiałów, pod kątem określenia dokładnej ilości pojazdów przekazanych Wojsku Polskiemu.

W ramach przedmiotowego program, Wielka Brytania otrzymała niemalże połowę z wszystkich wyprodukowanych Half-Tracków M5/M9 — otrzymała w sumie 5238 sztuk z wszystkich 11.017 wyprodukowanych. w wojskach brytyjskich, a także w sojuszniczych armiach znajdujących się pod ich rozkazami, Half-Tracki oznaczone były jako *Truck, 15–cwt, Half-Track* i tu zależne od pełnionej roli dodawano *Personnel, Command* lub *Cargo*.

Pod koniec 1943 roku pierwsze Half-Tracki zaczęły trafiać na wyposażenie Polskich Sił Zbrojnych na Zachodzie. Trafiły one głownie do jednostek podporządkowanych 1. Dywizji Pancernej. 10. Pułk Dragonów wchodzący w skład 10. Brygady Kawalerii Pancernej otrzymał największą ilość Half-Tracków. Każda kompania dragonów posiadała na wyposażeniu 14 pojazdów, a cały pułk w sierpniu 1944 roku dysponował 54 pojazdami Half-Track, wyprodukowanymi przez firmę International Harvester Company.

1. oraz 2. Pułk Pancerny posiadał na swoim wyposażeniu siedem Half-Tracków. Każdy dowódca szwadronu pancernego dysponował jednym pojazdem. Cztery znajdowały się w szwadronie dowodzenia pułku; jednym pojazdem dysponował pułkowy lekarz, a Half-Tracka używał jako opancerzonego ambulansu, natomiast pozostałe używali saperzy i łącznościowcy. 3. Brygada Strzelców miała do dyspozycji dziewięć Half-Tracków, które zostały przypisane następującym batalionom: Batalion Strzelców Podhalańskich — trzy pojazdy, 8. Batalion Strzelców Brabanckich — trzy pojazdy, 9. Batalion Strzelców Flandryjskich — trzy pojazdy. w batalionach piechoty Half-Tracki używane były przez saperów i łącznościowców. 1. Pułk Artylerii Przeciwpancernej, należący do artylerii 1. Dywizji Pancernej, wyposażony był w 24 Half-Tracki M9A1, które używane były jako ciągniki artyleryjskie do holowania 17–funtowych armat (kaliber 76,2 mm) oraz sześć Half-Tracków, które były używane przez dowódców baterii. Ponadto 10. oraz 11. Kompania Saperów również uzbrojona była w Half-Tracki. Każda z nich dysponowała 16 Half-Trackami.

Reasumując 1. Dywizja Pancerna, przed wyruszeniem do boju na kontynent zachodnioeuropejski posiadała na swoim stanie ponad 124 Half-Tracki.

Związek Radziecki otrzymał łącznie 1158 Half-Tracków przeznaczonych do transportu piechoty lub holowania artylerii ciągnionej. Było to 401 Half-Tracków M5/M5A1, 413 M9A1 oraz 342 Half-Tracki M2 i dwa Half-Tracki M3.

Half-Tracki zostały również przekazane *Forces Françaises Libres*[8]. Otrzymali oni łącznie 1220 pojazdów. Było to 176 Half–Tracków M2/M2A1, 245 Half-Tracków M3/M3A1, 196 M5/M5A1, 603 M9A1. Ponadto siły francuskie otrzymały niewielką ilość po-

[8] Siły Wolnych Francuzów.

▲ Half-Track 75 mm Gun Motor Carriage M3 wchodzący w skład polskiej 1 Dywizji Pancernej dowodzonej przez generała dywizji Stanisława Maczka. Pod koniec lipca 1944 dywizja została przerzucona do Normandii w kilku etapach, ostatnie elementy zostały wyładowane 1 sierpnia. Do akcji weszła 8 sierpnia 1944 w składzie 1 Armii Kanadyjskiej podczas Operacji Totalize. Wspólnie z 4 Kanadyjską Dywizją Pancerną rozpoczęła natarcie wzdłuż drogi Caen-Falaise. / Instytut Sikorskiego

▲ *Half-Track 75 mm Gun Motor Carriage M3 of the 1st Polish Armoured Division commanded by General Stanisław Maczek. Near the end of July 1944 the division was transferred to Normandy with the last units arriving on 1st August. The division entered combat as part of the 1 Canadian Army during Operation Totalize. Together with the 4th Canadian Armoured Division it began an offensive along the Caen-Falaise road.* / Sikorski Institute

by the British, while the Polish Armed Forces in the East received a limited number of vehicles from the Soviet Union. The small number of the vehicles allowed studying all available materials to precisely establish the number of Half-Tracks provided to the Polish Armed Forces.

During the Lend-Lease program Great Britain received almost half of all manufactured Half-Track M5/

▼ Half-Track M5A1 wchodzący w skład polskiej 11 Kompanii Saperów, 1 Batalion Saperów, 1 Dywizja Pancerna z okresu walk we Francji. Uwagę zwraca karabin maszynowy Bren kalibru 7,7 mm zamiast karabinu Browning M1919A4. / Instytut Sikorskiego

▼ *Half-Track M5A1 of the Polish 11th Engineer Company, 1st Engineer Battalion, 1st Armoured Division during operations in France. The Browning M1919A4 machine gun was replaced with a Bren 7.7 mm machine gun.* / Sikorski Institute

◀ Produkcja pojazdów Gun Motor Carriage T48 57 mm trwała od kwietnia 1942 do maja 1943 roku. Łącznie wyprodukowano 962 pojazdy. 30 pojazdów wysłano do Wielkiej Brytanii a 650 do ZSRR w ramach programu Lend-Lease . Rosjanie po otrzymaniu tych pojazdów nadali im własne oznaczenie SU–57.

◀ *The production of the Gun Motor Carriage T48 57 mm vehicles continued from April 1942 to May 1943. Altogether 962 vehicles were built. As part of the Lend-Lease program 30 vehicles were sent to Great Britain and 650 to the Soviet Union. The Russians designated the received vehicles as SU–57.*

▼ Brytyjski M5 Half-Track Personnel Carrier, przystosowany do pełnienia roli ambulansu. Ciekawostką w tym przypadku jest fakt, wyposażenia pojazdu w lampę typu Notek oraz brak przednich lamp. Dobrze widoczny charakterystyczny płaski przedni błotnik, występujący w pojazdach wyprodukowanych przez firmę International Harvester Company. / IWM

▼ *British M5 Half-Track Personnel Carrier adapted as an ambulance. Interestingly this vehicle is equipped with a Notek lamp instead of the headlights. a characteristic flat front fender, typical for vehicles manufactured by the International Harvester Company is visible. / IWM*

jazdów Half-Track T30 75 mm Howitzer Motor Carriage, które były wykorzystywane jeszcze podczas wojny w Indochinach przez słynną *La Légion étrangère*[9].

Poza wskazanymi powyżej pojazdami typowo transportowymi, wojska brytyjskie otrzymały wszystkie 1600 wyprodukowanych pojazdów Multiple Gun Motor Carriage M14. Jednakże uznane przez brytyjskie dowództwo za zestawy przeciwlotnicze o niewystarczającej sile ognia, wszystkie wieżyczki Gun Mount M33 zostały zdemontowane z pojazdów. Po tej konwersji pełniły one rolę transporterów piechoty oraz pojazdów wielozadaniowych. Większa część Half-Tracków M14 została przekazana wojskom kanadyjskim, walczącym pod brytyjskimi rozkazami.

Zgodnie z oficjalnymi dokumentami standardowym pojazdem oznaczonym *Truck, 15–cwt*, Half-Track, w armii kanadyjskiej był Half-Track M14. Takiego określenia używano wobec tego wozu nieoficjalnie. Pojazdy te były przekazywane Kanadyjczykom w pierwszej kolejności, a gdy nie było dostępnych już pojazdów

[9] Legia Cudzoziemska.

M9 vehicles. This amounted to 5238 out of 11017 manufactured vehicles. In the British Army and in Allied armies under its command the Half-Track was designated as *Truck, 15–cwt, Half-Track* and depending on the vehicle function the designation *Personnel*, *Command* or *Cargo* was added.

At the end of 1943 the first Half-Tracks reached the units of the Polish Armed Forces in the West. Most of them were provided to the units of the 1st Polish Armoured Division (1. Dywizja Pancernea). The 10th Polish Dragoon Regiment — Motor Battalion (10. Pułk Dragonów) part of the 10th Polish Armoured Cavalry Brigade (10. Brygada Kawalerii Pancernej) received most of the Half-Tracks. Each dragoon company was equipped with 14 vehicles and in August 1944 the entire regiment had 54 Half-Track vehicles manufactured by the International Harvester Company.

1st and 2nd Armoured Regiments each used 7 Half-Tracks. Each squadron commander had at his disposal a single vehicle. 4 Half-Tracks were in the Regiment Command Squadron; one was at the disposal of the regimental doctor and used as an armoured ambulance and the rest was used by the engineering and signal corps. The 3rd Polish Infantry Brigade (3. Brygada Strzelców) had 9 Half-Tracks assigned to the following battalions: The 1st Polish Highland Battalion (1. Batalion Strzelców Podhalańskich) — 3 vehicles, 8th Polish Rifle Battalion (8. Batalion Strzelców Brabanckich) 3 — vehicles, 9th Polish Rifle Battalion (9. Batalion Strzelców Flandryjskich) — 3 vehicles. In infantry battalions the Half-Tracks were used by the engineering and signal corps. The 1st Polish Anti-Tank Regiment (1. Pułk Artylerii Przeciwpancernej) of the 1st Armoured Division was equipped with 24 Half-Track M9A1 vehicles used as artillery tractors to tow 17 pound guns (76.2 mm) and six were used by battery commanders. In addition the 10th and 11th Engineer Company were also equipped with Half-Tracks. Each of them had 16 Half-Tracks.

To sum up, the 1st Armoured Division had over 124 Half-Tracks as it began operations in Western Europe.

The Soviet Union received a total of 1158 Half-Tracks to be used as personnel carriers or artillery tractors. There were 401 Half-Track M5/M5A1, 413 M9A1, 342 Half-Track M2 and 2 Half-Track M3 vehicles.

Half Tracks were also given to the *Forces Françaises Libres*[8]. They received a total of 1220 vehicles. These were 176 Half-Track M2/M2A1, 245 Half-Track M3/M3A1, 196 M5/M5A1 and 603 M9A1

[8] The Free French Armed Forces.

M14, otrzymywali oni pojazdy M5/M5A1 lub M9A1, z tą uwagą, że przeważająca ilość Half-Tracków używanych przez Kanadyjczyków to były pojazdy Multiple Gun Motor Carriage M14, pozbawione wieżyczki Gun Mount M33. Jako, że były to pojazdy zaprojektowane do pełnienia roli zestawów przeciwlotniczych, na tylnej ścianie pancernej nie było drzwi prowadzących do przedziału bojowego pojazdu. Dodatkowo, na tylnej płycie pancernej znajdowały się specjalne zasobniki transportowe. Brak drzwi oraz zasobniki transportowe, niwelowały pojazdy M14 z pełnienia roli opancerzonego pojazdu ewakuacji medycznej. Przeróbki w pojeździe umożliwiające wstawienie drzwi na tylnej ścianie pojazdu były zbyt czasochłonne i kosztowne, dlatego pojazdy M14 trafiały głownie do Royal Canadian Electrical and Mechanical Engenieers. Wnętrze pojazdów było modyfikowane w warunkach polowych, tak, aby pojazd zabierał na pokład 8 żołnierzy. Dodatkowo, na fotografiach z okresu II Wojny Światowej, można zauważyć Half-Tracki z rozłożonym brezentowym dachem. Interesującą rzeczą w tej kwestii jest fakt, iż dach ten był znacznie wyższy niż stosowany na pozostałych Half-Trackach. Wysoki dach, jest znakiem rozpoznawczym Half-Tracków używanych przez kanadyjskie siły zbrojne w okresie II wojny światowej. Zdarzały się również Half-Tracki z wysokim sztywnym dachem, zrobionym ze stalowych blach. Modyfikacje tego typu wykonywane były w warunkach polowych. Wszystkie Half-Tracki ze sztywnym dachem należały do Royal Canadian Electrical and Mechanical Engenieers, które czasem oddelegowywano do zadań na rzecz łącznościowców. Ponadto Half-Tracki służyły w każdym rodzaju kanadyjskich wojsk, pełniąc najrozmaitsze role, zgodnie z bieżącymi potrzebami wynikającymi z prowadzenia działań bojowych.

Stan Half-Tracków M14 znajdujących się na stanie 1st Canadian Army na dzień 4 maja 1944 roku przedstawiał się następująco: 2nd Canadian Armoured Brigade — 24 wozy, 3rd Canadian Infantry Division — 153 wozy, 4th Canadian Armoured Division — 138 wozów, 2nd Canadian Infantry Division — 62 wozy, 2nd Canadian Corps Troops — 17 wozów, 1st Canadian Army Troops — 13 wozów. Łącznie 1st Canadian Army dysponowała 407 Half-Trackami M14.

Anglicy, weszli również w posiadanie zestawu przeciwlotniczego Half-Track Multiple Gun Motor Carriage M16, pomimo faktu, że nie były one oficjalnie przekazywane przez USA wojskom sojuszniczym (po za dwoma pojazdami, przekazanymi w ramach Lend-Lease, celem ich ewaluacji przez brytyjskich konstruktorów), znalazły się one na wyposażeniu pułków artylerii przeciwlotniczej wchodzących w skład dywizji pancernych.

W chwili obecnej brak jest informacji czy były to pojazdy M16 pochodzące z nadwyżek i przekazane Brytyjczykom, czy były to też pojazdy M13 skonwertowane do standardu M16. Niemniej jednak, zgodnie z ówczesnym etatem w każdym brytyjskim pułku artylerii przeciwlotniczej znajdowało się 36 dział kalibru 40 mm oraz 18 pojazdów Multiple Gun Motor Carriage M16.

Polskie dywizje pancerne, wchodzące w skład Polskich Sił Zbrojnych na Zachodzie zorganizowane były zgodnie z brytyjskimi etatami. 1 Pułk Artylerii Przeciwlotniczej Lekkiej wchodzący w skład słynnej polskiej jednostki pancernej okresu II wojny

▲ Half-Track SU–57 podczas triumfalnego przejazdu jednostek Armii Czerwonej przez Pragę w maju 1945 roku.

▲ *Half-Track SU–57 during a parade of Red Army units in Prague, May 1945.*

vehicles. In addition the French forces received a small number of Half-Track T30 75 mm Howitzer Motor Carriage which were still in use during the Indochina War by the famous *Légion étrangère*[9].

Apart from the personnel carrier versions the British Army received all of the 1600 manufactured Multiple Gun Motor Carriage M14 vehicles. However, they were considered by the British command to poses too small firepower to serve as anti-aircraft guns and all Gun Mount M33 turrets were dismantled. Afterwards they were used as personnel carriers or multi-purpose vehicles. Most part of the Half-Track M14 vehicles was given to the Canadian troops fighting under the British command.

According to the official documents the standard vehicle designated as *Truck, 15–cwt, Half-Track* by the Canadian Army was the Half-Track M14. This was the designation used unofficially. The M14 vehicles were transferred to the Canadians in the first instance and only when there were no more available they received the M5/M5A1 or M9A1 variants. Still, most of the vehicles used by the Canadians were the Multiple Gun Motor Carriage M14 variant without the Gun Mount M33 turret. As these vehicles were originally anti-aircraft artillery pieces the rear plate had no door leading to the crew compartment. In addition two stowage bins were mounted on the rear plate. The lack of rear door and the installation of the stowage bins made it impossible to use the

[9] The French Foreign Legion.

▼ Kolejne zdjęcie przedstawiające pojazd SU–57 w Pradze.

▼ *Another picture of the SU–57 in Prague.*

światowej, 1. Dywizji Pancernej dowodzonej przez gen. Stanisława Maczka, również posiadał na stanie 18 pojazdów Multiple Gun Motor Carriage M16. Pułk na swoim koncie ma odnotowane zniszczenie dziewięciu samolotów wroga, cztery uszkodzone, dziewięć zniszczonych latających bomb V1 oraz zniszczone trzy wozy pancerne.

Podczas końcowego okresu walk w Afryce Północnej około 170 pojazdów Half-Track 75 mm Gun Motor Carriage M3 przekazanych zostało wojskom brytyjskim. Ciekawostką jest, że pojazdy te nie figurowały w żadnych oficjalnych dokumentach dotyczących przekazywania sprzętu. Amerykanie rozpoczęli przekazywanie Half-Tracków 75 mm Gun Motor Carriage M3 w związku z coraz większymi dostawami nowego niszczyciela czołgów M10 Gun Motor Carriage, ponadto Half-Tracki 75 mm Gun Motor Carriage M3 uznane zostały za przestarzałe.

Brytyjczycy Half-Tracki 75 mm Gun Motor Carriage M3 oznaczyli jako 75 mm Self Propelled, Autocar. Pierwszymi jednostkami, które otrzymały te pojazdy to 1. King's Dragoon Guards oraz The Royal Dragoons. Pojazdy te zostały przypisane do rozpoznawczych pułków samochodów pancernych, jako ciężka sekcja wsparcia w każdym liniowym szwadronie.

Osiem pojazdów Half-Track 75 mm Gun Motor Carriage M3 znalazło się również na stanie 1st Armoured Car Regiment, Royal Canadian Dragoons. Wynikło to z faktu przejęcia sprzętu przez Kanadyjczyków od brytyjskiej jednostki King's Dragoon Guards. Zostały one przekazane Kanadyjczykom, przed transferem brytyjskiej jednostki do Anglii celem przygotowań do inwazji w Europie Zachodniej.

Polskie Siły Zbrojne na zachodzie, również otrzymały pojazdy Half-Track 75 mm Gun Motor Carriage M3. Zostały one przekazane przez Brytyjczyków i przypisane zostały na początku września 1944 roku do 2. Korpusu Polskiego. w jego strukturze znajdował się Pułk Ułanów Karpackich, do którego ostatecznie trafiło sześć pojazdów. w związku z reorganizacją, jaką przeszedł 2. Korpus, Pułk Ułanów

vehicles as armoured medevac units. To install the rear door was too time consuming and too costly, so the M14 vehicles were used mainly by the Royal Canadian Electrical and Mechanical Engineers. The interior of the vehicle was modified in battlefield conditions to hold 8 soldiers. In addition, some photos taken during the Second World War show Half-Tracks with a folding canvas roof. It is interesting that this roof was much higher than that normally used on other Half-Tracks. The high roof is a characteristic feature for the Half -Tracks used by the Canadian armed forces during the Second World War. Some Half-Tracks also had a high roof made of steel plates. All these modifications were made in combat conditions. All „hardtop" Half-Tracks belonged to the Royal Canadian Electrical and Mechanical Engineers and were later relegated to signal corps service. Apart from that the Half-Tracks served in all branches of the Canadian Armed Forces and were used in various roles as the needs arise.

On the 4th of May 1944 the 1st Canadian Army was equipped with the following amount of Half-Track M14 vehicles: 2nd Canadian Armoured Brigade — 24 vehicles, 3rd Canadian Infantry Division — 153 vehicles, 4th Canadian Armoured Division — 138 vehicles, 2nd Canadian Infantry Division — 62 vehicles, 2nd Canadian Corps Troops — 17 vehicles, 1st Canadian Army Troops — 13 vehicles. In total the 1st Canadian Army had 407 Half-Track M14 vehicles.

The British also received the Half-Track Multiple Gun Motor Carriage M16 vehicles despite the fact that this variant was never officially transferred to the Allies (apart from the two vehicles transferred as part of the Lend-Lease program for evaluation purposes). The vehicles were used in anti-aircraft artillery regiments part of the armoured divisions.

At this time it remains unknown whether these were surplus M16 vehicles given to the British or M13 vehicles converted to the M16 standard. The establishment of an anti-aircraft artillery regiment was 36 40 mm guns and 18 Multiple Gun Motor Carriage M16 vehicles.

◢ Half-Track M5A1 Personnel Carrier lub Half-Track M9A1 Car z 2e Division Blindée, podczas przejazdu przez miejscowość Bolsena, znajdująca się na północ od Rzymu w czerwcu 1944 roku. Pojazd holuje armatę przeciwpancerną M1 kalibru 57 mm. Uwagę zwracają łańcuchy założone na przednie koła, co jest dość ciekawym zjawiskiem, ponieważ łańcuchów używa się w ekstremalnie ciężkich warunkach a nie na utwardzonej drodze. Ponadto wzrok przykuwa maskowanie pojazdu wykonane przy użyciu ściętych gałęzi. / IWM

▶ *Half-Track M5A1 Personnel Carrier or Half-Track M9A1 Car of the 2e Division Blindée advancing through Bolsena located north of Rome, June 1944. The vehicle is towing a 57 mm M1 anti-tank gun. The vehicle has chains installed on the front wheels, which is rare as they were normally employed in extreme terrain not on a paved road. Branches are used for additional camouflage. / IWM*

▲ Brytyjska wersja paradnego Half-Tracka M5 Personnel Carrier, dobrze widoczne specjalne poręcze zamocowane wzdłuż krawędzi przedziału transportowego pojazdu. / NARA

▲ *British version of the Half--Track M5 Personnel Carrier used during parades. The special hand-rails along the sides of the vehicle are clearly visible. / NARA*

Karpackich, został przezbrojony w czołgi. Jego miejsce w 2. Korpusie, jako pułk rozpoznawczy zajął 12. Pułk Ułanów Podolskich, który przejął cały sprzęt pozostawiony przez Pułk Ułanów Karpackich. Przed przezbrojeniem w czołgi, pułk otrzymał dodatkowe dwa pojazdy Half-Track 75 mm Gun Motor Carriage M3, w związku z czym 12 Pułk Ułanów Podolskich przejął baterię składającą się z ośmiu wozów.

Wspomnianymi Half-Trackami dysponował również 7. Szwadron Rozpoznawczy, który 25 stycznia 1944 roku przybył do Quassasin w Egipcie. Tu szwadron otrzymał na stan pojazdy T17 Armored Car, przez Brytyjczyków nieoficjalnie nazywane *Staghound* oraz Half-Tracki 75 mm Gun Motor Carriage M3.

Siły Wolnych Francuzów, w Afryce Północnej rozpoczęły szkolenia na tych Half-Trackach, jednakże nie otrzymali ich ostatecznie na uzbrojenie. w zamian otrzymali niszczyciele czołgów M10 Gun Motor Carriage.

Pojazdy Half-Track 57 mm Gun Motor Carriage T48, z racji swojej dość późnej inauguracji zostały uznane przez wojska US Army za pojazd najdelikatniej mówiąc bezużyteczny, z racji małej wartości bojowej armaty na nim zamontowanej. w związku z tym faktem 30 pojazdów przekazano Brytyjczykom, a Rosjanom pozostałe 650 sztuk. w 1943 roku otrzymali oni 241 pojazdów, a w 1944 roku — 409 pojazdów. w USA pozostały 282 pojazdy, które zostały przekonwertowane do standardu Half-Track M3A1 Personell Carrier. Brytyjczycy, również uznając kaliber armaty za niewystarczający, zdemontowali uzbrojenie z dostarczonych 30 Half–Tracków i używali ich jako transporterów piechoty.

The Polish armoured divisions part of the Polish Armed Forces in the West were organised accordingly. The 1st Polish Light Antiaircraft Regiment part of the famous 1st Polish Armoured Division commanded by General Stanisław Maczek was equipped with 18 Multiple Gun Motor Carriage M16 vehicles. The regiment destroyed 9 and damaged 4 enemy aircraft, destroyed 9 V1 flying bombs and also destroyed 3 armoured vehicles.

During the closing stages of the war in Africa about 170 Half-Track 75 mm Gun Motor Carriage M3 vehicles were transferred to the British troops. Interestingly, these vehicles were not mentioned in any official documents concerning the transfer of equipment. As the new M10 Gun Motor Carriage tank destroyer became available the Americans started to transfer the Half--Track 75 mm Gun Motor Carriage M3 vehicles to their allies. The Half-Track 75 mm Gun Motor Carriage M3 was considered obsolete.

The British designated their Half-Track 75 mm Gun Motor Carriage M3 as 75 mm Self Propelled, Autocar. The first units to receive the Half-Tracks were the 1. King's Dragoon Guards and The Royal Dragoons. These vehicles were assigned to the reconnaissance armoured car regiments of and as heavy support sections in each line squadron.

8 Half-Track 75 mm Gun Motor Carriage M3 vehicles were also used by the Armoured Car Regiment, Royal Canadian Dragoons. This was due to the taking over of equipment from the King's Dragoon Guards. They were transferred to the Canadians before the unit was sent back to England to prepare for the landing in Western Europe.

▲ Half-Track M5 dość mocno przekonstruowany przez wojska Izraelskie. Braki w wyposażeniu pancernym sprawiły, że każdy sprzęt używany przez Izraelczyków był w jakimś stopniu zmodyfikowany, aby spełnić ówczesne wymogi pola walki. w tym przypadku, na Half-Tracku zamontowana jest wieżyczka z karabinem maszynowym.

▲ *Half-Track M5 heavily modified by the Israeli Armed Forces. The shortages in armoured vehicles resulted in almost every type of vehicle being in some way modified to meet the battlefield conditions of its day. In this case a machine gun turret is installed on a Half--Track.*

Rosjanie dostawą tak dużej ilości pojazdów nie pogardzili. w Związku Radzieckim pojazd otrzymał oznaczenie SU–57 (***Samokhodnaya Ustanovka*** — 57). 15 pojazdów przekazano Wojsku Polskiemu, o czym niżej.

Wozy SU–57 pochodzące z pierwszego transportu zostały przydzielone do 16., 19. i 22. Brygady Artylerii Samobieżnej wchodzących w skład 3., 1. i 4. Armii Pancernych Gwardii. z pozostałych pojazdów utworzono Niezależne Brygady Niszczycieli Czołgów. SU–57 weszły również w skład kompanii zwiadowczych przypisanych do brygad pancernych i brygad zmechanizowanych oraz samodzielnych kompanii zwiadowczych. Każda kompania zwiadowcza dysponowała baterią składającą się z czterech dział samobieżnych.

Jak widać podejście do kwestii taktycznego wykorzystania dział samobieżnych SU–57 było różne. Głównym powodem takiego stanu rzeczy był fakt, iż w 1944 roku uzbrojenie, jakim dysponował ten pojazd nie spełniało wymagań pola walki pod kątem eliminowania sił pancernych wroga.

Sprawozdanie sztabu artylerii 1. Armii Pancernej Gwardii traktujące o realizacji wyznaczonych działań przez 19. Brygadę Artylerii Samobieżnej w okresie od lipca do sierpnia 1944 roku, zawiera następujące zalety wykorzystania SU–57 na ówczesnym polu walki: brygada SU–57 jest silnym samobieżnym środkiem przeciwpancernym, który przy poprawnym dowodzeniu może wykonywać długie marsze i pojawiać się w miejscach, gdzie nie oczekuje tego przeciwnik; rozwijanie dużych prędkości i dysponowanie mocnym silnikiem.

The Polish Armed Forces in the West also received a number of Half-Track 75 mm Gun Motor Carriage M3 vehicles. They were received from the British and assigned to the 2nd Polish Corps in early September 1944. In its structure, the Carpathian Lancers Regiment (Pułk Ułanów Karpackich) received 6 vehicles. After the reorganisation of the 2nd Corps the regiment was later rearmed with tanks. Afterwards, its place as the 2nd corps reconnaissance regiment was taken by the 12th Podolski Lancers Regiment (12. Pułk Ułanów Podolskich) which has taken over the Carpathian Lancers Regiment's equipment. Before it was rearmed with tanks the regiment received two additional Half-Track 75 mm Gun Motor Carriage M3 therefore the 12th Podolski Lancers Regiment had a full battery of 8 vehicles.

This variant of the Half-Track was also used by the 7th Reconnaissance Squadron (7. Szwadron Rozpoznawczy) which arrived in Quassasin in Egypt on the 25th January 1944. There it received the T17 Armoured Car unofficially called ***Staghound*** by the British and Half-Track 75 mm Gun Motor Carriage M3 vehicles.

The Free French forces in North Africa began training on these vehicles; eventually their units did not receive them. Instead these forces were armed with the M10 Gun Motor Carriage tank destroyers.

The Half-Track 57 mm Gun Motor Carriage T48 was introduced late into the war and was considered useless, to say the least, by the US Army due to the small combat worthiness of its gun. Therefore 30 of these vehicles were transferred to the British and the remaining 650 vehicles were sent to the Soviet Union. In 1943 the Russians received 241 vehicles and in 1944 another 409. 282 vehicles remained in the US and were converted into Half-Track M3A1 Personnel Carrier vehicles. The British, who also considered the gun calibre insufficient, removed the armament and used the 30 supplied Half-Tracks as personnel carriers.

The Russians however were more than happy to receive such a large shipment of vehicles. In the Soviet Union the vehicle was designated SU–57 (***Samokhodnaya Ustanovka — 57***). 15 vehicles were transferred to the Polish Armed Forces as described below.

► Kolejny przykład żołnierskiego Know-how. Half-Track M5 z zamontowaną w przedziale transportowym armatą Ordnance Quick-Firing 6-pounder 7 cwt, potocznie nazywaną 6 pounder. Celem zapewnienia ochrony przed piechotą, w prawej części kabiny kierowcy zamontowano karabin maszynowy Browning M1919A4 kalibru 7,62 mm. Pojazdy tego typu używane przez 82 Batalion Czołgów, odegrały znaczącą rolę w wojnie 1948 roku.

► *Another example of the soldier's know-how. a Half-Track M5 with a Ordnance Quick-Firing 6-pounder 7 cwt gun commonly called the 6 pounder, installed in the cargo compartment. To protect the vehicle against infantry attacks a Browning M1919A4 7.62 mm machine gun is installed on the right side of the driver's compartment. These vehicles used by the 82nd Tank Battalion, played a crucial role in the 1948 war.*

▲ Pierwsze Half-Tracki żydowscy agenci rozpoczęli kupować po ustaniu działań wojennych na starym kontynencie i dosłownie, przemycać je na bliski wschód. Cześć z nich była pomalowana farbą koloru czerwonego i "udawała" sprzęt rolniczy. Były to Half-Tracki wyprodukowane przez firmę International Harvester Company, M5 oraz M9A1. w początkowym okresie walk wojny 1948 roku siły Izraela dysponowały około 20 Half--Trackami.

▲ *The first Half-Tracks were acquired by the Jewish agents right after the end of the war in Europe and literally smuggled to the Middle East. Some of them were painted red and "pretended" to be farm vehicles. These Half--Tracks were manufactured by the International Harvester Company – variants M5 and M9A1. During the initial operations of the 1948 war the Israeli forces had about 20 Half-Tracks at their disposal.*

Lista wad pojazdu jest dłuższa i zawiera takie stwierdzenia: brak używania amunicji podkalibrowej eliminuje je jako środek walki z ciężkimi czołgami; niewystarczająca manewrowość na polu walki ze względu na małą zwrotność pojazdów; maskowanie pojazdu przed rozpoznaniem z powietrza i ziemi, jest czynnością pracochłonną ze względu na wysoką sylwetkę pojazdu; brak środków obrony bezpośredniej przed piechotą wroga; mały zakres naprowadzania armaty kalibru 57 mm w płaszczyźnie poziomej; niewystarczająca odporność pancerza na odłamki pochodzące z broni artyleryjskiej.

▲ Dość udana konwersja pojazdu Half-Track M3 Personnel Carrier, polegająca na zamontowaniu w przedziale transportowym wieżyczki strzelniczej Maxson uzbrojonej w dwa działka automatyczne kalibru 20 mm. Uwagę zwracają zaczepy na dodatkowe kanistry paliwa.

▲ *Another quite successful conversion of the Half-Track M3 Personnel Carrier vehicle with the Maxson turret with two 20 mm autocannons installed. Note the racks for additional fuel canisters.*

The SU–57 vehicles from the first batch were assigned to the 16th, 19th and 22nd Self-propelled Artillery Brigades parts of the 3rd, 1st and 4th Guards Tank Armies. The remaining vehicles were formed into Independent Tank Destroyer Brigades. The SU–57 vehicles were also part of reconnaissance companies of tank brigades and mechanised brigades as well as independent reconnaissance companies. Each company had a battery of 4 self propelled guns.

As we can see the approach to the tactical deployment of the SU–57 self propelled guns varied. The main reason for that being the fact, that in 1944 the armament of the vehicle was insufficient to eliminate enemy armoured forces.

The report of the 1st Guards Tank Army staff on the realisation of assigned duties by the 19th Self-propelled Artillery Brigade between July and August 1944 lists the following advantages of the SU–57 on the battlefield of that day: the SU–57 brigade is a strong self-propelled anti-tank force which, if under proper command, can perform long marches and appear in regions where the enemy does not expect it; the unit moves at high speeds and the vehicles use powerful engines.

◣ Kolejny Half-Track M3 Personnel Carrier zmodyfikowany do pełnienia roli niszczyciela czołgów. w tym przypadku na Half-Tracku zamontowano gładko lufową armatę Mecar kalibru 90 mm. Ponadto dobrze widoczne granatniki dymne do stawiania zapory dymne. w tylnej części pojazdu widać zamontowany karabin maszynowy Browning Kalibru 7,62 mm. Pojazdy tego typu używane były podczas wojny w 1969 roku.

◀ *Another Half-Track M3 Personnel Carrier modified as a tank destroyer. In this case a 90 mm Mecar smoothbore gun was installed in the vehicle. Smoke grenade launchers used for laying smokescreens are well visible. In the rear part of the vehicle a Browning 7.62 mm machine gun is visible. These vehicles were used during the 1969 war.*

► Half-Tracki M3 Personnel Carrier podczas parady w Tel Avivie w 1963 roku, uzbrojone w wyrzutnię przeciwpancernych kierowanych pocisków rakietowych Nord SS.11. Tych samych, w które uzbrojone były śmigłowce UH-1 Huey walczące w Wietnamie.

► *Half-Track M3 Personnel Carrier vehicles on parade in Tel Aviv in 1963. The vehicles are armed with Nord SS.11 anti-tank guided missile launchers. The very same missiles were used by the Huey helicopters during the Vietnam war.*

Pierwsze walki pojazdy te stoczyły w ramach 16. Samodzielnej Brygady Niszczycieli Czołgów w sierpniu 1944 roku na Ukrainie podczas przekraczania rzeki Dniepr.

Pierwszy transport Half-Tracków dla Wojska Polskiego na wschodzie, oznaczonych, jako SU–57[10] w ilości 15 pojazdów, przyjechał na stację kolejową w Smoleńsku 10 marca 1944 roku. Pojazdy te były częścią środków przekazanych przez dowództwo sowieckie 1. Korpusowi Sił Zbrojnych RP w ZSRR.

Z otrzymanych wozów utworzono kompanię dział samobieżnych i przyporządkowano ją 1. Batalionowi Rozpoznawczemu. Następnie, w związku z reorganizacją, 5 czerwca 1944 roku pojazdy te zostały przekazane Dowództwu Wojsk Pancernych i Zmotoryzowanych. Jako, że były to pojazdy dość nietypowe, 7 czerwca 1944 roku postanowiono z nich utworzyć 7. Samodzielny Dywizjon Artylerii Samobieżnej. w składzie tego dywizjonu pojazdy te służyły do końca wojny. w trakcie przemarszu jednostki do Polski kilka pojazdów uległo zniszczeniu. w związku z brakiem części zapasowych do tych pojazdów musiały one zostać porzucone. Wynikłe straty nie zostały uzupełnione nowymi pojazdami SU–57.

7. Samodzielny Dywizjon Artylerii Samobieżnej w sierpniu 1944 roku został przypisany dowództwu 1. Armii Wojska Polskiego i pod jej rozkazami przeszedł szlak bojowy od rzeki Wisły do rzeki Łaby. Jednostka ta była wykorzystywana w głównej mierze do ochrony sztabu armii. Czasami oddelegowywano ją do wykonywania innych zadań polegających na udzielaniu wsparcia 2. Pułku Piechoty 1. Dywizji Piechoty. Stan pojazdów w 7. Samodzielnym Dywizjonie Artylerii Samobieżnej na 10 stycznia 1945 roku wynosił dziesięć pojazdów, natomiast stan na 1 marca 1945 roku wynosił siedem wozów SU–57. Po zakończeniu wojny, stan wynosił pięć wozów.

Po reorganizacji w Wojsku Polskim, wozy te zostały przekazane Korpusowi Bezpieczeństwa Wewnętrznego. Przezeń używane były w walkach prowadzonych w Bieszczadach. z dwóch pojazdów usunięto uzbrojenie, a pojazdy przekonwertowano do pełnienia

The list of disadvantages is even longer: failure to use sub-calibre ammunition makes the gun insufficient to engage heavy tanks; insufficient battlefield manoeuvrability due to the vehicles poor manoeuvrability; to camouflage the vehicle to protect it from aerial and ground reconnaissance is time consuming due to the high silhouette; lack of means for direct defence against enemy infantry; small horizontal movement radius of the 57 mm cannon; insufficient protection against spall from artillery fire.

The vehicles were first used in combat in Ukraine during the crossing of the river Dniepr by the 16th Independent Tank Destroyer Brigade.

The first shipment of Half-Tracks (designated SU–57[10]) for the Polish Armed Forces in the East amounting to 15 vehicles arrived at the train station in Smoleńsk on the 10th October 1944. The vehicles were part of the equipment shipments sent by the Soviet command to the Polish 1st Corps in the Soviet Union.

Out of the received vehicles a self-propelled artillery company was created which became part of the 1 Reconnaissance Battalion. Then, following a reorganisation on 5th June 1944 the vehicles were assigned to the Armoured and Mechanised Forces Command. As the vehicles were fairly uncommon, an Independent Self-propelled Artillery Squadron was created on the 7th June 1944. The vehicles served in this formation until the end of the war. During the unit's march to Poland few of the vehicles were destroyed. Due to the lack of spare parts some had to be abandoned. The resulting losses were not replaced with new SU–57 vehicles.

The 7th Independent Self-propelled Artillery Squadron was assigned to the Polish First Army in August 1944 and fought in many battles from the Vistula to the Elbe River. The unit was mostly used for protection of the army headquarters. Sometimes it was relegated to other duties in support of the 2nd Infantry Regiment of the 1st Infantry Division. The establishment of the 7th Independent Self-propelled Artillery Squadron on the 10th January 1945 was 10, and on the 1st March 1945 7 SU–57 vehicles. After the war's end there were only 5 vehicles left.

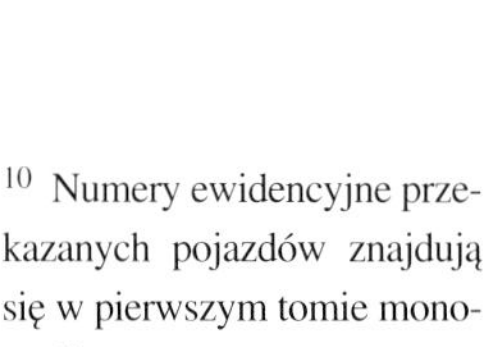

[10] Numery ewidencyjne przekazanych pojazdów znajdują się w pierwszym tomie monografii.

[10] *The vehicle identification numbers are presented in the first part of the monograph.*

roli opancerzonych transporterów piechoty. Do dnia dzisiejszego zachowały się w Polsce trzy egzemplarze SU–57. Jeden znajduje się w Muzeum Wojska Polskiego w Warszawie, drugi w Muzeum Oręża Polskiego w Kołobrzegu. Trzeci egzemplarz znajduje się w rękach prywatnego kolekcjonera. Pojazd ten można najczęściej zobaczyć podczas dużej imprezy rekonstrukcyjnej — Strefa Militarna — organizowanej od 2008 roku w Podrzeczu (woj. wielkopolskie), jak porusza się o własnych siłach w towarzystwie grup rekonstrukcyjnych odtwarzających oddziały Wojska Polskiego.

Multiple Gun Motor Carriage M17 wyprodukowane w liczbie 1000 sztuk przez firmę International Harvester Company, zostały w całości przekazane Związkowi Radzieckiemu w 1944 roku.

Poza wyżej przedstawionymi piętnastoma pojazdami SU–57 Wojsko Polskie na Wschodzie otrzymało 20 pojazdów Multiple Gun Motor Carriage M17. Na uzbrojenie przyjęte zostały w styczniu 1945 roku, kiedy przybyły transportem o numerze 10891 na stację kolejową w Chełmie. Pojazdy te zostały przydzielone do następujących jednostek 1. Korpusu Pancernego: 2. Brygada Pancerna otrzymała sześć pojazdów M17, 3. Brygada Pancerna otrzymała sześć pojazdów M17, 4. Brygada Pancerna otrzymała sześć pojazdów M17, 6. Batalion Łączności otrzymał dwa pojazdy M17.

Zestawy przeciwlotnicze używane były głównie zgodnie ze swoim przeznaczeniem, czyli zabezpieczaniem osłony przed atakami samolotów wroga. Niemniej jednak bardzo często wykorzystywane były do odparcia kontrataków niemieckich, wyprowadzanych przez piechotę. Zapora ogniowa postawiona przez cztery sprzężone wielkokalibrowe karabiny maszynowe M2HB kalibru 12,7 mm była nie do pokonania.

Po zakończeniu wojny pojazdy zostały skonwertowane do pełnienia roli transporterów opancerzonych piechoty i podobnie jak SU–57 przekazane zostały Korpusowi Bezpieczeństwa Wewnętrznego.

Niewielka ilość Half-Tracków przekazanych Wojsku Polskiemu przez Związek Radziecki, jest jednym z wielu przykładów jak marginalnie traktowane było Wojsko Polskie na Wschodzie przez ZSRR.

Nieduża ilość Half-Tracków została również przekazana 1st Brazilian Infantry Division wchodzącej w skład Brazilian Expeditionary Force, które brały

After another reorganisation of the Polish Armed Forces these vehicles were transferred to the Internal Security Corps (Korpus Bezpieczeństwa Wewnętrznego) which used them in operations in the Bieszczady region. Armament was removed from two of the vehicles and they were converted into armoured personnel carriers. Presently 3 SU–57 vehicles exist in Poland: one in the Polish Armed Forces Museum (Muzeum Wojska Polskiego) in Warsaw, one in the Polish Armament Museum (Muzeum Oręża Polskiego) in Kołobrzeg and one in private hands. This third vehicle can often be seen during a large re-enactment event called Strefa Militarna, organised since 2008 in Podrzecz (Wielkopolskie) as it moves under own power accompanying groups re-enacting the Polish Armed Forces of that period.

The International Harvester Company manufactured 1000 Multiple Gun Motor Carriage M17 vehicles which were all transferred to the Soviet Union in 1944.

Apart from the already mentioned SU–57 vehicles the Polish Armed forces received 20 Multiple Gun Motor Carriage M17 vehicles. They were accepted for use in January 1945 when the transport no. 10891 reached the railway station in Chełm. The vehicles were assigned to the following units of the 1st Tank Corps: the 2nd Tank Brigade received 6 M17 vehicles, the 3rd Tank Brigade received 6 M17 vehicles, the 4th Tank Brigade received 6 M17 vehicles and the 6th Signals Company received 2 M17 vehicles.

The anti-aircraft vehicles were used mostly accordingly to their original mission — to protect against the attacks of enemy aircraft. However they were also employed as a defence against enemy infantry counterattacks. The amount of lead which the four linked 12.7mm M2HB heavy machine guns let loose was a barrier which no infantry could cross.

After the war's end the vehicles were converted into armoured personnel carriers and similarly to the SU–57 they were assigned to the Internal Security Corps.

The small number of Half-Tracks transferred to the Polish Armed Forces by the Soviet Union remains a testimony to how underrated the Polish Armed Forces in the East were by the Soviet Union.

A small number of Half-Tracks was transferred to the 1st Brazilian Infantry Division part of the Brazilian Expeditionary Force which fought in Italy. The

◣ Jedna z ostatnich konwersji Half-Tracka z zamontowanym moździerzem wyprodukowanym przez firmę Soltam kalibru 120 mm. Tak skonwertowany pojazd nosił oznaczenie Mk. D. Uwagę zwracają nietypowo zamontowany karabin maszynowy oraz koło zapasowe przedniego zawieszenia, znajdujące się na przednim zderzaku. Siły Obronne Izraela używały Half-Tracków do 1974 roku, w którym to przesiadły się na opancerzone transportery piechoty M113.

◀ One of the last Half-Track conversions with a Soltam 120 mm mortar installed. Vehicles converted this way were designated Mk. D. Note the unusual way in which the machine gun is installed and the spare wheel on the front bumper. The Israeli Defence Force used the Half-Track until 1974 when the M113 armoured personnel carrier became available.

udział w walkach we Włoszech. Dostawa dla sił brazylijskich składała się z ośmiu Half-Tracków M2A1, trzech Half-Tracków M3A1 oraz 20 Half-Tracków M5/M5A1. w czasie walk jednostka ta również otrzymała pewną liczbę Half-Tracków, pochodzącą z nadwyżek sprzętowych, jednakże nie wchodziło to w ogólną liczbę sprzętu przekazanego w ramach programu Lend-Lease.

Ponadto niewielka liczba Half-Tracków przekazana została Chinom, Chile oraz Meksykowi.

Okres powojenny

Half-Track z Tarczą Dawida na pancerzu.

Po zakończeniu II Wojny Światowej, w Europie pozostały olbrzymie ilości sprzętu wojskowego. Niemalże równocześnie z zakończeniem działań wojennych na starym kontynencie, na sile zaczął przybierać konflikt na Bliskim Wschodzie. z początkiem jego istnienia, Wielka Brytania została wmieszana w coraz bardziej agresywny konflikt z Żydami, walczącymi o swobodny dostęp żydowskiej imigracji do Palestyny. Równolegle toczące się starcia żydowsko-arabskie przekształciły się w 1947 roku w otwartą wojnę domową. w 1947 roku brytyjski rząd wycofał się ze swoich zobowiązań w Mandacie Palestyny i oświadczając niemoc w sprawie rozwiązania konfliktu izraelsko-arabskiego. Organizacja Narodów Zjednoczonych w dniu 29 listopada 1947 roku przyjęła

Brazilians received 8 Half-Tracks M2A1, 3 Half-Tracks M3A1 and 20 Half-Tracks M5/M5A1. In combat conditions the unit received some additional Half-Tracks coming from the surplus vehicle pool which was not counted towards the total number of vehicles transferred in the Lend-Lease program.

Additionally a small number of Half-Tracks were transferred to China, Chile and Mexico.

Post–war period

Half-Track with the Shield of David.

After the end of the Second World War great numbers of military equipment were left in Europe. Almost parallel to the end of hostilities in Europe a conflict began to escalate in the Middle East. Great Britain became involved in the escalating conflict which resulted from the attempts of the Jews to gain unlimited immigration rights in Palestine. In 1947 the Jewish-Arab conflict turned into a civil war. In the same year the British government withdrew from the Palestine Mandate declaring the inability to solve the conflict. On the 29 November 1947 the United Nations adopted the Resolution no. 181 dividing the Palestine territory among two states: the Jewish and the Arab. Yet, one day before the British withdrawal from Palestine, on the 14th May 1948, the establishment of an independent State of Israel was declared. The member states of the Arab League did not accept the UN plan for the division of Palestine and de-

▼ Half-Track Multiple Gun Motor Carriage M16 wchodzący w skład 76th Anti-Aircraft Artillery Battalion. INa śmigle lekkiego bombowca rozpoznawczego RB–26 z 67th Tactical Reconnaissance Wing Fifth Air Force siedzi Sgt. Ben A. Robrtson, który pozdrawia załogę pojazdu przeciwlotniczego udającego się na pozycję na zboczu wzgórza tej wysuniętej bazy w powietrznej w Korei. / NARA

▼ *Half-Track Multiple Gun Motor Carriage M16 of the 76th Anti-Aircraft Artillery Battalion. Sgt. Ben A. Robertson, Henderson, Texas, from his perch astride the propeller of this Fifth Air Force RB-26 light bomber of the 67th Tactical Reconnaissance Wing, waves a greeting to an anti-aircraft unit on the way to their hill-side positions at an advanced Korean air base. / NARA*

▲ Port w Inchon 25 stycznia 1953 roku. Znaczna ilość sprzętu specjalistycznego, pośród którego znajdują się również pojazdy Half-Track. / US Army

▲ *Inchon port, 25th January 1953. Large numbers of specialist equipment with Half-Track vehicles among them. / US Army*

Rezolucję nr 181 o podziale Palestyny na dwa państwa: żydowskie i arabskie. Mimo wszystko na dzień przed końcem brytyjskiego pełnomocnictwa w Palestynie, 14 maja 1948 roku, ogłoszono powstanie niepodległego państwa Izrael. Państwa członkowskie Ligi Arabskiej nie uznały ONZ-owskiego planu podziału Palestyny i postanowiły zniszczyć nowo proklamowane państwo żydowskie. Następnego dnia wybuchła pierwsza wojna arabsko — żydowska.

Pierwsze Half-Tracki żydowscy agenci rozpoczęli kupować po ustaniu działań wojennych na starym kontynencie i dosłownie, przemycać je na bliski wschód. Cześć z nich była pomalowana farbą koloru czerwonego i „udawała" sprzęt rolniczy. Były to Half-Tracki wyprodukowane przez firmę International Harvester Company, M5 oraz M9A1. w początkowym okresie walk wojny 1948 roku siły Izraela dysponowały około 20 Half-Trackami.

Po oficjalnym ustanowieniu państwa Izrael, pozyskało ono około 150 Half-Trackówn, odkupując zdemilitaryzowane wozy od Włochów. Były to: Half-Track M4 81 mm Gun Motor Carriage, Half-Tracki M14 przekonstruowane do roli pełnienia transportera piechoty, Multiple Gun Motor Cariage M15. Pozyskując dodatkowe Half-Tacki z pozostałych państw starego kontynentu, pod koniec 1949 roku siły Izraela dysponowały już około 200 wozami.

Ciekawostką jest fakt, że największą ilości konwersji Half-Tracki przeszły właśnie na Bliskim Wschodzie podczas ich użytkowania przez państwo Izrael. Spowodowane to było, dość prozaiczną przy-

cided to destroy the newly proclaimed state. On the next the first Arab-Israeli war began.

The first Half-Tracks were acquired by the Jewish agents right after the end of war in Europe and literally smuggled to the Middle East. Some of them were painted red and „pretended" to be farm vehicles. These Half-Tracks were manufactured by the International Harvester Company — variants M5 and M9A1. During the initial operations of the 1948 war the Israeli forces had about 20 Half-Tracks at their disposal.

After the State of Israel was officially established it acquired another 150 Half-Tracks by buying demilitarised vehicles from Italy. The vehicles included: Half-Track M4 81 mm Gun Motor Carriage, Half-Track M14 rebuilt as personnel carriers, and Multiple Gun Motor Carriage M15. By acquiring additional Half-Tacks from other European countries Israel had about 200 vehicles at the end of 1949.

It is interesting to note that most numerous Half-Track conversions originate from the Middle East, especially from Israel. This was caused by a simple deficiency which forced this user to constantly upgrade their Half-Tracks — at its beginning Israel suffered from a severe lack of tanks.

The most common conversion seen in almost all Israeli Half-Tracks was the cutting of the armoured plate protecting the front of the driver's compartment into two plates. Then, the right-hand part of the plate was replaced with an armoured mount for the M1919A4 7.62 mm machine gun which was operated by the second driver.

czyną, aczkolwiek zmuszającą użytkowników dozbrajać Half-Tracki na różny sposób. w początkowym okresie funkcjonowania Izraela, państwo cierpiało po prostu na niewystarczającą ilość czołgów.

Główną przeróbką, stosowaną niemal we wszystkich Half-Trackach używanych przez siły Izraela, było przecięcie składanej pancernej osłony, ochraniającej przedział kierowcy od przodu, na dwie części. Prawą, odciętą część zastępowano specjalnym, opancerzonym uchwytem na karabin maszynowy Browning M1919A4 kalibru 7,62 mm, który był obsługiwany przez drugiego kierowcę.

Wszystkie Half-Tracki M2 oraz M4 zostały doposażone w drzwi znajdujące się na tylnej płycie pancernej pojazdu. Ta przeróbka, miała na celu oczywiście podnieść efektywność realizacji desantu z wozu.

W siłach zbrojnych Izraela Half-Tracki nosiły zgoła inne oznaczenia, niżeli pierwotnie przypisane tym pojazdom. Wszystkie wozy M3 oraz M5 zostały oznaczone Mk. a i służyły, jako opancerzone transportery piechoty. Pojazd oznaczony Mk. B, to był Half-Track M5 z dodatkowym karabinem maszynowym M2HB kalibru 12,7 mm, zestawem radiostacji oraz wyciągarką w przednim zderzaku. Pojazd ten pełnił rolę wozu dowodzenia. Mk. C to Half-Track przewożący moździerz M1 kalibru 81 mm. Mk. D to Half-Track M3 zmodyfikowany do przewożenia moździerza wyprodukowanego przez firmę Soltam kalibru 120 mm.

Ponadto Izrael dysponował Half-Trackami M3 uzbrojonymi w belgijskie działa przeciwpancerne Mecar kalibru 90 mm, oraz Half-Trackami uzbrojonymi w wyrzutnię przeciwpancernych kierowanych pocisków rakietowych Nord SS.11. Tych samych, w które uzbrojone były śmigłowce Huey walczące w Wietnamie.

Siły Obronne Izraela (צבא הגנה לישראל) używały Half-Tracków do 1974 roku, w którym to przesiadły się na opancerzone transportery piechoty M113.

Wojna w Korei

Wybuch wojny w Korei 25 czerwca 1950 roku spowodował niemały chaos w armii USA. Wszystkie składy i magazyny uzbrojenia znajdujące się w Japonii zostały dokładnie przejrzane, celem odszukania sprzętu nadającego się do wysłania na nowy, koreański front. Do Korei Południowej natychmiast wysłano odnalezione pojazdy Multiple Gun Motor Carriage M16. w składach na terenie Japonii znajdowała się spora liczba, bo aż 104 wozy, pojazdów Multiple gun Motor Carriage M15A1. Pojazdy te również były przygotowane do wysłania celem wsparcia wojsk opierających się inwazji północno koreańskiej armii. Jednakże braki w amunicji kalibru 37 mm, spowodowały że pojazdy te zostały przezbrojone w armaty kalibru 40 mm. z pojazdów M15A1 usunięto wielkokalibrowe karabiny maszynowe kalibru 12,7 mm oraz armaty kalibru 37 mm. Wspomniane uzbrojenie zostało zastąpione armatą przeciwlotniczą M1 kalibru 40 mm — taką samą jaka występowała w Half-Tracku T19.

Zgodnie z dokumentem OCM numer 33894 z dnia 15 września 1951 roku, nowopowstałe Half-Tracki zostały oznaczone, jako 40 mm Gun motor Carriage M34 i zaklasyfikowano je jako Limited Standard.

All M2 and M4 Half-Tracks were equipped with additional doors mounted in the rear armoured plate. This small upgrade helped facilitate the dismemberment of soldiers.

The Israeli Armed Forces also had specific new designations for their vehicles different to those originally used. All M3 and M5 vehicles were designated Mk. a and were used as armoured personnel carriers. The Mk. B vehicle was a Half-Track M5 equipped with an additional M2HB 12.7 mm machine gun, additional radio equipment and a winch on the front bumper. These Half-Tracks were used as command vehicles. Mk. C was the designation for the Half-Tracks carrying the M1 81 mm mortar. Finally, the Mk. D variant was a Half-Track M3 carrying the 120 mm mortar manufactured by Soltam.

In addition Israel had at its disposal Half-Tracks M3 equipped with the Belgian Mecar 90 mm guns and Half-Tracks equipped with Nord SS.11 anti-tank guided missile launchers. The very same missiles were used by the Huey helicopters during the Vietnam War.

The Israeli Defence Force (צבא הגנה לישראל) used the Half-Track until 1974 when the M113 armoured personnel carrier became available.

The Korean War

The outbreak of the Korean War on the 25th June 1950 caused quite a stir in the US Army. All magazines and depots in Japan were scrutinised in search for any piece of equipment suitable for use on the new Korean front. All available Multiple Gun Motor Carriage M16 vehicles were immediately sent to South Korea. There were also 104 Motor Carriage M15A1 vehicles located in Japan. These too were sent to support troops resisting the North Korean invasion. However the shortages of 37 mm ammunition resulted in the vehicles being rearmed with 40 mm guns. Also the 12.7 mm heavy machine guns and 37 mm guns were removed from the M15A1 vehicles. This armament was replaced with the M1 40 mm anti-aircraft gun — the same as in the Half-Track T19.

In accordance with the OCM document no. 33894 dated 15th September 1951 the new vehicles were designated 40 mm Gun Motor Carriage M34 and classified as Limited Standard.

Although both Half-Tracks M16 and M34 were designed as anti-aircraft vehicles they were most often used to provide fire support to ground units. The Half-Track M16 armed with four linked 12.7 heavy machine guns with its great firepower was especially well suited to eliminate enemy personnel. Within just 25 seconds it could fire 800 rounds i.e. empty four 200 rounds ammunition boxes. After this new capability was discovered the vehicle received a nickname suitable to its ability to eliminate large numbers of enemy infantry. It was called the *Meat Chopper*. During the Korean War the crews also gave interesting nicknames to their M16 vehicles which often referred to their function. Photographs from that period show vehicles called: *The Guardian Angel, Whispering Death, Hell on Wheels* or *Heels Fire*.

One major disadvantage of the Half-Track M16 was the lack of armoured protection for the loaders of M2HB machine guns. These soldiers were often the preferred target for enemy snipers. To protect them,

Pomimo, że zarówno Half-Track M16 oraz M34 były uzbrojone do pełnienia roli zestawów przeciwlotniczych, podczas walk w Korei wykorzystywane były głównie do zapewnienia wsparcia ogniowego jednostkom naziemnym. Szczególnie dobrze w roli uzbrojenia do eliminowania siły żywej przeciwnika nadawał się Half-Track M16 który z racji uzbrojenia w cztery wielkokalibrowe karabiny maszynowe kalibru 12,7 mm dysponował potężną siłą ognia; w ciągu niecałych 25 sekund były wstanie wystrzelić 800 naboi, czyli opróżnić cztery skrzynki amunicyjne po 200 sztuk naboi w każdej. Podczas II wojny światowej, po odkryciu nowych możliwości Half-Tracka M16, czyli, jak to eufemistycznie określano, eliminowania piechoty wroga, pojazd otrzymał przydomek, który w bardzo prosty i wojskowy sposób określał jego skuteczność w eliminowaniu siły żywej przeciwnika. Pojazd potocznie nazywano *Meat-Chopper* (z ang. maszyna do mielenia mięsa). Podczas wojny w Korei, załogi często nadawały swoim pojazdom M16 dość ciekawie brzmiące nazwy, które również wskazywały, do jakich celów wozy te były używane. Na zdjęciach z epoki można zaobserwować pojazdy noszące nazwy: *The Guardian Angel*, *Whispering Death*, *Hell on Wheels* czy *Heels Fire*.

Jedną, dość sporą wadą Half-Tracka M16 był brak pancernej osłony dla żołnierzy pełniących funkcję amunicyjnych karabinów maszynowych M2HB. Podczas walk w Korei bardzo często padali oni ofiarą snajperów. Aby temu problemowi zaradzić, wprowadzono do użytku stalowe, składane osłony pancerne, które określano mianem *Bat Wings*. Pozwalały one amunicyjnym na swobodną wymianę skrzynek z amunicją, bez zbędnego wystawiania się na ostrzał nieprzyjaciela.

W toku prowadzonych działań wojennych, zapotrzebowanie na Half-Tracki M16 zaczęło wzrastać. Pojazd M16 bardzo dobrze sprawdzał się, jako środek zapobiegawczy, stosowany wobec zmasowanych ataków wroga, określanych mianem „ludzkiej fali". Aby sprostać temu zapotrzebowaniu firma Bowen and McLaughlin Inc. Przekonstruowała 1662 Half-Tracki M3 Personnel Carrier do standardu Multiple Gun Motor Carriage M16.

Jako że Half-Track M3 nie posiadał rozkładanych górnych części płyt pancernych, zastosowano nową podstawę oznaczoną Gun Mount M45F. Od podstawy Gun Mount M45D odróżniał ją dodatkowy stalowy cylinder na podstawie, który niwelował problem braku rozkładanego pancerza. Cylindryczna przedłużka podstawy miała wysokość 152 mm. Wieżyczka również została wyposażona w osłonę załogi *Bat Wings*. Ponadto pojazd został wyposażony w intercom umożliwiający komunikację celowniczego z dowódcą pojazdu, znajdującym się w kabinie kierowcy. Dokument OCM numer 34189 z 24 kwietnia 1952 roku określał skonwertowane Half-Tracki M3 jako Multiple Gun Motor Carriage M16A1 i klasyfikował je jako Substitute Standard.

Zmiany wprowadzone w pojeździe M3 zostały zaimplementowane w 419 pojazdach Multiple Gun Motor Carraige M16. Zgodnie z dokumentem OCM numer 34825 z dnia 11 maja 1953 roku, skonwertowane Half-Tracki M16 zostały oznaczone jako Multiple Gun Motor Carriage M16A2 i sklasyfikowane jako Substitute Standard.

◀ Half-Track Multiple Gun Motor Carriage M16 wchodzący w skład B Battery, 15th Anti-Aircraft Artillery Battalion, 7th Infantry Division ostrzeliwujący pozycje okupowane przez chińskich komunistów na północy od Chae-jae w Korei, 12 marca 1951 roku. / US Army

◀ *Half-Track Multiple Gun Motor Carriage M16 of the B Battery, 15th Anti-Aircraft Artillery Battalion, 7th Infantry Division firing at Chinese positions north of Chae-jae, Korea, 12th March 1951. / US Army*

new folding armoured plates called the ***Bat Wings*** were installed. These allowed the loaders to change the ammunition boxes without exposing themselves to enemy fire.

As the war progressed the need for Half-Tracks M16 began to grow. The M16 was a good protection against the en masse attacks referred to as „human wave attacks". To meet this demand the Bowen and McLaughlin Inc. rebuilt 1662 Half-Track M3 Personnel Carrier vehicles to the Multiple Gun Motor Carriage M16 standard.

As the Half-Track M3 did not have opening top armoured plates and new mount designated Gun Mount M45F was used. It was different to the Gun Mount M45D due to the presence of an additional steel cylinder. The new cylindrical part of the mount was 6 inches wide. The turret was also equipped with the *Bat Wings* plates. The vehicle was also equipped with an intercom which allowed for the communication between the gunner and the vehicle commander in the driver's compartment. The OCM document no. 34189 dated 24th April 1952 designated the converted Half -Track M3 vehicles as Multiple Gun Motor Carriage M16A1 and classified them as Substitute Standard.

The modifications implemented in the M3 vehicles were also implemented in 419 Multiple Gun Motor Carriage M16 vehicles. The OCM document no. 34189 dated 11th May 1953 designated the converted Half-Track M16 vehicles as Multiple Gun Motor Carriage M16A2 and classified them as Substitute Standard.

▼ Multiple Gun Motor Carraige M16, na pozycji ogniowej podczas wojny w Korei. Przerwa w prowadzeniu ognia na załadowanie amunicji kalibru 12,7 mm do skrzynek amunicyjnych. Uwagę zwraca nietypowo zamontowany na przedniej ramce okiennej, karabin maszynowy Browning M1919A4 kalibru 7,62 mm. Przedni zderzak z wyciągarką, pełni rolę bagażnika na dodatkowy sprzęt. / NARA

▼ *Multiple Gun Motor Carriage M16 in a firing position during the Korean War. a short respite in combat was an opportunity to reload the 12.7 mm ammunition boxes. a Browning M1919A4 7.62 mm machine gun is mounted on the vehicle's adapted windshield frame. The front bumper with a winch installed was used to carry additional equipment. / NARA*

PRODUKCJA HALF-TRACKA / *THE HALF-TRACK PRODUCTION*

Typ Half-Tracka / ***Half-Track Type***	Producent / ***Manufacturer***	Okres produkcji / ***Production Period***	Końcowa liczba wyprodukowanych pojazdów ***Final Number of Manufactured Vehicles***
Half – Track Car M2	White, Autocar	V 1941 – IX 1943	11,415
Half – Track Car M2A1	White, Autocar	X 1943 – III 1944	1,643
Half – Track Personnel Carrier M3	White, Autocar, Diamond T	V 1941 – IX 1943	12,391
Half – Track Personnel Carrier M3A1	White, Autocar, Diamond T	X 1943 – VI 1945	2,862
Half – Track Personnel Carrier M5	International Harvester Company	XII 1942 – IX 1943	4,625
Half – Track Personnel Carrier M5A1	International Harvester Company	X 1943 – III 1944	2,959
Half – Track Car M9A1	International Harvester Company	III 1943 – XII 1943	3433
Half – Track 57 mm Gun Motor Carriage T48	Diamond T	XII 1942 – V 1943	962
Half – Track 75 mm Gun Motor Carriage M3	Autocar	VIII 1941 – IV 1943	2,202
Half – Track 75 mm Howitzer Motor Carriage T30	White	II 1942 – XI 1942	500
Half – Track 105 mm Howitzer Motor Carriage T19	Diamond T	I 1942 – IV 1942	324
Multiple Gun Motor Carriage M13	White	I 1943 – V 1943	1,103
Multiple Gun Motor Carriage M14	International Harvester Company	XII 1942 – XII 1943	1,605
Multiple Gun Motor Carriage M15	Autocar	II 1943 – IV 1943	600
Multiple Gun Motor Carriage M16	White	V 1943 – XI 1944	3614
Multiple Gun Motor Carriage M17	International Harvester Company	XII 1943 – III 1944	1,000
Multiple Gun Motor Carriage T28E1	Autocar	VII 1942 – VIII 1942	80
Twin 20mm Gun Motor Carriage T10E1	White	III 1944	110
Combination Gun Motor Carriage M15A1	Autocar	X 1943 – II 1944	1,652
81 mm Mortar Carrier M4	White	VIII 1941 – X 1942	572

LICZBA WYPRODUKOWANYCH HALF-TRACKÓW PODCZAS II WOJNY ŚWIATOWEJ, Z PODZIAŁEM NA POSZCZEGÓLNE LATA PRODUKCJI.
NUMBERS OF HALF-TRACKS MANUFACTURED DURING THE SECOND WORLD WAR IN THE YEARS 1941-1944.

Typ Half-Tracka ***Half-Track Type***	Producent ***Manufacturer***	Rok Produkcji / ***Year***			
		1941	1942	1943	1944
M2	White, Autocar	3,565	4,735	3,115	
M2A1	White, Autocar			987	656
M3	White, Autocar, Diamond T	1,859	4,959	5,681	
M3A1	White, Autocar, Diamond T			2,037	825
M5	IHC		152	4,473	
M5A1	IHC			1,859	1,100
M9	IHC			2,026	
M9A1	IHC			1,407	
57 mm GMC T48	Diamond T		50	912	
75 mm GMC (M3, M3A1)	Autocar	86	1,350	766	
75 mm HMC T30	White		500		
105 mm HMC T19	Diamond T		324		
M13 MGMC	White			1,103	
M14 MGMC	IHC		5	1,600	
M16 MGMC	White			2,323	554
M17 MGMC	IHC			400	600
T10 MGMC	White				110
T28E1 MGMC	Autocar		80		
M15 MGMC	Autocar			680	
M15A1 MGMC	Autocar			1,052	600
81 mm MMC M4	White		572		
81 mm MMC M4A1	White			600	
81 mm MMC M2A1	White				110

Malowanie i oznakowanie

Comouflage and Markings

Malowanie

Opisując malowanie Half-Tracków skupiłem się na Half-Trackach występujących w siłach zbrojnych USA.

Half-Tracki, opuszczające fabryki zbrojeniowe były pomalowane matową farbą koloru *Olive Drab*. Kolor ten był zresztą charakterystyczny dla pozostałych pojazdów, które trafiały na uzbrojenie US Army oraz USMC.

US Army Corps Of Engineers pod koniec 1942 roku wyodrębnił 12 kolorów, z zaleceniem stosowania ich do nanoszenia malowania ochronnego, kamuflażu na pojazdy użytkowane przez siły zbrojne USA. Były to następujące matowe kolory:

	Kolor Farby	Oznaczenie zgodne z FS 595
1.	*Light Green*	34151
2.	*Dark Green*	34102

Camouflage

While describing the colours of the Half-Track we shall focus on the vehicles of the US Armed Forces.

As they left the factory, the Half-Tracks were painted using matt *Olive Drab* paint. This colour was also characteristic for other US Army and USMC vehicles.

At the end of 1942 the US Army Corps of Engineers selected 12 colours to be used for camouflage on vehicles used by the US Armed Forces. These were the following matt colours:

	Paint colour:	Designation according to FS 595
1.	*Light Green*	34151
2.	*Dark Green*	34102
3.	*Sand*	30277
4.	*Field Drab*	30118
5.	*Earth Brown*	30099

▼ Half-Track T30 75 mm Howitzer Motor Carriage w rejonie miejscowości Licata. / NARA

▼ *Half-Track T30 75 mm Howitzer Motor Carriage near Licata. / NARA*

▶ Half-Track M3 Gun Motor Carriage 75 mm z okresu walk w Tunezji wiosną 1943 roku. Uwagę zwracają dodatkowe kanistry z paliwem lub wodą przytroczone do tylnej części pojazdu. Uzbrojenie przeciwlotnicze tego pojazdu to wielkokalibrowy karabin maszynowy Browning M2HB kalibru 12,7 mm, będący w stałej gotowości do prowadzenia ognia. Było to związane z częstymi atakami sił powietrznych wroga. / NARA

▶ *Half-Track M3 Gun Motor Carriage 75 mm during operations in Tunisia, spring 1943. Additional jerrycans containing fuel or water are attached to the rear of the vehicle. The anti-aircraft armament of the vehicle consists of a Browning M2HB 12.7 mm heavy machine gun prepared to immediately open fire. This was due to frequent attacks of enemy aircraft. / NARA*

3.	*Sand*	30277
4.	*Field Drab*	30118
5.	*Earth Brown*	30099
6.	*Earth Yellow*	30257
7.	*Loam*	34086
8.	*Earth Red*	30117
9.	*Olive Drab*	34087
10.	*Black*	37038
11.	*Forest Green*	34079
12.	*Desert Sand*	3027

Podczas pierwszych walk, w których udział brały Half-Tracki, toczonych w rejonie Pacyfiku podczas obrony Filipin, nie posiadały one żadnego kamuflażu ochronnego i występowały w fabrycznym kolorze *Olive Drab.*

Z momentem przejścia USA do ofensywy, zaczęły występować różnego rodzaju kamuflaże maskujące na Half-Trackach. Przeważnie były to plamy lub pasy nakładane w kolorze *Earth Red* i *Desert Sand* na pod-

6.	*Earth Yellow*	30257
7.	*Loam*	34086
8.	*Earth Red*	30117
9.	*Olive Drab*	34087
10.	*Black*	37038
11.	*Forest Green*	34079
12.	*Desert Sand*	3027

When they were first used in combat in the Pacific during the defence of the Philippines the Half-Tracks did not have any protective camouflage and were painted *Olive Drab.*

When the US offensive started the vehicles were painted in various camouflage patterns. Most often these were stripes or spots of *Earth Red* and *Desert Sand* on the base colour of *Olive Drab*. As there were no units specialising in the application of camouflage patterns to vehicles it was the commander's responsibility and the work of the crews. There were of course engineering units able to apply such camouflage but

▶ Ten sam Half-Track M3 Gun Motor Carriage 75 mm, widok od przodu. Charakterystyczny kamuflaż dla walk w Afryce Północnej wykonany poprzez nałożenie plam z błota w kolorze piaskowo – różowym, na wypłowiałą farbę Olive Drab. / NARA

▶ *The same Half-Track M3 Gun Motor Carriage 75 mm in front view. The camouflage pattern is typical for the North African campaign; it consists of spots of sand-pink coloured mud on the faded Olive Drab paint. / NARA*

▲ Multiple Gun Motor Carriage M15 przygotowany do prowadzenia działań z morza w rejonie Morza Śródziemnego w 1943 roku. Sugeruje to dobre zabezpieczenie pojazdu przed morską wodą, oraz zestaw rur umożliwiający brodzenie w głębokiej wodzie, wlot powietrza do silnika znajduje się powyżej kabiny kierowcy. Uwagę zwraca ciekawy wzór malowania ochronnego. Na fabryczną farbę koloru Olive Drab nałożono nieregularne plamy koloru Black. Felgi przednich kół oraz elementy wózka gąsienicowego również pomalowane kolorem Black. / NARA

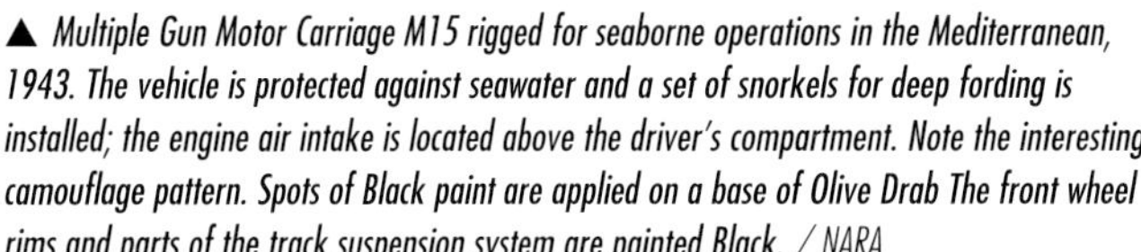

▲ *Multiple Gun Motor Carriage M15 rigged for seaborne operations in the Mediterranean, 1943. The vehicle is protected against seawater and a set of snorkels for deep fording is installed; the engine air intake is located above the driver's compartment. Note the interesting camouflage pattern. Spots of Black paint are applied on a base of Olive Drab The front wheel rims and parts of the track suspension system are painted Black. / NARA*

▲ M2 Half-Track Car w trakcie załadunku na okręt transportujący sprzęt wojskowy w rejon Morza Śródziemnego. Uwagę zwracają przednie, demontowalne lampy nowego typu, oraz półki na miny przeciwpiechotne znajdujące się po obydwu stronach pojazdu. / NARA

▲ *M2 Half-Track Car being loaded on a transport ship to be sent to the Mediterranean. Note the new-type detachable headlights and anti-personnel mine racks on both sides of the vehicle. / NARA*

◀ Dwa Half-Tracki M3 Gun Motor Carriage 75mm należące do brytyjskich King's Dragoon Guards. W wojskach brytyjskich te pojazdy były oznaczane jako 75mm, Self-Propelled, Autocar. Uwagę zwraca malowanie ochronne oraz numer rejestracyjny 4018057 Half-Tracka znajdującego się na pierwszym planie. Jest to amerykański numer rejestracyjny, namalowany ręcznie. / NARA

◀ *Two Half-Track M3 Gun Motor Carriage 75mm vehicles of the King's Dragoon Guards. In the British Army these vehicles were designated 75mm, Self-Propelled, Autocar. Note the camouflage pattern and the registration number (4018057) of the Half-Track in the foreground. This is the American registration number applied by hand. / NARA*

▶ Self-Propelled Mount podczas desantu na Cape Gloucester w grudniu 1942 roku. Warto przyjrzeć się bliżej, temu pojazdowi. Po za nietypowym malowaniem ochronnym uwagę zwraca potężne uzbrojenie defensywne zamontowane na Half-Tracku. Pojazd uzbrojony jest w dwa wielkokalibrowe karabiny maszynowe Browning M2HB kalibru 12,7 mm, zamontowanych niestandardowo. Dodatkowo drugi kierowca również dysponuje karabinem maszynowym Browning M1919A4 kalibru 7,62 mm. Takowe uzbrojenie w tym okresie wojny na Pacyfiku stosowane było celem odparcia zmasowanych ataków piechoty wroga. / NARA

▶ *Self-Propelled Mount during the landing operation at Cape Gloucester, December 1942. It is well worth to take a closer look at this vehicle. This Half-Track carries an unusual camouflage pattern and the defensive weaponry is particularly numerous. The vehicle is equipped with two Browning M2HB 12.7 mm heavy machine guns installed in outside the standard attachment points. Additionally the second driver has a Browning M1919A4 7.62 mm machine gun installed in front of his position. Such powerful armament was used in the Pacific campaign to fend off en-masse infantry attacks. / NARA*

stawowy kolor *Olive Drab*. W związku z brakiem wyspecjalizowanych jednostek odpowiedzialnych za nakładanie malowania ochronnego na pojazdy, odpowiedzialność za ich wykonanie spadała na dowódców jednostek, a sama czynność ta na załogi Half-Tracków. Oczywiście istniały jednostki saperskie, które były w stanie wykonać takie malowanie, jednakże głównie zajmowały się maskowaniem punktów dowodzenia, magazynów lub innych pozycji. Sporadycznie zajmowały się malowaniem pojazdów. Ten stan rzeczy powodował, że Half-Tracki z jednej jednostki potrafiły nosić kamuflaż w różnych wzorach i użytych do jego stworzenia kolorach. Half-Tracki biorące udział w walkach w rejonie Pacyfiku wyróżniały się niezwykle wymyślnym kamuflażem. Wymuszone to było faktem, iż bardzo często używane one były do zapewnienia bezpośredniego wsparcia nacierającej piechocie i ich namierzenie przez wroga musiało zostać maksymalnie odwleczone w czasie. Jednakże najpopularniejsze kolory używane do wykonania malowania ochronnego podczas walk na Pacyfiku to nakładanie plam koloru *Red Earth* na fabryczny kolor *Olive Drab*. Nie zawsze udało się dostarczyć do wszystkich jednostek odpowiednie farby, dlatego na niejednym zdjęciu z epoki można zauważyć Half-Tracki oblepione błotem.

Farba, jaką były pomalowane Half-Tracki opuszczające fabryki, nie wytrzymała warunków klimatycznych panujących w Afryce Północnej. W wyniku działania temperatury, promieni słonecznych i wiatru, który niósł ze sobą drobinki piasku, fabryczny kolor bardzo szybko płowiał. Kolor ten bardzo mocno kontrastował z otoczeniem, czyniąc je widocznymi z dużego dystansu. W związku z tym faktem nakazano załogom nakładanie malowania ochronnego przy pomo-

they were employed mainly to camouflage command posts, magazines and other fixed positions. They very rarely painted vehicles. Because of this, the Half-Tracks of just one unit could have varying camouflage patterns and colours. Especially Half-Tracks used in the Pacific had particularly interesting camouflage patterns. This was caused by the fact that they were often used to directly support attacking troops and they had to remain unseen as long as possible. The most common type of camouflage used during operations in the Pacific was the application of *Red Earth* spots on the base colour of *Olive Drab*. Paint was not always available in every unit, so many photographs from that period show the Half-Tracks camouflaged using mud.

The paint which was applied at the factory did not do well in the North African climate. As a result of strong sunlight and the wind blasting sand against the paint surface the colour faded very quickly. The faded colour contrasted with the surroundings making the vehicles visible over long distances. The crews were there-

▶ Self-Propelled Mount wchodzący w skład 4th Special Weapons Company w czerwcu 1944 roku podczas walk na Saipanie. Uwagę zwraca potężne zbrojenie defensywne Half-Tracka. Na zdjęciu widoczne dwa wielkokalibrowe karabiny maszynowe Browning M2HB kalibru 12,7 mm. Dodatkowo na osłonie armaty widoczny jest zaczep pod karabin maszynowy kalibru 7,62 mm. / NARA

▶ *Self-Propelled Mount of the 4th Special Weapons Company, Saipan, June 1944. Note the powerful defensive armament of this Half-Track. Two Browning M2HB 12.7 mm heavy machine guns are visible in the photograph. An additional 7.62 mm machine gun mount is visible on the gun hood. / NARA*

◀ Half-Track Self-Propelled Mount z 5th Special Weapons Company, w US Army znany jako Half-Track 75 mm Gun Motor Carriage M3 podczas przedzierania się przez dżunglę na Cape Gloucester na początku 1944 roku. Uwagę zwraca karabin maszynowy Browning M1919A4 kalibru 7,62 mm, przymocowany do osłony armaty. / NARA

◀ *Half-Track Self-Propelled Mount (known in the US Army as Half-Track 75 mm Gun Motor Carriage M3) of the 5th Special Weapons Company, traversing the jungle in Cape Gloucester, early 1944. Note the additional Browning M1919A4 7.62 mm machine gun attached to the gun hood.* / NARA

▲ Half-Track T30 Howitzer Motor Carriage 75mm, chwilkę po wylądowaniu w okolicy Algieru 8 listopada 1942 roku. Na pojeździe można zauważyć dość nietypowo zamocowane koło zapasowe, na tylnej płycie pancernej pojazdu. Ponadto warto zwrócić uwagę na gwiazdę namalowaną od szablonu na lewej burcie pojazdu. / NARA

▲ *Half-Track T30 Howitzer Motor Carriage 75mm, moments after landing near Algiers, 8th November 1942. The spare wheel is located in an unusual way on the rear armour plate. Note the stencil painted star on the vehicle's left side. / NARA*

cy błota. Miało ono kolor piaskowo-różowy. W miarę zbierania doświadczeń związanych z kamuflowaniem pojazdów na otwartych przestrzeniach Afryki Północnej, pod koniec działań bojowych na tych obszarach zaczęto stosować farbę koloru *Desert Sand* lub *Earth Yellow*, na które nakładano plamy lub ogólnie rzecz biorąc wzory maskujące kolorem *Dark Green* lub *Field Drab*.

W praktyce oraz z czasowymi trudnościami w otrzymywaniu zaopatrzenia w postaci farb maskujących, zdarzało się, że Half-Tracki miały wzory maskujące namalowane kolorem *Desert Sand* lub *Earth Yellow* na fabrycznym kolorze *Olive Drab*.

Podczas walk na Sycylii i we Włoszech Half-Tracki malowane były w przemyślany i z góry ustalony przez dowództwo kamuflaż. Po doświadczeniach wyniesionych z działań w Afryce Północnej opracowano Operational Memorandum No 34 z dnia 9 marca 1943 roku. Dokument ten określał sposób i kolorystykę wykonania malowania ochronnego pojazdów opancerzonych podczas *Operacji Husky*[11]. Malowanie ochronne miało zostać wykonane przy pomocy farby koloru *Earth Yellow* oraz *Earth Red* na fabrycznym kolorze

[11] Kryptonim inwazji na Sycylię przez wojska aliantów. Operacja trwała w dniach 10 lipca – 17 sierpnia 1943 roku.

fore ordered do apply camouflage using mud which was usually of sand-pink colour. With more and more experience in camouflage of vehicles in the open spaces of North Africa new colours were employed: *Desert Sand* or *Earth Yellow* bases on which spots or other patterns of *Dark Green* or *Field Drab* were applied.

In practice due to shortages in paint supplies Half-Tracks sometimes had camouflage patterns applied using *Desert Sand* or *Earth Yellow* over the base of *Olive Drab*.

During combat in Sicily and in Italy Half-Tracks were painted in a more deliberate way as assigned by the command. With the experience gathered in North Africa the Operational Memorandum No. 34 from 9th March 1943 was prepared. This document specified the colour and the camouflage patterns for vehicles to be used in *Operation Husky*[11]. The camouflage was to be applied using *Earth Yellow* and *Earth Red* paints over a base of *Olive Drab*. In practice only two-tone patterns were applied. This pattern consisted of irregular stripes of *Earth Yellow* on an *Olive Drab* base.

The basic overall *Olive Drab* camouflage was very effective in Western Europe. However some

[11] *Codename for the Allied landing on Sicily. The operation lasted between 10th July and 17th August 1943.*

◢ Half-Track Personnel Carrier M3 wchodzący w skład 1st Armored Division pełniący funkcję opancerzonego ambulansu. Na burtach pojazdu namalowany czerwony krzyż na białym tle oraz biała flaga z czerwonym krzyżem znajdująca się z prawej strony pojazdu. Uwagę zwracają również składane nosze które zostały przytroczone nad prawym błotnikiem. / NARA

▶ *Half-Track Personnel Carrier M3 of the 1st Armored Division used as an armoured ambulance. Red crosses on white background are painted on the vehicle sides and a white flag with a red cross is attached to the right side. Folding stretchers are attached above the right front fender. / NARA*

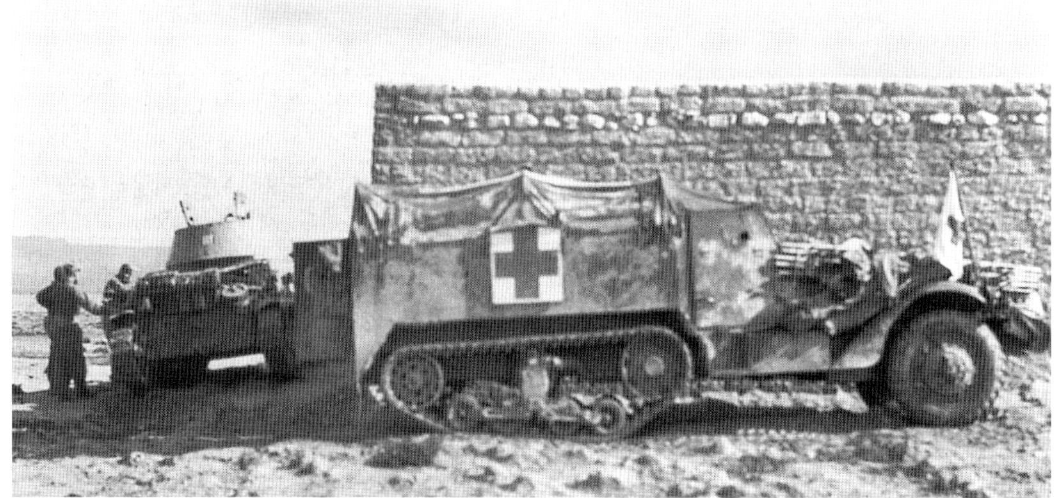

▶ Multiple Gun Motor Carraige M16 na przygotowanej pozycji ogniowej w okolicy miejscowości Neufchateau w Belgi, 1945 rok. Uwagę zwracają dodatkowe kanistry znajdujące się na przednim błotniku. Znajdują się one w specjalnym zaczepie wykonanym w polowym warsztacie naprawczym. Dodatkowe paliwo było niezbędne dla generatora, który ładował baterie napędzające silnik elektryczny wieżyczki strzelniczej. Pośrodku zderzaka widoczna jest siatka maskująca. / NARA

▶ *Multiple Gun Motor Carriage M16 in a firing position near Neufchateau, Belgium, 1945. The additional jerrycans are located in a special rack on the front fender installed by a field repair shop. The additional fuel was necessary for the generator used for charging batteries powering the electric drive of the gun turret. Camouflage netting is placed on the front bumper. / NARA*

Olive Drab. W praktyce jednak stosowano tylko malowanie dwubarwne. Składało się ono z poprzecznych nieregularnych pasów malowanych kolorem *Earth Yellow* na kolorze *Olive Drab*.

W walkach prowadzonych w Europie Zachodniej, bardzo dobrze sprawdzał się kolor fabryczny. Niemniej jednak na Half-Trackach stosowano malowanie ochronne, składające się z nieregularnych plam namalowanych matową farbą koloru *Black* na fabrycznym *Olive Drab*. Ten dwubarwny kamuflaż był stosowany na większości pojazdów Multiple Gun Motor Carriage M16 oraz Multiple Gun Motor Carriage M15 i M15A1.

W okresie zimowym wykonywanie malowania ochronnego, nie było uregulowane żadnymi instrukcjami. Do jego nakładania stosowano białą farbę lub nieraz, przy jej braku, wapna. Można również spotkać zdjęcia z okresu przedstawiające Half-Tracki przykryte dużymi płachtami białego materiału. Jeżeli zaopatrzenie dostarczyło biała farbę, to najczęściej zamalowywano cały pojazd na biało. Czasami pozostawiono nieregularne pasy niezamalowanej farby *Olive Drab*, co w przypadku działania w terenie zalesionym bardzo dobrze maskowało pojazd. Farba bardzo często nakładana była na pojazd przy pomocy szmat lub mioteł z powodu braku pędzli.

Half-Tracks had a camouflage of irregular matt *Black* spots on the base of *Olive Drab*. This two-colour pattern was used on most Multiple Gun Motor Carriage M16 and Multiple Gun Motor Carriage M15 and M15A1 vehicles.

Camouflage used during winter was not regulated by any instructions. To apply winter camouflage white paint or, in case of lack thereof, lime was used. Some photographs from that period also show Half-Tracks covered with large sheets of white fabric. If paint was supplied the entire vehicle was painted white. In some cases stripes of *Olive Drab* were not painted over which produced a camouflage pattern effective in woodland areas. The paint was often applied using rags or brooms due to the lack of paintbrushes.

Markings

While describing vehicle markings we shall focus on national insignia and vehicle registration numbers as the questions of unit insignia and tactical markings can easily become the subject of a separate publication. I

▼ Multiple Gun Motor Carraige M16 w rejonie Bastogne, grudzień 1944 rok. Dość ciekawy kamuflaż powstał poprzez pomalowanie pojazdu wapnem, a następnie jego częściowe zdrapanie z pancerza. Uwagę zwraca spora ilość dodatkowego sprzętu przewożona przez pojazd. / NARA

▼ *Multiple Gun Motor Carriage M16 near Bastogne, December 1944. The interesting camouflage pattern was the result of painting the vehicle with lime and then partially scraping it off. Note the numerous additional equipment carried by this vehicle. / NARA*

▲ Half-Tracki M3A1 należące do 44th Armored Infantry, 6th Armored Division niedaleko miejscowości Mageret, Belgia 10 stycznia 1945 roku. Doskonale widoczne korzyści płynące z nakładania malowania ochronnego, można zaobserwować na przykładzie pojazdów znajdujących się w głębi zdjęcia. W tak trudnych warunkach zimowych, na przednie koła Half-Tracków zakładane były łańcuchy. / NARA

▲ *Half-Tracks M3A1 of the 44th Armored Infantry, 6th Armored Division near Mageret, Belgium 10th January 1945. The effectiveness of camouflage painting is demonstrated by the vehicles in the background. In the difficult winter conditions chains were put on the Half-Track's front wheels. / NARA*

▼ M3A1 Half-Track Personnel Carrier przejeżdża obok unieszkodliwionego niemieckiego czołgu Pz.Kpfw. IV w miejscowości Foy, Belgia styczeń 1945 roku. Ten Half-Track M3 został przekonstruowany do standardu M3A1 w polowym warsztacie naprawczym o czym świadczą przednie lampy wczesnego typu. / NARA

▼ *M3A1 Half-Track Personnel Carrier drives past a disabled German Pz.Kpfw. IV tank in Foy, Belgium, January 1945. This Half-Track M3 was rebuilt to the M3A1 standard in a field workshop but retained the early type headlights. / NARA*

shall also focus only on the markings used by the US Armed Forces.

After the United States joined the war the Armed Force Headquarters started to apply a five-pointed star on vehicles using yellow paint as national insignia. The US Army on the other hand used white colour to apply insignia. It is worth to discuss how the US 1st Armoured Division vehicles were painted during the North African campaign. Yellow paint was used for insignia; however, at the end of the campaign with the limited availability of yellow paint white paint was used instead.

According to the then current instruction AR–850–5 national insignia in the form of five-pointed stars should be applied to the Half-Tracks. On the side armour plates of the cargo/crew compartment a star of 20

▶ Jeden z najlepszych przykładów żołnierskiego Know-how. Half-Track M3A1 Personnel Carrier należący do 10th Armored Division podczas walk w Bastogne 27 grudnia 1944 roku. Z braku białej farby i wapna, pojazd został przykryty płachtami materiału w kolorze białego. / NARA

▶ *Another great example of the soldiers' know how. Half--Track M3A1 Personnel Carrier of the 10th Armored Division during operations near Bastogne, 27 December 1944. Due to the lack of white paint the vehicle was covered with sheets of white fabric. / NARA*

Oznakowanie

Omawiając oznakowanie pojazdów, pominę kwestie oznakowania Half-Tracków insygniami jednostek i oznaczeń taktycznych, ponieważ jest to temat na odrębną publikację, pozostawiając opis oznaczeń narodowych i numerów rejestracyjnych pojazdów. Ponadto przedstawiłem oznakowanie, jakie stosowane było tylko w siłach zbrojnych USA.

Po przystąpieniu USA do wojny, Armed Force Headquarters, rozpoczęło używać na swoich pojazdach pięcioramiennej gwiazdy malowanej farbą koloru żółtego, jako oznaczenia narodowego. Natomiast US Army, do malowania oznaczeń narodowych stosowało farbę koloru białego. Warto tu przytoczyć malowania US 1st Armored Division z okresu walk w Afryce Północnej. Do przedmiotowego malowania używano farby koloru żółtego. Jednakże pod koniec kampanii, z braku dostępności koloru żółtego używano też farby koloru białego.

Zgodnie z ówczesną instrukcją AR 850 – 5 na Half-Trackach powinny znajdować się pięcioramienne gwiazdy, jako oznaczenia narodowe. Na bocznych płytach pancernych przedziału bojowego/transportowego gwiazda o średnicy 508 mm (20 cali), na masce silnika duża pięcioramienna gwiazda o średnicy 914 mm (36 cali) celem prawidłowego rozpoznania pojazdu z powietrza. Żaluzja pancerna chroniąca chłodnicę, powinna mieć namalowaną gwiazdę o średnicy 508 mm (20 cali), natomiast na tylnej płycie pancernej przedziału bojowego/transportowego powinna znajdować się gwiazda o średnicy 380 mm (15 cali) umiejscowiona na środku tylnej ściany.

W trakcie walk toczonych w Afryce Północnej, do gwiazd została domalowana kolista obwódka. Było to zalecenie wystosowane przez Armed Force Head-

◥ Half-Track Car M2A1 w nietypowym kamuflażu zimowym. Pojazd został pomalowany wapnem, a nieregularne, niepomalowane pasy na pojeździe są koloru Olive Drab. / NARA

◥ *Half-Track Car M2A1 in an unusual winter camouflage. The vehicle was painted using lime and the irregular stripes are of the original Olive Drab colour. / NARA*

▶ Ten sam pojazd widok od góry z prawej strony. Bielenie pojazdu było niemalże całkowite, elementy wózka gąsienicowego również zostały pomalowane, tak samo jak felgi pojazdu, a nawet siekiera. / NARA

▶ *The same vehicle seen from top-right. The vehicle was almost completely covered in lime: the track drive elements, wheel rims and even the axe are white. / NARA*

▲ Pluton pojazdów Half-Track T30 Howitzer Motor Carriage 75mm na pozycjach ogniowych w okolicy Licata na Sycylii 10 lipca 1943 roku. Warto zwrócić uwagę na białe gwiazdy namalowane na burtach Half-Tracków. Gwiazdy zostały namalowane odręcznie, co widać po ich ułożeniu oraz grubości obwódek. / NARA

▲ *A platoon of Half-Track T30 Howitzer Motor Carriage 75 mm in their firing positions near Licata, Sicily, 10th July 1943. Note the white stars on the sides of the vehicles. Judging by the thickness and the positioning of the circles around the stars they were hand painted. / NARA*

quarters. Wynikało z faktu występowania pomyłek przy identyfikacji pojazdów z dużej odległości. Biała gwiazda obserwowana z dużego dystansu „zlewała się" i wyglądała jak krzyż stosowany do oznaczania niemieckich pojazdów. Zaobserwować można dwa rodzaje stosowanych obwódek – pełne oraz składające się z kilku przerywanych linii/segmentów. Przyczyna, jak to zwykle bywa w warunkach wojennych była prozaiczna; pełne koła otaczające gwiazdy malowane były odręcznie, natomiast koła przerywane powstały na skutek użycia szablonu. Dodatkowo występowała różna grubość

▼ Half-Track T19 Howitzer Motor Carriage 105 mm podczas lądowania na Sycylii 10 kwietnia 1943 roku w ramach Operacji Husky. Uwagę zwraca gwiazda wraz z obwódką. Dokładnie widać że to oznaczenie zostało naniesione ręcznie przez załogę. Dodatkowo za drzwiami kabiny umieszczona została flaga USA. / NARA

▼ *Half-Track T19 Howitzer Motor Carriage 105 mm during the Sicily landing, part of Operation Husky, 10th April 1943. Note the star with a circle around it. It can be seen that these markings were applied by hand by the crew. Additionally the Stars and Stripes were applied behind the cabin door. / NARA*

◄ Multiple Gun Motor Carriage M15 opuszczający barkę desantową podczas Operacji Anvil 15 sierpnia 1944 roku wspierając działania 3rd Infantry Division. Uwagę zwraca spora ilość sprzętu przewożona na dachu kabiny kierowcy oraz rozłożonej przedniej płycie pancernej osłaniającej kabinę kierowcy. Dość nietypowych rozmiarów oznaczenia przynależności państwowej. / NARA

◄ Multiple Gun Motor Carriage M15 driving off a landing craft during Operation Anvil on the 15th August 1944 to support the 3rd Infantry Division. Note the numerous equipment on the driver compartment roof and on the deployed driver compartment armour plate. The national insignia are of unusual size. / NARA

wspomnianych obwódek. W czasie walk w Afryce występowały obwódki w kolorze białym i żółtym. Natomiast przed desantem na Sycylię, rozkazano wszystkie obwódki gwiazd malować farbą koloru żółtego, co kontynuowano podczas prowadzenia działań we Włoszech.

Kontratak aliantów w Europie zachodniej rozpoczęty inwazją w Normandii 6 czerwca 1944 roku, przyniósł kolejne modyfikacje oznaczeń narodowych. W związku z faktem prowadzenia walki na stosunkowo nieduże odległości, białe gwiazdy stanowiły idealny punkt odniesienia dla celowniczych armat przeciwpancernych sił niemieckich, dlatego bardzo często były zamalowywane. I tutaj także spotkać można było różne wersje zakrywania białej pięcioramiennej gwiazdy. Zamalowywane były najczęściej farbą koloru *Dark Blue*, a z powodu jej braku każdą farbą, która umożliwiała zamalowanie białych „punktów celowania" na pancerzach Half-Tracków. Jeżeli załoga nie posiadała dostępu do jakiejkolwiek farby to do zakrywania gwiazd używano błota. Oznaczenia narodowe namalowane na masce silnika pozostawiano, aby uniknąć pomyłki i nie zostać ostrzelanym przez własne lotnictwo.

inches in diameter, on the hood a large five pointed star of 36 inches in diameter for recognition from the air. Another star of 20 inches diameter was applied on the armoured grille protecting the radiator and finally a 15 inches star in the centre of the rear armoured plate protecting the cargo/crew compartment.

During operations in North Africa a circle was added around the stars. This was the result of the recommendation by the Armed Force Headquarters. The change was caused by occurrences of misidentification of vehicles over large distances. It turned out that when viewed from afar the white star „became blurred" and resembled a cross used on the German vehicles. Two types of circles were seen on the vehicles – complete circles and circles composed of a few separate segments. The cause for this was very simple. The complete circles around the stars were hand painted while the segmented circles were applied using templates. An additional variable was the width of the circles. During combat operations in Africa both yellow and white circles were applied. During the landing in Sicily all circles were painted yellow and this continued during the operations in Italy.

◄ Half-Track Mortar Carrier M4A1, noszący nazwę własną Lucia, należący do 66th Armored Regiment, 2nd Armored Division. Uwagę zwraca znaczna ilość wyposażenia dodatkowego przewożona przez pojazd oraz zdobyczny Panzerfaust. Do prawej burty przytroczone tyczki artyleryjskie. / NARA

◄ Half-Track Mortar Carrier M4A1, called Lucia of the 66th Armored Regiment, 2nd Armored Division. Note the additional equipment carried by the vehicle and a captured Panzerfaust. Artillery range poles are attached to the right armour plate. / NARA

▶ Bardzo rzadkie zdjęcie przedstawiające, znanego z publikowanych wcześniej zdjęć, Half-Tracka M3 Gun Motor Carraige 75 mm o nazwie własnej Accor Inn podczas uzupełnienia zapasu amunicji. Doskonale widoczna biała gwiazda z obwódką, która była dość rzadko spotykana na brytyjskich pojazdach na przełomie 1944 / 1945 roku. Na przednich drzwiach namalowane przy pomocy farby koloru czerwonego oznaczenie szwadronu A. / NARA

▶ *A rare photograph of a well known Half-Track M3 Gun Motor Carriage 75 mm called "Acorn Inn" resupplying ammunition. The white star with a circle around it is clearly visible; this marking was very rare on British vehicles at the turn of 1944. On the front door the insignia of the A Squadron are applied using red paint. / NARA*

Jeżeli chodzi o działania w rejonie Pacyfiku to w większości przypadków gwiazdy były również zamalowywane, aby nie ułatwiać celowania japońskim obsługom armat przeciwpancernych.

W siłach zbrojnych USA, każdy pojazd posiadał numer rejestracyjny, który zawierał informacje na temat jego przeznaczenia. Nadawaniem numerów rejestracyjnych War Department zajmował się Quartermaster General, a – do 1942 roku – Ordnance Departament. Numer rejestracyjny w przypadku Half-Tracków malowany był na prawej i lewej płycie pancernej chroniącej przedział silnika w jego górnej części.

Przed cyframi numeru rejestracyjnego widniał napis U.S.A.; do 1942 roku poprzedzony był literą W oznaczającą War Departament. Niektóre pojazdy posiadały na końcu numeru rejestracyjnego namalowaną literkę S. Oznaczała ona modyfikację pojazdu celem tłumienia zakłóceń radiowych w instalacji elektrycznej w zakresie częstotliwości od 0,5 do 30 MHz.

W czasie działań wojennych na Pacyfiku, Half-Tracki wchodzące w skład sił US Marines, bardzo

The Allied offensive in Western Europe which began with the landing in Normandy brought changes to the application of national insignia. As combat took place over limited distances the white stars were a perfect aiming point for the German gunners. Therefore they were often painted over. There were two common ways to paint the star over. The most common paint used was of *Dark Blue* colour, although when it was not available any colour that could cover the white star on the Half-Track armour was used. If no paint at all was available mud was used to cover the star. The national insignia on the vehicle hood were left in place to avoid being attacked by own air forces.

When it comes to the operations in the Pacific, in most cases the stars were painted over so they would not help Japanese anti-tank gunners find their targets.

In the US armed forces every vehicle had a registration number which contained information on its function. The body responsible for assigning War Department registration numbers was the Quartermaster General and since 1942 the Ordnance Department. In

▶ Ten sam pojazd podczas prowadzenia ognia wspierającego działania brytyjskiej 8th Army we Włoszech w marcu 1945 roku. Uwagę zwraca znaczna ilość pocisków kalibru 75mm, świadcząca o przygotowaniu pojazdu do długotrwałego prowadzenia ostrzału. / NARA

▶ *The same vehicle firing in support of the British 8th Army in Italy, March 1945. Note the large number of 75 mm shells which will be used in a prolonged barrage. / NARA*

▼ Half-Track M4 Mortar Carrier 81 mm należący do 2nd Armored Division na stanowisku ogniowym na obrzeżach Amonines w Belgii, 4 stycznia 1945 roku. / NARA

▼ *Half-Track M4 Mortar Carrier 81 mm of the 2nd Armored Division in a firing positions at the outskirts of Amonines, Belgium, 4th January 1945. / NARA*

▲ Pluton Half-Tracków M3 Gun Motor Carraige 75mm wchodzących w skład brytyjskich 27th Lancers na pozycji ogniowej na północ od miejscowości Mezzano we Włoszech 18 lutego 1945 roku. Pojazdy pomalowane w kolorze Olive Drab. Na środkowym pojeździe widoczny oryginalny numer rejestracyjny wykonany farba koloru Blue Drab. Uwagę zwracają felgi i opony pojazdów widocznych na zdjęciu. Half-Tracki na pierwszym planie i w głębi zdjęcia posiadają koła wczesnego typu, natomiast środkowy pojazd posiada felgę i oponę póżnego typu. / NARA

▲ *Half-Track M3 Gun Motor Carriage 75 mm platoon belonging to the Britsh 27th Lancers in firing postions near Mezzano, Italy, 18th February 1945. The vehicles are painted Olive Drab. The vehicle in the centre has the original registration number applied using Blue Drab paint. The Half-Track in the foreground has early type wheels while the vehicle in the centre has a late type wheel and tyre. / NARA*

często zamiast napisu U.S.A. posiadały napis USMC. Było to związane z dużym ***esprit de cors*** a co za tym idzie chęcią odróżnienia się od jednostek US Army, z którymi marines walczyli ramię w ramię. Z kolei żołnierze US Army, również chcąc się odróżnić posiadali numery rejestracyjne poprzedzone napisem US ARMY.

Numer rejestracyjny zawierał informację na temat klasy pojazdu. Wszystkie Half-Tracki zgodnie z oficjalnymi dokumentami posiadały numer rejestracyjny zaczynający się od liczby 40. Wysokość liter numeru rejestracyjnego powinna wynosić 102 mm (4 cale). W początkowym okresie wojny numer rejestracyjny składał się z 5/6 cyfr, natomiast pod koniec wojny z 7/9 cyfr, co było związane z olbrzymią produkcją sprzętu wojskowego przez przemysł zbrojeniowy USA. Do

▶ Half-Track M3A1 Personnel Carrier podczas postoju w mieście Anrochte w Niemczech. Uwagę zwraca znaczna ilość sprzętu przytroczona do pojazdu. / US Army

▶ *Half-Track M3A1 Personnel Carrier at rest in Anrochte, Germany. Note the additional equipment attached to the vehicle. / US Army*

◀ Half-Track Car M2A1 w czasie walk w miejscowości Aachen w Niemczech 15 października 1944 roku. Warto zwrócić uwagę na dodatkowe osłony dla armaty przeciwpancernej M1 kalibru 57 mm, przewożone w zasobnikach na miny. / US Army

◀ *Half-Track Car M2A1 in combat near Aachen, Germany 15th October 1944. Note the additional armour for the M1 57 mm anti-tank gun hood carried in the mine racks. / US Army*

malowania tych numerów stosowano farbę koloru białego lub *Dark Blue*. Numery rejestracyjne były nieraz przykrywane malowaniem ochronnym, w takim przypadku nikt już się nie zajmował odnowieniem napisu na malowaniu ochronnym. Podobna sytuacja miała miejsce w przypadku malowania numeru rejestracyjnego kolorem *Dark Blue*, który miał tendencję do płowienia.

Dodatkowo w sierpniu 1942 roku w uaktualnionej instrukcji AR–850–5 znalazła się wyczerpująca informacja na temat stosowania i malowania kodów na zderzakach. Oznaczenie to składało się z czterech grup znaków: pierwsza grupa określała armię, korpus lub dywizję; druga grupa określała oznaczenie pułku lub batalionu; trzecia grupa określała kompanię; natomiast czwarta grupa znaków określała numer pojazdu w danej jednostce.

case of the Half-Track the registration number was applied in the upper part of the left and right armoured plates protecting the engine compartment.

In front of the registration number a marking U.S.A. was placed; before 1942 an additional „W" was also applied standing for „War Department". Some vehicles also had an „S" affixed to the registration number; it denoted a vehicle modified to dampen static caused by the vehicle's electrical systems within 0.5 to 30 MHz range.

During the operations in the Pacific the US Marines Half-Tracks often had a USMC sign instead of the U.S.A. sign. This was caused by the strong *esprit de corps* and the need to differentiate from the US Army units who fought alongside the Marines. The US Army soldiers who also wanted to differentiate had registration numbers beginning with US ARMY.

The registration number contained information on the vehicle type. Following the official recommendations all Half-Tracks had registration numbers starting with the number 40. The height of the letters was 4 inches. In the initial stages of the war the registration number consisted of 5/6 digits, while near the end of the war this number increased to 7/9 digits which was caused by the huge numbers of manufactured vehicles and equipment. White or *Dark Blue* paint was used to apply the registration numbers. In many cases registration numbers were covered by new layers of camouflage paint and in such cases no one bothered to repaint them. A similar case occurred with the quick-fading *Dark Blue* registration numbers.

In addition, new instructions (AR–850–5) were issued which contained detailed information on applying identification numbers on the vehicle bumpers. The new markings consisted of four groups of signs: the first group denoted the army, corps or division; the second group denoted the regiment or battalion; the third group denoted the company and the fourth group was the vehicle number within the unit.

◀ Half-Track Car M2A1 należący do 67th Armored Field Artillery Battalion, 3rd Armored Division podczas przejazdu przez belgijską miejscowość Jumet we wrześniu 1944 roku. Uwagę zwraca dodatkowe wyposażenie przytroczone do przedniego zderzaka oraz dwóch niemieckich jeńców zmęczonych wojną. / NARA

◀ *Half-Track Car M2A1 of the 67th Armored Field Artillery Battalion, 3rd Armored Division advancing through the Belgian village of Jumet, September 1944. Note the additional equipment attached to the vehicle and the two war-weary German prisoners of war. / NARA*

Modele i akcesoria

Models and accesories

Modele w skali 1/16

- Multiple Gun Motor Carriage M16[12], producent Trumpeter, nr katalogwy 00911. Zestaw składa się z 497 części plastikowych koloru szarego, 22 części gumowych koloru czarnego i blaszki fototrawionej. W zestawie znajduje się dodatkowo metalowa rama pojazdu, 450 mm długości łańcuszek, 900 mm długości sznurek, 45 śrub, 18 metalowych zawiasów, jak również kalkomanie i instrukcja.

Modele w skali 1/35

- M2A1 Half-Track, 2 in 1, producent Dragon, nr katalogowy 6329. Zestaw zawiera 310 plastikowych części w kolorze szarym, 7 z przezroczystego plastiku, jedną małą blaszkę fototrawioną z 24 częściami, krótki odcinek sznurka i łańcuszka oraz kalkomanie. Z tego zestawu można złożyć wersję M2 lub M2A1. Dołączone schematy malowania oraz kalkomanie umożliwiają wykonanie następujących wzorów malowania: M2 z 1st Armored Division, Włochy 1944; M2 z 1st Armored Division, Tunezja 1942 r.; M2 – U.S Army, 1941–1942 r.; M2A1 – XX Corps, Belgia 1945 r.; M2A1 – U.S Army, 1941–1942 r. (taki zimowy kamuflaż został przedstawiony w pierwszej części monografii Half-Tracka).
- M4 81 mm Mortar Carrier, producent Cyberhobby/Dragon Kit, nr katalogowy 6361. Zestaw zawiera 346 plastikowych części w kolorze szarym, 7 z przezroczystego plastiku, małą blaszkę fototrawioną z 20 częściami, dwie metalowe lufy moździerza oraz kalkomanie. Dołączone kalkomanie umożliwiają wykonanie: dwóch M4 z bliżej nieustalonych jednostek US Army oraz M4 z 2nd Armored Division, 1945 r. (aby oddać realia historyczne, należy skonwertować model tak aby wylot lufy moździerza był skierowany w stronę przodu pojazdu).
- M21 Mortar Motor Carriage, producent Dragon, nr katalogowy 6362.
- M16 Multiple Gun Motor Carriage, producent Dragon Kit, nr katalogowy 6381. Zestaw zawiera 389 plastikowych części w kolorze szarym, 8 z przezroczystego plastiku, małą blaszkę fototrawioną z 18 częściami, krótki odcinek sznurka i łańcucha oraz kalkomanie.

1/16 Scale Models

- Multiple Gun Motor Carriage M16[12], manufacturer – Trumpeter, catalogue no. 00911. The kit contains 497 grey plastic parts, 22 black rubber parts and a photo-etched fret. The kit also contains a metal vehicle chassis, 450 mm long chain, 900 mm long string, 45 bolts, 18 metal hinges as well as decals and assembly instructions.

1/35 Scale Models

- M2A1 Half-Track, 2 in 1, manufacturer – Dragon, catalogue no. 6329. The kit contains 310 grey plastic parts, 7 clear plastic parts, a small photo-etched fret with 24 parts, short lengths of chain and string as well as decals. This kit can be built into the M2 or M2A1 variants. The decals and painting and marking instructions allow to build the following versions: M2 of the 1st Armored Division, Italy 1944; M2 of the 1st Armored Division, Tunisia 1942; M2 U.S. Army 1941–1942; M2A1 – XX Corps, Belgium 1945; M2A1 – U.S. Army 1941–1942 (winter camouflage presented in the first part of the Half-Track monograph).
- M4 81 mm Mortar Carrier, manufacturer – Cyberhobby/Dragon Kit, catalogue number 6361. The kit contains 346 grey plastic parts, seven clear plastic parts, a small photo-etched fret with 20 parts, two metal mortar barrels and decals. The decals allow building two M4

[12] Nazwy wszystkich zestawów modelarskich, zarówno modeli jak i zestawów dodatkowych i konwersyjnych, zostały zapisane w języku angielskim, zgodnie z nazewnictwem zastosowanym przez ich producentów celem łatwiejszej identyfikacji omówionych zestawów.

[12] *The original spelling of the kit names and unit names in descriptions is retained in the description of the model and accessory kits to facilitate their identification.*

Dołączone schematy malowania oraz kalkomanie umożliwiają wykonanie następujących wzorów malowania: 482nd AA Battalion z 9th Armored Division, Remagen 1945 r.; 390th AAA Auto Weapons Btl., Germany 1945 r.; 209th AAA Auto Weapons Btl., Luzon 1945 r.; bliżej nieokreślona Sowiecka jednostka z Frontu Wschodniego 1944 r.; oraz najciekawszy i najbliższy wzór malowania dla polskiego czytelnika 1st Light AA Rgt. z 1st Armored Div., Francja, 1944 r.

- M3A1 Half-Track, producent Dragon, nr katalogowy 6332. Zestaw zawiera 423 plastikowe części w kolorze szarym, 10 z przezroczystego plastiku, blaszkę fototrawioną z 66 częściami, krótki odcinek sznurka i łańcucha oraz kalkomanie. Z tego zestawu można złożyć wersję M3, M3A1 lub M3A2. Dołączone schematy malowania oraz kalkomanie umożliwiają wykonanie następujących wzorów malowania: M3 z U.S. 2nd Armored Div., Maroko 1942 r. (ten pojazd powinien mieć zainstalowane półki na miny); M3A1 z U.S. 4th Armored Div., Niemcy 1945 r.; M3A1 z Free French 1st Armored Div., Francja 1944 r.; M3A1 z U.S. 3rd Armored Div, Francja 1944 r.
- M3 75 mm Gun Motor Carriage, producent Dragon, nr katalogowy 6467. Zestaw zawiera 250 plastikowych części, dwie blaszki fototrawione, krótki odcinek sznurka i łańcucha oraz kalkomanie. Dołączone schematy malowania oraz kalkomanie umożliwiają wykonanie siedmiu następujących wzorów malowania: US Army 601st Tank Destroyer Battalion, Tunezja 1943 r.; U.S. Army, Sycylia 1943 r. jednostka nieokreślona; U.S. Army, ćwiczenia w USA 1943 r. jednostka nieokreślona; „L" Company, 3rd Battalion, 2nd Marines, USMC, Saipan 1944 r. 1st King's Dragoon Guards, British Army, Włochy 1944 r.; 1st King's Dragoon Guards, British Army, Niemcy 1945 r.; „A" Sqd., 27th Lancers, British Army, Włochy 1945 r. (Half-Track nazwany Acorn Inn).
- T19 105 mm Howitzer Motor Carriage, producent Dragon, nr katalogowy 6496.
- U.S M3A2 Half-Track, producent Tamiya, nr katalogowy 35070.
- M16 Half – Track, producent Tamiya, nr katalogowy 35081.
- US Mortar Carrier M21, producent Tamiya, nr katalogowy 35083. Zestaw zawiera cztery figurki żołnierzy.

Modele w skali 1/72

- M3A1 Half-Track, producent Hasegawa, nr katologowy MT6. Zestaw zawiera ponadto pięć figurek.
- M4A1 Half-Track, producent Hasegawa, nr katologowy MT7. Zestaw zawiera ponadto pięć figurek.
- M3A1 Half-Track, producent Italieri, nr katalogowy 7509. Zestaw zawiera dwa modele M3A1 Half-Track do szybkiego złożenia, zaprojektowane specjalnie dla gier bitewnych.

vehicles from unspecified units of the US Army or an M4 of the 2nd Armored Division, 1945. (To make the model true to its original counterpart the mortar barrel must be converted to face the front of the vehicle).

- M21 Mortar Motor Carriage, manufacturer – Dragon, catalogue no. 6362.
- M16 Multiple Gun Motor Carriage, manufacturer – Dragon, catalogue no. 6381. The kit contains 389 grey plastic parts, 8 clear plastic parts, a small photo-etched fret with 18 parts, short lengths of chain and string as well as decals. The decals and painting and marking instructions allow to build the following versions: 482nd AA Battalion of the 9th Armored Division, Remagen 1945; 390th AAA Auto Weapons Btl., Germany 1945; 209th AAA Auto Weapons Btl., Luzon 1945; a unspecified Russian unit on the Eastern Front 1944; and the most interesting for the Polish reader – 1st Light AA Rgt. of the 1st Armored Div., France 1944.
- M3A1 Half-Track, manufacturer – Dragon, catalogue no. 6332. The kit contains 423 grey plastic parts, 10 clear plastic parts, a small photo-etched fret with 66 parts, short lengths of chain and string as well as decals. This kit can be built into the M3, M3A1 or M3A2 variants. The decals and painting and marking instructions allow to build the following versions: M3 of the U.S. 2nd Armored Div., Morocco 1942 (to recreate the real vehicle the model should have mine stowage racks which are not seen on the painting scheme); M3A1 of the U.S. 4th Armored Div., Germany 1945; M3A1 of the Free French 1st Armored Div., France 1944; M3A1 of the U.S. 3rd Armored Div. France 1944.
- M3 75 mm Gun Motor Carriage, manufacturer – Dragon, catalogue no. 6467. The kit contains 250 plastic parts, two photo-etched frets, short lengths of string and chain as well as decals. The decals and painting and marking instructions allow building one of the following seven versions: US Army 601st Tank Destroyer Battalion, Tunisia 1943; US Army – unspecified unit, Sicily 1943; unspecified unit during training in the US, 1943; „L" Company, 3rd Battalion, 2nd Marines, USMC, Saipan 1944. 1st King's Dragoon Guards, British Army, Italy 1944; 1st King's Dragoon Guards, British Army, Germany 1945; „A" Sqd., 27th Lancers, British Army, Italy 1945. (Half-Track called Acorn Inn).
- T19 105 mm Howitzer Motor Carriage, manufacturer – Dragon, catalogue no. 6496.
- U.S. M3A2 Half-Track, manufacturer – Tamiya, catalogue no. 35070.
- M16 Half – Track, manufacturer – Tamiya, catalogue no. 35081.
- US Mortar Carrier M21, manufacturer – Tamiya, catalogue no. 35083. The kit also contains four soldier figures.

- M3 75 mm Gun Motor Carriage, producent Italieri, nr katalogowy 7510. Zestaw zawiera dwa modele M3 75mm Gun Motor Carriage do szybkiego złożenia, zaprojektowane specjalnie dla gier bitewnych.
- M3 Half-Track & 1/4ton Amphibian Vehicle, producent Academy, nr katalogowy 13408.
- M16 Half – Track, producent Revell, nr katalogowy 03228. Zestaw składa się z 66 elementów.
- M3A1 Halftrack, producent Fujimi, nr katalogowy 76069.
- M2A1 White Half – Track, producent Airfix, nr katalogowy 02318.

Akcesoria, zestawy konwersyjne.

- Archer Fine Transfers nr kat. AR16013 – zestaw kalkomanii zawierających liczniki, wskaźniki i tabliczki znamionowe do modelu Trumpetera w skali 1/16.
- Archer Fine Transfers nr kat. AR35231– zestaw kalkomanii zawierający oznaczenia Half-Tracka M2 z 2nd Armored Division, 41st Armored Infantry, Operacja Cobra, Lipiec 1944 r., do modelu M2A1 Half-Track, 2 in 1, producent Dragon, nr katalogowy 6329.
- Archer Fine Transfers nr kat. AR35231– zestaw kalkomanii zawierający oznaczenia Half-Tracka M2A1 z 10th Armored Division, 61st Armored Infantry, Niemcy, wiosna 1945 r., do modelu M2A1 Half-Track, 2 in 1, producent Dragon, nr katalogowy 6329.
- Archer Fine Transfers nr katalogowy AR35230 – zestaw kalkomanii zawierających liczniki, wskaźniki i tabliczki znamionowe, do modeli Dragona.
- Archer Fine Transfers nr kat. AR35250 – zestaw kalkomanii zawierający oznaczenia Half-Tracka M4A1 81 mm Mortar Carrier z 41st Armored Inf., 2nd Armored Division, kwiecień 1944 r., do modelu Dragona.
- Canvas for M3 Half Track 1/35. Producent Blast Models, nr katalogowy BL35059K. Dach pasuje bez problemu do modeli Tamiya M21 81 mm Mortar Carrier (nr kat. 35083) oraz M3A2 Half-Track (nr kat. 35070).
- M3 Half Track Stowage 1/35. Producent Blast Models, nr katalogowy BL35061K. Zestaw dodatkowego wyposażenia projektowany specjalnie do modelu Tamiya M3A2 Half-Track (nr katalogowy 35070), aczkolwiek może zostać wykorzystany do każdego Half-Tracka M3 w skali 1/35.
- US M3 Half Track Front Tarp 1/35, Producent Blast Models, nr katalogowy BL35095K. Brezentowy dach częściowo zwinięty i zakrywający kabinę kierowcy. Dedykowany do modeli Tamiya.
- US M3 Half Track Back Tarp 1/35, Producent Blast Models, nr katalogowy BL35097K. Brezentowy dach częściowo zwinięty i pozostawiony na burcie pojazdu. Dedykowany do modeli Tamiya.

1/72 Scale Models

- M3A1 Half-Track, manufacturer – Hasegawa, catalogue no. MT6. The kit contains five soldier figures.
- M4A1 Half-Track, manufacturer Hasegawa, catalogue no. MT7. The kit contains five soldier figures.
- M3A1 Half-Track, manufacturer – Italieri, catalogue no. 7509. The kit contains two M3A1 Half-Track models for quick assembly designed for use in battlegames.
- M3 75 mm Gun Motor Carriage, manufacturer – Italieri, catalogue no. 7510. The kit contains two M3 75mm Gun Motor Carriage models for quick assembly designed for use in battlegames.
- M3 Half-Track & 1/4ton Amphibian Vehicle, manufacturer – Academy, catalogue no. 13408.
- M16 Half-Track, manufacturer – Revell, catalogue no. 03228. The kit contains 66 parts.
- M3A1 Halftrack, manufacturer Fujimi, catalogue no. 76069.
- M2A1 White Half-Track, manufacturer – Airfix, catalogue no. 02318.

Accessory and conversion kits.

- Archer Fine Transfers catalogue no. AR16013 – decal set containing dashboard indicators and data plates for the Trumpeter 1/16 model.
- Archer Fine Transfers catalogue no. AR35231 – decal set containing markings for the Half-Track M2 of the 2nd Armored Division, 41st Armored Infantry, Operation Cobra, July 1944 for the M2A1 Half-Track, 2 in 1, manufacturer – Dragon, catalogue no. 6329.
- Archer Fine Transfers catalogue no. AR35231 – decal set containing markings for the Half-Track M2A1 of the 10th Armored Division, 61st Armored Infantry, Germany, spring 1945, for the M2A1 Half-Track, 2 in 1, manufacturer – Dragon, catalogue no. 6329.
- Archer Fine Transfers catalogue no. AR35230 – decal set contains dashboard indicators and data plates for the Dragon kits.
- Archer Fine Transfers catalogue no. AR35250 – decal set containing markings for the Half-Track M4A1 81 mm Mortar Carrier of the 41st Armored Inf., 2nd Armored Division, April 1944 for the Dragon kit.
- Canvas for M3 Half-Track 1/35. Manufacturer – Blast Models, catalogue no. BL35059K. The canvas fits the Tamiya M21 81 mm Mortar Carrier (catalogue no. 35083) and M3A2 Half-Track (catalogue no. 35070).
- M3 Half-Track Stowage 1/35. Manufacturer – Blast Models, catalogue no. BL35061K. Stowage kit designed for the Tamiya M3A2 Half-Track model (catalogue no. 35070), can be used for any 1/35 scale M3 Half-Track model.

- US M3A1 Half-Track Canvas Cover with Cal 50 ring 1/35, Producent Blast Models, nr katalogowy BL35094. Brezentowy dach z odsłoniętym włazem strzeleckim dla karabinu maszynowego M2HB. Dedykowany do modelu Tamiya.
- US M3 Half-Track stowage light version 1/35, Producent Blast Models, nr katalogowy BL35096K. Zestaw dodatkowego wyposażenia zaprojektowany specjalnie do modeli Tamiya.
- Stowage for M2 Half-Track 1/35, Producent Blast Models, nr katalogowy BL35109K. Zestaw zaprojektowany do modelu Dragon M2/M2A1 Half-Track (nr katalogowy 6329), aczkolwiek może zostać wykorzystany do każdego Half-Tracka w skali 1/35.
- M2/M3 Suspension Upgrade Kit 1/35, producent K59, nr katalogowy C–008. Zestaw tylnego zawieszenia, składający się z trzynastu części, przeznaczony do modeli Dragona (nr katalogowy 6329 i 6361).
- US M2 Halftrack Stowage set 1/35, producent Legend Production, nr katalogowy LF1150. Duzy zestaw dodatkowego wyposażenia, składający się z 80 części, zaprojektowany specjalnie do modelu Dragona M2A1 Half-Track (nr katalogowy 6329). Dobrze oddane szczegóły.
- U.S.M2A1 Half-Track 1/35, producent Lion Roar, nr katalogowy LE35078. Zestaw dwóch blaszek fototrawionych do modelu Dragona M2A1 Half-Track (nr katalogowy 6329). Produkt wysokiej jakości ze wszystkimi szczegółami kabiny kierowcy oraz elementami karabinów maszynowych kalibru 12,7 mm oraz 7,62 mm.
- U.S.Army White 160AX Engine for M2 Half-Track 1/35. Producent Lion Roar, nr katalogowy LE35088. Silnik Half-Tracka do modeli Dragona.
- M2/M2A1 Update Set 1/35, producent Lion Roar, nr katalogowy LAS35002. Bardzo duży zestaw do konwersji model Half-Tracka firmy Dragon M2/M2A1 Half-Track (nr katalogowy 6329). Zestaw skalda się z 11 dużych i dwóch małych blaszek fototrawionych. Jakość wykonania bardzo wysoka.
- Stowage for M2/M3 Half-track 1/35, producent Master Productions, nr katalogowy MP35045. Zestaw dodatkowego wyposażenia do zainstalowania na burtach, tylnej płycie pancernej oraz osłonie pancernej przedniej szyby Half-Tracka. Pasuje do wszystkich modeli w skali 1/35.
- Stowage for M2/M3 Half-track 1/35, producent Master Productions, nr katalogowy MP35046. Zestaw dodatkowego wyposażenia do zainstalowania na zderzaku Half-Tracka wyposażonego w wyciągarkę. Pasuje do wszystkich modeli w skali 1/35.
- U.S.Halftrack engine set (White 160AX engine) 1/35, producent Plusmodels, nr katalogowy 151. Szczegółowo wykonany silnik White 160AX do modeli Half-Tracka w skali

- US M3 Half Track Front Tarp 1/35, manufacturer – Blast Models, catalogue no. BL35095K. Partially folded canvas cover for the driver compartment. Designed for the Tamiya model kits.
- US M3 Half Track Back Tarp 1/35, manufacturer – Blast Models, catalogue no. BL35097K. Partially folded canvas cover attached to the side of the vehicle. Designed for the Tamiya model kits.
- US M3A1 Half-Track Canvas Cover with Cal 50 ring 1/35, manufacturer Blast Models, catalogue no. BL35094. Canvas cover with an uncovered M2HB machine gun mount. Designed for the Tamiya model kits.
- US M3 Half-Track stowage light version 1/35, manufacturer – Blast Models, catalogue no. BL35096K. Stowage kit designed for the Tamiya model.
- Stowage for M2 Half-Track 1/35, manufacturer – Blast Models, catalogue no. BL35109K. Kit designed for the Dragon M2/M2A1 Half-Track kit (catalogue no. 6329) although it can be used with any Half-Track kit in 1/35 scale.
- M2/M3 Suspension Upgrade Kit 1/35, manufacturer – K59, catalogue no. C–008. Rear suspension kit containing 13 parts for the Dragon models (catalogue no. 6329 and 6361).
- US M2 Halftrack Stowage Set 1/35, manufacturer – Legend Production, catalogue no. LF1150. A large stowage kit containing 80 parts designed for the Dragon M2A1 Half-Track model (catalogue no. 6329). Very well detailed.
- U.S.M2A1 Half-Track 1/35, manufacturer – Lion Roar, catalogue no. LE35078. A set of two photo-etched frets for the Dragon M2A1 Half-Track model (catalogue no. 6329). A high quality product with all the interior details and parts for the 12.7 mm and 7.62 machine guns.
- U.S. Army White 160AX Engine for M2 Half-Track 1/35, manufacturer – Lion Roar, catalogue no. LE35088. Half-Track engine set for the Dragon models.
- M2/M2A1 Update Set 1/35, manufacturer – Lion Roar, catalogue no. LAS35002. A very large conversion kit for the Dragon M2/M2A1 Half-Track model (catalogue no. 6329). The kit contains 11 large and two small photo-etched frets. Very high quality.
- Stowage for M2/M3 Half-track 1/35, manufacturer – Master Productions, catalogue no. MP35045. Stowage for the side armour, rear armour and the armoured windshield cover. For all 1/35 Half-Track models.
- Stowage for M2/M3 Half-Track 1/35, manufacturer – Master Productions, catalogue no. MP35046. Stowage for the front bumper of a winch equipped Half-Track variant. For all 1/35 Half-Track models.
- U.S. Half-Track engine set (White 160AX engine) 1/35, manufacturer – Plusmodels, catalogue no. 151. A detailed White 160AX engine for 1/35 scale Half-Track models. The

1/35. Zestaw składa się z 38 plastikowych części oraz 17 części fototrawionych.

- US M3 75mm GMC Half Track conversion 1/35, producent Trakz, nr katalogowy TX 0116. Dobrze wykonany zestaw konwertujący modele Half-Tracka wyprodukowane przez Tamiyę do standardu M3 75mm GMC.
- M2 Update Set 1/35, producent Voyager Models, nr katalogowy PE35117. Zestaw przeznaczony do modelu Dragon M2/M2A1 Half-track (nr katalogowy 6329), jednakże zawiera tylko części do Half-Tracka M2.
- 1/35 WW II American M16 Multiple Gun Motor Carriage Premium Edition, producent Griffon Model, numer katalogowy BPL35005. Duży zestaw konwersyjny, przeznaczony do modelu Dragon Nr 6381. Komplet zawiera 12 blaszek fototrawionych oraz kalkomanie na deskę rozdzielczą.
- 1/35 WW II American M3 75mm Gun Motor Carriage Premium Edition, producent Griffon Model, numer katalogowy BPL35006. Duży zestaw konwersyjny, przeznaczony do modelu Dragon Nr 6467, zawierający: toczoną lufę aluminiową M1897A4 z gwintowaniem, 10 blaszek fototrawionych oraz kalkomanię na deskę rozdzielczą.
- 1/35 WW II American M16 Multiple Gun Motor Carriage, producent Griffon Model, numer katalogowy L35026. Zestaw konwersyjny, przeznaczony do modelu Dragon Nr 6381. Komplet zawiera 8 blaszek fototrawionych oraz kalkomanie na deskę rozdzielczą.
- 1/35 WW II American M3 75mm Gun Motor Carriage, producent Griffon Model, numer katalogowy L35027. Zestaw konwersyjny, przeznaczony do modelu Dragon Nr 6467, zawierający: 8 blaszek fototrawionych oraz kalkomanię na deskę rozdzielczą.
- 1/35 Rear Vehicle Stowage & Battlefield Modified Jerry Can Racks for WW II American M16 / M13 MGMC, producent Griffon Model, numer katalogowy L35A034. Zestaw zawierający 1 blaszkę fot otrawioną i dedykowany jest do modelu Dragon Nr 6381 M16 Multiple Gun Motor Carriage oraz zapowiedzianego modelu M13 Multiple Gun Motor Carriage.
- 1/35 Update Set for Rear Suspension with Spring Loaded Idler of WW II American Half-Track Series, producent Griffon Model, numer katalogowy L35A035. Zestaw składa się z 2 blaszek fototrawionych i jest przeznaczony do konwersji wózka gąsienicowego wszystkich modeli Dragona.
- 1/35 Engine Compartment Hood for WW II American M2 / M3 Half-Track Series (All Variants), producent Griffon Model, numer katalogowy L35A036. Zestaw składa się z trzech blaszek fototrawionych i jest przeznaczony do konwersji komory silnika wszystkich modeli Dragona.
- 1/35 Update Set for Driver's Compartment of WW II American M2 / M3 Half-Track Series (All Variants), producent Griffon Model, numer katalogowy L35A037. Zestaw składa

kit contains 38 plastic parts and 17 photo-etched parts.

- US M3 75mm GMC Half-Track conversion 1/35, manufacturer – Trakz, catalogue no. TX 0116. A well detailed set converting the Tamiya Half-Tracks into the M3 75 mm GMC variant.
- M2 Update Set 1/35, manufacturer – Voyager Models, catalogue no. PE35117. A kit designed for the Dragon M2/M2A1 Half-Track model (catalogue no. 6329); it contains parts for the M2 Half-Track only.
- 1/35 WW II American M16 Multiple Gun Motor Carriage Premium Edition, manufacturer – Griffon Model, catalogue no. BPL35005. A large conversion kit for the Dragon model (catalogue no. 6381). The kit contains 12 photo-etched frets and decals for the dashboard.
- 1/35 WW II American M3 75mm Gun Motor Carriage Premium Edition, manufacturer – Griffon Model, catalogue no. BPL35006. A large conversion kit for the Dragon model (catalogue no. 6467) containing an aluminium gun barrel with rifling for the M1897A4 machine gun, 10 photo-etched frets and decals for the dashboard.
- 1/35 WW II American M16 Multiple Gun Motor Carriage, manufacturer – Griffon Model, catalogue no. L35026. A large conversion set for the Dragon model (catalogue no. 6381). The kit contains eight photo-etched frets and decals for the dashboard.
- 1/35 WW II American M3 75mm Gun Motor Carriage, manufacturer – Griffon Model, catalogue no. L35027. A conversion set containing eight photo-etched frets and decals for the dashboard designed for the Dragon kit (cat. no. 6467).
- 1/35 Rear Vehicle Stowage & Battlefield Modified Jerry Can Racks for WW II American M16 / M13 MGMC, manufacturer – Griffon Model, catalogue no. L35A034. Conversion kit for the Dragon M16 Multiple Gun Motor Carriage (cat. no. 6381) and the announced M13 Multiple Gun Motor Carriage.
- 1/35 Update Set for Rear Suspension with Spring Loaded Idler of WW II American Half--Track Series, manufacturer – Griffon Model, catalogue no. L35A035. A kit containing two photo-etched frets for the conversion of the tracked suspension system in all Dragon models.
- 1/35 Engine Compartment Hood for WW II American M2 / M3 Half-Track Series (All Variants), manufacturer Griffon Model, catalogue no. L35A036. An engine compartment conversion set for all Dragon models containing three photo-etched frets.
- 1/35 Update Set for Driver's Compartment of WW II American M2 / M3 Half-Track Series (All Variants), manufacturer Griffon Model, catalogue no. L35A037. A set containing two photo-etched frets and decals for the dashboard for the conversion of the driver's compartment in the Dragon models.

się z dwóch blaszek fototrawionych oraz kalkomanii deski rozdzielczej i jest przeznaczony do konwersji kabiny kierowcy wszystkich modeli Dragona.

- 1/35 The Gun Shield (Final Production Version) for WW II American M3 75 mm GMC, producent Griffon Model, numer katalogowy L35A038. Zestaw składa się z dwóch blaszek fototrawionych i jest przeznaczony do modelu Dragon Nr 6467.
- 1/35 The Ready Round Ammo Rack for WW II American M3 75 mm GMC, producent Griffon Model, numer katalogowy L35A039. Zestaw akcesoriów składający się z 1 blaszki fototrawionej, 19 miedzianych pocisków kalibru 75 mm oraz 19 mosiężnych tub na amunicję. Przeznaczony do modelu Dragon Nr 6467.
- 1/35 The Stowage Compartments for WW II American M3 75 mm GMC, producent Griffon Model, numer katalogowy L35A040. Zestaw składa się z dwóch blaszek fototrawionych umożliwiających wykonanie schowków przedziału bojowego Half-Tracka 75mm Gun Motor Carriage M3. Przeznaczony do modelu Dragon Nr 6467.
- 1/35 Rear Vehicle Stowage for WW II American M3 75 mm GMC / T48 57mm GMC, producent Griffon Model, numer katalogowy L35A041. Zestaw składa się z jednej blaszki fototrawionej umożliwiającej wykonanie dodatkowych zasobników na sprzęt. Przeznaczony do modelu Dragon Nr Dragon 6467 oraz zapowiedzianego modelu 57mm Gun Motor Carriage T48.
- 1/35 American M2 12.7mm (Cal.50) HB Machine Gun Barrels (4 in 1 Package), producent Griffon Model, numer katalogowy LB35024. Zestaw do konwersji wieżyczki Multiple Cal..50 Machine Gun Mount M45, 1 blaszkę fot otrawioną, 4 metalowe lufy karabinu M2HB oraz 4 osłony metalowe osłony chłodnicze. Ponadto przedmiotowe akcesoria mogą zostać użyte do każdego modelu Half-Tracka posiadającego na uzbrojeniu karabiny M2HB.
- 1/35 WW II American M16 Multiple Gun Motor Carriage Royal Edition, producent Griffon Model, numer katalogowy S-BPL35001. Duży zestaw akcesoriów konwersyjnych, zawierający: 12 blaszek fototrawionych, cztery metalowe lufy karabinu M2HB oraz cztery osłony metalowe osłony chłodnicze oraz kalkomanię deski rozdzielczej. Zestaw dedykowany do modelu Dragon Nr 6381.
- 1/35 WW II American M3 75 mm Gun Motor Carriage Royal Edition, producent Griffon Model, numer kat. S-BPL35002. Bardzo duży zestaw akcesoriów konwersyjnych, zawierający: 17 blaszek fototrawionych, 19 miedzianych pocisków kalibru 75 mm oraz 19 mosiężnych tub na amunicję, toczoną lufę aluminiową M1897A4 z gwintowaniem oraz kalkomanię deski rozdzielczej.

- 1/35 The Gun Shield (Final Production Version) for WW II American M3 75 mm GMC, manufacturer – Griffon Model, catalogue no. L35A038. A set designed for the Dragon model (cat. no. 6467) containing two photo-etched frets.
- 1/35 The Ready Round Ammo Rack for WW II American M3 75 mm GMC, manufacturer – Griffon Model, catalogue no. L35A039. An accessory set containing one photo-etched fret, 19 brass 75 mm rounds and 19 brass ammo tubes. Designed for the Dragon kit (cat. no. 6467).
- 1/35 The Stowage Compartments for WW II American M3 75 mm GMC, manufacturer – Griffon Model, catalogue no. L35A040. The kit contains two photo-etched frets allowing for the installation of stowage compartments in the crew compartment of a Half-Track 75 mm Gun Motor Carriage M3. Designed for the Dragon kit (cat. no. 6467).
- 1/35 Rear Vehicle Stowage for WW II American M3 75 mm GMC / T48 57 mm GMC, manufacturer – Griffon Model, catalogue no. L35A041. The kit contains one photo-etched fret allowing for the installation of additional stowage racks. Designed for the Dragon model (cat. no. 6467) and the announced 57 mm Gun Motor Carriage T48 model.
- 1/35 American M2 12.7 mm (Cal.50) HB Machine Gun Barrels (4 in 1 Package), manufacturer – Griffon Model, catalogue no. LB35024. A conversion kit for the Multiple Cal.50 Machine Gun Mount M45, contains one photo-etched fret, four M2HB machine gun barrels and four metal heat-shields. These parts can be used with any M2HB machine gun equipped Half-Track.
- 1/35 WW II American M16 Multiple Gun Motor Carriage Royal Edition, manufacturer – Griffon Model, catalogue no. S-BPL35001. A large accessory kit containing 12 photo-etched frets, four metal M2HB machine gun barrels, four metal heat shields and decals for the dashboard. Designed for the Dragon kit cat. no. 6381.
- 1/35 WW II American M3 75mm Gun Motor Carriage Royal Edition, manufacturer – Griffon Model, catalogue no. S-BPL35002. A very large accessory kit containing 17 photo-etched frets, 19 brass 75 mm rounds, 19 brass ammunition tubes, an aluminium gun barrel with rifling for the M1897A4 machine gun and decals for the dashboard.

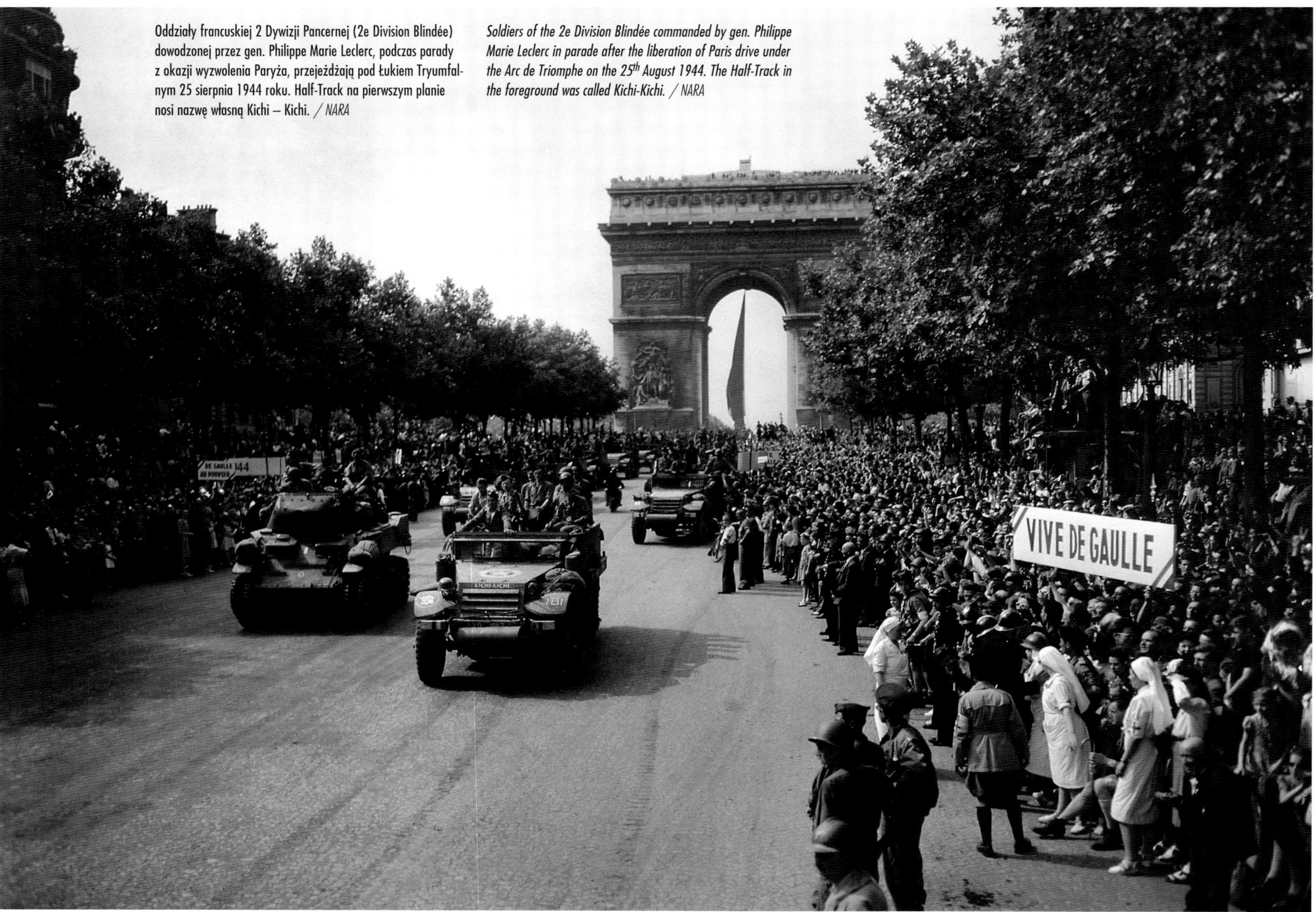

Oddziały francuskiej 2 Dywizji Pancernej (2e Division Blindée) dowodzonej przez gen. Philippe Marie Leclerc, podczas parady z okazji wyzwolenia Paryża, przejeżdżają pod Łukiem Tryumfalnym 25 sierpnia 1944 roku. Half-Track na pierwszym planie nosi nazwę własną Kichi – Kichi. / *NARA*

Soldiers of the 2e Division Blindée commanded by gen. Philippe Marie Leclerc in parade after the liberation of Paris drive under the Arc de Triomphe on the 25th August 1944. The Half-Track in the foreground was called Kichi-Kichi. / NARA

◢ Hal-Track T30 75 mm Howitzer Motor Carrier z okresu walk w ramach operacji pod kryptonimem Husky (lądowanie na Sycylii), rejon miejscowości Licata, lipiec 1943 roku. Pojazd wchodzący w skład US 7th Army, uzbrojony w jeden wielkokalibrowy karabin maszynowy M2HB kalibru 12,7 mm oraz karabin maszynowy M1919A4 kalibru 7,62 mm. Uwagę zwraca charakterystyczne malowanie, typowe dla okresu walk na Sycylii. Malowanie ochronne regulaminowo miało zostać wykonane przy pomocy farby koloru Earth Yellow oraz Earth Red na fabrycznym kolorze Olive Drab. W praktyce jednak stosowano tylko malowanie dwubarwne. Składało się ono z poprzecznych nieregularnych pasów malowanych kolorem Earth Yellow na kolorze Olive Drab.

◣ *Half-track T30 75 mm Howitzer Motor Carrier during Operation Husky (Allied landing in Sicily) near Licata, July 1943. This vehicle belonging to the US 7th Army is armed with a M2HB 12.7 mm heavy machine gun and a M1919A4 7.62 mm machine gun. Note the camouflage pattern typical for the operations in Sicily. According to the official regulations the camouflage was to be applied using Earth Yellow and Earth Red paints over a base of Olive Drab. In practice only two-tone patterns were applied. These patterns consisted of irregular stripes of Earth Yellow on an Olive Drab base.*

0 1 2 3 m

Malował / *Artwork by*
Sławomir Zajączkowski

skala 1:35 *scale*

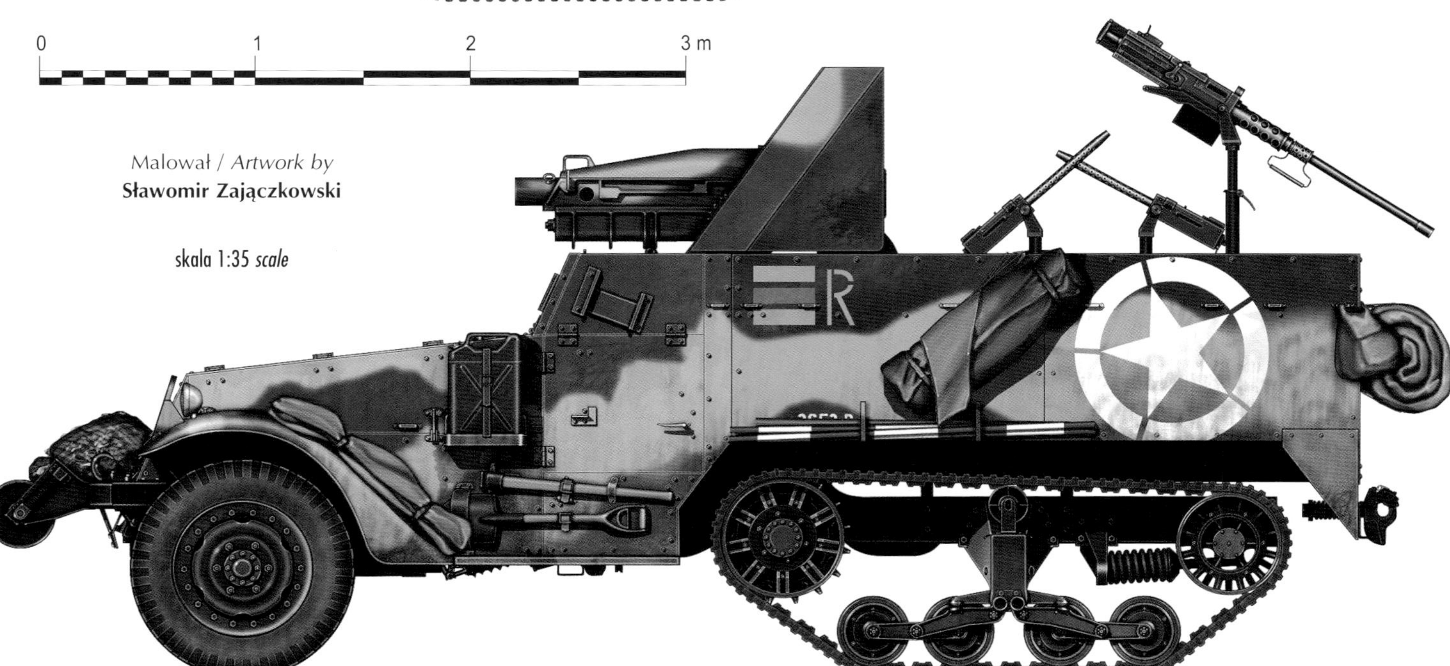

◢ Hal-Track T30 75 mm Howitzer Motor Carrier z tej samej baterii walczącej na Sycylii w lipcu 1943 roku. Po doświadczeniach wyniesionych z działań w Afryce Północnej opracowano Operational Memorandum No 34 z dnia 9 marca 1943 roku. Dokument ten określał sposób i kolorystykę wykonania malowania ochronnego pojazdów opancerzonych podczas Operacji Husky. Początkowo malowanie miało być wykonane przy wykorzystaniu trzech kolorów, jednakże braki w zaopatrzeniu spowodowały wykorzystanie jedynie dwóch kolorów. Uwagę zwracają biało czerwone tyczki artyleryjskie.

▶ *Half-Track T30 75 mm Howitzer Motor Carrier of the same battery fighting in Sicily in July 1943. With the experience gathered in North Africa the Operational Memorandum No. 34 dated 9th March 1943 was prepared. This document specified the colour and the camouflage patterns for armoured vehicles to be used during Operation Husky At first the camouflage was supposed to be applied using three colours; however, due to supply shortages only two colours were used. Note the red and white artillery range poles.*

◢ Hal-Track T30 75 mm Howitzer Motor Carrier chwilę po wyładunku z okrętu desantowego w Oranie, 8 października 1942 roku w ramach Operacji Torch. Half-Track uzbrojony jest w wielkokalibrowy karabin maszynowy Browning M2HB kalibru 12,7 mm. Pojazd w standardowym kolorze fabrycznym Olive Drab. Uwagę zwracają dwa dodatkowe elementy ułatwiające identyfikację pojazdu. Pierwszy element to flaga amerykańska, naklejona na boczne płyty pancerza, mająca na celu ułatwić wojskom francuskim stacjonującym w Północnej Afryce identyfikację pojazdów amerykańskich. Ponadto uwagę zwraca biała gwiazda wpisana w ciemnoniebieskie koło. Jest to oznaczenie wprowadzone w dniu 31 sierpnia 1942 roku rozkazem GHQ Mediterranean Expeditionary Force. Oznaczenie wprowadzono celem ułatwienia identyfikacji własnym siłom powietrznym, było głównie malowane na górnej płycie pancernej przedziału silnikowego, rzadziej – na bocznych płytach pancernych. Rozkaz wprowadzający to oznaczenie, został przez większość oddziałów, delikatnie mówiąc "pominięty". Na większości fotografii z okresu, na Half-Trackach znajdują się białe lub żółte gwiazdy.

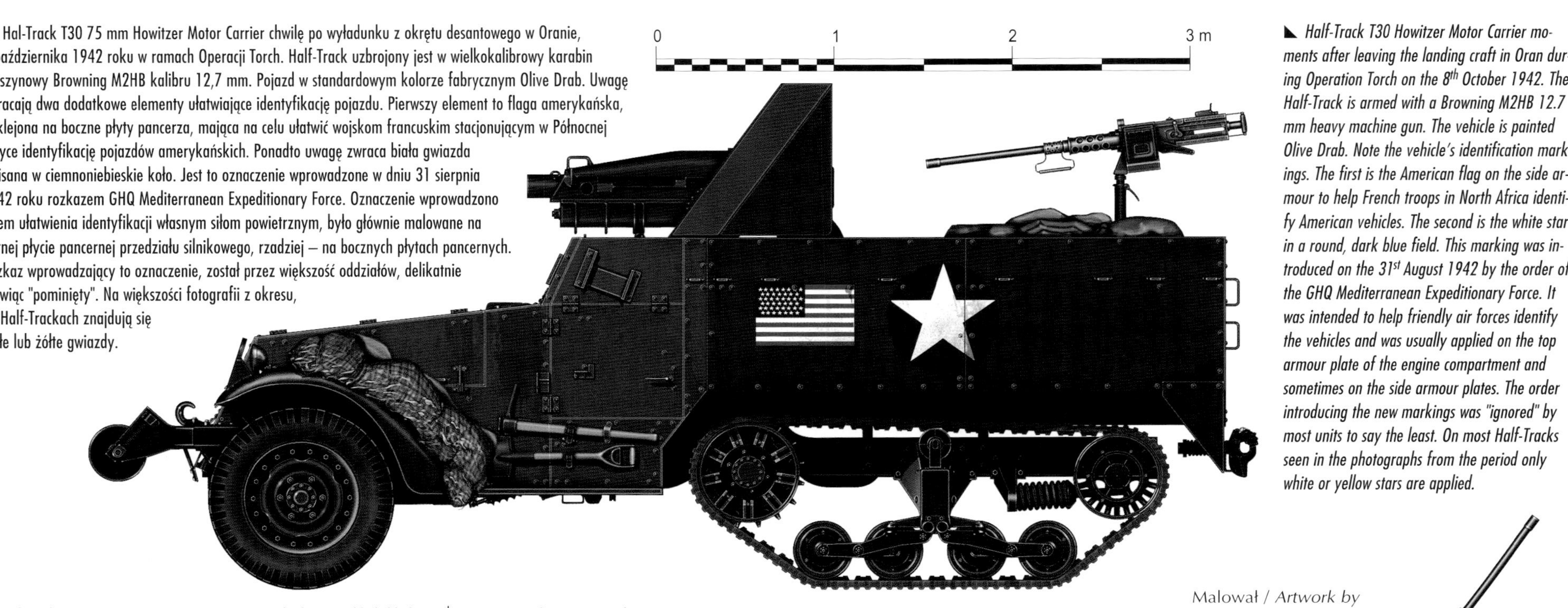

◣ *Half-Track T30 Howitzer Motor Carrier moments after leaving the landing craft in Oran during Operation Torch on the 8th October 1942. The Half-Track is armed with a Browning M2HB 12.7 mm heavy machine gun. The vehicle is painted Olive Drab. Note the vehicle's identification markings. The first is the American flag on the side armour to help French troops in North Africa identify American vehicles. The second is the white star in a round, dark blue field. This marking was introduced on the 31st August 1942 by the order of the GHQ Mediterranean Expeditionary Force. It was intended to help friendly air forces identify the vehicles and was usually applied on the top armour plate of the engine compartment and sometimes on the side armour plates. The order introducing the new markings was "ignored" by most units to say the least. On most Half-Tracks seen in the photographs from the period only white or yellow stars are applied.*

Malował / *Artwork by*
Sławomir Zajączkowski

skala 1:35 *scale*

◢ Hal-Track T30 75 mm Howitzer Motor Carrier wchodzący w skład skład US 7th Army w ramach Operacji Husky, w rejonie miejscowości Licata. Pojazd należał do tej samej baterii, co pojazdy przedstawione wcześniej. Uwagę zwraca oznakowanie pojazdu; biała gwiazda posiada obwódkę wykonaną z kilku segmentów. W czasie walk w Afryce występowały obwódki w kolorze białym i żółtym, natomiast przed desantem na Sycylię, rozkazano wszystkie obwódki gwiazd malować farbą koloru żółtego, co kontynuowano podczas prowadzenia działań we Włoszech. Jednakże nie wszystkie oddziały posiadały farbę koloru żółtego, dlatego można spotkać obwódki gwiazd w kolorze białym. Obwódka była wynikiem doświadczeń zdobytych podczas walk w Afryce Północnej. Biała gwiazda obserwowana z dużego dystansu "zlewała się" i wyglądała jak krzyż stosowany do oznaczania niemieckich pojazdów. Obwódka wyeliminowała ten problem.

► *Half-Track T30 75 mm Howitzer Motor Carrier of the US 7th Army during Operation Husky near Licata. This vehicle belongs to the same battery as the vehicles depicted earlier. Note the markings on this vehicle, especially the star with a circle consisting of several parts painted around it. During combat in Africa both white and yellow circles were applied but before the landing in Sicily all were ordered to be repainted in yellow which continued during the Italian campaign. However not all units had yellow paint at their disposal so white circles around the stars were still encountered. The application of the circle was the result of the experience gathered in North Africa. It turned out that when viewed from afar the white star "became blurred" and resembled a cross used on the German vehicles. The circle eliminated the problem.*

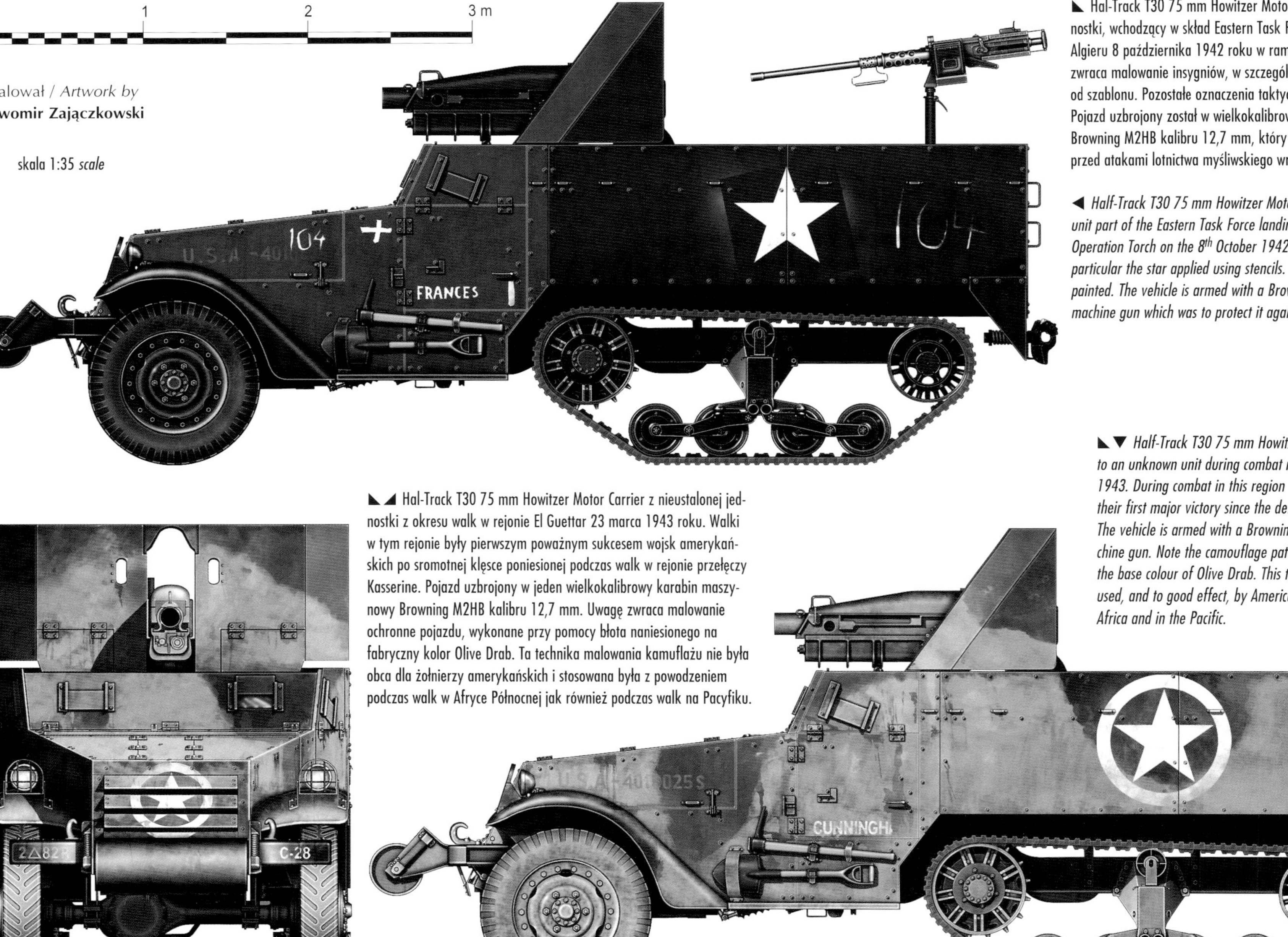

Malował / *Artwork by*
Sławomir Zajączkowski

skala 1:35 *scale*

◣ Hal-Track T30 75 mm Howitzer Motor Carrier z nieustalonej jednostki, wchodzący w skład Eastern Task Force lądujących w rejonie Algieru 8 października 1942 roku w ramach Operacji Torch. Uwagę zwraca malowanie insygniów, w szczególności gwiazdy, malowanej od szablonu. Pozostałe oznaczenia taktyczne wykonane odręcznie. Pojazd uzbrojony został w wielkokalibrowy karabin maszynowy Browning M2HB kalibru 12,7 mm, który miał zapewnić ochronę przed atakami lotnictwa myśliwskiego wroga.

◀ *Half-Track T30 75 mm Howitzer Motor Carrier of an unknown unit part of the Eastern Task Force landing near Algiers during Operation Torch on the 8th October 1942. Note the insignia and in particular the star applied using stencils. Other insignia were hand-painted. The vehicle is armed with a Browning M2HB 12.7 mm heavy machine gun which was to protect it against enemy fighter aircraft.*

◣◢ Hal-Track T30 75 mm Howitzer Motor Carrier z nieustalonej jednostki z okresu walk w rejonie El Guettar 23 marca 1943 roku. Walki w tym rejonie były pierwszym poważnym sukcesem wojsk amerykańskich po sromotnej klęsce poniesionej podczas walk w rejonie przełęczy Kasserine. Pojazd uzbrojony w jeden wielkokalibrowy karabin maszynowy Browning M2HB kalibru 12,7 mm. Uwagę zwraca malowanie ochronne pojazdu, wykonane przy pomocy błota naniesionego na fabryczny kolor Olive Drab. Ta technika malowania kamuflażu nie była obca dla żołnierzy amerykańskich i stosowana była z powodzeniem podczas walk w Afryce Północnej jak również podczas walk na Pacyfiku.

◣▼ *Half-Track T30 75 mm Howitzer Motor Carrier belonging to an unknown unit during combat near El Guettar, 23rd March 1943. During combat in this region the American troops achieved their first major victory since the defeat in the Kasserine Pass. The vehicle is armed with a Browning M2HB 12.7 mm heavy machine gun. Note the camouflage pattern applied using mud on the base colour of Olive Drab. This technique was commonly used, and to good effect, by American soldiers both in North Africa and in the Pacific.*

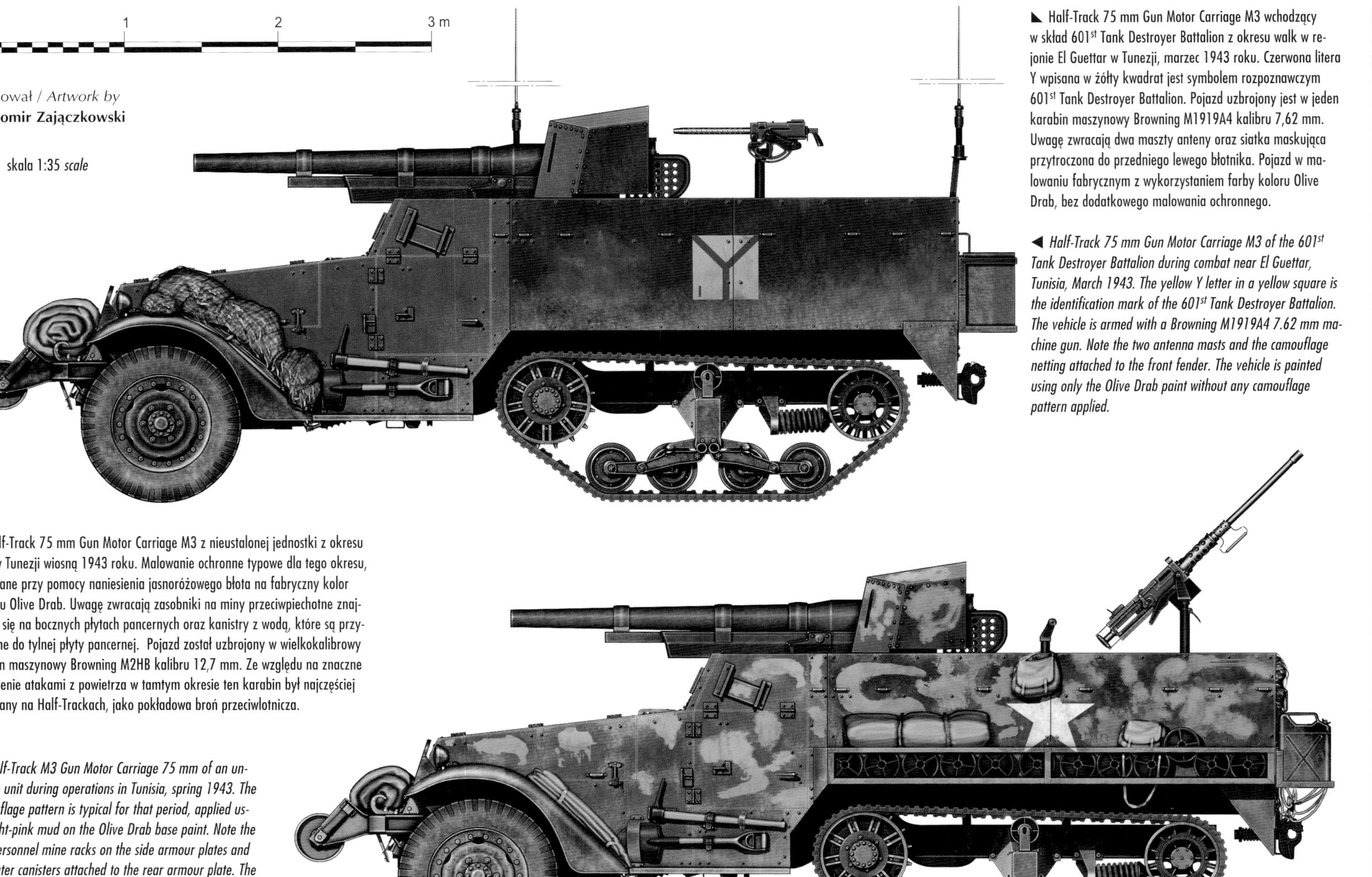

Malował / *Artwork by*
Sławomir Zajączkowski

skala 1:35 *scale*

◣ Half-Track 75 mm Gun Motor Carriage M3 wchodzący w skład 601st Tank Destroyer Battalion z okresu walk w rejonie El Guettar w Tunezji, marzec 1943 roku. Czerwona litera Y wpisana w żółty kwadrat jest symbolem rozpoznawczym 601st Tank Destroyer Battalion. Pojazd uzbrojony jest w jeden karabin maszynowy Browning M1919A4 kalibru 7,62 mm. Uwagę zwracają dwa maszty anteny oraz siatka maskująca przytroczona do przedniego lewego błotnika. Pojazd w malowaniu fabrycznym z wykorzystaniem farby koloru Olive Drab, bez dodatkowego malowania ochronnego.

◀ *Half-Track 75 mm Gun Motor Carriage M3 of the 601st Tank Destroyer Battalion during combat near El Guettar, Tunisia, March 1943. The yellow Y letter in a yellow square is the identification mark of the 601st Tank Destroyer Battalion. The vehicle is armed with a Browning M1919A4 7.62 mm machine gun. Note the two antenna masts and the camouflage netting attached to the front fender. The vehicle is painted using only the Olive Drab paint without any camouflage pattern applied.*

◢ Half-Track 75 mm Gun Motor Carriage M3 z nieustalonej jednostki z okresu walk w Tunezji wiosną 1943 roku. Malowanie ochronne typowe dla tego okresu, wykonane przy pomocy naniesienia jasnoróżowego błota na fabryczny kolor pojazdu Olive Drab. Uwagę zwracają zasobniki na miny przeciwpiechotne znajdujące się na bocznych płytach pancernych oraz kanistry z wodą, które są przytroczone do tylnej płyty pancernej. Pojazd został uzbrojony w wielkokalibrowy karabin maszynowy Browning M2HB kalibru 12,7 mm. Ze względu na znaczne zagrożenie atakami z powietrza w tamtym okresie ten karabin był najczęściej stosowany na Half-Trackach, jako pokładowa broń przeciwlotnicza.

▶ *Half-Track M3 Gun Motor Carriage 75 mm of an unknown unit during operations in Tunisia, spring 1943. The camouflage pattern is typical for that period, applied using light-pink mud on the Olive Drab base paint. Note the anti-personnel mine racks on the side armour plates and the water canisters attached to the rear armour plate. The vehicle is armed with a Browning M2HB 12.7 mm heavy machine gun. Due to the danger of aerial attacks this machine gun was the most common anti-aircraft weapon installed on Half-Tracks.*

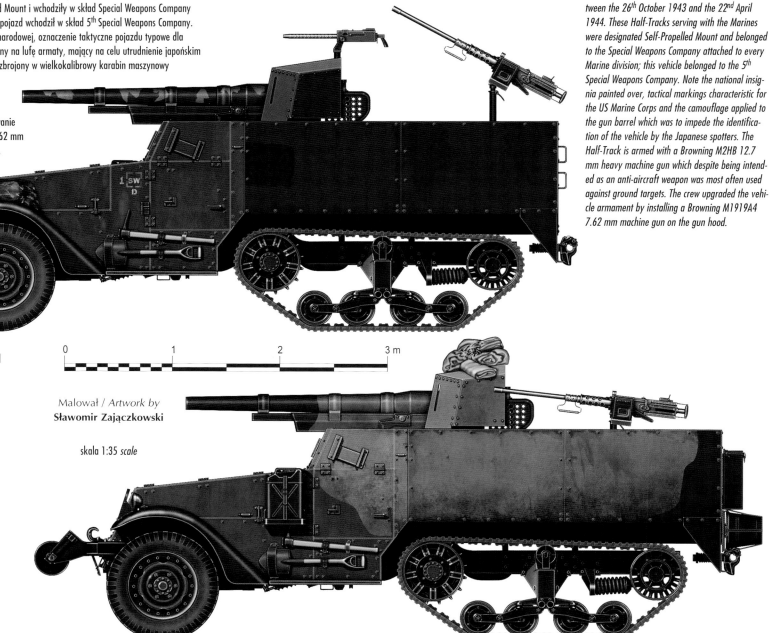

◢ Half-Track 75 mm Gun Motor Carriage M3 używany przez US Marines podczas walk o przylądek Gloucester w dniach 26 października 1943 – 22 kwietnia 1944 roku. Half-Tracki te, podczas swojej służby w piechocie morskiej oficjalnie oznaczone były, jako Self-Proppelled Mount i wchodziły w skład Special Weapons Company znajdującej się w każdej dywizji piechoty morskiej; ten pojazd wchodził w skład 5th Special Weapons Company. Uwagę zwracają zamalowane insygnia przynależności narodowej, oznaczenie taktyczne pojazdu typowe dla Korpusu Piechoty Morskiej USA oraz kamuflaż naniesiony na lufę armaty, mający na celu utrudnienie japońskim obserwatorom identyfikację typu pojazdu. Half-Track uzbrojony w wielkokalibrowy karabin maszynowy Browning M2HB kalibru 12,7 mm, który miał pełnić rolę broni przeciwlotniczej, jednakże częściej używany był do ostrzeliwania celów naziemnych. Dodatkowo załoga dozbroiła pojazd poprzez zamontowanie karabinu maszynowego Browning M1919A4 kalibru 7,62 mm na górnej płycie pancernej osłaniającej obsługę armaty.

◣ *Half-Track 75 mm Gun Motor Carriage M3 used by the US Marines fighting for Cape Gloucester between the 26th October 1943 and the 22nd April 1944. These Half-Tracks serving with the Marines were designated Self-Propelled Mount and belonged to the Special Weapons Company attached to every Marine division; this vehicle belonged to the 5th Special Weapons Company. Note the national insignia painted over, tactical markings characteristic for the US Marine Corps and the camouflage applied to the gun barrel which was to impede the identification of the vehicle by the Japanese spotters. The Half-Track is armed with a Browning M2HB 12.7 mm heavy machine gun which despite being intended as an anti-aircraft weapon was most often used against ground targets. The crew upgraded the vehicle armament by installing a Browning M1919A4 7.62 mm machine gun on the gun hood.*

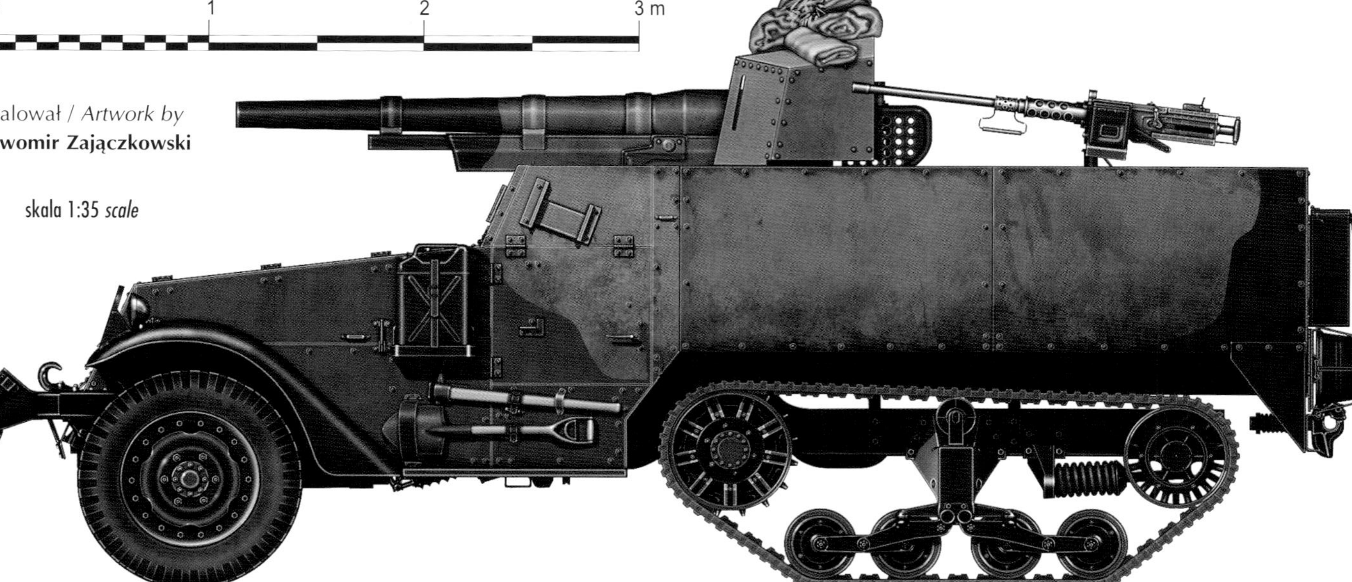

Malował / *Artwork by*
Sławomir Zajączkowski

skala 1:35 *scale*

◢ Half-Track 75 mm Gun Motor Carriage M3 z Special Weapons Company wchodzącej w skład 4th Marine Division z okresu walk na Iwo Jimie, luty 1945 roku. Pojazd pomalowany w typowy, dwubarwny kamuflaż z okresu walk na Iwo Jimie. Na kolor fabryczny naniesiono malowanie ochronne z wykorzystaniem farby koloru Earth Sand. Pojazd uzbrojony w wielkokalibrowy karabin maszynowy Browning M2HB kalibru 12,7 mm. Te Half-Tracki po raz ostatni w II Wojnie Światowej zostały użyte podczas walk na Iwo Jimie.

▶ *Half-Track 75 mm Gun Motor Carriage M3 of the Special Weapons Company belonging to the 4th Marine Division during combat in Iwo Jima, February 1945. The vehicle has the typical two-tone camouflage pattern used on Iwo Jima. Earth Sand camouflage was applied over the base colour. The vehicle is armed with a Browning M2HB 12.7 mm heavy machine gun. On Iwo Jima the Half-Tracks were used in combat for the last time during the Second World War.*

▲ Half-Track 75mm Gun Motor Carriage T12 podczas poligonowej gry wojennej, jesień 1941 roku. Half-Track w malowaniu fabrycznym, farbą koloru Olive Drab. Numer rejestracyjny, znajdujący się na bocznych płytach pancernych przedziału silnikowego wykonany farbą koloru Blue Drab. Pojazd częściowo zamaskowany przy wykorzystaniu ściętych gałęzi przymocowanych do zaczepów brezentowego dachu. Uwagę zwraca brak sprężyn naciągających gąsienice, które nie występowały w tych pojazdach pochodzących z wczesnego okresu produkcyjnego.

◀ *Half-Track 75 mm Gun Motor Carriage T12 during war games, autumn 1941. Half-Track painted using only a base colour of Olive Drab. The registration number was painted on the engine compartment side armour plates using Blue Drab paint. The vehicle is camouflaged using branches attached to the canvas roof structure. Note the lack of track tensioning springs which were not installed on early production vehicles.*

0 1 2 3 m

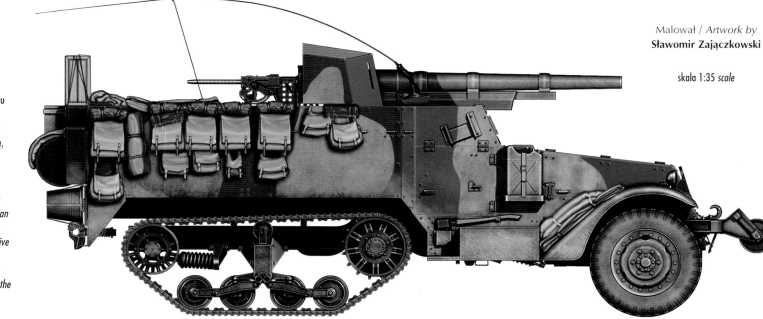

Malował / *Artwork by*
Sławomir Zajączkowski

skala 1:35 *scale*

▶ Half-Track 75 mm Gun Motor Carriage M3 z 2nd Special Weapons Company podczas walk na wyspie Tinian 30 lipca 1944 roku. Uwagę zwraca ciekawe, dwubarwne malowanie ochronne wykonane przez nałożenie na fabryczny kolor Oliwe Drab farby koloru Deser Sand. Uwagę zwraca duża ilość sprzętu i wyposażenia załogi Half-Tracka, która została do niego przytroczona. Antena została "złamana" przez załogę, aby uniknąć jej ewentualnego uszkodzenia, podczas przedzierania się przez gęstą dżunglę.

▶ *Half-Track 75 mm Gun Motor Carriage M3 of the 2nd Special Weapons Company during combat on Tinian Island, 30th July 1944. Note the interesting two tone camouflage pattern consisting of Desert Sand and Olive Drab paints. Numerous pieces of equipment are attached to this Half-Track. The antenna was "bent" by the crew to avoid it being damaged while traversing the jungle.*

0 1 2 3 m

Malował / *Artwork by*
Sławomir Zajączkowski

skala 1:35 *scale*

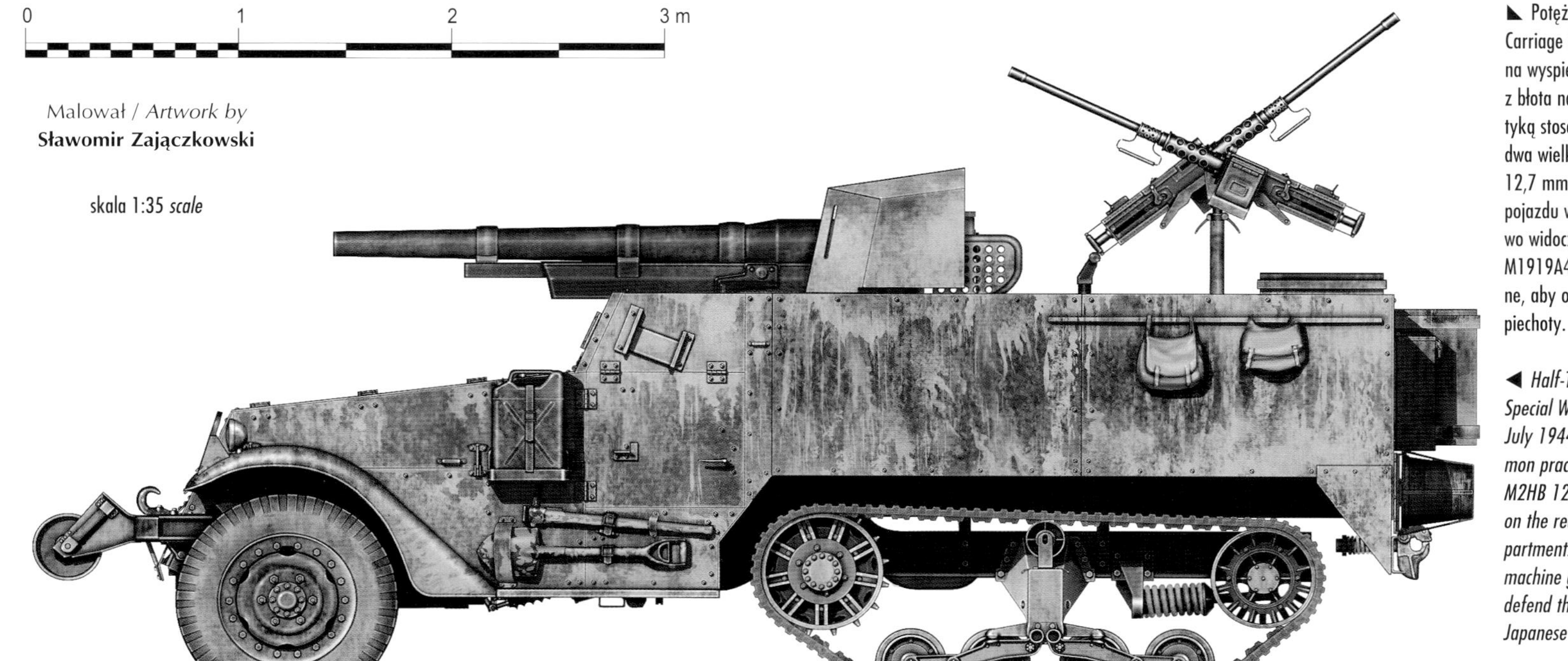

▲ Potężnie uzbrojony Half-Track 75 mm Gun Motor Carriage M3 z 4th Special Weapons Company podczas walk na wyspie Saipan w lipcu 1944 roku. Kamuflaż wykonany z błota naniesionego na pancerz pojazdu, był częstą praktyką stosowaną podczas walk na Pacyfiku. Uwagę zwracają dwa wielkokalibrowe karabiny maszynowe M2HB kalibry 12,7 mm. Zostały one zamocowane na prawej i lewej burcie pojazdu w jego tylnej części przedziału bojowego. Dodatkowo widoczne mocowanie pod karabin maszynowy Browning M1919A4 kalibru 7,62 mm. Takie uzbrojenie było niezbędne, aby odpierać gwałtowne i desperackie ataki japońskiej piechoty.

◀ *Half-Track 75 mm Gun Motor Carriage M3 of the 4th Special Weapons Company during combat on Saipan Island, July 1944. The camouflage was applied using mud – a common practice during the Pacific campaign. Note the two M2HB 12.7 mm heavy machine guns. They were attached on the rear-left and on the rear-right side of the crew compartment. The mount for the Browning M1919A4 7.62 mm machine gun is also visible. This armament was necessary to defend the vehicle against violent desperate attacks of the Japanese infantry.*

◢ Half-Track 75 mm Gun Motor Carriage M3 w bardzo ciekawym malowaniu ochronnym, stanowiącym przykład najlepszego malowania z okresu walk na Pacyfiku. Na fabryczny kolor Olive Drab naniesione zostały kolory Earth Brown i Desert Sand. Takie malowanie w połączeniu z siatką maskującą czyniło pojazd niemalże niewidocznym w poszyciu leśnym Pacyfiku. Uzbrojenie, również typowe dla tego rejonu działania, wielkokalibrowy karabin maszynowy Browning M2HB kalibru 12,7 mm oraz karabin maszynowy Browning M1919A4 kalibru 7,62 mm.

▶ Half-Track 75 mm Gun Motor Carriage M3 boasting an interesting camouflage pattern, the most effective one used during operations in the Pacific. Earth Brown and Desert Sand patterns were applied over the base colour of Olive Drab. This pattern used together with camouflage netting, made the vehicle almost invisible in the jungles of the Pacific Theatre of Operations. The armament, also typical for this theatre of operations, consists of a Browning M2HB 12.7 mm heavy machine gun and a Browning M1919A4 7.62 mm machine gun.

◢ Half-Track 75 mm Gun Motor Carriage M3 z okresu walk o przylądek Gloucester. Pojazd w interesującym malowaniu ochronnym wykonanym poprzez namalowanie nieregularnych plam koloru Earth Red i Desert Sand na fabrycznym kolorze Olive Drab. Pojazd uzbrojony przez załogę zgodnie z powiedzeniem piechociarzy "lepiej mieć jeden karabin więcej i go nie użyć, niż go potrzebować a nie mieć". Dwa wielkokalibrowe karabiny maszynowe M2HB kaliru 12,7 mm ze skrzynkami amunicyjnymi M2 mieszczącymi 200 nabojów każda. Te skrzynki amunicyjne stosowane były głównie na zestawach przeciwlotniczych. Jeden karabin jest zamontowany na lewej burcie pojazdu w tylnej części przedziału bojowego. Drugi M2HB jest przymocowany do górnej płyty pancernej ochraniającej załogę obsługującą działo. Trzeci karabin maszynowy, Browning M1919A4 kalibru 7,62 mm przymocowany został do górnej części ramki szyby i zapewniał osłonę przed ewentualnymi atakami wroga od przodu.

◣ *Half-Track 75 mm Gun Motor Carriage M3 during fights for Cape Gloucester. The vehicle has a camouflage pattern applied by painting irregular spots of Earth Red and Desert Sand over the base colour of Olive Drab. The vehicle is armed according to the infantrymen's saying: "it's better to have one machine gun too many and never use it, than to need one and not have it". Hence the two M2HB 12.7 mm heavy machine guns with M2 ammunition boxes containing 200 rounds each. These ammunition boxes were most common in anti aircraft weapons. One machine gun is installed on the rear-left of the crew compartment. Another M2HB is installed on top of the gun hood. The third machine gun, a Browning M1919A4, was installed on the windshield frame and protected the vehicle against attacks from the front.*

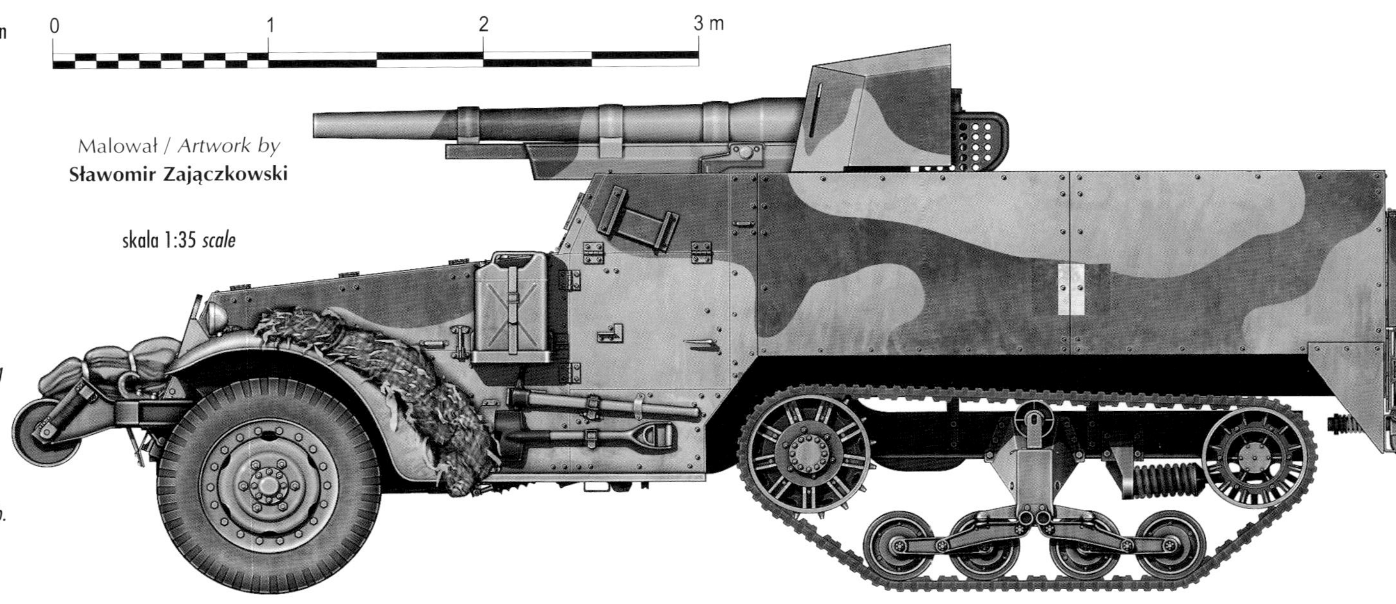

Malował / *Artwork by*
Sławomir Zajączkowski

skala 1:35 *scale*

◢ Half-Track 75 mmn Gun Motor Carriage M3 z King's Dragoon Guards wchodzących w skład 23rd Armoured Brigade z okresu walk w okolicy Mt. Cairo w rejonie Cassino. Pomimo że pojazd ten był zaprojektowany, jako niszczyciel czołgów, wojska brytyjskie używały go jako artylerii samobieżnej rażącej wroga ogniem pośrednim. Malowanie ochronne pojazdu wykonane poprzez naniesienie nieregularnych plam farbą koloru Earth Yellow na fabrycznym kolorze Olive Drab. Brytyjskie oznaczenia narodowe namalowane na bocznych płytach pancernych stosowane był w latach 1942 – 1945.

▶ *Half-Track 75 mm Gun Motor Carriage M3 of the King's Dragoon Guards belonging to the 23rd Armoured Brigade during combat near Mt. Cairo in the Cassino region. Although the vehicle was designed as a tank destroyer the British troops used them as self propelled artillery pieces firing indirectly at enemy positions. The camouflage pattern consisted of irregular spots applied using Earth Yellow paint over a base of Olive Drab. The British national insignia painted on the side armour plates were in use between 1942 and 1945.*

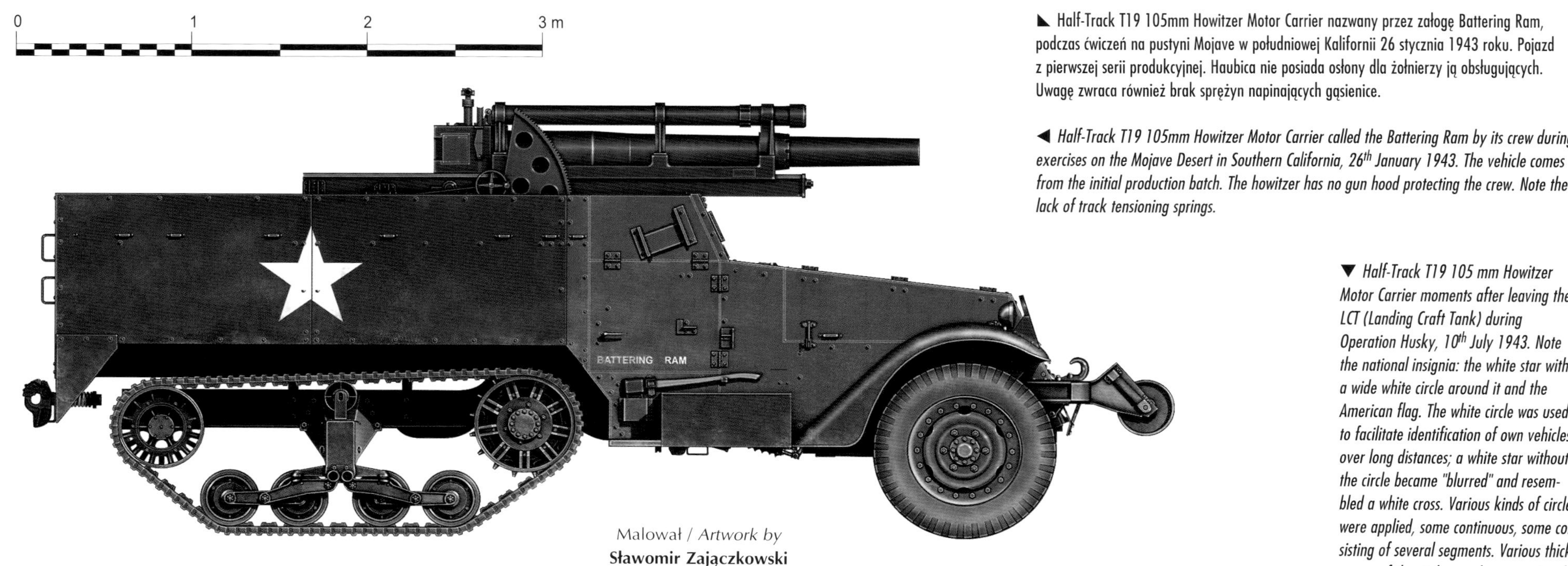

▶ Half-Track T19 105mm Howitzer Motor Carrier nazwany przez załogę Battering Ram, podczas ćwiczeń na pustyni Mojave w południowej Kalifornii 26 stycznia 1943 roku. Pojazd z pierwszej serii produkcyjnej. Haubica nie posiada osłony dla żołnierzy ją obsługujących. Uwagę zwraca również brak sprężyn napinających gąsienice.

◀ *Half-Track T19 105mm Howitzer Motor Carrier called the Battering Ram by its crew during exercises on the Mojave Desert in Southern California, 26th January 1943. The vehicle comes from the initial production batch. The howitzer has no gun hood protecting the crew. Note the lack of track tensioning springs.*

Malował / *Artwork by*
Sławomir Zajączkowski

skala 1:35 *scale*

▶ Half-Track T19 105mm Howitzer Motor Carrier chwilę po opuszczeniu okrętu desantowego LCT (Landing Craft Tank) w ramach Operacji Husky 10 lipca 1943 roku. Uwagę zwracają namalowane insygnia przynależności krajowej, biała gwiazda z szeroką obwódką oraz flaga amerykańska. Biała obwódka stosowana była celem łatwiejszej identyfikacji własnych pojazdów z dużej odległości, biała gwiazda bez obwódki obserwowana z dużej odległości "zlewała" się w biały krzyż. Stosowano różnego rodzaju obwódki, z linią ciągłą jak również przerywaną. Można również spotkać obwódki o różnych szerokościach. Generalnie finalny wygląd obwódki zależał w głównej mierze od fantazji jej wykonawcy i dostępności narzędzi malarskich. Ciekawostką jest natomiast flaga amerykańska, która nie była powszechnie stosowana podczas inwazji na Sycylię. Jest to swego rodzaju pamiątka z uczestnictwa pojazdu w Operacji Torch.

▼ *Half-Track T19 105 mm Howitzer Motor Carrier moments after leaving the LCT (Landing Craft Tank) during Operation Husky, 10th July 1943. Note the national insignia: the white star with a wide white circle around it and the American flag. The white circle was used to facilitate identification of own vehicles over long distances; a white star without the circle became "blurred" and resembled a white cross. Various kinds of circles were applied, some continuous, some consisting of several segments. Various thicknesses of the circle may be encountered. In general, the final outcome was the combination of the painter's fantasy and the availability of painting tools. The American flag is an interesting feature as it was very rare during the Sicily invasion. It is a memoire of the vehicle's participation in Operation Torch.*

◣ SU–57 (Samokhodnaya Ustanovka – 57), takie oznaczenie w armii radzieckiej nosiły Half – Track Gun Motor Carriage T48. W ZSRR zostały one przydzielone do brygad niszczycieli czołgów, z których każda posiadała na wyposażeniu od 60 do 65 tych wozów. Pojazd o numerze taktycznym 23 z okresu zajęcia Pragi w maju 1945 roku. Wszystkie Half-Tracki przekazane Rosjanom w ramach programu Lend-Lease nosiły fabryczne malowanie w kolorze Olive Drab. Rosjanie nanosili na nie oznaczenia taktyczne z wykorzystaniem koloru białego oraz żółtego.

◀ *SU–57 (Samokhodnaya Ustanovka – 57) was the designation of the Half-Track Gun Motor Carriage T48 in the Soviet army. In the USSR the vehicles were assigned to tank destroyer brigades, each consisting of 60 – 65 vehicles. Seen here is the vehicle number 23 in Prague in May 1945. All Half-Tracks transferred to the Russians as part of the Lend-Lease program in their original Olive Drab colour. The Russians applied their own tactical markings using white or yellow paint.*

0 1 2 3 m

Malował / *Artwork by*
Sławomir Zajączkowski

skala 1:35 *scale*

▶ SU–57 również z okresu zajęcia Pragi w maju 1945 roku. Pojazd wchodził w skład Niezależnej Brygady Niszczycieli Czołgów. Oznaczenie taktyczne, żółty diament z wpisaną cyfrą było stosowane przez siły pancerne. Numer taktyczny pojazdu, 168, napisano białą farbą tuż obok oznaczenia rodzaju sił zbrojnych.

▶ *Another SU–57 in Prague, May 1945. This vehicle belonged to the Independent Tank Destroyer Brigade. The tactical markings consisting of a yellow diamond with a number inscribed was used by the armoured units. The tactical number – 168 was painted using white paint next to the armed service marking.*

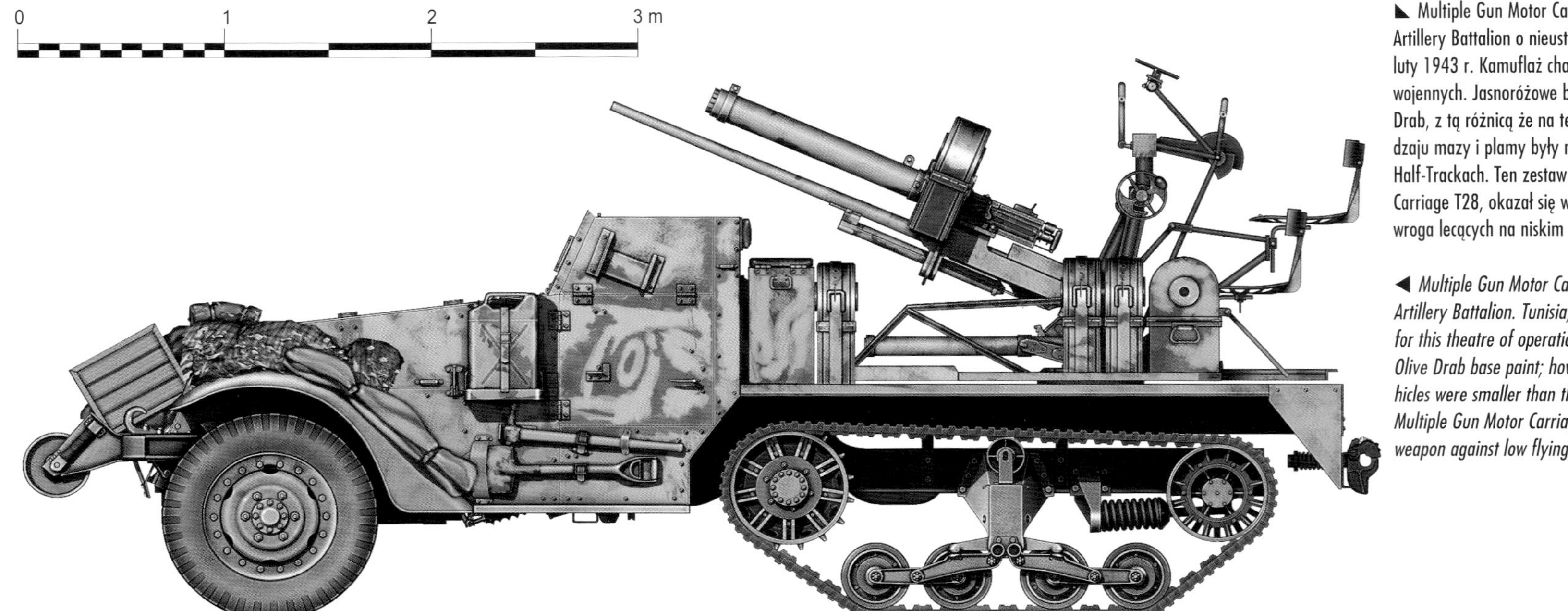

◣ Multiple Gun Motor Carriage T28 wchodzący w skład Anti-Aircraft Artillery Battalion o nieustalonym numerze. Okres walk w Tunezji, luty 1943 r. Kamuflaż charakterystyczny dla tego regionu działań wojennych. Jasnoróżowe błoto naniesione na fabryczny kolor Olive Drab, z tą różnicą że na tego typu Half – Trackach, wszelkiego rodzaju mazy i plamy były nieco mniejsze niż na czołgach i pozostałych Half-Trackach. Ten zestaw przeciwlotniczy, Multiple Gun Motor Carriage T28, okazał się wysoce skuteczny do zwalczania samolotów wroga lecących na niskim pułapie.

◀ *Multiple Gun Motor Carriage T28 of an unknown Anti-Aircraft Artillery Battalion. Tunisia, February 1943. The camouflage is typical for this theatre of operations. The light-pink mud was applied on the Olive Drab base paint; however the spots and splotches on these vehicles were smaller than those on tanks and other Half-Tracks. The Multiple Gun Motor Carriage T28 turned out to be a highly effective weapon against low flying enemy aircraft.*

◢ Half-Track M4A1 81 mm Mortar Carrier z 41st Armored Infantry, 2nd Armored Division. Uwagę zwraca lufa moździerza kalibru 81 mm, skierowana wylotem w stronę przodu Half-Tracka. Jest to konwersja wykonana w większości tych pojazdów wchodzących w skład 2nd Armored Division. Pierwotnie wylot lufy skierowany był w stronę tyłu pojazdu. Takie rozwiązanie ułatwiało otwarcie ognia w trybie natychmiastowym. Niemniej jednak w przypadku szablonowego ostrzału pozycji wroga, moździerz musiał być zdemontowany z pojazdu. Numer taktyczny pojazdu namalowany z wykorzystaniem farby koloru żółtego, również typowy dla tej dywizji.

Malował / *Artwork by*
Sławomir Zajączkowski

skala 1:35 *scale*

▶ *Half-Track M4A1 81 mm Mortar Carrier of the 41st Armored Infantry, 2nd Armored Division. Note the 81 mm mortar barrel facing the front of the vehicle. This modification was applied to the majority of vehicles belonging to the 2nd Armored Division. Originally the barrel was facing to the rear of the vehicle. This modification allowed to instantly open fire. However, the usual practice was to uninstall the mortar and fire it from outside the vehicle. The tactical number applied using yellow paint is also typical for this division.*

▶ Half-Track Multiple Gun Motor Carriage M15 z 434th Coast Artillery (Armored Anti-aircraft) z okresu walk w rejonie miejscowości Capua leżącej nad rzeką Volturno we Włoszech, 20 listopada 1943 roku. Malowanie ochronne wykonane poprzez naniesienie kamuflażu kolorem Desert Sand na fabrycznym kolorze Olive Drab.

◀ *Half-Track Multiple Gun Motor Carriage M15 of the 434th Coast Artillery (Armored Anti-Aircraft) fighting near Capua on the river Volturno in Italy, 20th November 1943. The camouflage was applied using Desert Sand paint over the base of Olive Drab.*

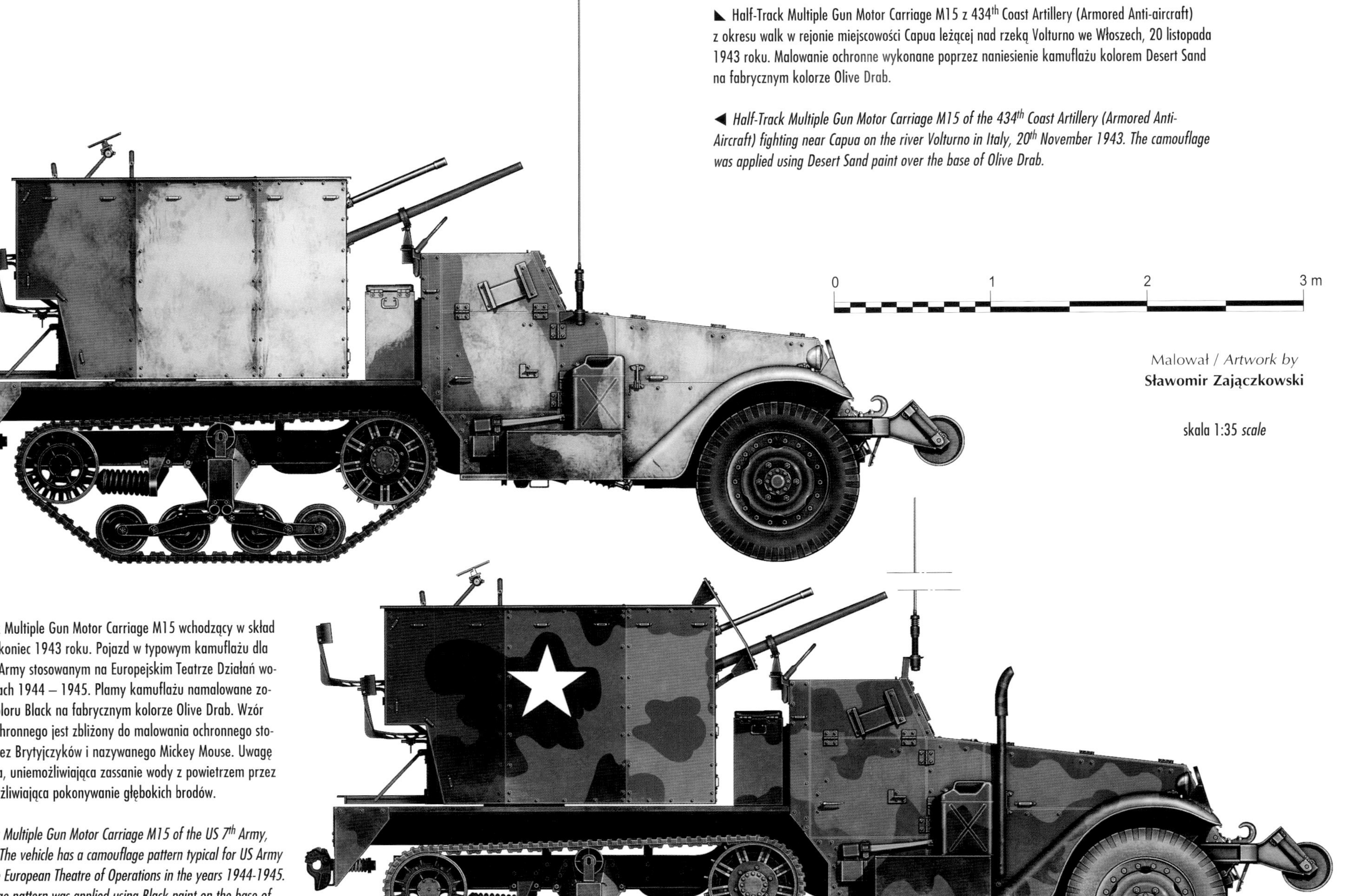

Malował / *Artwork by*
Sławomir Zajączkowski

skala 1:35 *scale*

▶ Half-Track Multiple Gun Motor Carriage M15 wchodzący w skład US 7th Army, koniec 1943 roku. Pojazd w typowym kamuflażu dla pojazdów US Army stosowanym na Europejskim Teatrze Działań wojennych w latach 1944 – 1945. Plamy kamuflażu namalowane zostały farbą koloru Black na fabrycznym kolorze Olive Drab. Wzór malowania ochronnego jest zbliżony do malowania ochronnego stosowanego przez Brytyjczyków i nazywanego Mickey Mouse. Uwagę zwraca chrapa, uniemożliwiająca zassanie wody z powietrzem przez silnik, co umożliwiająca pokonywanie głębokich brodów.

▶ *Half-Track Multiple Gun Motor Carriage M15 of the US 7th Army, end of 1943. The vehicle has a camouflage pattern typical for US Army vehicles in the European Theatre of Operations in the years 1944-1945. The camouflage pattern was applied using Black paint on the base of Olive Drab. The pattern was similar to that used by the British and called the Mickey Mouse. Note the snorkel preventing the water from reaching the engine, which allowed for fording in deep water.*

Rysował
Artwork by
Mariusz Motyka

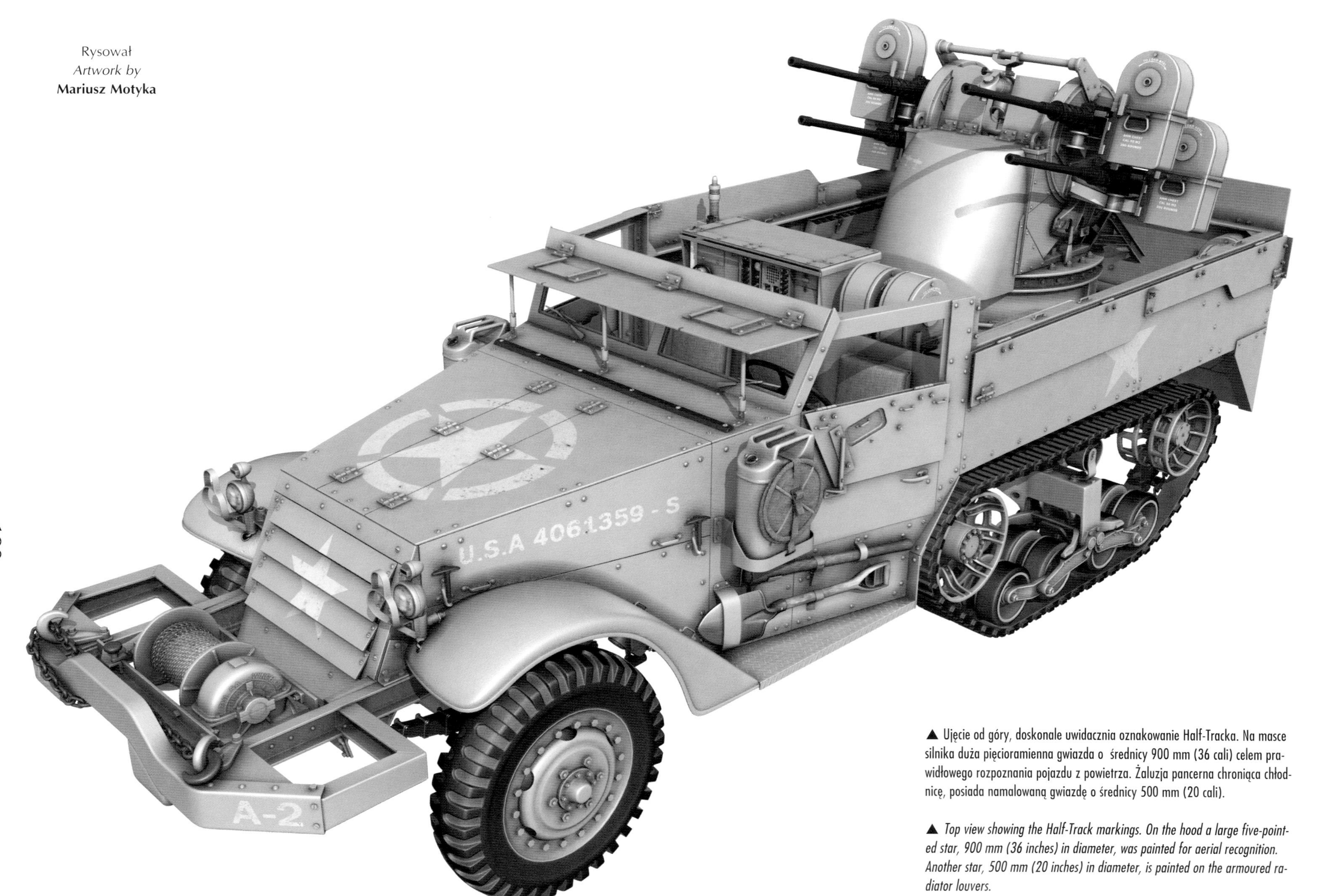

▲ Ujęcie od góry, doskonale uwidacznia oznakowanie Half-Tracka. Na masce silnika duża pięcioramienna gwiazda o średnicy 900 mm (36 cali) celem prawidłowego rozpoznania pojazdu z powietrza. Żaluzja pancerna chroniąca chłodnicę, posiada namalowaną gwiazdę o średnicy 500 mm (20 cali).

▲ *Top view showing the Half-Track markings. On the hood a large five-pointed star, 900 mm (36 inches) in diameter, was painted for aerial recognition. Another star, 500 mm (20 inches) in diameter, is painted on the armoured radiator louvers.*

Rysował
Artwork by
Mariusz Motyka

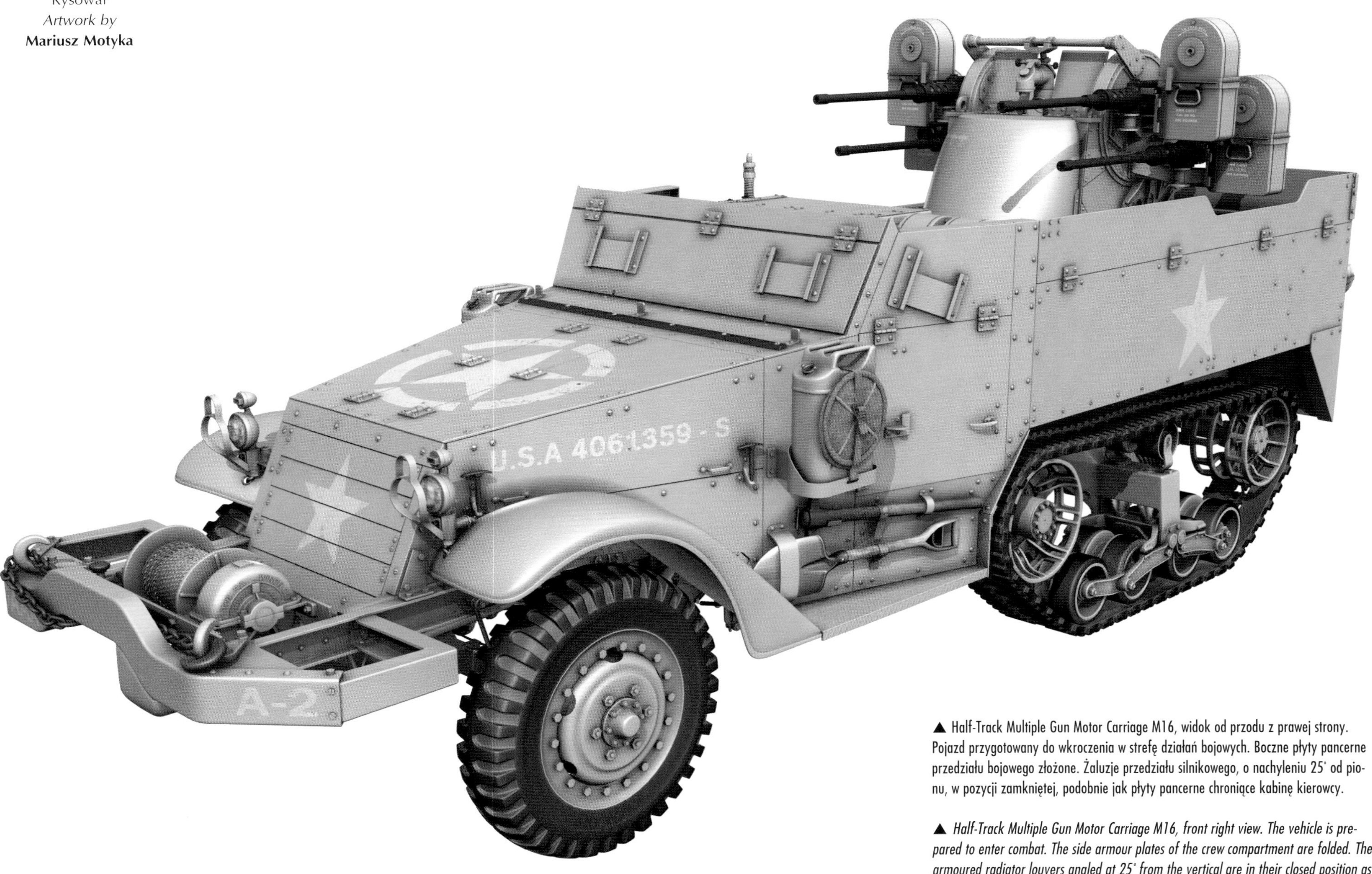

▲ Half-Track Multiple Gun Motor Carriage M16, widok od przodu z prawej strony. Pojazd przygotowany do wkroczenia w strefę działań bojowych. Boczne płyty pancerne przedziału bojowego złożone. Żaluzje przedziału silnikowego, o nachyleniu 25° od pionu, w pozycji zamkniętej, podobnie jak płyty pancerne chroniące kabinę kierowcy.

▲ *Half-Track Multiple Gun Motor Carriage M16, front right view. The vehicle is prepared to enter combat. The side armour plates of the crew compartment are folded. The armoured radiator louvers angled at 25° from the vertical are in their closed position as are the armour plates protecting the driver compartment.*

▼ Half – Track Multiple Gun Motor Carriage M16, widok z prawej strony od przodu. Wszystkie ruchome płyty pancerne w pozycji złożonej. Meat-Chopper (z ang. maszyna do mielenia mięsa), taki przydomek nosił Half-Track Multiple Gun Motor Carriage M16 podczas konfliktu w Korei. Zawdzięczał go dzięki potężnej sile ognia, która była wykorzystywana do zatrzymywania "ludzkiej fali", czyli zmasowanych ataków piechoty wroga.

▼ *Half-Track Multiple Gun Motor Carriage M16, front right view. All foldable armour plates are folded. During the Korean War the Half-Track Multiple Gun Motor Carriage M16 was given the nickname Meat-Chopper. It owed it to its impressive firepower which was used to stop the enemy "human wave" attacks – en masse infantry assaults.*

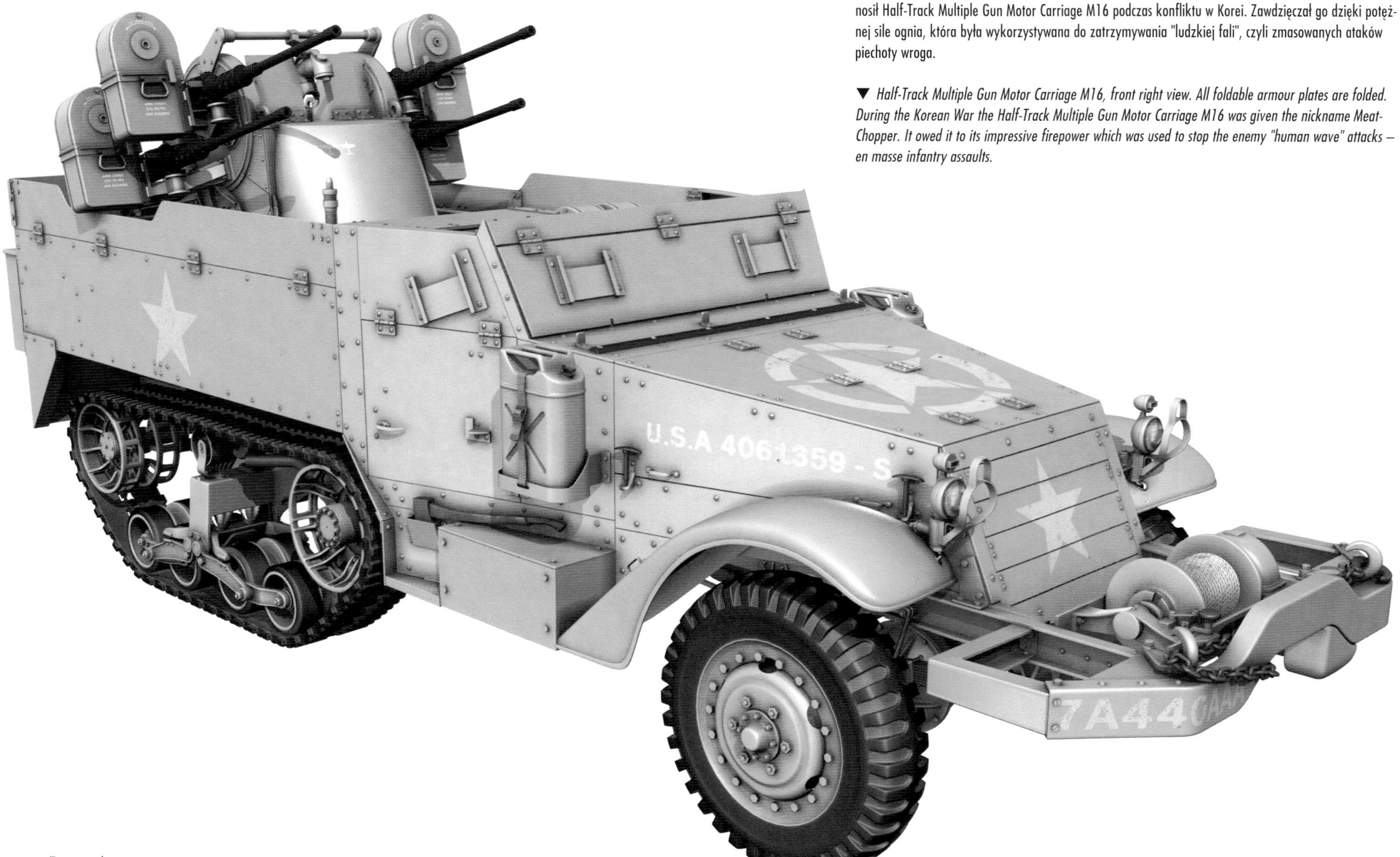

Rysował
Artwork by
Mariusz Motyka

▼ Half – Track Multiple Gun Motor Carriage M16 produkowany był w okresie Maj 1943 – Listopad 1944. W sumie powstało 3614 pojazdów, stanowiących jedną z najbardziej skutecznych, samobieżnych, broni przeciwlotniczych stosowanych przez armię USA podczas II Wojny Światowej.

▼ *Half-Track Multiple Gun Motor Carriage M16 was manufactured between May 1943 and November 1944. 3614 vehicles of this type were built. It was one of the most effective self-propelled anti-aircraft weapon systems deployed by the US Armed Forces during the Second World War.*

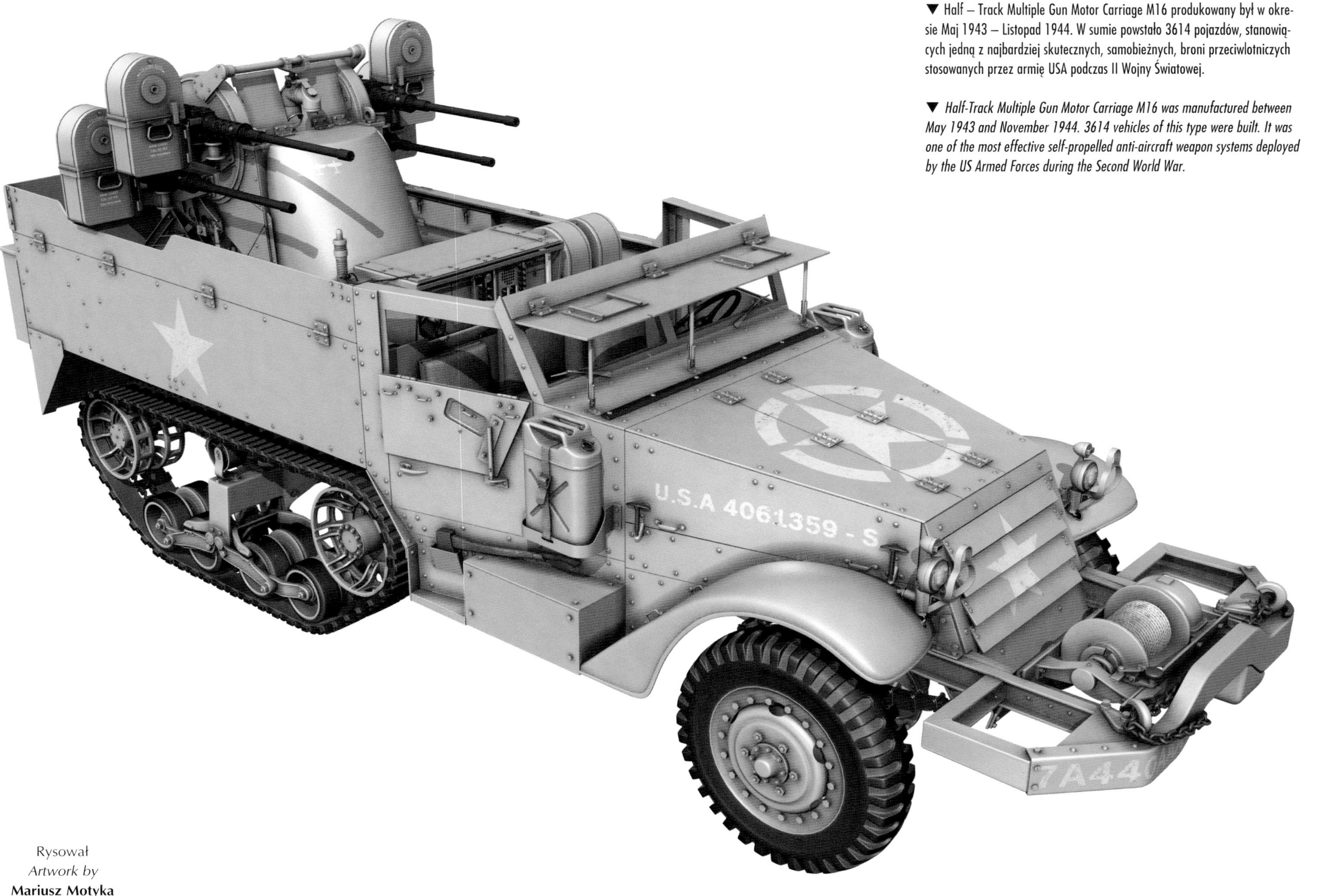

Rysował
Artwork by
Mariusz Motyka

Rysował
Artwork by
Mariusz Motyka

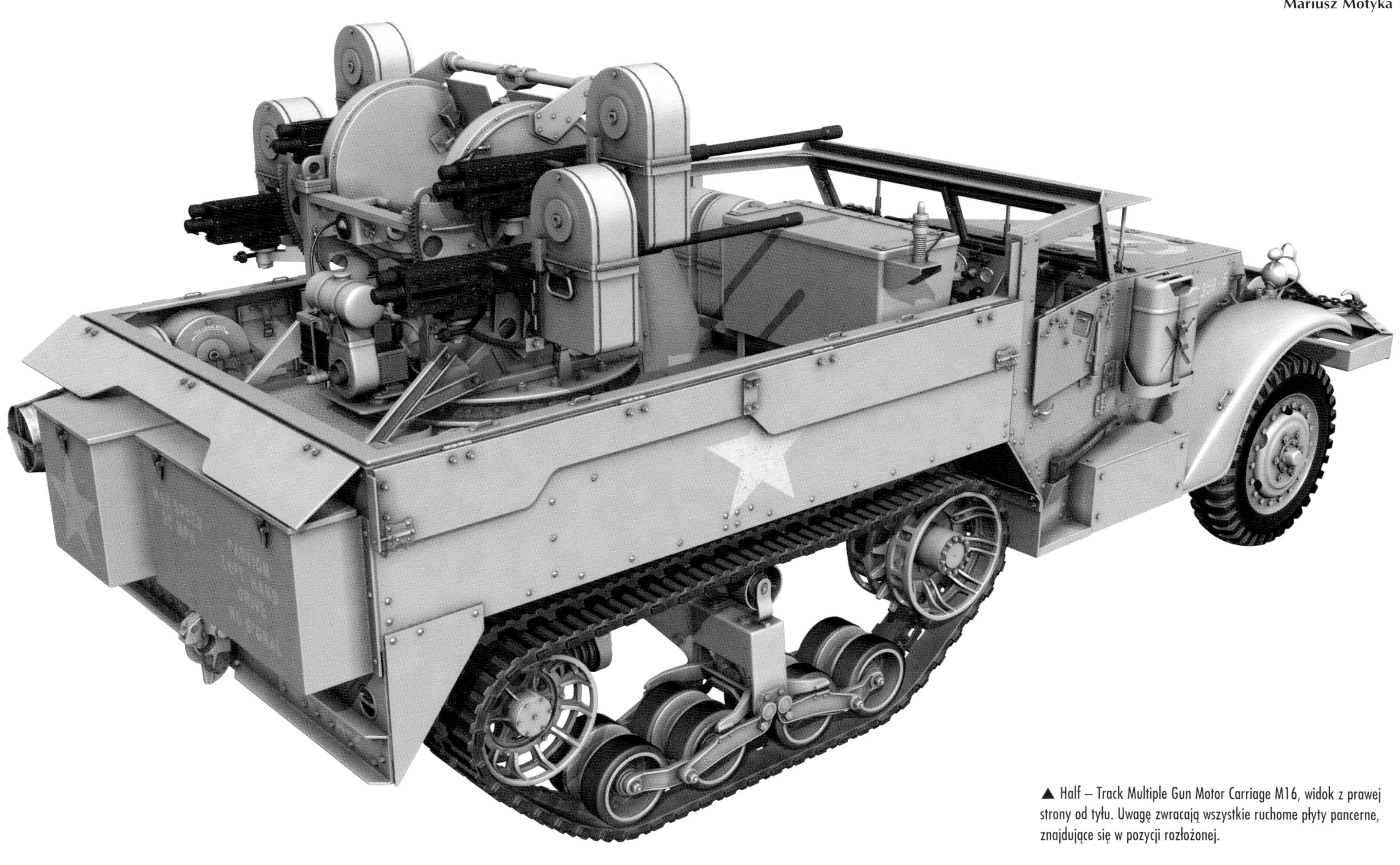

▲ Half – Track Multiple Gun Motor Carriage M16, widok z prawej strony od tyłu. Uwagę zwracają wszystkie ruchome płyty pancerne, znajdujące się w pozycji rozłożonej.

▲ *Half-Track Multiple Gun Motor Carriage M16, front rear view. Note that all movable armour plates are folded.*

Rysował
Artwork by
Mariusz Motyka

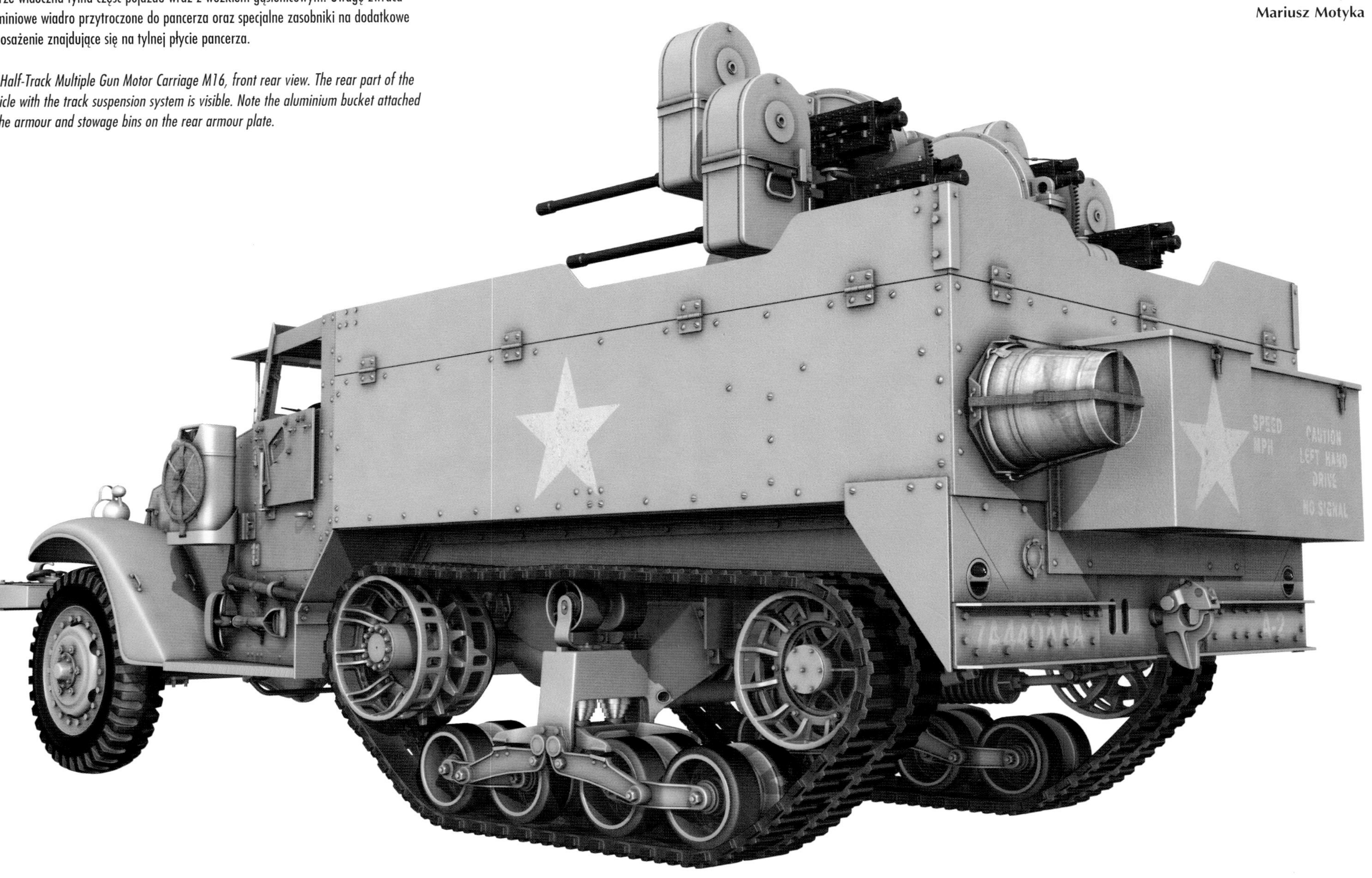

◢ Half-Track Multiple Gun Motor Carriage M16, widok od tyłu z lewej strony. Bardzo dobrze widoczna tylna część pojazdu wraz z wózkiem gąsienicowym. Uwagę zwraca aluminiowe wiadro przytroczone do pancerza oraz specjalne zasobniki na dodatkowe wyposażenie znajdujące się na tylnej płycie pancerza.

◢ *Half-Track Multiple Gun Motor Carriage M16, front rear view. The rear part of the vehicle with the track suspension system is visible. Note the aluminium bucket attached to the armour and stowage bins on the rear armour plate.*

◢ Half-Track Multiple Gun Motor Carriage M16, widok z lewej strony. Płyty pancerne chroniące kabinę kierowcy w pozycji rozłożonej. Masywny zderzak z wyciągarką, sprawiał, że pojazd ten był o 17,8 cm (7 cali) dłuższy od pojazdów z walcem. Wyciągarka posiadała stalową linę o długości 53,3 m (175 stóp).

◢ *Half-Track Multiple Gun Motor Carriage M16, view from the left. The armoured plates protecting the driver compartment are deployed.*
The massive front bumper with a winch made the vehicle 17.8 cm (7 inches) longer than the roller equipped ones. The winch had 53.3 m (175 feet) of steel cable.

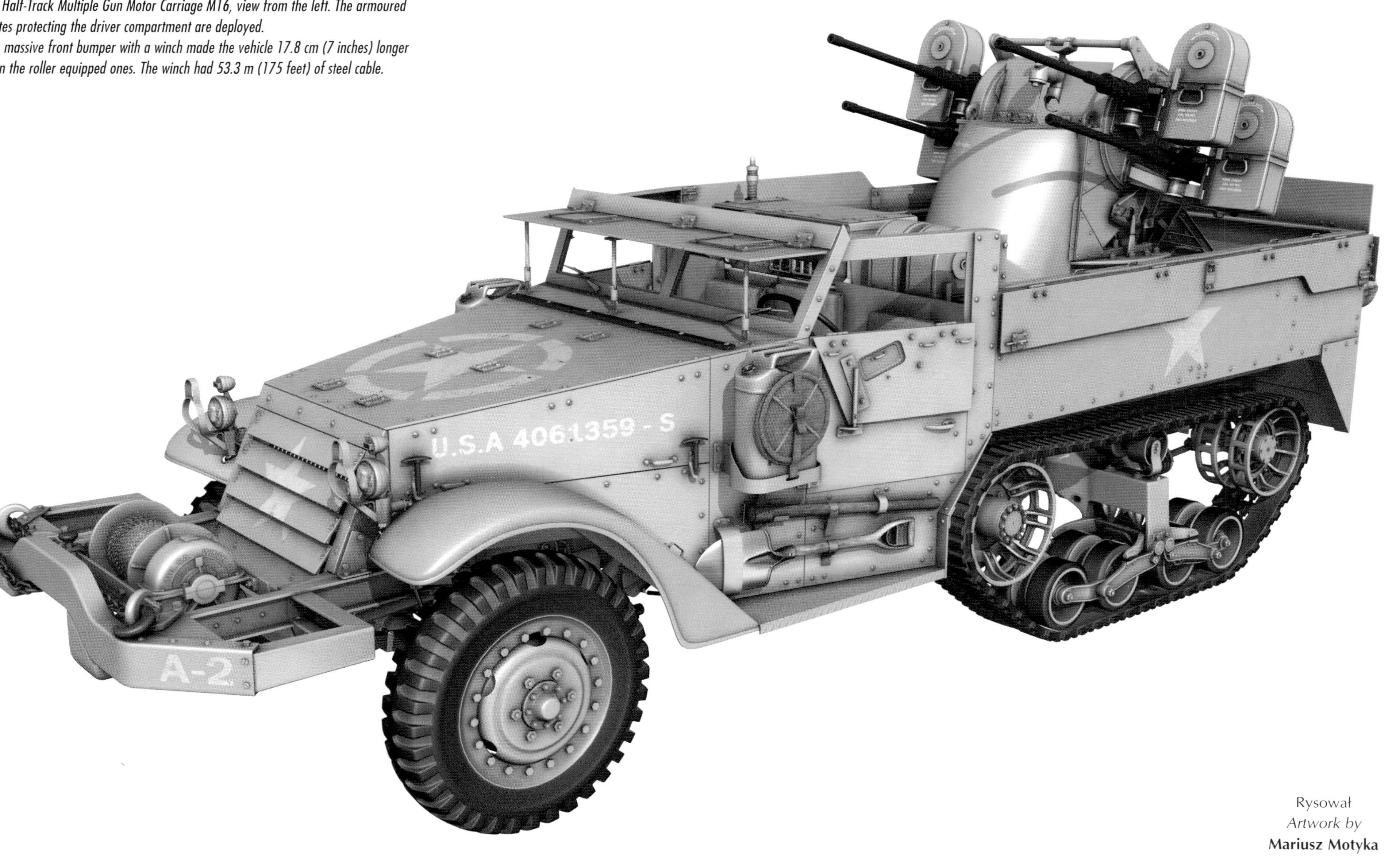

Rysował
Artwork by
Mariusz Motyka

▼ Załoga Half-Tracka M16 składała się z pięciu żołnierzy: dowódcy pojazdu, kierowcy, strzelca, dwóch ładowaczy amunicji do karabinów (prawy i lewy). Oprócz broni przenoszonej przez załogę pojazdu i wieżyczki Gun Mount M45, Half-Track nie był wyposażony w inną broń. Było to związane z potężną siłą ognia czterech karabinów M2 HB TT, które mogły bez najmniejszych problemów spełniały też rolę broni defensywnej, przed pojazdami lekko opancerzonymi i siłą żywą przeciwnika.

▼ *The Half-Track's crew consisted of five men: the vehicle commander, driver, gunner and two machine gun loaders (left and right). Apart from the crew individual weapons and the Gun Mount M45 turret the Half-Track was not armed with any other weapons. Due to their impressive firepower the four M2 HB TT machine guns could have been used as defensive weapons against light armoured vehicles and enemy personnel.*

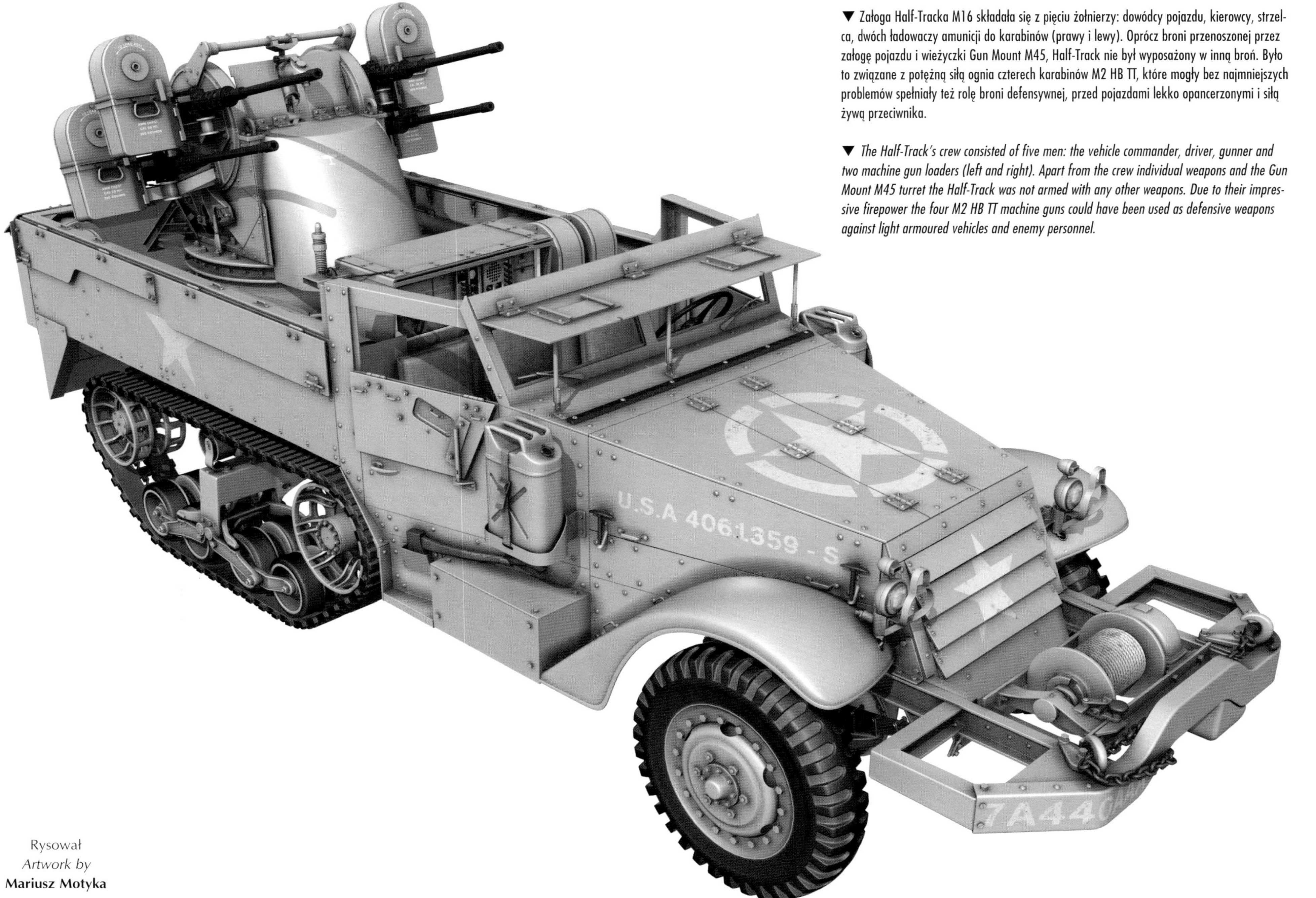

Rysował
Artwork by
Mariusz Motyka

Rysował
Artwork by
Mariusz Motyka

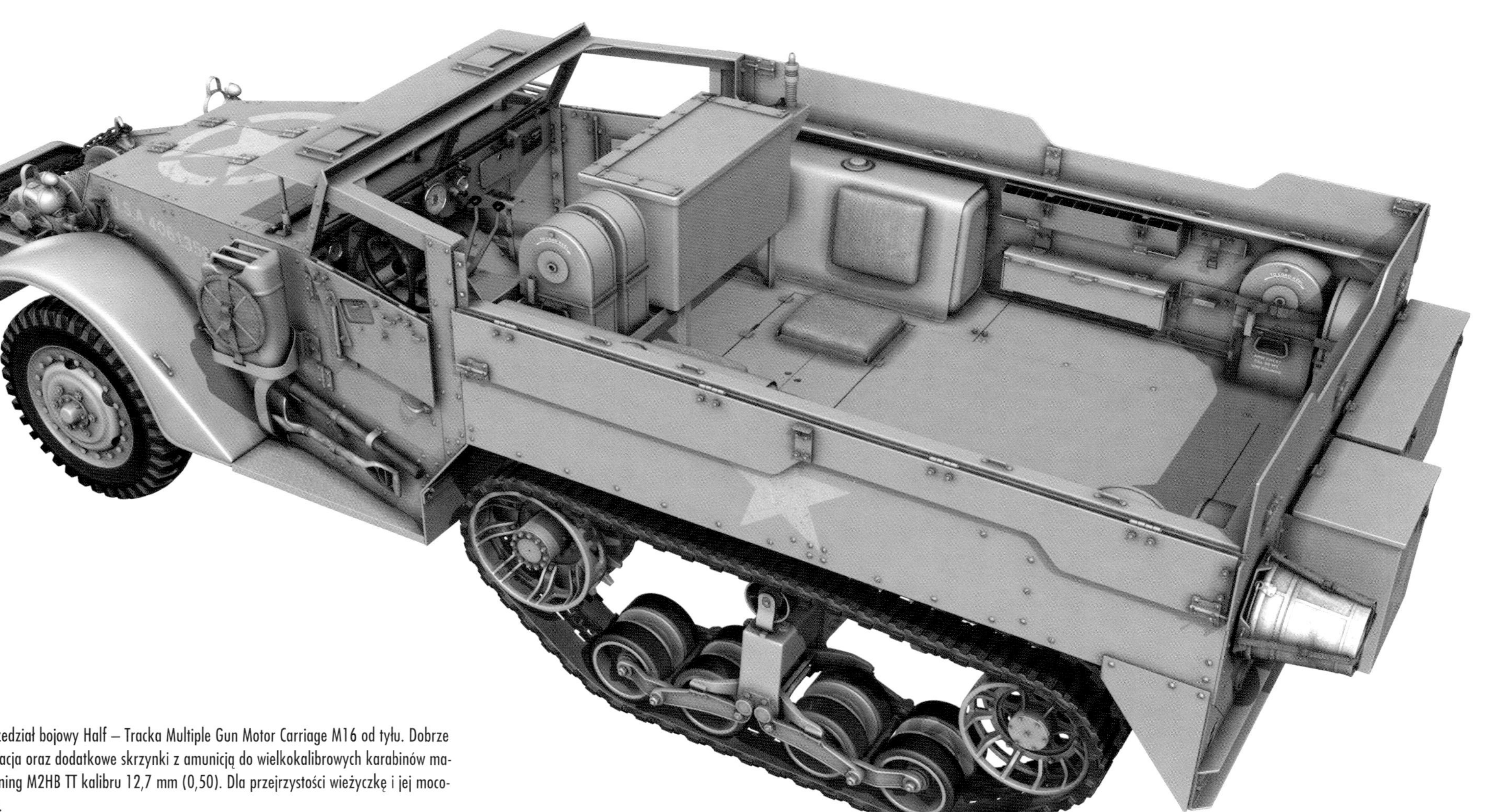

◥ Widok na przedział bojowy Half – Tracka Multiple Gun Motor Carriage M16 od tyłu. Dobrze widoczna radiostacja oraz dodatkowe skrzynki z amunicją do wielkokalibrowych karabinów maszynowych Browning M2HB TT kalibru 12,7 mm (0,50). Dla przejrzystości wieżyczkę i jej mocowanie pominięto.

◥ *Rear view of the driver compartment and the crew compartment of the Half-Track Multiple Gun Motor Carriage M16. The radio transceiver and the ammunition boxes for the Browning M2HB TT 12.7 mm heavy machine guns are visible. For more clarity the gun turret and turret mount were omitted.*

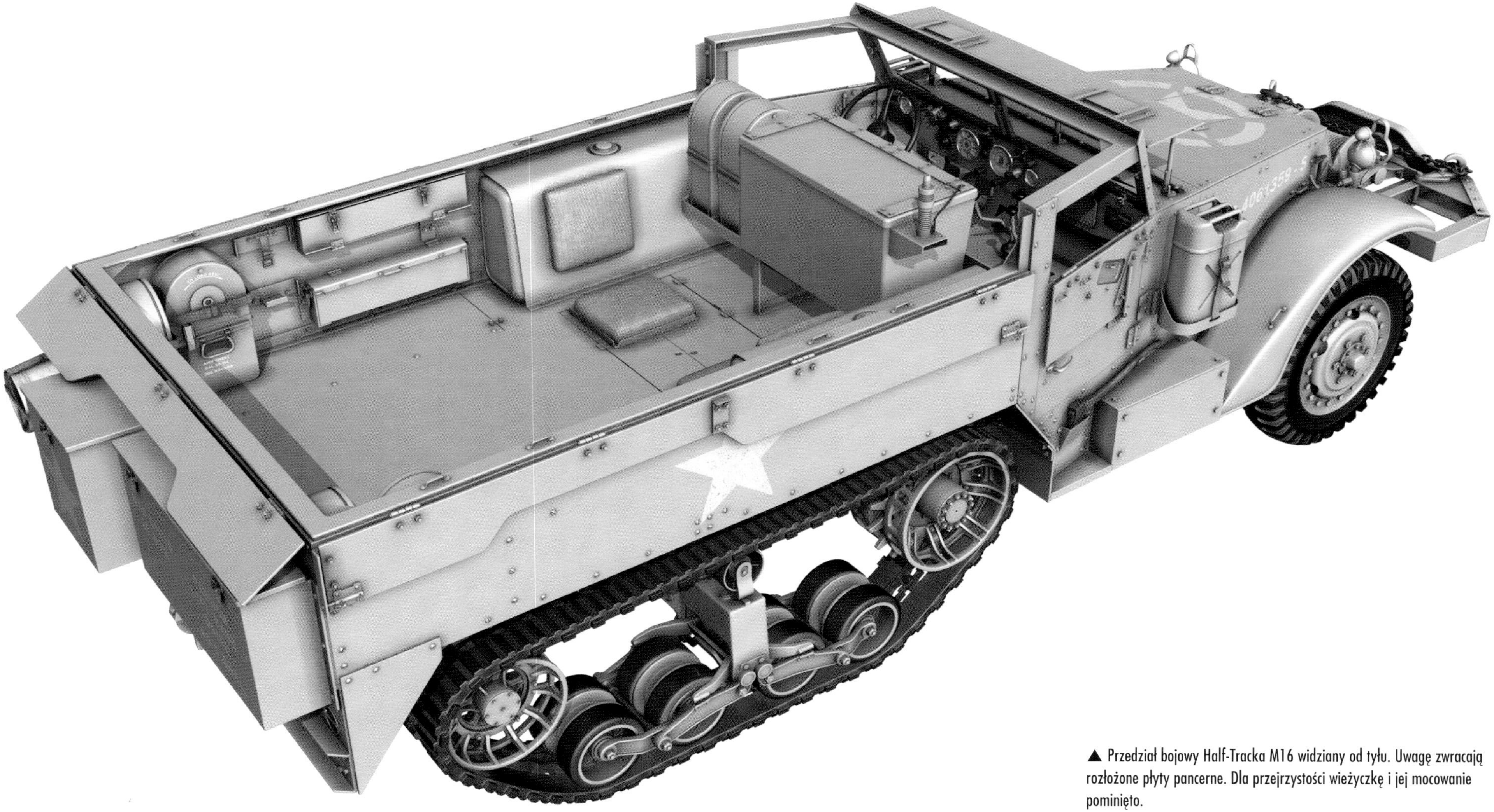

▲ Przedział bojowy Half-Tracka M16 widziany od tyłu. Uwagę zwracają rozłożone płyty pancerne. Dla przejrzystości wieżyczkę i jej mocowanie pominięto.

▲ *Crew compartment of the Half-Track M16 seen from the rear. Note the deployed armour plates. For more clarity the gun turret and turret mount were omitted.*

Rysował
Artwork by
Mariusz Motyka

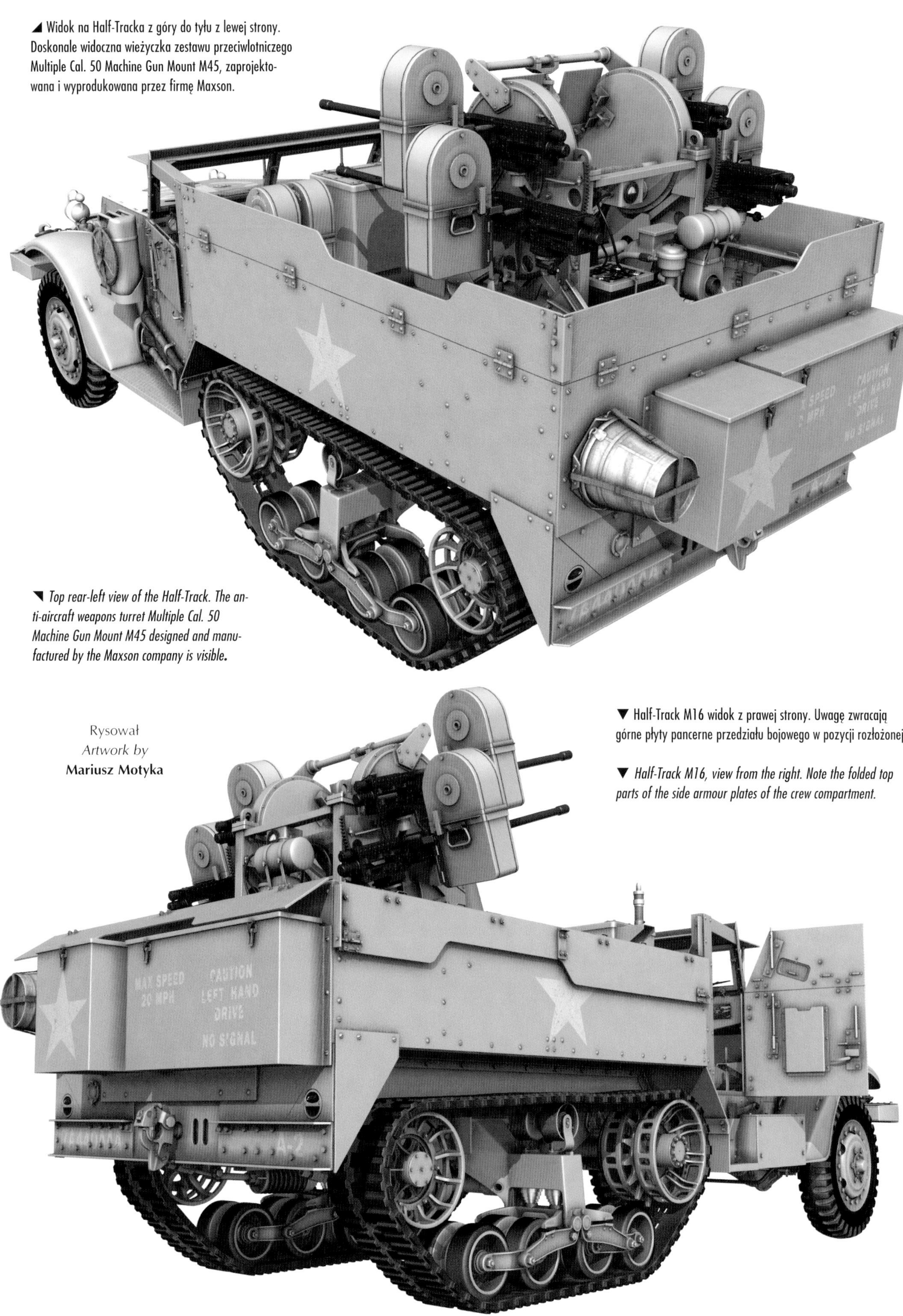

◢ Widok na Half-Tracka z góry do tyłu z lewej strony. Doskonale widoczna wieżyczka zestawu przeciwlotniczego Multiple Cal. 50 Machine Gun Mount M45, zaprojektowana i wyprodukowana przez firmę Maxson.

◥ *Top rear-left view of the Half-Track. The anti-aircraft weapons turret Multiple Cal. 50 Machine Gun Mount M45 designed and manufactured by the Maxson company is visible.*

Rysował
Artwork by
Mariusz Motyka

▼ Half-Track M16 widok z prawej strony. Uwagę zwracają górne płyty pancerne przedziału bojowego w pozycji rozłożonej.

▼ *Half-Track M16, view from the right. Note the folded top parts of the side armour plates of the crew compartment.*

▶ Przednia część Half-Tracka zdominowana jest przez stalowy zderzak z wyciągarką. Uwagę zwraca numer identyfikacyjny pojazdu na namalowany zderzaku. Oznakowanie to składało się z czterech grup znaków: pierwsza grupa określała armię, korpus lub dywizję; druga grupa określała oznaczenie pułku lub batalionu; trzecia grupa określała kompanię; natomiast czwarta grupa znaków określała numer pojazdu w danej jednostce. W tym przypadku jest to drugi pojazd z baterii A, 440th AAA (Anti-aircraft Artillery) Automatic Weapons Battalion (Self Propelled), 7th Army. Jednostka weszła do akcji 9 czerwca 1944 r., lądując na plaży Utah w okolicy St. Marie du Mont we Francji podczas operacji Overlord. W czasie prowadzenia działań wojennych na Europejskim Teatrze Działań wojennych, jednostka ta 168 razy miała kontakt z siłami powietrznymi wroga, niszcząc 21 maszyn. Brała udział w 96 akcjach bojowych związanych z prowadzeniem ostrzału celów naziemnych, niszcząc przy tym 9 czołgów i pojazdów opancerzonych, 160 pojazdów ciężarowych oraz niezliczoną liczbę niemieckich pozycji umocnionych. W toku prowadzenia działań naziemnych wyeliminowała z walki 516 żołnierzy wroga, a do niewoli wzięła 650 jeńców.

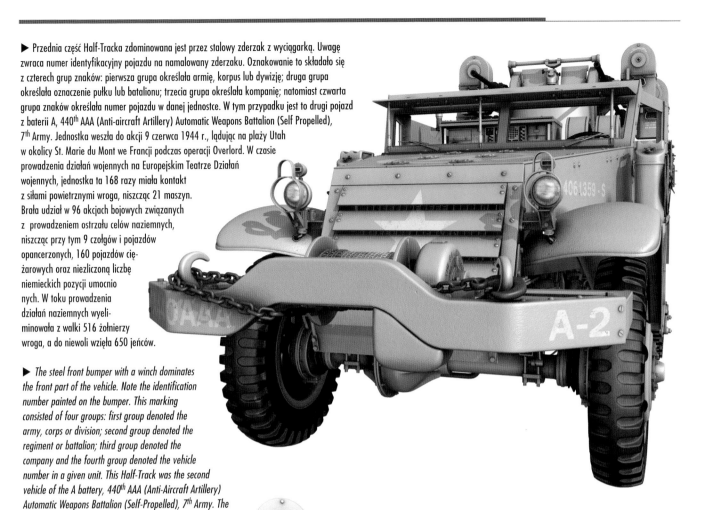

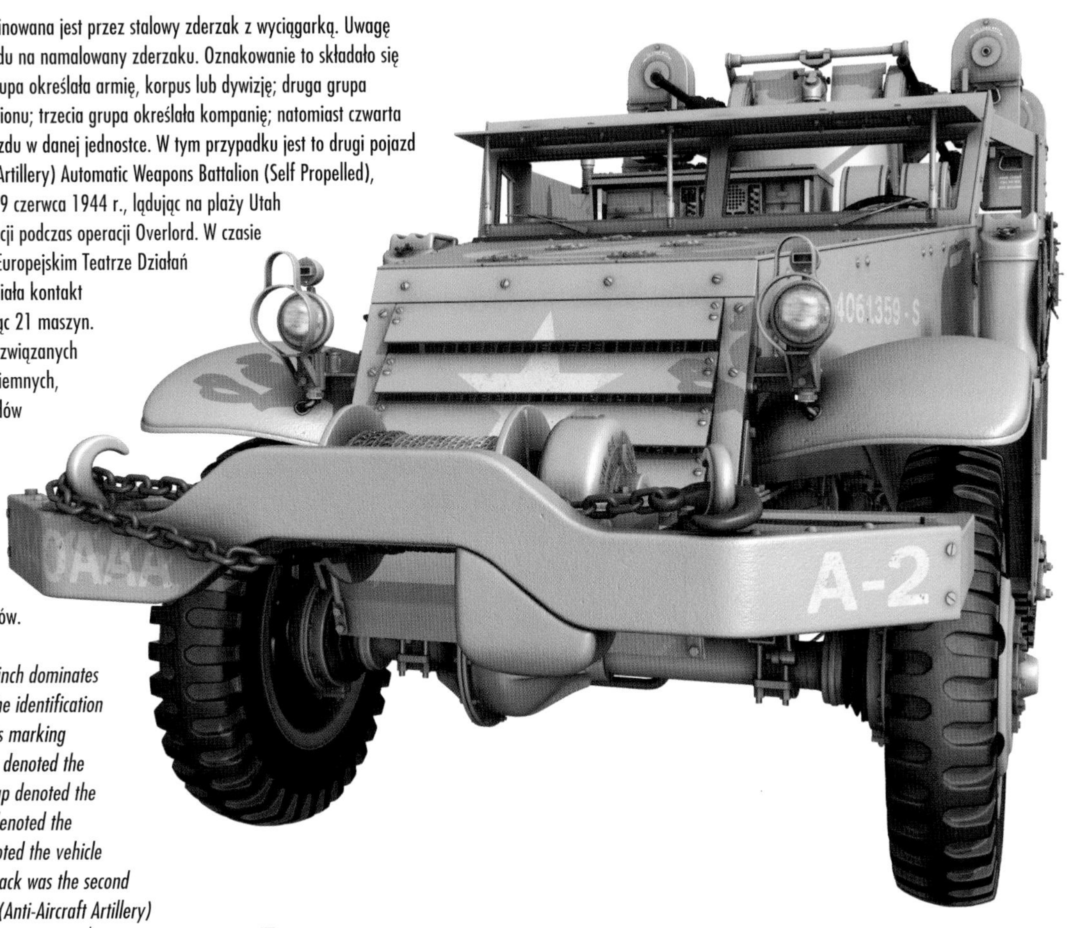

▶ *The steel front bumper with a winch dominates the front part of the vehicle. Note the identification number painted on the bumper. This marking consisted of four groups: first group denoted the army, corps or division; second group denoted the regiment or battalion; third group denoted the company and the fourth group denoted the vehicle number in a given unit. This Half-Track was the second vehicle of the A battery, 440th AAA (Anti-Aircraft Artillery) Automatic Weapons Battalion (Self-Propelled), 7th Army. The unit entered combat on the 9th June 1944 landing on Utah beach near St. Marie du Mont in France during operation Overlord. In the European Theatre of Operations this unit made contact with enemy aerial units 168 times and shot down 21 aircraft. It also took part in 96 ground attack operations destroying 9 tanks and armoured vehicles, 160 trucks and a large number of German emplacements. The unit eliminated 516 enemy soldiers and captured 650 prisoners of war.*

Rysował
Artwork by
Mariusz Motyka

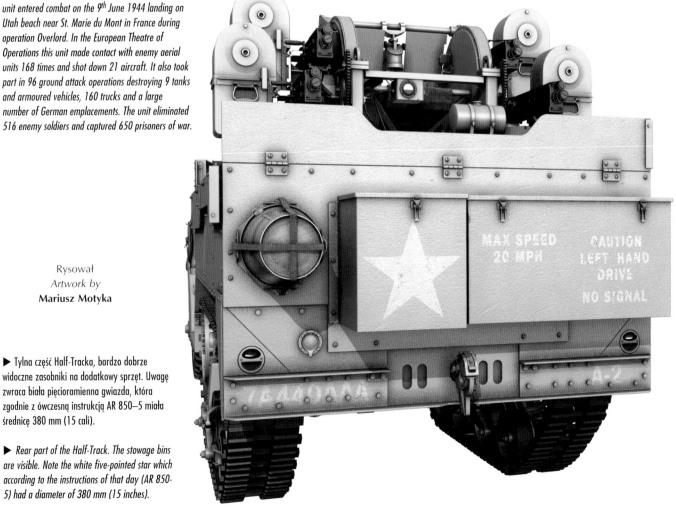

▶ Tylna część Half-Tracka, bardzo dobrze widoczne zasobniki na dodatkowy sprzęt. Uwagę zwraca biała pięcioramienna gwiazda, która zgodnie z ówczesną instrukcją AR 850–5 miała średnicę 380 mm (15 cali).

▶ *Rear part of the Half-Track. The stowage bins are visible. Note the white five-pointed star which according to the instructions of that day (AR 850-5) had a diameter of 380 mm (15 inches).*

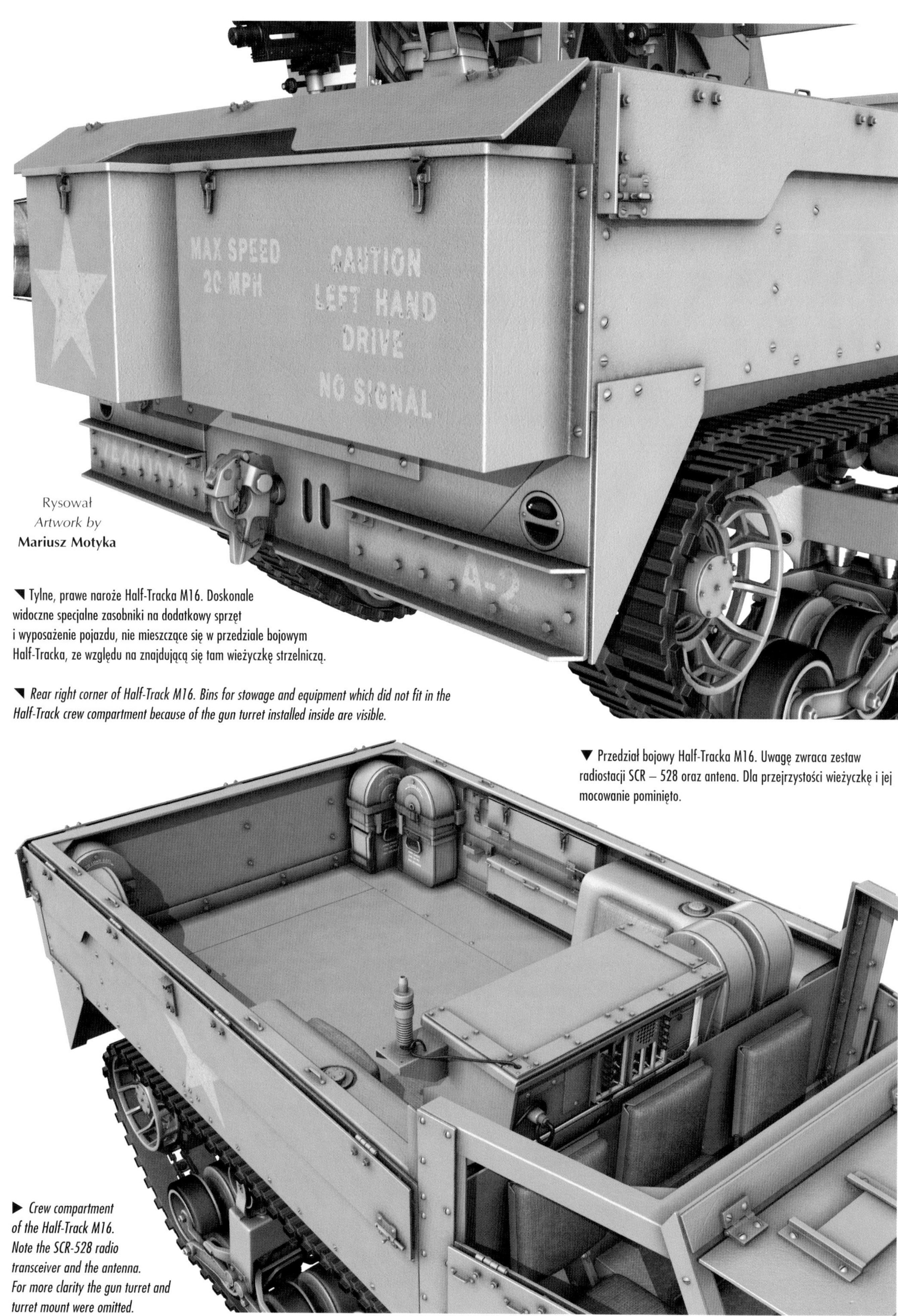

Rysował
Artwork by
Mariusz Motyka

◥ Tylne, prawe naroże Half-Tracka M16. Doskonale widoczne specjalne zasobniki na dodatkowy sprzęt i wyposażenie pojazdu, nie mieszczące się w przedziale bojowym Half-Tracka, ze względu na znajdującą się tam wieżyczkę strzelniczą.

◥ *Rear right corner of Half-Track M16. Bins for stowage and equipment which did not fit in the Half-Track crew compartment because of the gun turret installed inside are visible.*

▼ Przedział bojowy Half-Tracka M16. Uwagę zwraca zestaw radiostacji SCR – 528 oraz antena. Dla przejrzystości wieżyczkę i jej mocowanie pominięto.

► *Crew compartment of the Half-Track M16. Note the SCR-528 radio transceiver and the antenna. For more clarity the gun turret and turret mount were omitted.*

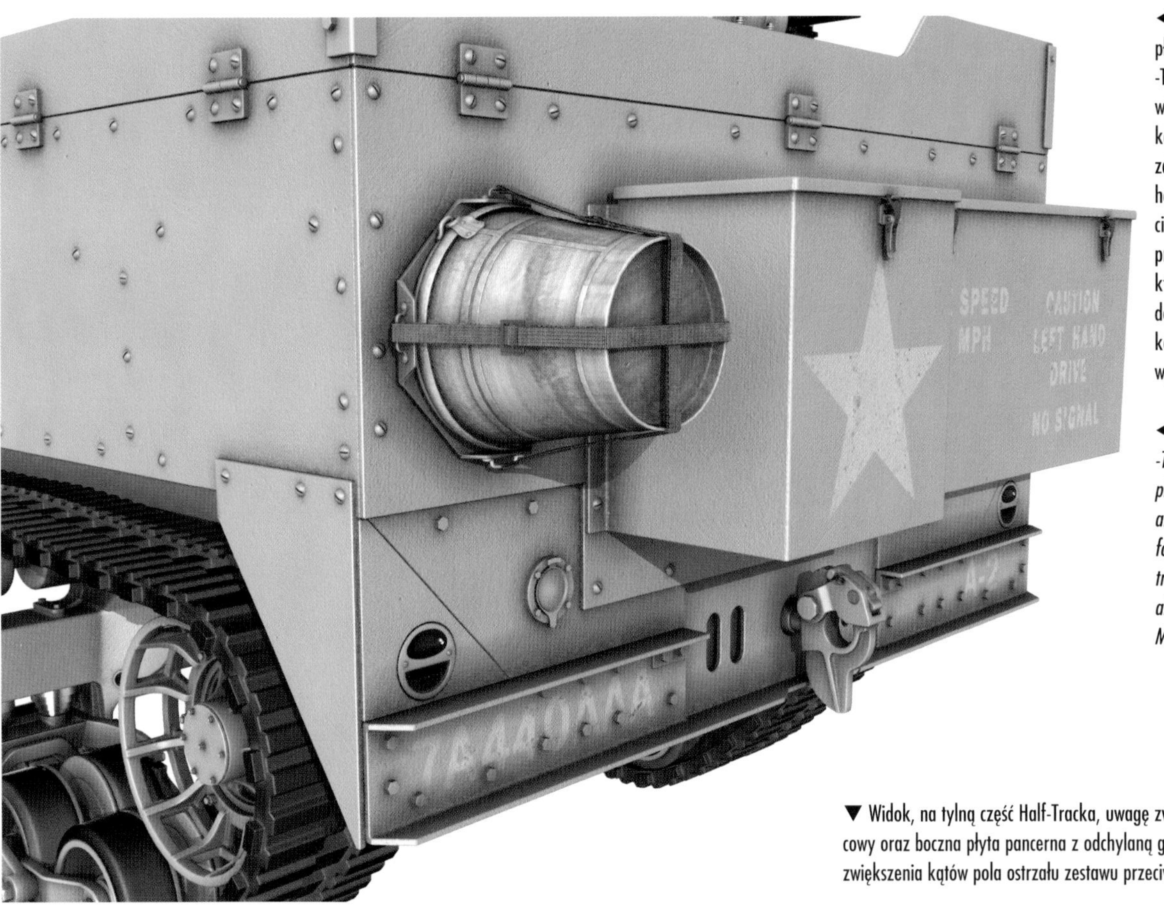

◀ Zbliżenie na tylną płytę pancerną Half--Tracka, doskonale widoczne elementy konstrukcyjne takie jak zderzaki oraz hak holowniczy, używany do ciągnienia 1 tonowej przyczepy M24, na której przewożona była dodatkowa amunicja do karabinów maszynowych M2HB TT.

◀ *Close-up of the Half--Track's rear armour plate; note the bumpers and the tow hook used for towing a 1 ton M24 trailer carrying additional ammunition for the M2HB TT machine guns.*

▼ Widok, na tylną część Half-Tracka, uwagę zwraca wózek gąsienicowy oraz boczna płyta pancerna z odchylaną górną częścią, celem zwiększenia kątów pola ostrzału zestawu przeciwlotniczego.

Rysował
Artwork by
Mariusz Motyka

▲ *Rear view of the Half-Track. Note the track suspension system and the side armour plate with a foldable top part which improved the field of fire of the anti-aircraft weapons.*

Rysował
Artwork by
Mariusz Motyka

▲ Drzwi prowadzące do kabiny kierowcy w pozycji otwartej. Uwagę zwracają elementy konstrukcyjne wewnętrznej strony przedmiotowych drzwi.

▲ *Driver's door in open position. Note the construction of the door interior.*

▶ Wnętrze kabiny kierowcy. Uwagę zwracają ramki z przednimi szybami oraz system ich montażu. Bardzo dobrze widoczna kierownica z przyciskiem klaksonu umieszczonym centralnie na niej.

▶ *Driver compartment interior. Note the windshield frames and their attachment system. The steering wheel with a horn button in the centre is visible.*

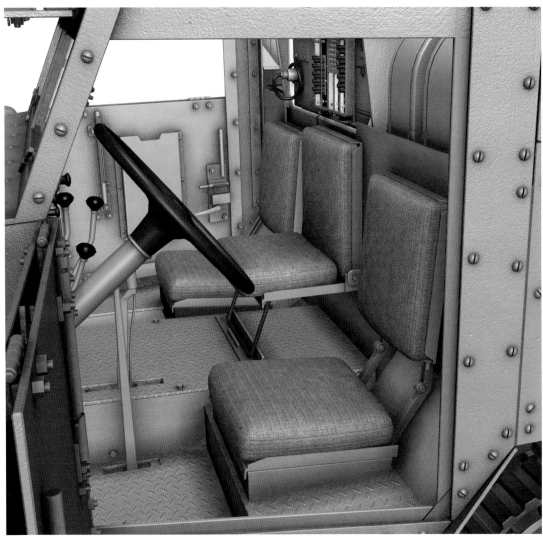

◀ Wnętrze kabiny kierowcy. Bardzo dobrze widoczne siedzenia: kierowcy, dowódcy pojazdu oraz drugiego kierowcy. Uwagę zwracają śruby mocujące płyty pancerne oraz zawias odchylanej płyty pancernej chroniącej przedział bojowy Half-Tracka.

◀ *Driver compartment interior. The driver's, second driver's and the commander's seats are visible. Note the screws for holding the armour plate and the hinge of the folding armour plate protecting the compartment.*

Rysował
Artwork by
Mariusz Motyka

◀ Wnętrze kabiny kierowcy, prawa strona, widok z perspektywy kierowcy. Z prawej strony, pod schowkiem na mapy widoczna jest dźwignia służąca do otwierania i zamykania pancernej żaluzji chroniącej przedział silnika od przodu. Fabrycznie obok tej dźwigni znajdowała się również gaśnica przeciw pożarowa.

◀ *Driver compartment interior, right side, view from the driver's point of view. On the right-hand side below the map box a lever for closing the armoured engine louvers protecting the engine compartment from the front is located. A fire extinguisher was placed next to this lever when the vehicle left the factory.*

◢ Wnętrze kabiny kierowcy. Doskonale widoczna kierownica, przełączniki, wskaźniki na desce rozdzielczej oraz tabliczki z informacjami dot. obsługi poszczególnych podzespołów pojazdu oraz tabliczka znamionowa. Z lewej strony kierownicy są to: tabliczka z informacjami dot. obsługi silnika, obrotomierz wyskalowany od 0 do 3500 obrotów na minutę wyprodukowany przez firmę Stewart-Warner oraz tabliczka z informacjami dot. używania skrzyni biegów, hamulca postojowego oraz załączania i rozłączania przedniego wału napędowego. Z prawej strony kierownicy widać: silniczek lewej wycieraczki wraz z włącznikiem/wyłącznikiem, włącznik/wyłącznik świateł głównych, włącznik/wyłącznik podświetlenia wskaźników na desce rozdzielczej, zintegrowany wskaźnik (na górze amperomierz, na dole wskaźnik temperatury silnika, z lewej strony wskaźnik ciśnienia oleju, z prawej strony wskaźnik poziomu paliwa) wyprodukowany przez firmę Stewart-Warner.

▲ Kabina kierowcy widziana z przedniej części przedziału bojowego Half-Tracka M16. Na pierwszym planie po lewej stronie dwie skrzynki amunicyjne M2 oraz radiostacja po prawej stronie.

▲ *Half-Track M16 driver compartment seen from the front part of the crew compartment. In the foreground on the left-hand side two M2 ammunition boxes and on the right the radio receiver are visible.*

Rysował
Artwork by
Mariusz Motyka

▶ *Driver compartment interior. The steering wheel, switches, dashboard indicators and plates with operation instruction for various vehicle components as well as the data plate are visible. From the left to right there are: a plate containing information on engine operation, a tachometer scaled from 0 to 3500 revolutions per minute manufactured by Stewart-Warner, a plate containing information on gearbox and parking brake operation as well as instructions for coupling and uncoupling of the front drive shaft. On the driver's right hand side the following are located: left windscreen wiper motor with its turn on switch, headlights switch, dashboard lighting switch, integrated indicator (ammeter at the top, engine temperature gauge at the bottom, oil pressure gauge on the left and fuel level gauge on the right) manufactured by Stewart-Warner.*

◀ Widok na deskę rozdzielczą kabiny Half-Tracka z perspektywy dowódcy pojazdu. Doskonale widoczne detale deski rozdzielczej, jak również podłogi kabiny kierowcy. Na desce rozdzielczej, patrząc od lewej strony znajdują się: zintegrowany wskaźnik (opisany wcześniej), zapłon oraz starter silnika, prędkościomierz (wyskalowany od 0 do 80 mil na godzinę) wyprodukowany przez firmę Stewart-Warner. Dodatkowo w prędkościomierzu jest wskaźnik przebiegu wyskalowany do 99,999,9 mil, oraz dobowy wskaźnik przebiegu wyskalowany do 999,9 mil. Woltomierz wyskalowany od 0 do 20 woltów, wyprodukowany przez firmę Sun Mfg. Com. Po lewej stronie deski rozdzielczej znajduje się również mapnik, schowek na mapy oraz tabliczka znamionowa pojazdu. W niektórych pojazdach na drzwiczkach schowka znajdowała się tabliczka z informacjami dotyczącymi obsługi mechanicznej wyciągarki znajdującej się w przednim zderzaku.

◤ *A view of the dashboard from the vehicle commander's perspective. Details of the dashboard and the driver compartment floor are visible. On the dashboard, looking from the left, there are: the integrated indicator (described earlier), ignition and engine starter and the speed indicator (0 to 80 MPH) manufactured by Stewart-Warner. In the speed indicator a mileage counter (up to 999999) miles and a daily mileage counter (up to 999.9 miles) were installed. The voltmeter (0 to 20 Volts) was manufactured by Sun Mfg. Com. On the left side of the dashboard a map box and the data plate are installed. Some vehicles had on the map box door a plate with the operation instructions for the mechanical winch located on the front bumper.*

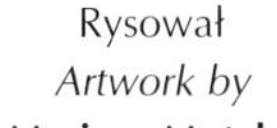
Rysował
Artwork by
Mariusz Motyka

◀ Prawe drzwi prowadzące do kabiny kierowcy. Doskonale widoczne wewnętrzne elementy konstrukcyjne drzwi takie jak zamki i rygle. Uwagę zwraca metalowa kieszeń na mapy.

◀ *Right driver compartment door. The internal construction of the door is visible including the locks and bolts. Note the metal map pocket.*

◀ Kabina kierowcy widok z prawej strony.

◀ *Driver compartment viewed from the right.*

▼ Zbliżenie na lewą środkową część Half – Tracka. Uwagę zwraca składane brezentowe wiadro przytroczone do kanistra na paliwo. Dobrze widoczny kilof oraz łopata, przytroczone do pancerza pojazdu, pod drzwiami prowadzącymi do kabiny kierowcy. Ponadto warto zwrócić uwagę na uchwyty służące do przymocowania troków umożliwiających przytroczenie siatki maskującej pojazd do lewego przedniego błotnika.

▼ *Close-up shot of the middle-left part of the Half-Track. Note the folding canvas bucket attached to the jerrycan. Also the pickaxe and a shovel attached to the vehicle armour below the driver's door are visible. Note the attachment points for the camouflage netting on the left front fender.*

Rysował
Artwork by
Mariusz Motyka

◀ Widok na kabinę kierowcy z perspektywy drugiego kierowcy. Doskonale widoczne dźwignie zmiany biegów oraz załączania i rozłączania napędów. Patrząc od lewej strony są to: drążek załączenia wału odbioru mocy, dźwignia hamulca postojowego, drążek zmiany biegów, dźwignia przeniesienia napędu, dźwignia załączająca przedni wał napędowy.

◀ *Driver compartment view from the second driver's perspective. Gear leaver and a drive coupling leaver are visible. Looking from the left there are: power-take-off leaver, parking brake leaver, gear leaver, transmission leaver, front drive shaft coupling leaver.*

▼ Środkowa część Half-Tracka. Uwagę zwracają płyty pancerne chroniące kabinę kierowcy, będące w pozycji rozłożonej. Bardzo dobrze widać szczegóły zamków i rygli widocznych na wewnętrznej stronie górnej płyty pancernej drzwi kabiny kierowcy.

▼ *Half-Track, middle part. Note the deployed armoured plates protecting the driver compartment. The details of locks and bolts on the inside of the driver door's top armour plate are visible.*

Rysował
Artwork by
Mariusz Motyka

◢ Zbliżenie na lewą przednią część Half-Tracka. Doskonale widoczne płyty pancerne chroniące przedział silnikowy, w tym żaluzja chroniąca silnik i podzespoły od przodu. Ponadto uwagę zwraca przednia, demontowana lampa późnego typu oraz charakterystycznie wyprofilowany błotnik, będący swego rodzaju znakiem rozpoznawczym dla pojazdów wyprodukowanych przez firmy White, Diamond oraz Autocar.

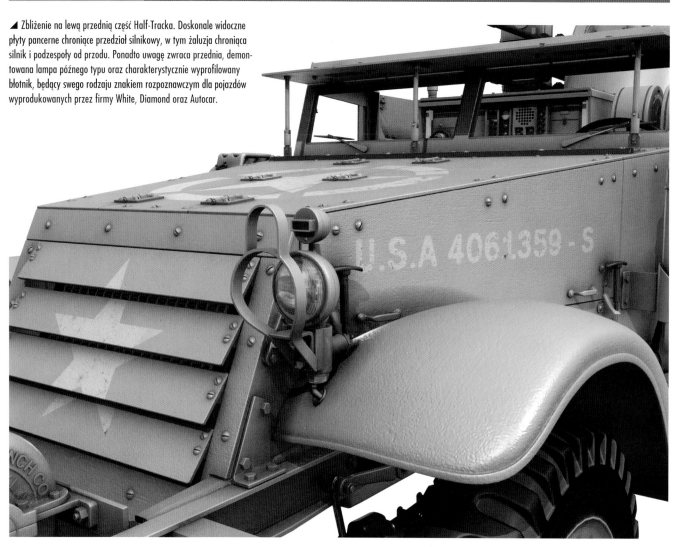

▲ *Close-up shot of the front left part of the Half-Track. The armour plates protecting the engine compartment including the armoured radiator louvers protecting the engine and other components from the front. Note the late-type detachable headlight and the characteristic profile of the front fender, a hallmark of the vehicles manufactured by the White, Diamond and Autocar companies.*

Rysował
Artwork by
Mariusz Motyka

► Widok na przedni zderzak wraz z wyciągarką firmy TULSA Model 18 G o uciągu 4500 kg. Uwagę zwraca stalowy łańcuch zaczepiony do haków holowniczych. Ponadto doprze widoczne zamknięcie płyty pancernej, maski, umożliwiającej dostęp do przedziału silnikowego, w tym przypadku z lewej strony. Dostęp do przedziału silnikowego możliwy był z prawej i lewej strony pojazdu.

► *View on the front bumper with a TULSA Model 18 G winch with a maximum towed weight of 4500 kg. Note the steel chain attached to the tow hooks. The locking mechanism of the armoured hood allowing access to the engine compartment from the left side is visible. Access to the engine compartment was possible from the left and from the right side of the vehicle.*

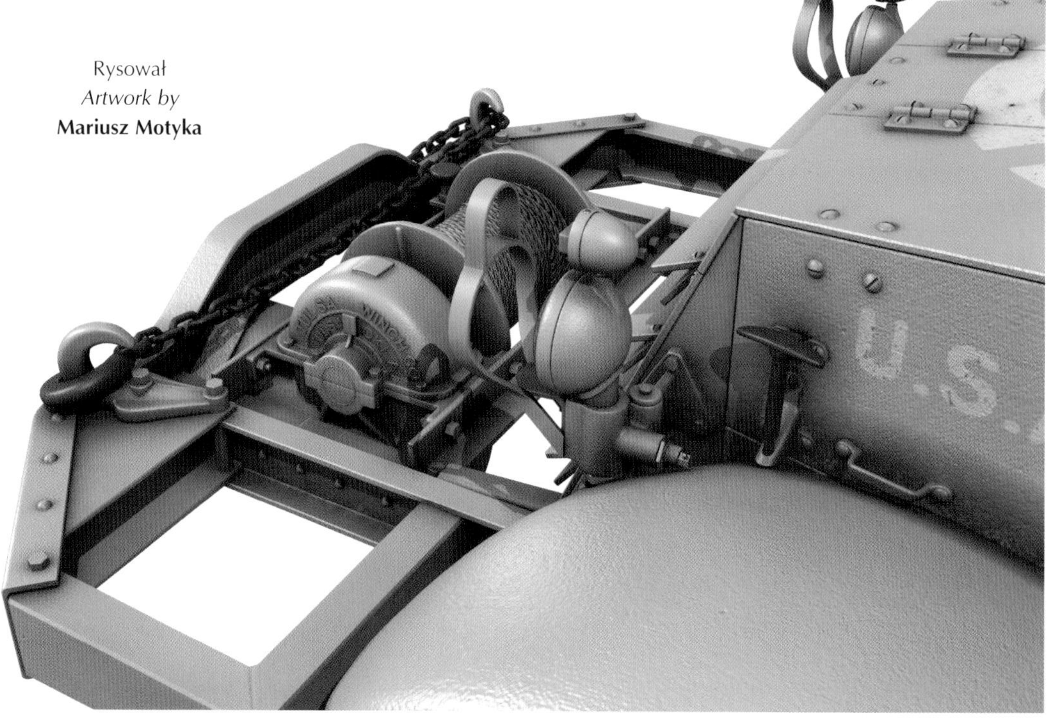

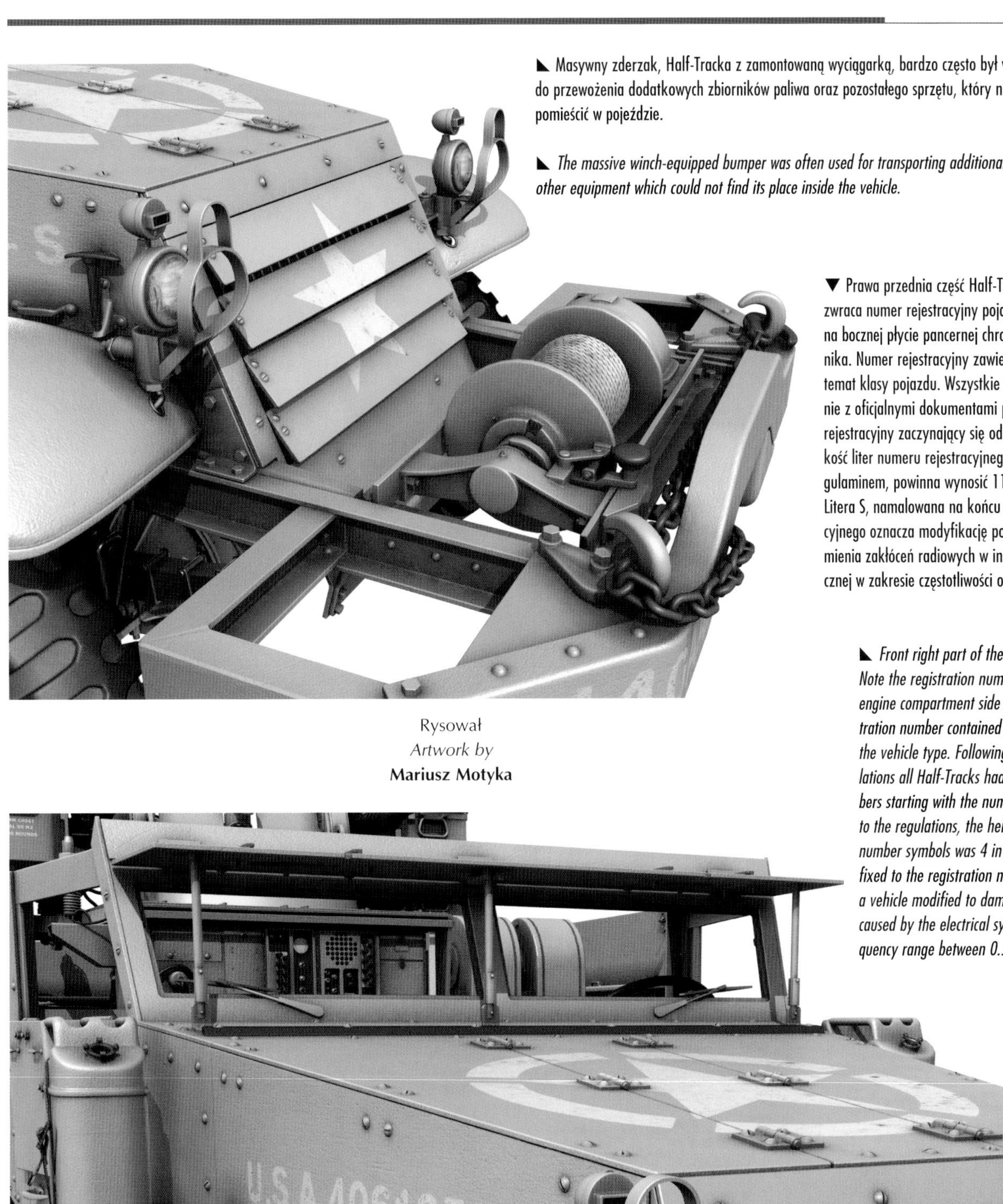

◣ Masywny zderzak, Half-Tracka z zamontowaną wyciągarką, bardzo często był wykorzystywany do przewożenia dodatkowych zbiorników paliwa oraz pozostałego sprzętu, który nie był w stanie się pomieścić w pojeździe.

◣ *The massive winch-equipped bumper was often used for transporting additional fuel tanks or other equipment which could not find its place inside the vehicle.*

▼ Prawa przednia część Half-Tracka M16. Uwagę zwraca numer rejestracyjny pojazdu namalowany na bocznej płycie pancernej chroniącej komorę silnika. Numer rejestracyjny zawierał informację na temat klasy pojazdu. Wszystkie Half-Tracki zgodnie z oficjalnymi dokumentami posiadały numer rejestracyjny zaczynający się od liczby 40. Wysokość liter numeru rejestracyjnego, zgodnie z regulaminem, powinna wynosić 116 mm (4 cale). Litera S, namalowana na końcu numeru rejestracyjnego oznacza modyfikację pojazdu celem tłumienia zakłóceń radiowych w instalacji elektrycznej w zakresie częstotliwości od 0,5 do 30 MHz.

◣ *Front right part of the Half-Track M16. Note the registration number painted on the engine compartment side armour. The registration number contained information on the vehicle type. Following the official regulations all Half-Tracks had registration numbers starting with the number 40. According to the regulations, the height of registration number symbols was 4 in The letter S affixed to the registration number denoted a vehicle modified to dampen radio noise caused by the electrical systems in the frequency range between 0.5 to 30 MHz.*

Rysował
Artwork by
Mariusz Motyka

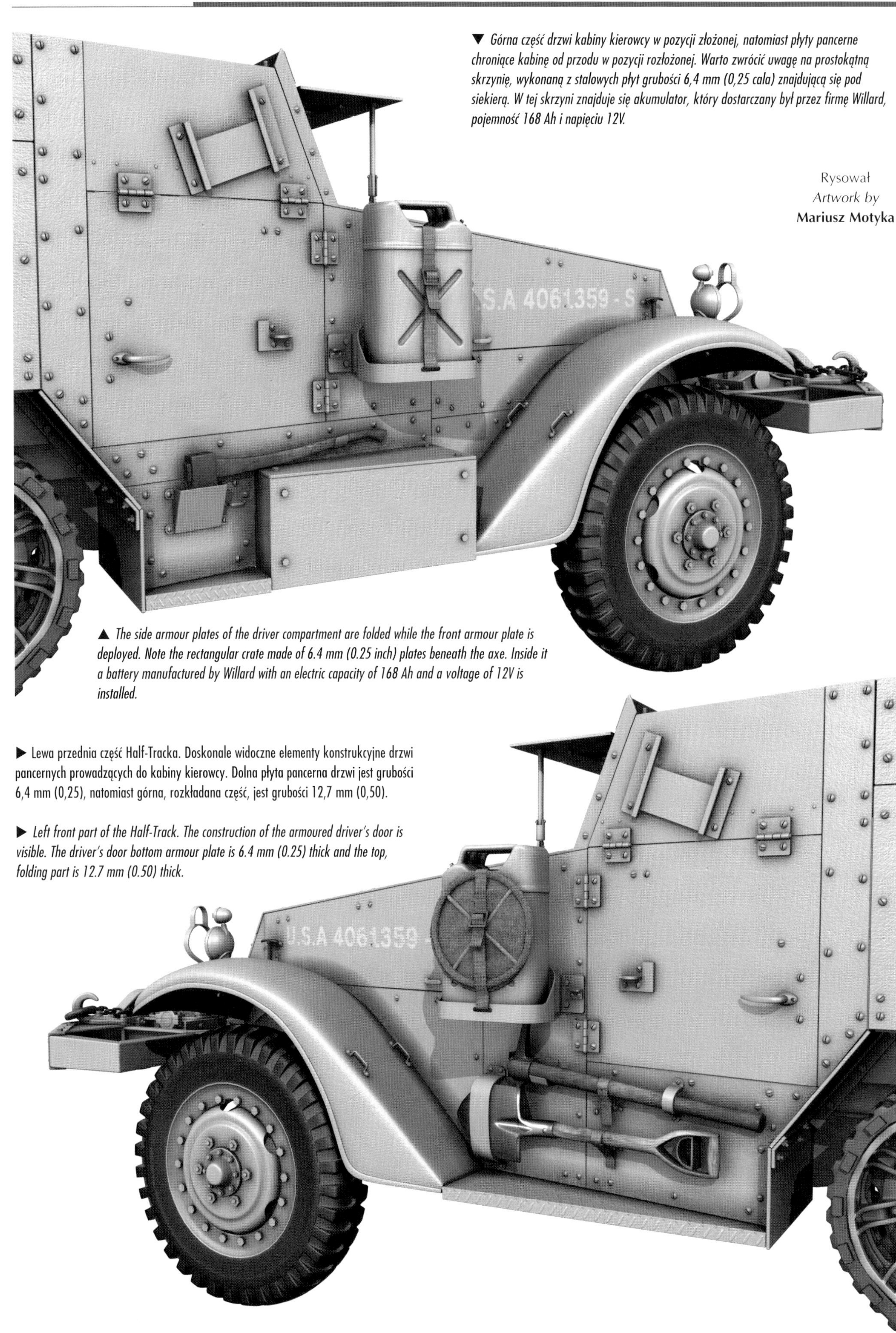

▼ *Górna część drzwi kabiny kierowcy w pozycji złożonej, natomiast płyty pancerne chroniące kabinę od przodu w pozycji rozłożonej. Warto zwrócić uwagę na prostokątną skrzynię, wykonaną z stalowych płyt grubości 6,4 mm (0,25 cala) znajdującą się pod siekierą. W tej skrzyni znajduje się akumulator, który dostarczany był przez firmę Willard, pojemność 168 Ah i napięciu 12V.*

Rysował
Artwork by
Mariusz Motyka

▲ *The side armour plates of the driver compartment are folded while the front armour plate is deployed. Note the rectangular crate made of 6.4 mm (0.25 inch) plates beneath the axe. Inside it a battery manufactured by Willard with an electric capacity of 168 Ah and a voltage of 12V is installed.*

► Lewa przednia część Half-Tracka. Doskonale widoczne elementy konstrukcyjne drzwi pancernych prowadzących do kabiny kierowcy. Dolna płyta pancerna drzwi jest grubości 6,4 mm (0,25), natomiast górna, rozkładana część, jest grubości 12,7 mm (0,50).

► *Left front part of the Half-Track. The construction of the armoured driver's door is visible. The driver's door bottom armour plate is 6.4 mm (0.25) thick and the top, folding part is 12.7 mm (0.50) thick.*

◢ Przednia część Half-Tracka. Uwagę zwraca masywny błotnik oraz koło przedniej osi napędowej. Przednie koła posiadały oryginalnie stalowe, tłoczone felgi w rozmiarze 20 x 7 cali. Przymocowane były do piasty za pomocą 6 śrub. Opony były dodatkowo zabezpieczone przed zsuwaniem się z felgi za pomocą stalowych pierścieni z wywiniętym kołnierzem, przymocowanym do felgi za pomocą 18 śrub.

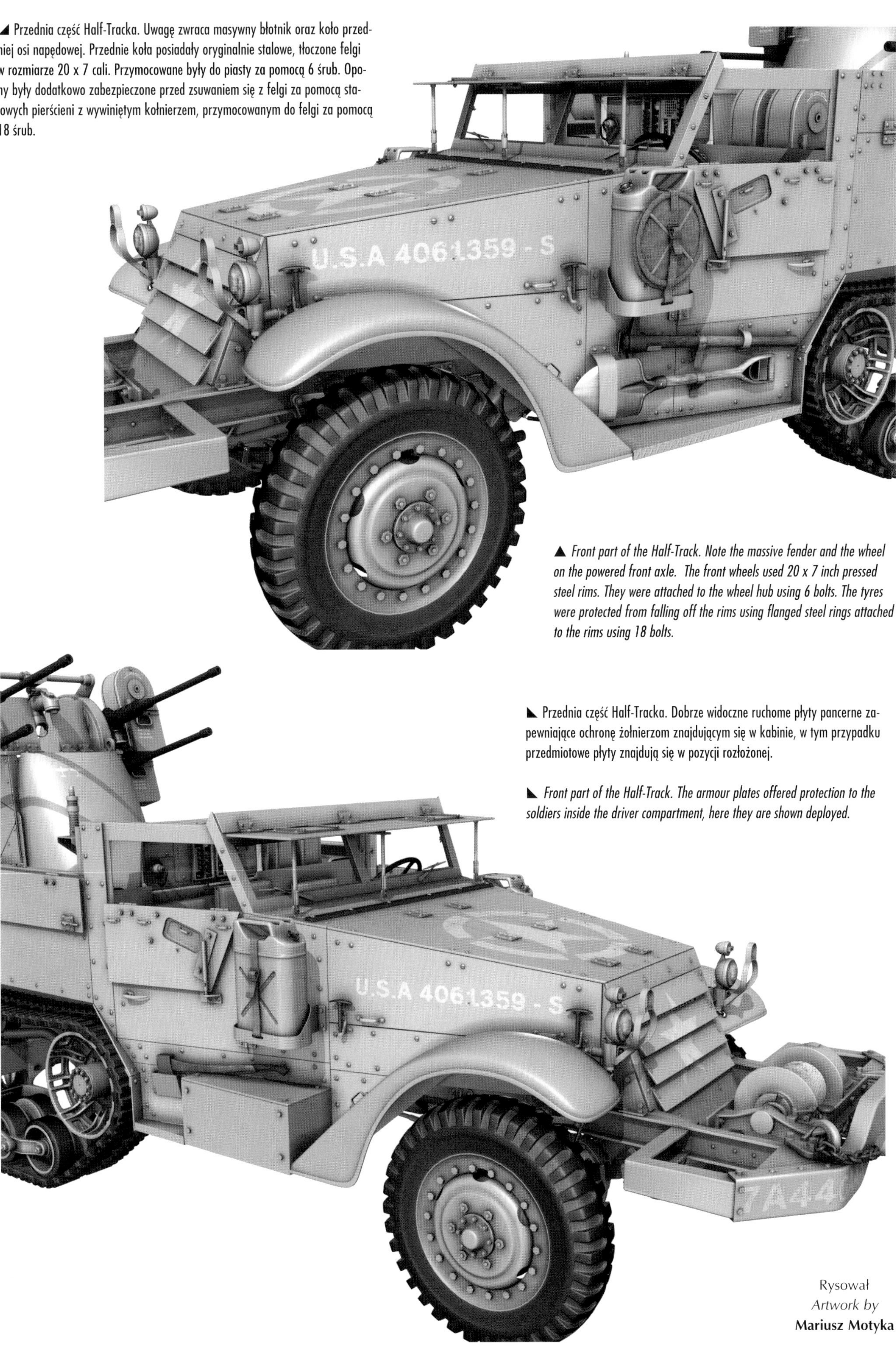

▲ *Front part of the Half-Track. Note the massive fender and the wheel on the powered front axle. The front wheels used 20 x 7 inch pressed steel rims. They were attached to the wheel hub using 6 bolts. The tyres were protected from falling off the rims using flanged steel rings attached to the rims using 18 bolts.*

◣ Przednia część Half-Tracka. Dobrze widoczne ruchome płyty pancerne zapewniające ochronę żołnierzom znajdującym się w kabinie, w tym przypadku przedmiotowe płyty znajdują się w pozycji rozłożonej.

◣ *Front part of the Half-Track. The armour plates offered protection to the soldiers inside the driver compartment, here they are shown deployed.*

Rysował
Artwork by
Mariusz Motyka

▼ Tylna część Half-Tracka M16. Pojazd z opuszczonymi płytami pancernymi, zapewniającymi w czasie poruszania się pojazdu dodatkową ochronę załodze pojazdu znajdującej się w przedziale bojowym pojazdu.

▼ *Rear part of the Half-Track M16. The armour plates (shown folded) offered additional protection for the men inside the crew compartment while the vehicle was on the move.*

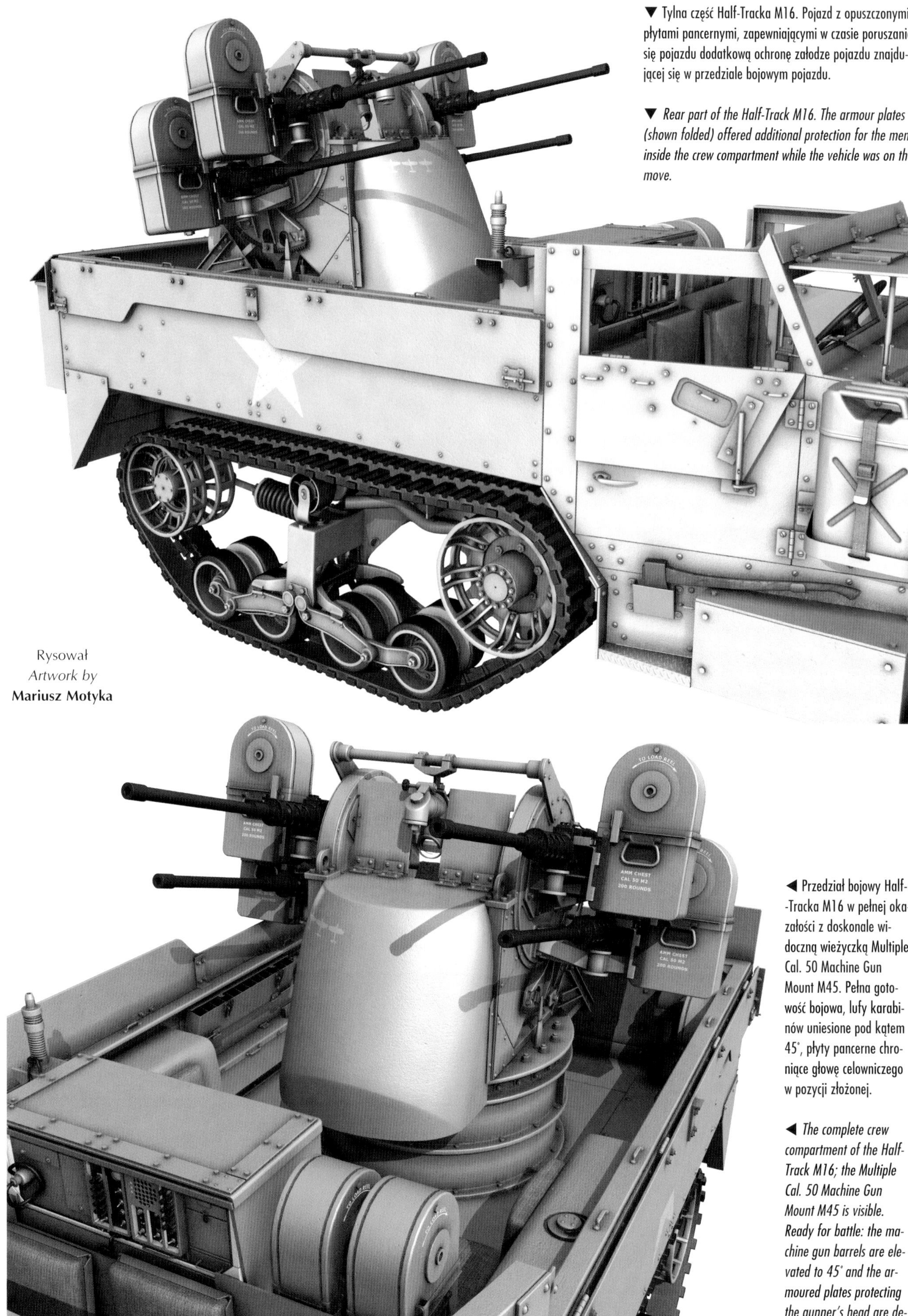

Rysował
Artwork by
Mariusz Motyka

◀ Przedział bojowy Half--Tracka M16 w pełnej okazałości z doskonale widoczną wieżyczką Multiple Cal. 50 Machine Gun Mount M45. Pełna gotowość bojowa, lufy karabinów uniesione pod kątem 45°, płyty pancerne chroniące głowę celowniczego w pozycji złożonej.

◀ *The complete crew compartment of the Half-Track M16; the Multiple Cal. 50 Machine Gun Mount M45 is visible. Ready for battle: the machine gun barrels are elevated to 45° and the armoured plates protecting the gunner's head are deployed.*

▲ Widok na kabinę kierowcy oraz przedział bojowy Half – Tracka Multiple Gun Motor Carriage M16. Warto zwrócić uwagę na ciasnotę panującą w przedziale bojowym. Dobrze widoczna górna część lewej płyty pancernej w pozycji rozłożonej.

▲ *Driver compartment and crew compartment view of the Half-Track Multiple Gun Motor Carriage M16. Note how cramped the crew compartment was. The folded left-hand side armour plate is visible.*

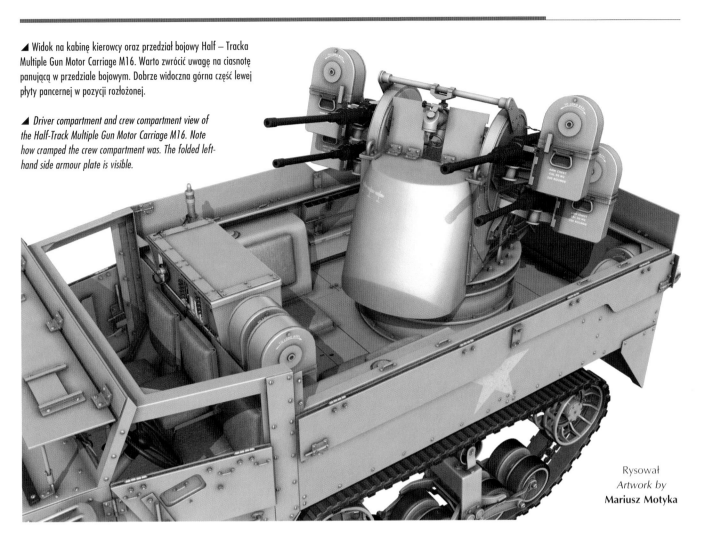

Rysował
Artwork by
Mariusz Motyka

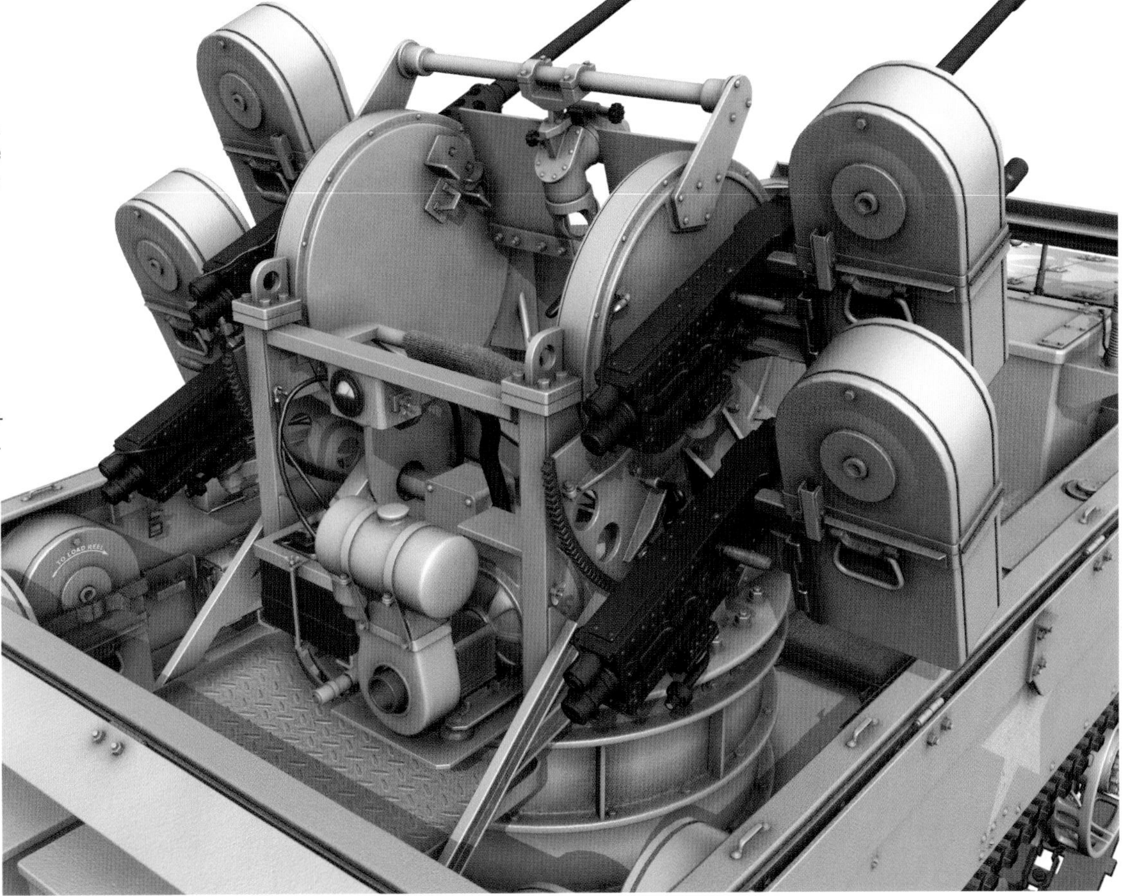

▲ Wieżyczka Multiple Cal. 50 Machine Gun Mount M45, widok od tyłu. Bardzo dobrze widoczny bezstopniowy silnik spalinowy wraz ze zbiornikiem paliwa produkowany przez firmę Briggs and Stratton Model 300 PC1, który posiada zdolność wytwórcza prądu 300 wat i służył do ładowania akumulatorów zasilających silnik elektryczny będący jednostką napędową wieżyczki.

▶ *Multiple Cal. 50 Machine Gun Mount M45, rear view. The stepless internal combustion engine Model 300 PC1 with its fuel tank manufactured by Briggs and Stratton producing a 300 Watt current to charge the batteries powering the electric motor driving the turret is visible.*

Rysował
Artwork by
Mariusz Motyka

◀ Przedział bojowy Half-Tracka M16. Doskonale widoczna wieżyczka strzelnicza M45. Uwagę zwracają karabiny maszynowe Browning M2HB TT, bez podpiętych skrzynek z amunicją. Ponadto dobrze widoczne płyty pancerne chroniące przedział bojowy Half-Tracka w pozycji rozłożonej. Dzięki temu, celowniczy zestawu M45 dysponował większym polem ostrzału.

▲ *Crew compartment of the Half-Track M16. The M45 gun turret is clearly visible. Note the Browning M2HB TT machine guns with the ammunition boxes detached. The armour plates protecting the crew compartment are folded increasing the gunner's field of fire.*

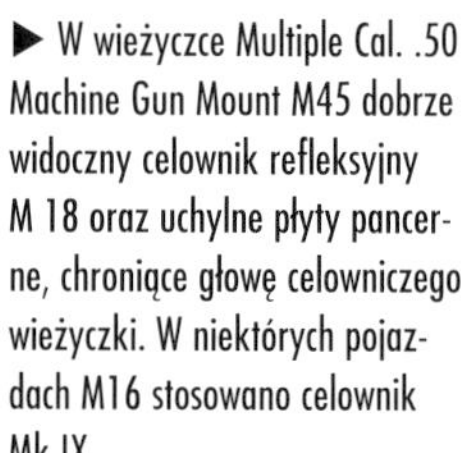

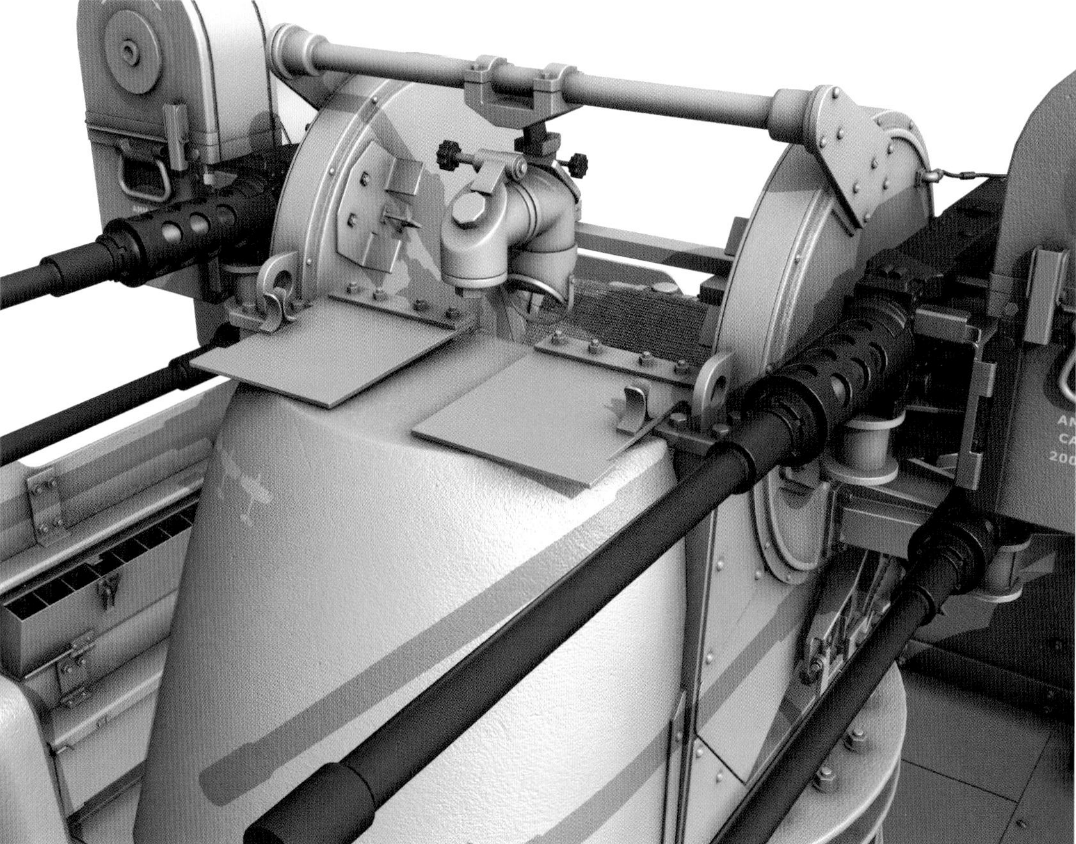

▶ W wieżyczce Multiple Cal. .50 Machine Gun Mount M45 dobrze widoczny celownik refleksyjny M 18 oraz uchylne płyty pancerne, chroniące głowę celowniczego wieżyczki. W niektórych pojazdach M16 stosowano celownik Mk IX.

▶ *The Multiple Cal.50 Machine Gun Mount M45 used a M18 reflex sight and additional armour plates protecting the gunner's head. In some M16 vehicles the Mk IX sight was used.*

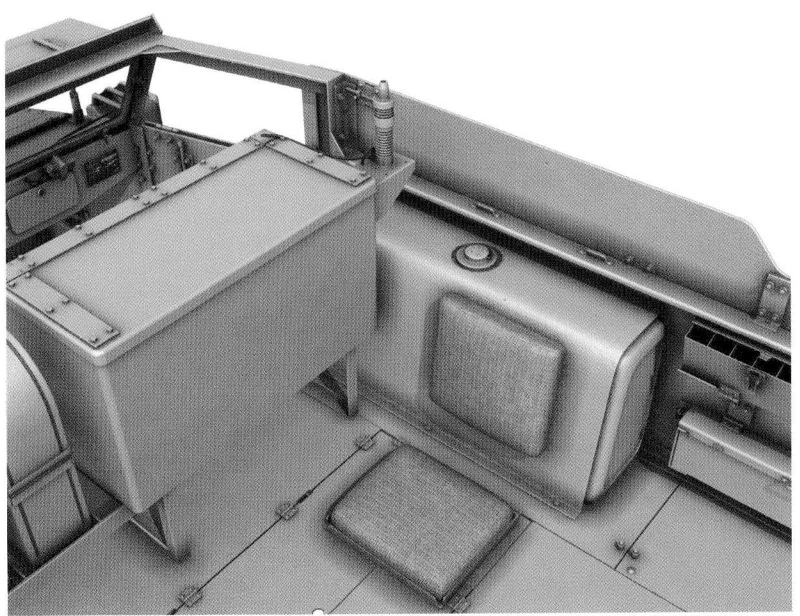

◀ Prawe, przednie naroże przedziału bojowego Half – Tracka. Doskonale widoczne siedzenie dla jednego z dwóch ładowniczych karabinów maszynowych, skrzynia z radiostacją obsługiwaną z wnętrza kabiny kierowcy oraz prawy zbiornik paliwa pojemności 114 litrów (30 galonów). Ten pojazd posiadał dwa zbiorniki, które zapewniały mu maksymalny zasięg 320 km (200 mil).

◀ *Front right corner of the Half-Track's crew compartment. The seat for one of the two loaders, the radio transceiver box operated from inside the driver compartment and the right-hand fuel tank containing 114 litres (30 gallons) of fuel. The vehicle had two fuel tanks which gave it a maximum range of 320 km (200 miles).*

Rysował
Artwork by
Mariusz Motyka

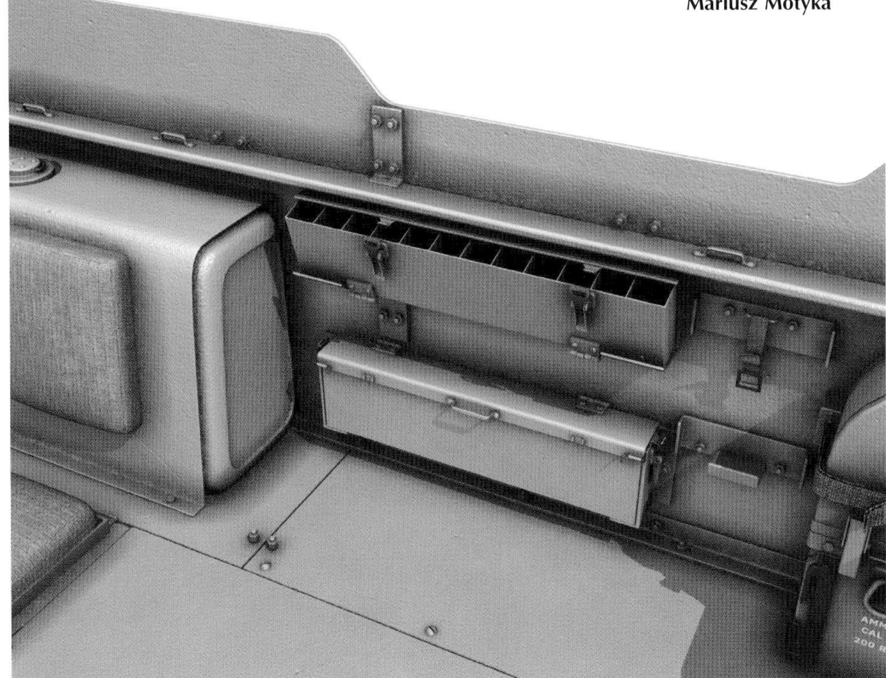

▶ Środkowa część przedziału bojowego Half – Tracka M16. Doskonale widoczne schowki i zaczepy na dodatkowy sprzęt i części zapasowe do wieżyczki strzelniczej M45. Dla przejrzystości wieżyczkę i jej mocowanie pominięto.

▶ *Middle part of the Half-Track M16 interior. Note the lockers and attachment points for additional equipment and spare parts for the M45 gun turret. For more clarity the gun turret and turret mount were omitted.*

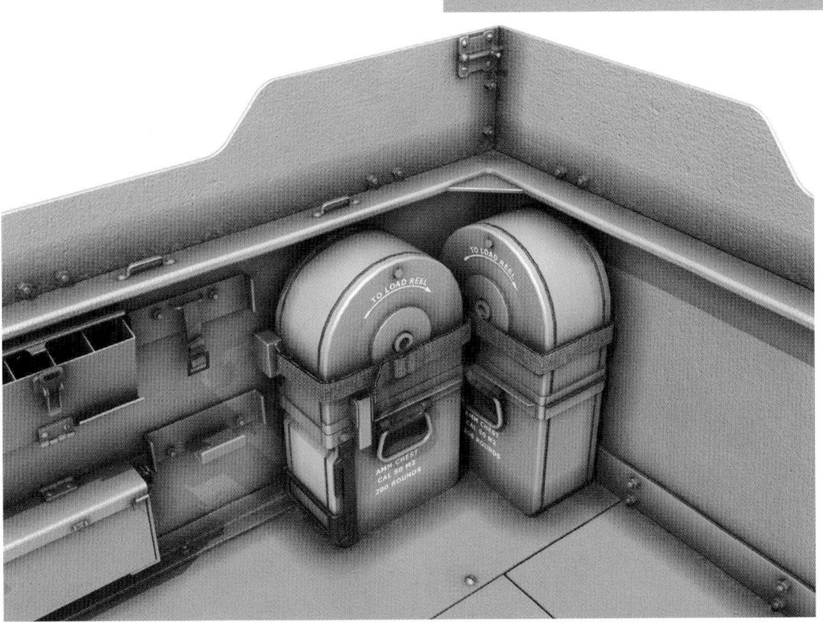

◀ Tylna część przedziału bojowego, prawe naroże. Uwagę zwracają skrzynki amunicyjne do wielkokalibrowych karabinów maszynowych Browning M2HB TT kalibru 12,7 mm (0,50). Amunicja była dosłownie "upychana" w każdą wolną przestrzeń w pojeździe, gdyż przy szybkostrzelności dochodzącej do 2300 strz./min dla czterech karabinów, zapas 5000 sztuk naboi nie wystarczał na zbyt długi okres czasu, przy intensywnym prowadzeniu ognia. Dla przejrzystości wieżyczkę i jej mocowanie pominięto.

◀ *Rear part of the crew compartment, right corner. Note the ammunition boxes for the Browning M2HB TT 12.7 mm (0.50) heavy machine guns. The ammunition was literally "stuffed" into every possible space because at the combined rate of fire of the four machineguns reaching 2300 rounds per minute the standard 5000 rounds supply of ammunition did not last very long. For more clarity the gun turret and turret mount were omitted.*

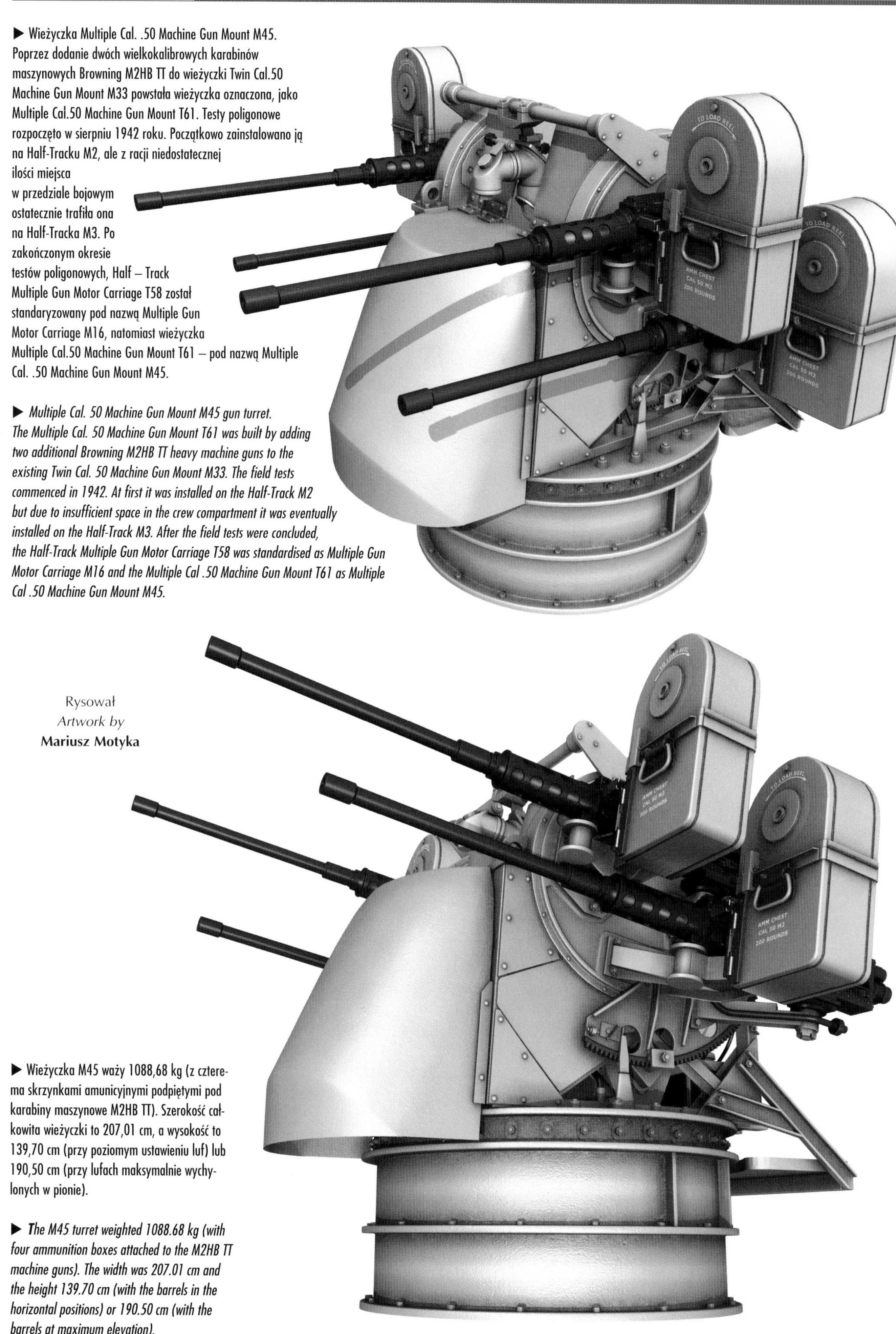

▶ Wieżyczka Multiple Cal. .50 Machine Gun Mount M45. Poprzez dodanie dwóch wielkokalibrowych karabinów maszynowych Browning M2HB TT do wieżyczki Twin Cal.50 Machine Gun Mount M33 powstała wieżyczka oznaczona, jako Multiple Cal.50 Machine Gun Mount T61. Testy poligonowe rozpoczęto w sierpniu 1942 roku. Początkowo zainstalowano ją na Half-Tracku M2, ale z racji niedostatecznej ilości miejsca w przedziale bojowym ostatecznie trafiła ona na Half-Tracka M3. Po zakończonym okresie testów poligonowych, Half – Track Multiple Gun Motor Carriage T58 został standaryzowany pod nazwą Multiple Gun Motor Carriage M16, natomiast wieżyczka Multiple Cal.50 Machine Gun Mount T61 – pod nazwą Multiple Cal. .50 Machine Gun Mount M45.

▶ *Multiple Cal. 50 Machine Gun Mount M45 gun turret. The Multiple Cal. 50 Machine Gun Mount T61 was built by adding two additional Browning M2HB TT heavy machine guns to the existing Twin Cal. 50 Machine Gun Mount M33. The field tests commenced in 1942. At first it was installed on the Half-Track M2 but due to insufficient space in the crew compartment it was eventually installed on the Half-Track M3. After the field tests were concluded, the Half-Track Multiple Gun Motor Carriage T58 was standardised as Multiple Gun Motor Carriage M16 and the Multiple Cal .50 Machine Gun Mount T61 as Multiple Cal .50 Machine Gun Mount M45.*

Rysował
Artwork by
Mariusz Motyka

▶ Wieżyczka M45 waży 1088,68 kg (z czterema skrzynkami amunicyjnymi podpiętymi pod karabiny maszynowe M2HB TT). Szerokość całkowita wieżyczki to 207,01 cm, a wysokość to 139,70 cm (przy poziomym ustawieniu luf) lub 190,50 cm (przy lufach maksymalnie wychylonych w pionie).

▶ *The M45 turret weighted 1088.68 kg (with four ammunition boxes attached to the M2HB TT machine guns). The width was 207.01 cm and the height 139.70 cm (with the barrels in the horizontal positions) or 190.50 cm (with the barrels at maximum elevation).*

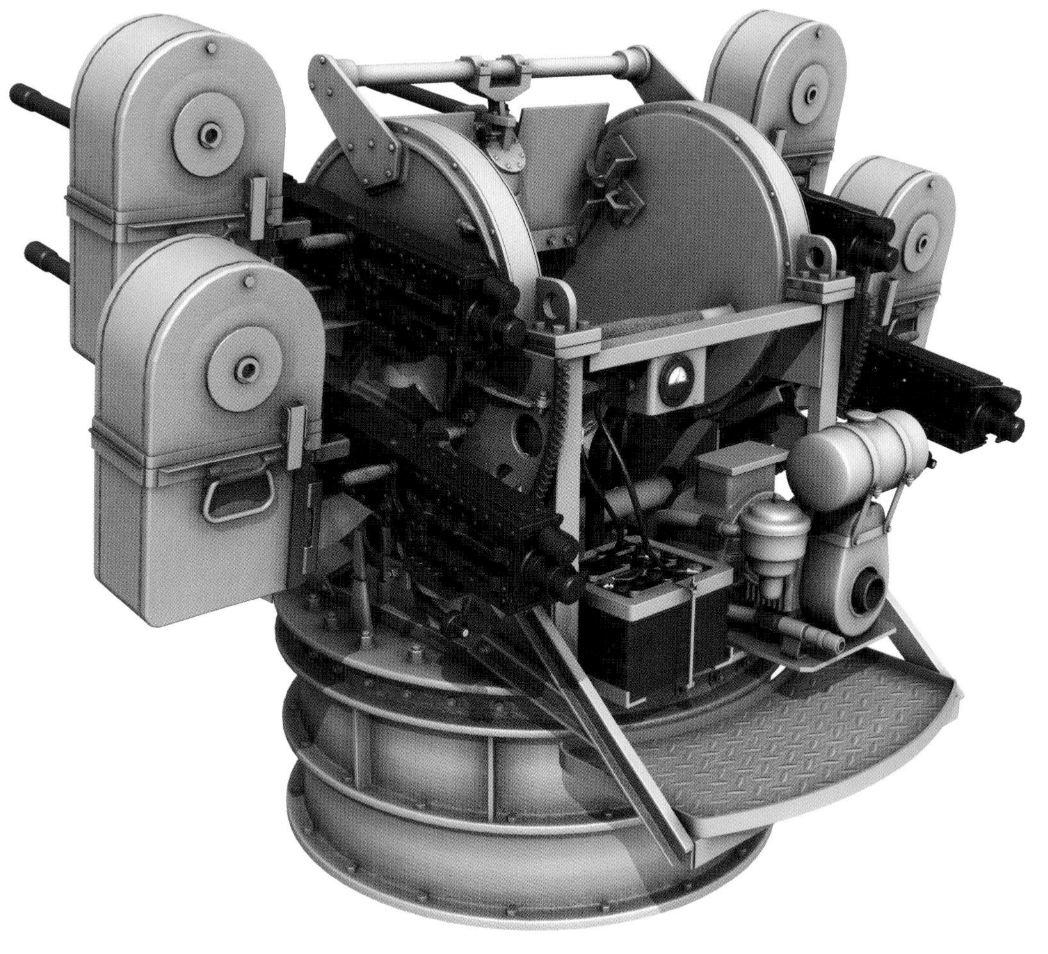

◀ Dobrze widoczne dwa akumulatory ołowiowo-kwasowe (4H), każdy akumulator 3-ogniwowy, 23 elektrody na jedno ogniwo; minimalna pojemność 150 Ah, zasilające silnik elektryczny odpowiedzialny za poruszanie wieżyczki. Uwagę zwracają potężne skrzynki amunicyjne M2.

◀ *The two lead-acid accumulators (4H) each with 3 storage cells with 23 electrodes per cell, and a minimum capacity of 150 Ah, powered the electric motor driving the turret. Note the large M2 ammunition boxes.*

Rysował
Artwork by
Mariusz Motyka

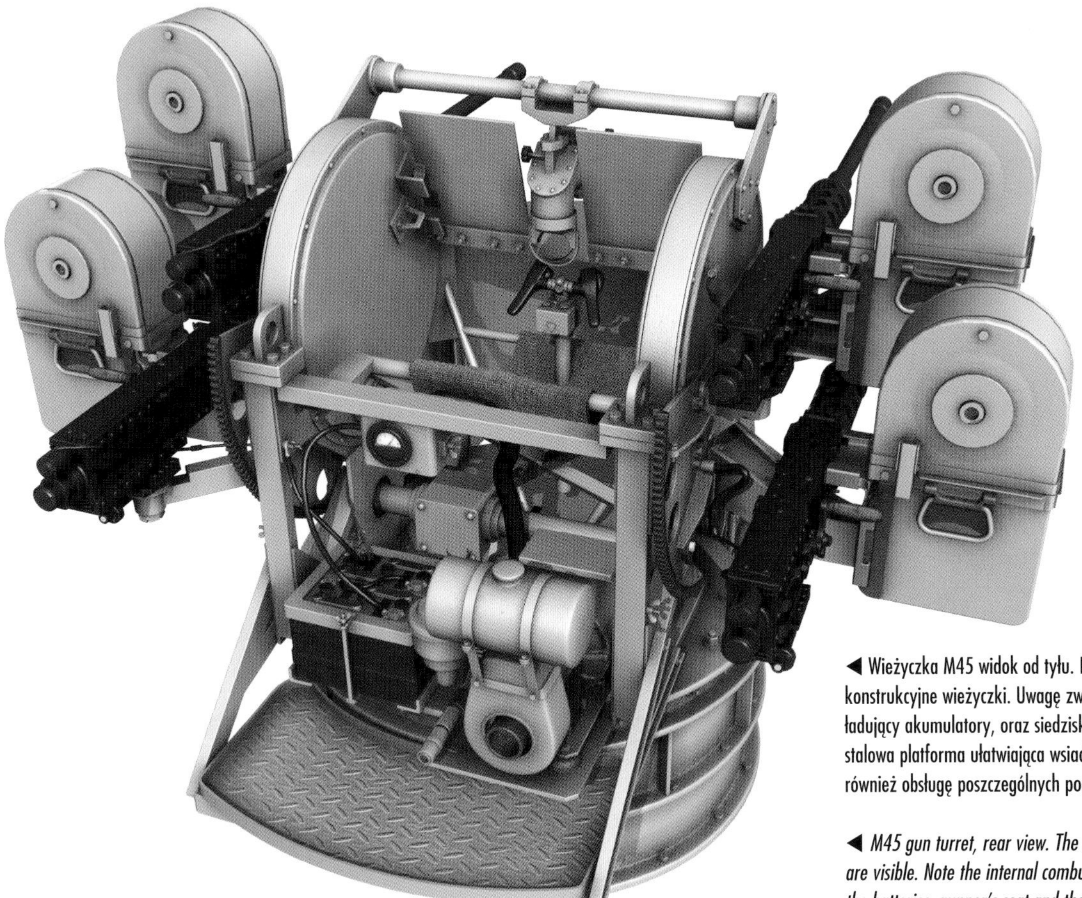

◀ Wieżyczka M45 widok od tyłu. Bardzo dobrze widoczne szczegóły konstrukcyjne wieżyczki. Uwagę zwraca silnik spalinowy/ generator ładujący akumulatory, oraz siedzisko celowniczego wieżyczki oraz stalowa platforma ułatwiająca wsiadanie i wysiadanie z wieżyczki jak również obsługę poszczególnych podzespołów wieżyczki.

◀ *M45 gun turret, rear view. The construction details of the turret are visible. Note the internal combustion engine / generator charging the batteries, gunner's seat and the steel platform facilitating entering the turret and its maintenance.*

▶ Cztery wielkokalibrowe karabiny maszynowe M2HB TT kalibru 12,7 mm, zapewniały Half-Trackowi potężną siłę ognia, dzięki szybkostrzelności. Jeden karabin strzela z szybkością 450 do 575 strz./min co przy czterech karabinach maszynowych daje szybkostrzelność 1800-2300 strz./min. Bardzo dobrze widoczne solenoidy, znajdujące się na tylnej ścianie komory zamkowej, odpowiedzialne za elektryczne odpalanie karabinów. Pierwsze przeładowanie karabinów, po wymianie skrzynki amunicyjnej odbywało się ręcznie i odpowiedzialni za nie byli ładowniczy, prawy i lewy.

▶ The four M2HB TT 12.7 mm heavy machine guns provided great firepower using their rate of fire – if one machine gun has a rate of fire of 450-575 rounds per minute then four machine guns have the rate of fire of 1800 – 2300 rounds per minute. Note the solenoids installed in the rear part of the machine gun breech casings responsible for firing the weapons. After exchanging the ammunition box thus reloading the gun, the bolt must be released manually which was the responsibility of the left and right loaders.

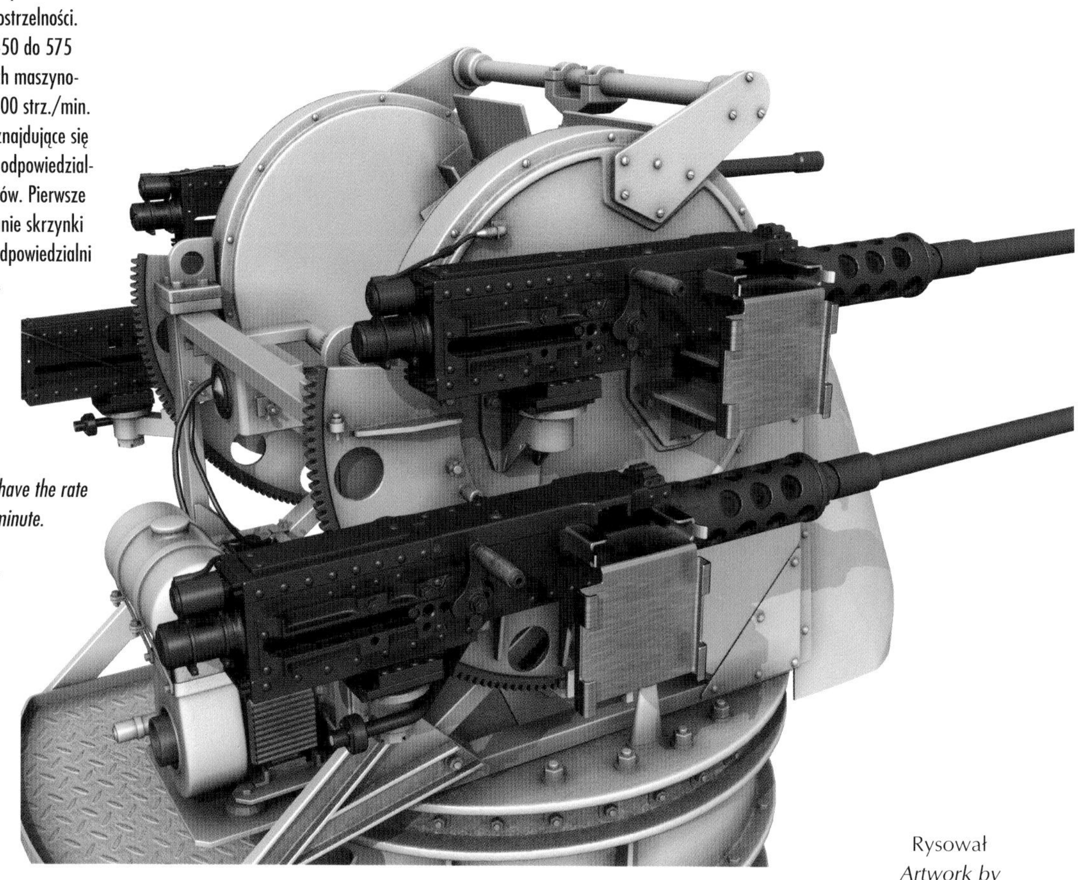

Rysował
Artwork by
Mariusz Motyka

▶ Wieżyczka M45 widok z prawej strony. Uwagę zwracają potężne zaczepy pod skrzynki amunicyjne M2. Ponadto na karabiny założone uchwyty ułatwiające szybką wymianę przegrzanej lufy.

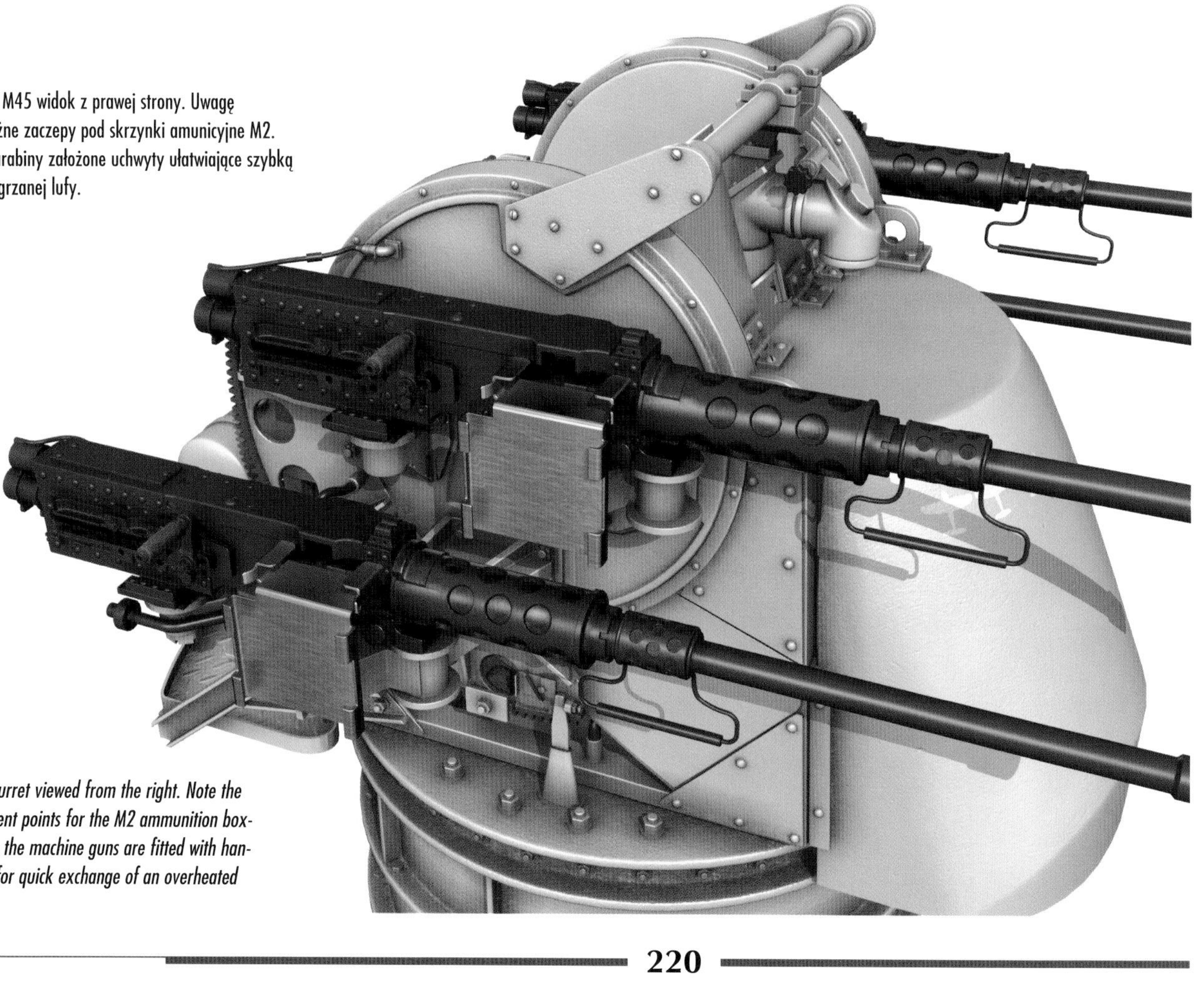

▶ M45 gun turret viewed from the right. Note the large attachment points for the M2 ammunition boxes. In addition the machine guns are fitted with handles allowing for quick exchange of an overheated barrel.

◀ Wieżyczka M45 widok z lewej strony od dołu. Doskonale widoczne elementy mechaniczne odpowiedzialne za naprowadzanie karabinów na cel w pionie. Karabiny są naprowadzane w płaszczyźnie poziomej w zakresie 360°, kąt podniesienia luf wynosi od -10° do +90°. Elektryczny napęd wieżyczki zapewnia prędkość obracania wieżyczki w poziomie z prędkością 60°/s i podnoszenie luf z prędkością 60°/s. Mechanizmy odpowiedzialne za unoszenie luf i obracanie wieżyczki posiadały specjalne elektryczne przerywacze, których zadaniem było przerwanie ognia, gdyby strzelec wycelował karabiny zbyt blisko kabiny kierowcy Half-Tracka.

◀ *M45 turret, bottom left view. The mechanical elements responsible for elevating the guns are visible. The machine guns can traverse a full 360° and have an angle of elevation between -10° and +90°. Thanks to the electrical drive the turret rotated at the speed of 60°/s and the guns elevated at 60°/s. The gun elevating and rotating mechanisms had special electric circuit breakers which were supposed to prevent the guns from firing too close to the driver compartment.*

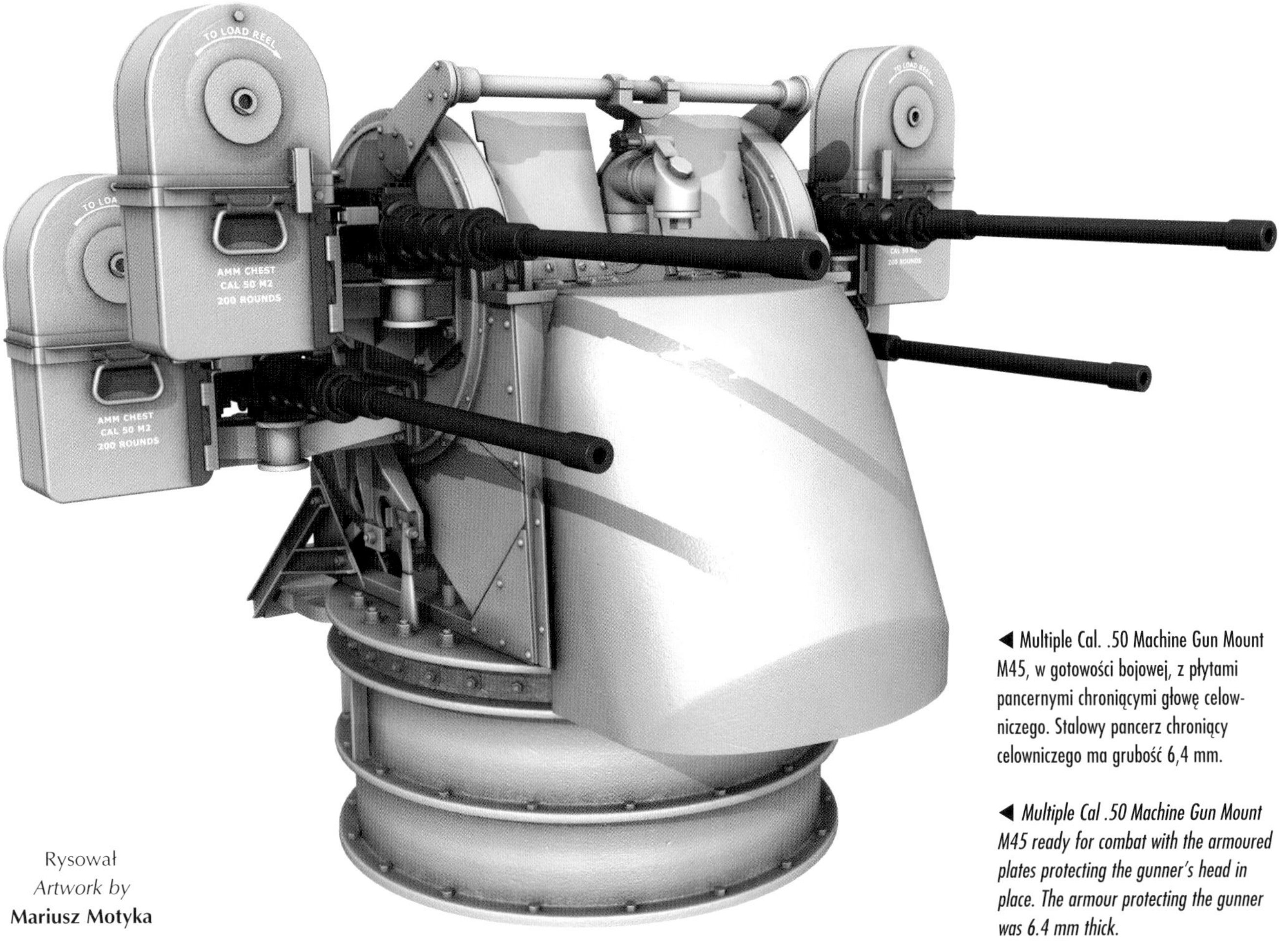

◀ Multiple Cal. .50 Machine Gun Mount M45, w gotowości bojowej, z płytami pancernymi chroniącymi głowę celowniczego. Stalowy pancerz chroniący celowniczego ma grubość 6,4 mm.

◀ *Multiple Cal .50 Machine Gun Mount M45 ready for combat with the armoured plates protecting the gunner's head in place. The armour protecting the gunner was 6.4 mm thick.*

Rysował
Artwork by
Mariusz Motyka

▶ Skrzynki amunicyjne M2 na amunicję kalibru 12,7 mm, zasilającą wielkokalibrowe karabiny maszynowe Browning M2HB TT. Każda skrzynka mieści 200 naboi. Half – Track M16 przewoził łącznie 5000 sztuk amunicji – dziesięć 200-nabojowych skrzynek M2 oraz piętnaście 200-nabojowych taśm z amunicją. Uwagę zwraca demontowana korba w prawej skrzynce amunicyjnej, ułatwiającą ładowanie skrzynek.

▶ *M2 ammunition boxes supplying 12.7 mm ammunition to the Browning M2HB TT heavy machine guns. Each box contained 200 rounds. The Half-Track M16 carried 5000 rounds altogether – ten M2 ammunition boxes containing 200 rounds each and fifteen ammunition belts containing 200 rounds each. Note the detachable crank on the right ammunition box, it allowed for easier loading of ammunition boxes.*

Rysował
Artwork by
Mariusz Motyka

▼ Podstawowe narzędzia pionierskie, które znajdowały się na wyposażeniu Half – Tracka Multiple Gun Motor Carriage M16: Dodatkowy zbiornik paliwa o pojemności 19 litrów (5 galonów) (Half-Track posiadał fabrycznie dwa dodatkowe kanistry na paliwo), kilof, stalowa lina holownicza, łopata, siekiera, wiadro aluminiowe, piła do drewna.

▼ *Basic pioneer tools used on the Half-Track Multiple Gun Motor Carriage M16: additional 19 litre (5 gallons) fuel tank (the Half-Track was equipped with two additional jerrycans), pickaxe, steel cable for towing, shovel, axe, aluminium bucket and a saw.*

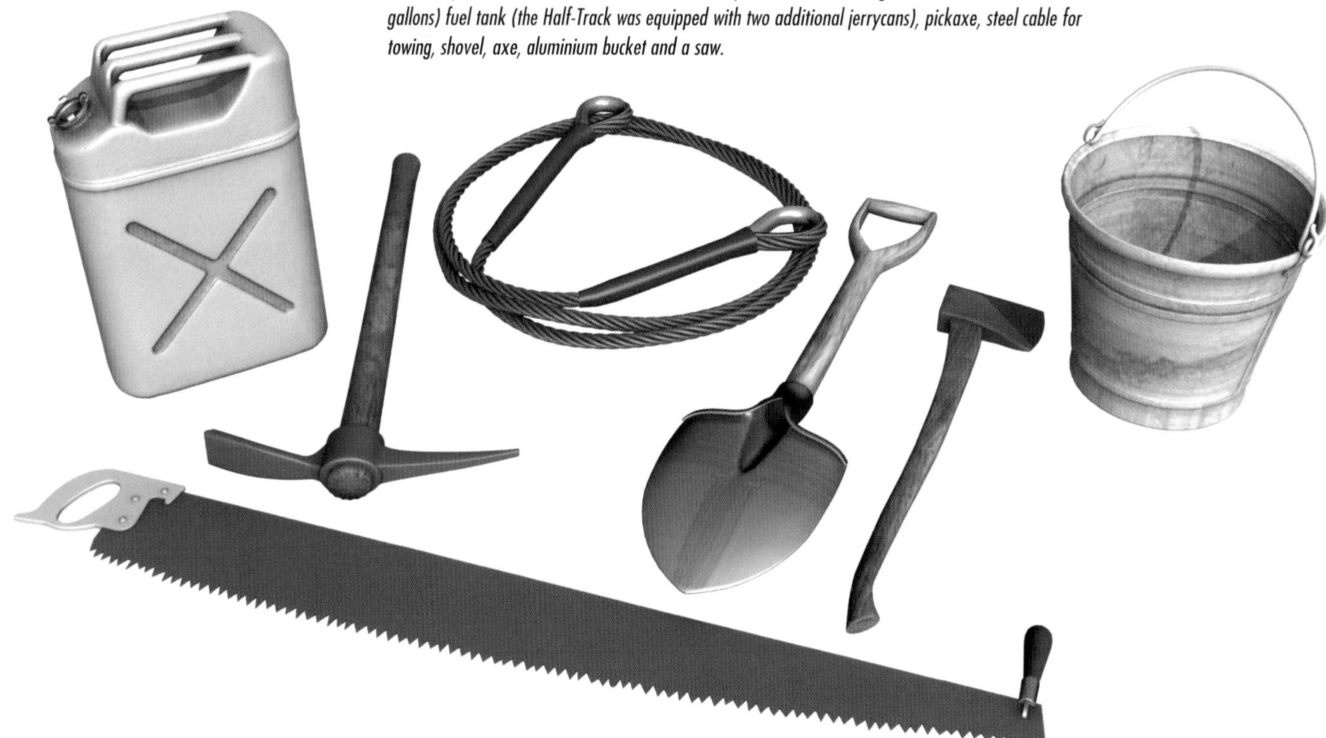

Rysował
Artwork by
Mariusz Motyka

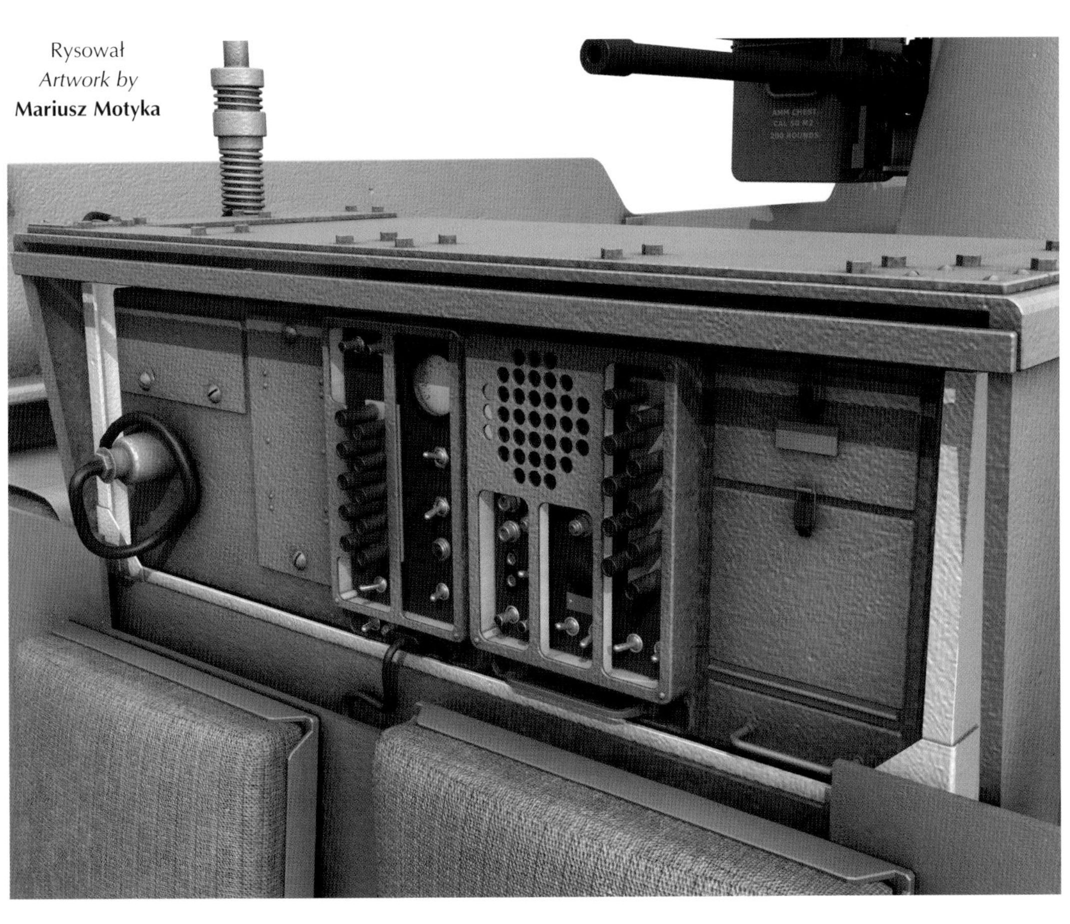

◀ Zestaw radiostacji SCR – 528, który był instalowany w większości pojazdów opancerzonych US Army podczas II Wojny Światowej. Zasięg tej radiostacji to 16 km (10 mil).

◀ *The SCR-528 radio transceiver was installed in almost every US Army armoured vehicle during the Second World War. It had a range of 16 km (10 miles).*

▼ Zestaw radiostacji SCR – 528 składa się z nadajnika BC-604 (z lewej strony) oraz odbiornika BC – 603 (z prawej strony). Ten zestaw radiostacji nadawał i odbierał w paśmie FM, tylko komunikaty głosowe, nie można było używać kodu Morse'a. Uwagę zwracają trzy sylwetki samolotów namalowane na płycie pancernej wieżyczki M45, oznaczające trzy strącone maszyny wroga.

▼ *The SCR-528 radio transceiver consisted of the BC-604 transmitter (on the left) and the BC-603 receiver (on the right). The transceiver worked in the FM band and transmitted only voice signals (Morse code could not be used). Note the three aircraft silhouettes painted on the M45 turret armour plate denoting three enemy aircraft shot down.*

◄▲ Szeregowy pozujący do zdjęć na poligonie Armored Force School zlokalizowanej w Fort Knox w stanie Kentucky. W tle Half-Track M3, wersja wczesno produkcyjna. / NARA

◄▲ *A Private posing in the Armored Force School training area in Fort Knox, Kentucky. In the background an early production Half-Track M3.* / NARA

► Kolejne pozowane zdjęcie, którego tłem jest Half-Track M3. Uwagę zwraca karabin maszynowy Browning M1917A1 kalibru 7,62 mm. Widoczny wąż doprowadzający wodę do chłodnicy lufy. / NARA

► *Another posed photograph with a Half-Track M3 used as background. Note the Browning M1917A1 7.62 mm machine gun. The water hose connected to the barrel radiator is visible.* / NARA

▼ Powojenne zdjęcie przedstawiające Half-Tracka T48 (SU–57). Po zakończeniu działań wojennych, na stanie Wojska Polskiego pozostało 5 sztuk tych pojazdów. W związku z reorganizacją wojska, wszystkie pojazdy SU–57 przekazano Korpusowi Bezpieczeństwa Wewnętrznego. Z niektórych pojazdów zdemontowano armaty i służyły jako opancerzone transportery piechoty. SU–57 zostały ostatecznie wycofane ze służby w końcu lat pięćdziesiątych. Uwagę zwracają przednie, niestandardowe lampy, zainstalowane w miejscu lamp demontowanych. / Sławomir Handke

▼ *Half-Track T48 (SU–57) in a post-war photograph. After the war the Polish Armed Forces had 5 of these vehicles. Following the reorganisation of the armed forces all were transferred to the Internal Security Corps (Korpus Bezpieczeństwa Wewnętrznego). Some of the vehicles had their guns dismantled and were used as armoured personnel carriers. The SU–57 was finally withdrawn from service in the 1950s. Note the replacement headlights used instead of the standard detachable headlights.* / Sławomir Handke

◀◣ Half-Track Gun Motor Carriage T 48 57 mm (SU–57). Kąt podniesienia lufy wynosi od -5° do + 15°, natomiast w poziomie, lufa była nastawna w zakresie 27,5° w prawo i lewo. Zapas amunicji przewożonej w pojeździe wynosił 99 pocisków przeciwpancernych kalibru 57 mm. Po za uzbrojeniem załogi pojazd nie posiadał defensywnego uzbrojenia. / Sławomir Handke

◤◣ *Half-Track Gun Motor Carriage T48 57 mm (SU–57). The angle of elevation of the gun was -5° to + 15°, while the horizontal traverse was 27.5° to the left and to the right. The vehicle carried 99 57 mm armour piercing shells. No defensive weapons apart from the crew's individual weapons were carried. / Sławomir Handke*

Zdjęcia na tej stronie:
Trzy zdjęcia przedstawiające pojazd przed renowacją, w trakcie oraz po zakończeniu remontu. Uwagę zwraca potężny nakład prac włożony w odbudowę pojazdu oraz dbałość o szczegóły. / Sławomir Handke

This page:
The three photographs show the vehicle before, during and after restoration. Note the extensive amount of work and great attention to detail which were necessary to restore the vehicle. / Sławomir Handke

▲▼ Dwa z czterech ocalałych SU–57 znajdujących się w Polsce. Egzemplarz z lewej strony należy do zbioru Muzeum Oręża Polskiego w Kołobrzegu, natomiast egzemplarz z prawej strony stanowi własność Pana Sławomira Handke. Do chwili obecnej przetrwały cztery pojazdy SU–57. Oprócz dwóch wyżej wspomnianych pojazdów, trzeci egzemplarz znajduje się w Muzeum Wojska polskiego w Warszawie, natomiast czwarty w zbiorach Pana Handke i przechodzi obecnie kompletną renowację. / Sławomir Handke

▲▼ Two of the four SU–57 vehicles surviving in Poland. The vehicle on the left belongs to the Polish Armament Museum (Muzeum Oręża Polskiego) in Kołobrzeg while the vehicle on the right belongs to Mr. Sławomir Handke. Four SU–57 vehicles survive until this day. Apart from the aforementioned vehicles a third one can be found in the Polish Armed Forces Museum (Muzeum Wojska Polskiego) in Warsaw while the fourth belongs to Mr. Handke and is currently being restored. / Sławomir Handke

Na tej stronie:
SU–57 podczas imprezy historycznej Strefa Militarna, wraz z członkami Stowarzyszenia Trójmiejska Grupa Rekonstrukcji Historycznych, odtwarzającymi w czasie jej trwania żołnierzy 1 Dywizji Piechoty im. Tadeusza Kościuszki. Na uwagę zasługują detale umundurowania, wyposażenia jak również przedmioty użytku codziennego z epoki, prezentowane przez członków Stowarzyszenia TGRH oraz z roku na rok doposażany pojazd SU–57.
/ www.greenmenclan.com

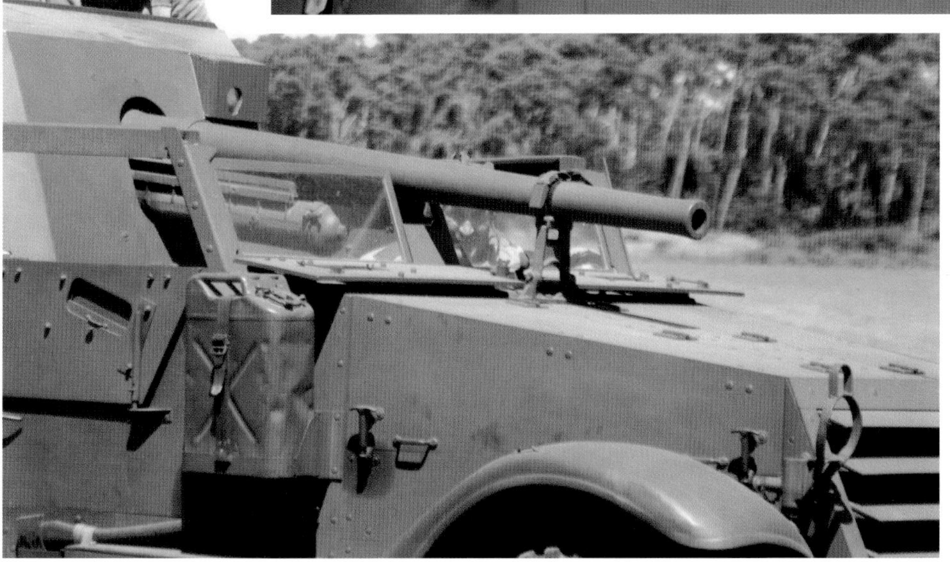

This page:
SU–57 during the Strefa Militarna event together with the members of the Tricity Historical Reenactment Society acting as soldiers of the 1st Tadeusz Kościuszko Infantry Division. Note the uniform and equipment details as well as everyday items from the period presented by the members of the Society and the constantly improved SU–57.
/ www.greenmenclan.com

◤◣▲▼ SU–57 podczas imprezy historycznej Strefa Militarna, wraz z członkami Stowarzyszenia Trójmiejska Grupa Rekonstrukcji Historycznych, odtwarzającymi w czasie jej trwania żołnierzy 1 Dywizji Piechoty im. Tadeusza Kościuszki. Na uwagę zasługują detale umundurowania, wyposażenia jak również przedmioty użytku codziennego z epoki, prezentowane przez członków Stowarzyszenia TGRH oraz z roku na rok doposażany pojazd SU–57. / www.greenmenclan.com

◤◣▲▼ SU–57 during the Strefa Militarna event together with the members of the Tricity Historical Reenactment Society acting as soldiers of the 1st Tadeusz Kościuszko Infantry Division. Note the uniform and equipment details as well as everyday items from the period presented by the members of the Society and the constantly improved SU–57. / www.greenmenclan.com

▲▼ SU-57 podczas imprezy historycznej Strefa Militarna, wraz z członkami Stowarzyszenia Trójmiejska Grupa Rekonstrukcji Historycznych, odtwarzającymi w czasie jej trwania żołnierzy 1. Dywizji Piechoty im. Tadeusza Kościuszki. Na uwagę zasługują detale umundurowania, wyposażenia jak również przedmioty użytku codziennego z epoki, prezentowane przez członków Stowarzyszenia TGRH oraz z roku na rok doposażany pojazd SU–57. / www.greenmenclan.com

▲▼ *SU–57 during the Strefa Militarna event together with the members of the Tricity Historical Reenactment Society acting as soldiers of the 1st Tadeusz Kościuszko Infantry Division. Note the uniform and equipment details as well as everyday items from the period presented by the members of the Society and the constantly improved SU–57. / www.greenmenclan.com*

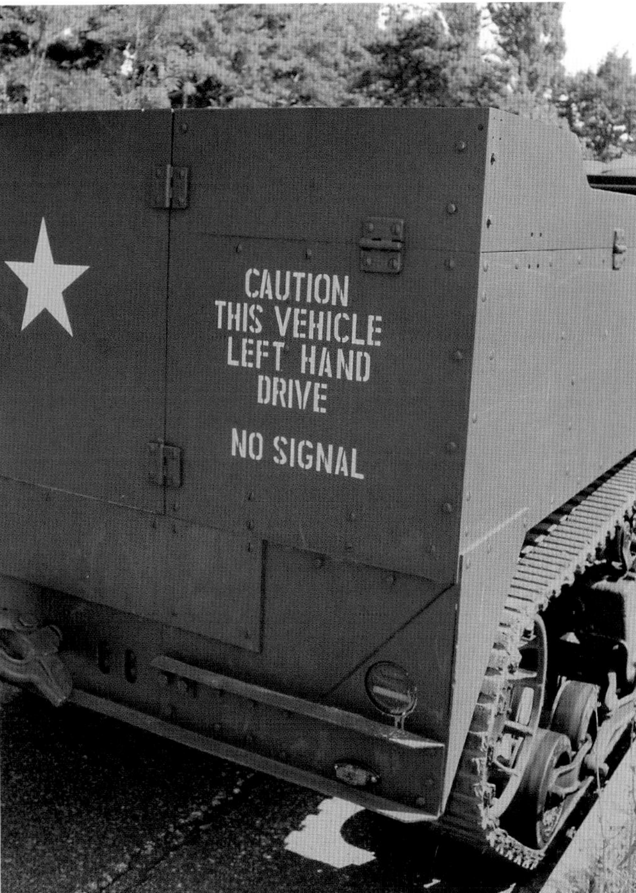

Na tej stronie:
Detale pojazdu Half-Track M3 Personnel Carrier, sfotografowanego podczas przygotowań do pokazów historycznych podczas imprezy „D-Day Hell 2009". / Mariusz Konarski

This page:
Details of Half-Track M3 Personnel Carrier, photographed during preparations for a historical reenactment event during the „D-Day Hell 2009" show. / Mariusz Konarski

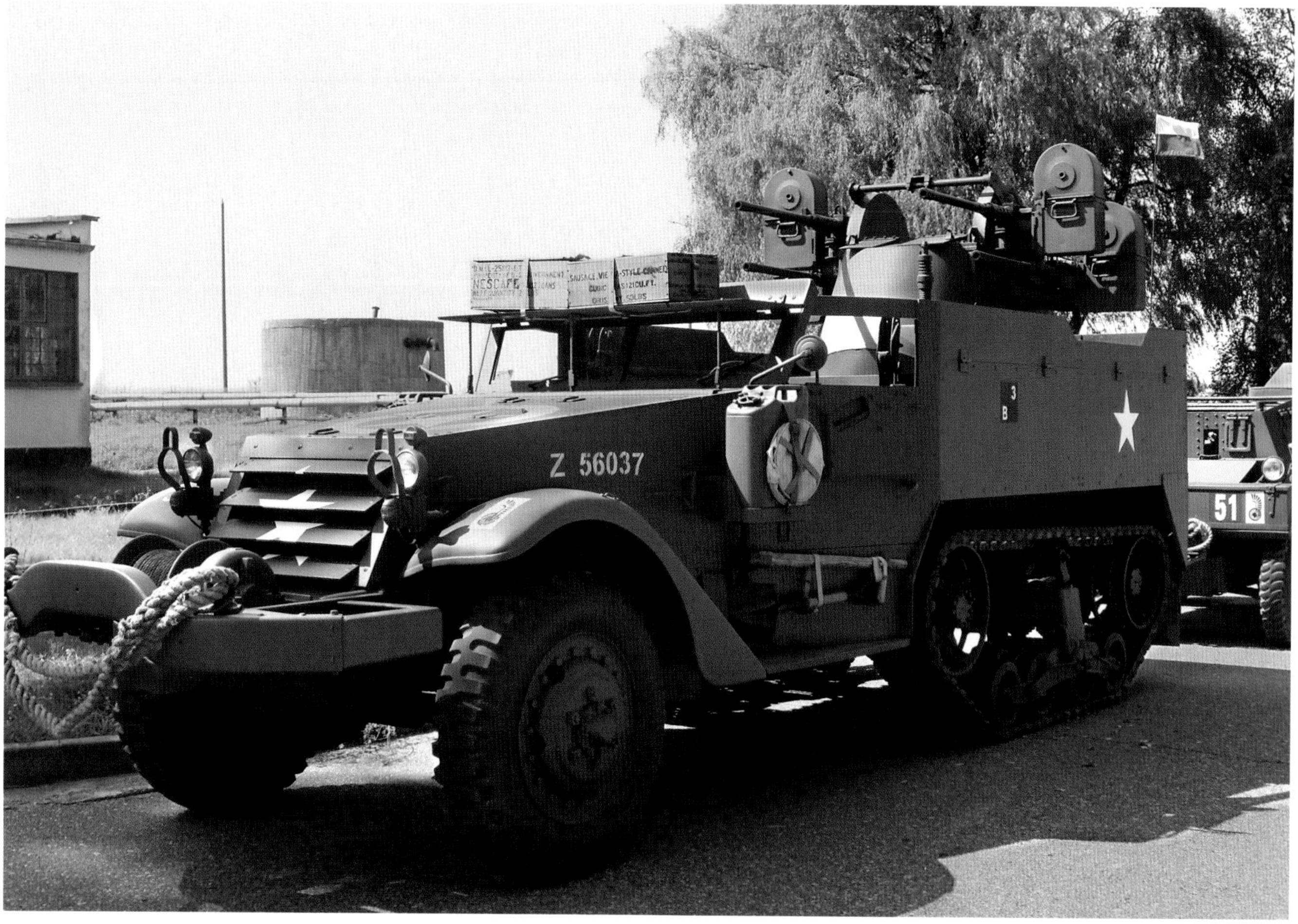

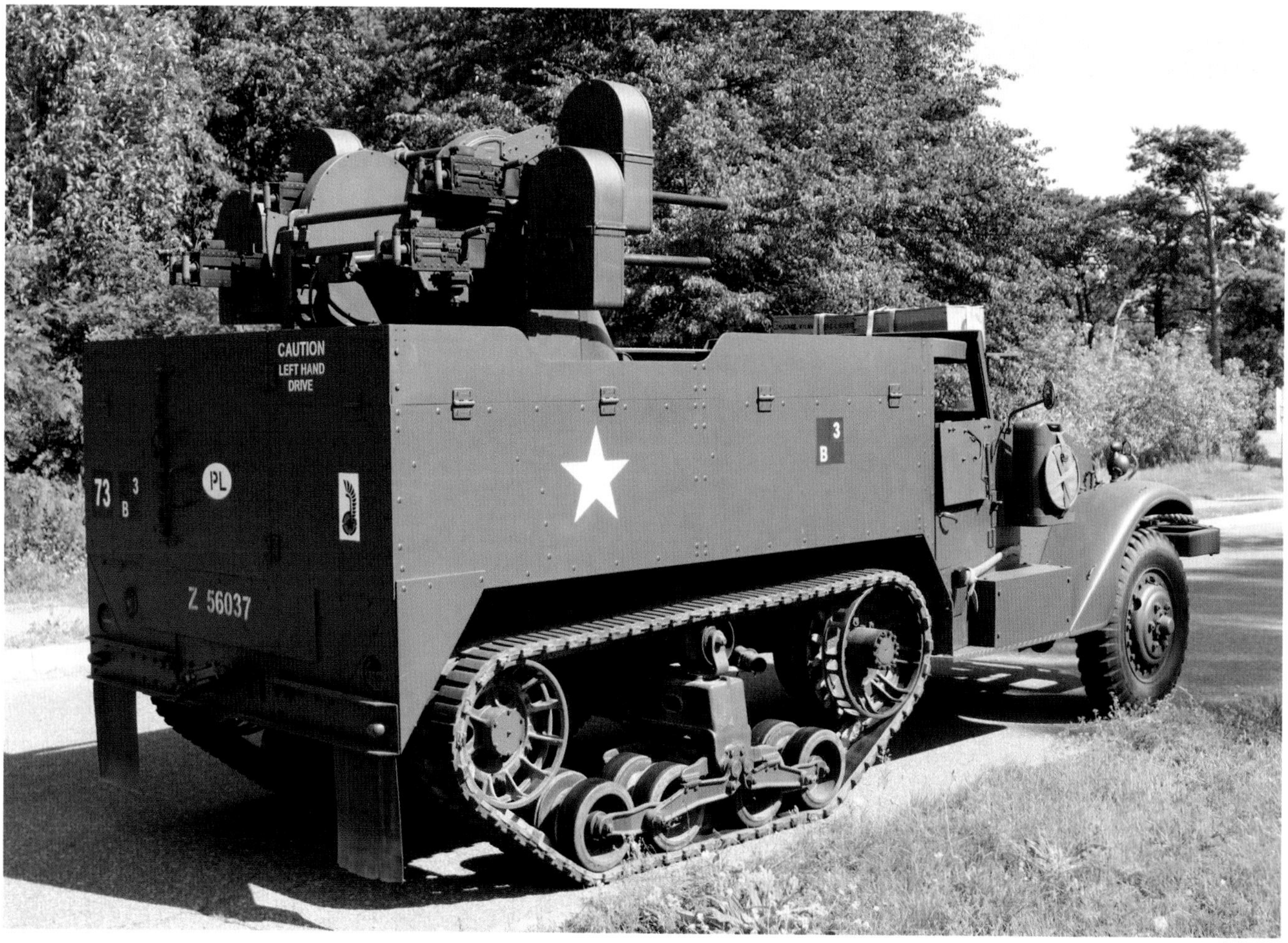

◀◣▲▶ Multiple Gun Motor Carriage M16 podczas przygotowań do pokazów historycznych podczas imprezy D-Day Hell 2009. / Mariusz Konarski

◣◤▲▶ *Multiple Gun Motor Carriage M16 during preparations for a historical reenactment event during the "D-Day Hell 2009" show. / Mariusz Konarski*

▲ Half-Track M3 Personnel Carrier, podczas przygotowań do pokazów historycznych podczas imprezy Thunder over Michigan. Pojazd o nazwie własnej Princess oraz numerze rejestracyjnym 40140719. Malowanie pojazdu oraz oznaczenie na prawej części przedniego zderzaka zdradzają przynależność do US 5th Armored Division. / Michał Szapowałow

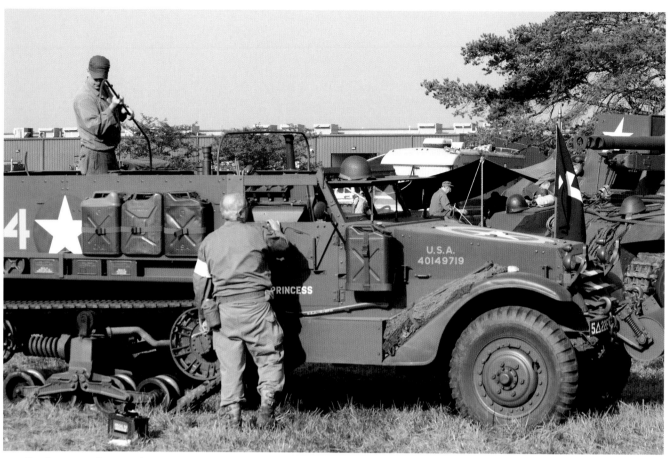

▲ *Half-Track M3 Personnel Carrier during preparations for a historical reenactment event during the "Thunder over Michigan" air show. The vehicle called Princess bears the registration number 40140719. The vehicle's camouflage and the markings on the right side of the front bumper denote that the vehicle belongs to the US 5th Armored Division. / Michał Szapowałow*

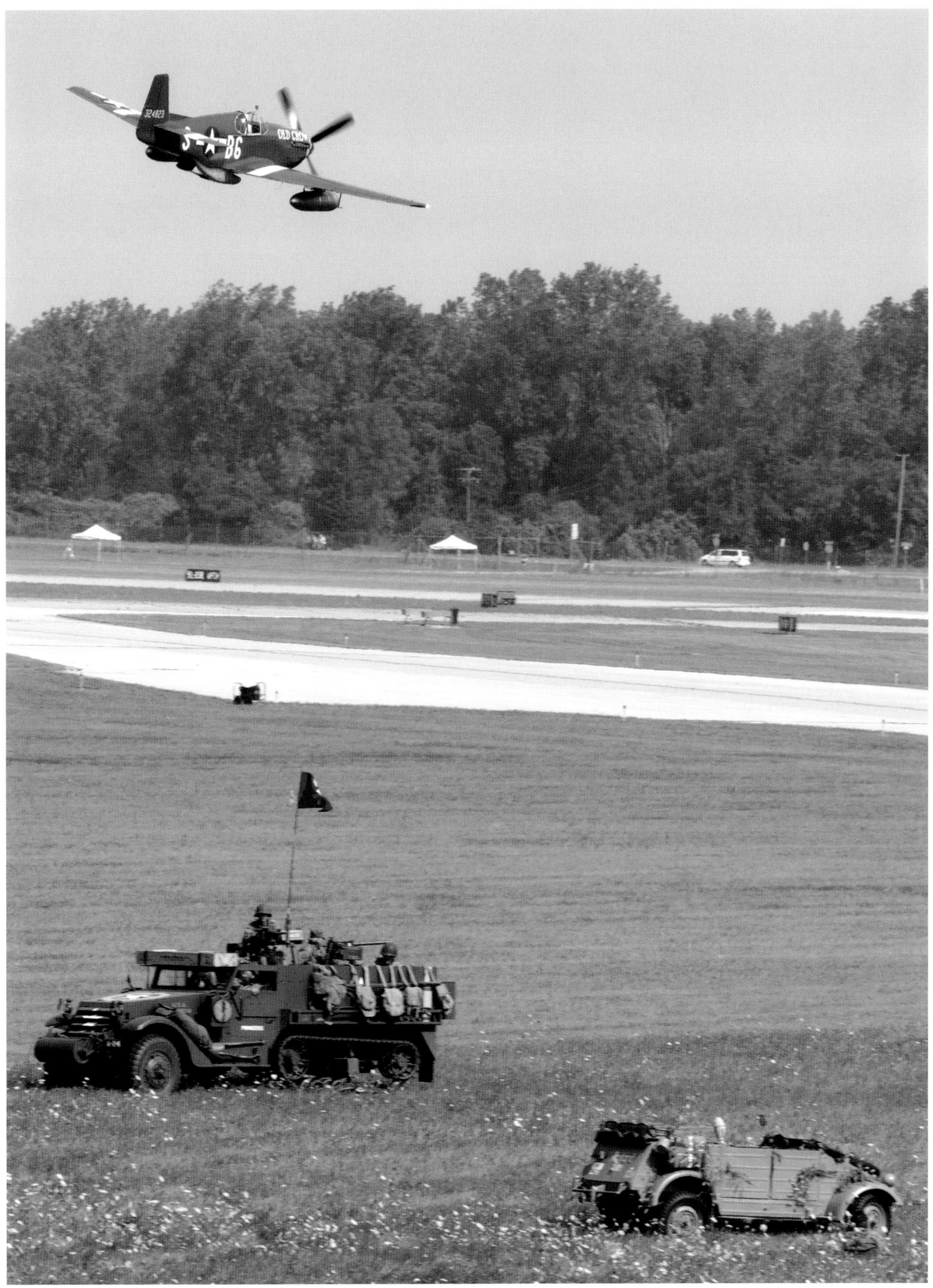

◄▲ Half-Tracki, podczas inscenizacji natarcia na niemieckie pozycje podczas rekonstrukcji historycznej "Thunder over Michigan. / Michał Szapowałow

◄▲ *Half-Tracks during reenactment of an assault on German emplacements during the "Thunder over Michigan" event. / Michał Szapowałow*

▲ Half-Track Car M2 na stałej wystawie w Panssarimuseo w miejscowości Parola w Finlandii. M2 Half-Track został zaprojektowany, jako ciągnik artyleryjski do holowania haubicy M1 kalibru 105mm. Na pokład zabierał dziesięciu żołnierzy, trzech siedziało z przodu w kabinie kierowcy, a siedmiu z tyłu w przedziale transportowym. / Patryk Janda

▲ *Half-Track Car M2 on permanent display in Panssarimuseo in Parola, Finland. The M2 Half-Track was designed as an artillery tractor to tow the M1 105 mm howitzer. The vehicle could carry ten soldiers; three men were seated in the driver's compartment and seven in the crew compartment in the rear of the vehicle.* / Patryk Janda

▼ Zbliżenie na przedni zderzak wraz z zamontowaną mechaniczną wyciągarką. Uwagę zwracają demontowalne lampy późnego typu oraz kierunkowskazy, zamontowane po wojnie. / Patryk Janda

▼ *Close up of the front bumper with a mechanical winch installed. Note the detachable late-type headlights and turn indicators installed after the war.* / Patryk Janda

▲ Half-Track M2 prezentowany w Panssarimuseo jest w stanie niemalże fabrycznym. Doskonale widoczne detale i elementy konstrukcyjne przedniej części pojazdu. / Patryk Janda

▲ *The Half-Track M2 on display in Panssarimuseo is preserved in condition close to that in which it left the factory. The details and structure of the front part of the vehicle are visible. / Patryk Janda*

▶ Tylna, prawa część Half--Tracka, doskonale prezentująca elementy konstrukcyjne składanego brezentowego dachu oraz półkę na miny przeciwpancerne. Uwagę zwracają również drzwi prowadzące do przedziału bojowego pojazdu, seryjnie nie występujące w Half-Track Car M2. / Patryk Janda

▶ *Rear right part of the Half-Track. The structure of the folding canvas roof and the anti-tank mine rack are visible. Note the door leading inside the crew compartment which was not installed in standard Half-Track Car M2 vehicles. /Patryk Janda*

▲ Half-Track, widok z prawej strony; doskonale widoczna półka na miny przeciwpancerne oraz wózek gąsienicowy. / Patryk Janda

▲ *Half-Track, right view. The anti-tank mine rack and the track suspension system are visible.* / Patryk Janda

▼ Half-Track, widok z lewej strony; doskonale widoczny wózek gąsienicowy. / Patryk Janda

▼ *Half-Track, left side view. The track suspension system are visible.* / Patryk Janda